Por que nós dormimos

Por que nós dormimos

MATTHEW WALKER

TRADUÇÃO DE MARIA LUIZA X. DE A. BORGES

Copyright © 2017 by Matthew Walker
Todos os direitos reservados.

Esta obra contém as opiniões e ideias de seu autor, cujo objetivo é disponibilizar material informativo e útil sobre os temas tratados. Ela está sendo comercializada com o entendimento de que nem o autor nem a editora almejam prover aconselhamento médico e de saúde nem outro tipo de serviço profissional por meio do livro. O leitor deve consultar seu médico ou outro profissional da área de saúde antes de adotar quaisquer das sugestões presentes na obra ou tirar conclusões a partir delas. O autor e a editora se isentam especialmente de toda a responsabilidade por qualquer perda, risco ou dano pessoal ou de qualquer natureza advindos como consequência, direta ou indireta, do uso e aplicação de qualquer conteúdo desta obra.

TÍTULO ORIGINAL
Why We Sleep: Unlocking the Power of Sleep and Dreams

REVISÃO TÉCNICA
Sérgio Arthuro Mota Rolim — MD, Ph.D. (ICe, LNRB e HUOL-UFRN)

REVISÃO
Marina Góes
Juliana Pitanga

IMAGEM DE CAPA
Alkestida/Shutterstock

ADAPTAÇÃO DE CAPA
Aline Ribeiro | alineribeiro.pt

DIAGRAMAÇÃO
Julio Moreira | Equatorium Design

CIP-BRASIL. CATALOGAÇÃO-NA-FONTE
SINDICATO NACIONAL DOS EDITORES DE LIVROS, RJ

W178p

Walker, Matthew
    Por que nós dormimos : A nova ciência do sono e do sonho / Matthew Walker ; tradução Maria Luiza X. de A. Borges. - 1. ed. - Rio de Janeiro : Intrínseca, 2018.

    400 p. : il. ; 23 cm.
    Tradução de: Why We Sleep: Unlocking the Power of Sleep and Dreams
    Apêndice
    Inclui índice
    ISBN 978-85-510-0365-7

    1. Sono. 2. Sonhos. 3. Saúde. I. Borges, Maria Luiza X. de A. II. Título.

18-50555.   CDD: 613.79
                                            CDU: 613.79

[2018]
Todos os direitos desta edição reservados à
EDITORA INTRÍNSECA LTDA.
Av. das Américas, 500, bloco 12, sala 303
22640-904 – Barra da Tijuca
Rio de Janeiro – RJ
Tel./Fax: (21) 3206-7400
www.intrinseca.com.br

Para Dacher Keltner, por me inspirar a escrever

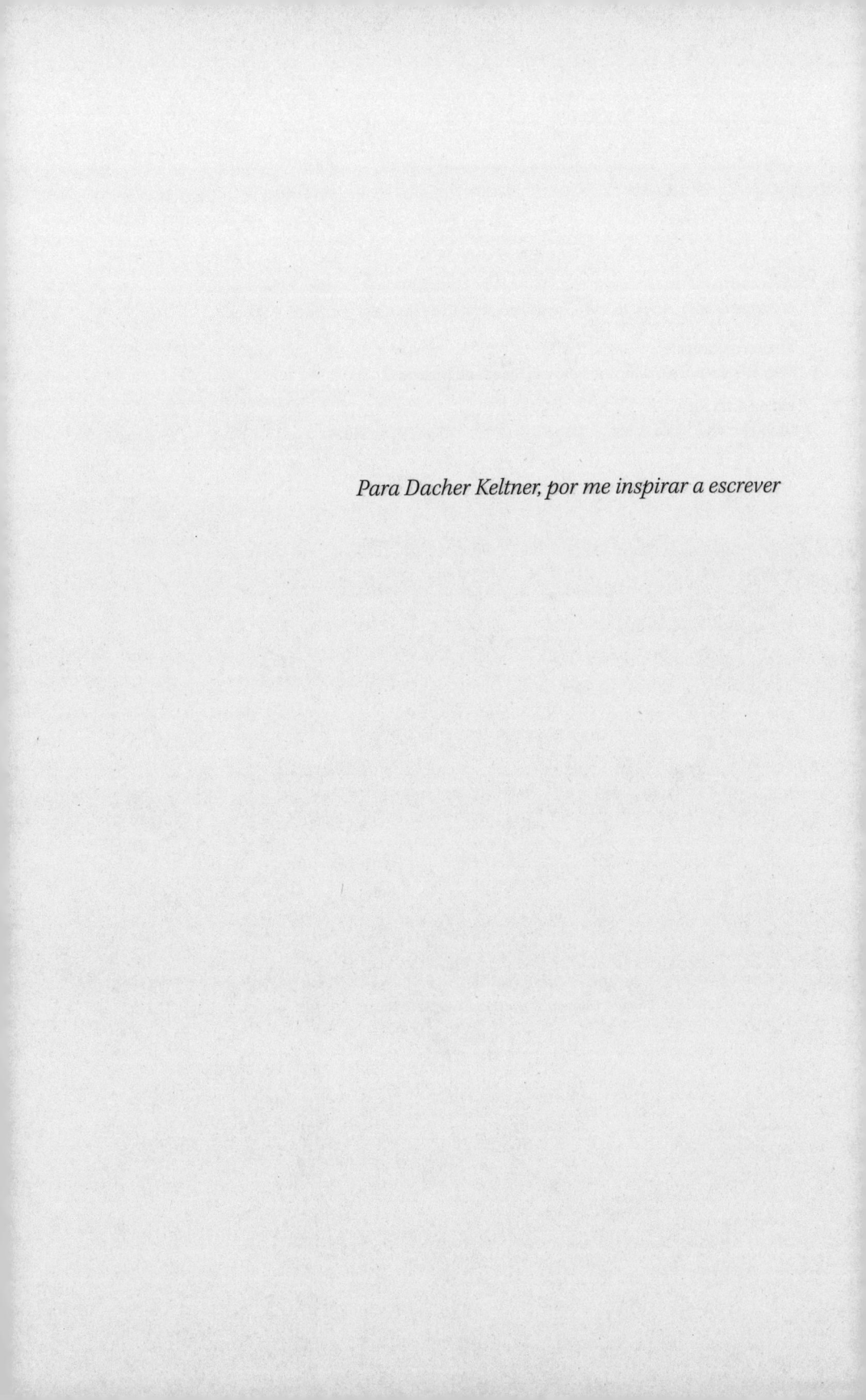

SUMÁRIO

Prefácio à edição brasileira — 9

– Parte 1 –
Essa coisa chamada sono

Capítulo 1   Dormir... — 15

Capítulo 2   Cafeína, *jet lag* e melatonina: Perda e ganho de controle sobre o ritmo de sono — 25

Capítulo 3   Definição e geração de sono: Dilatação do tempo e o que aprendemos com um bebê em 1952 — 51

Capítulo 4   Camas de antropoides, dinossauros e cochilo com metade do cérebro: Quem dorme, como e quanto dormimos? — 70

Capítulo 5   Mudanças no sono ao longo da vida — 93

– Parte 2 –
Por que você deveria dormir?

Capítulo 6   Sua mãe e Shakespeare sabiam: Os benefícios do sono para o cérebro — 123

Capítulo 7   Extremo demais para o *Guinness Book of World Records*: Privação do sono e o cérebro — 150

Capítulo 8   Câncer, ataque cardíaco e uma vida mais curta: Privação do sono e o corpo — 182

– Parte 3 –
Como e por que sonhamos

Capítulo 9   Rotineiramente psicótico: o sonho do sono REM   213

Capítulo 10   Sonhar como terapia noturna   226

Capítulo 11   Criatividade onírica e controle do sonho   239

– Parte 4 –
De comprimidos para dormir à sociedade transformada

Capítulo 12   Barulhos que nos assustam à noite:
Transtornos do sono e morte causada pela falta de sono   257

Capítulo 13   IPads, sinais de fábrica e álcool antes de se deitar:
O que está impedindo você de dormir?   285

Capítulo 14   Prejudicando e ajudando seu sono:
Comprimidos *versus* terapia   303

Capítulo 15   Sono e sociedade: Onde a medicina e o ensino estão errando;
onde o Google e a Nasa estão acertando   318

Capítulo 16   Uma nova visão para o sono no século XXI   347

Conclusão: Dormir ou não dormir   365

Apêndice: Doze sugestões para um sono saudável   367

Créditos das ilustrações   371

Agradecimentos   373

Índice   375

PREFÁCIO À EDIÇÃO BRASILEIRA

Depois da respiração, o sono é o comportamento mais característico de nossa existência. Nossa companhia mais segura e fiel ao longo de tantas noites de olhos fechados e sem consciência do mundo exterior. Com poucas exceções, a maioria das pessoas passa dormindo todas as noites da vida, desde o nascer até a morte. Tamanha familiaridade com o travesseiro nos dá certa compreensão intuitiva da complicada malha de fenômenos que se instalam quando enfim cedemos ao cansaço, fechamos os olhos e nos deixamos levar pela necessidade de adormecer. O sono é simplesmente irresistível. Sabemos que ele nos permite restaurar as energias e voltar renovados no dia seguinte, mas as razões pelas quais isso acontece — muitas delas descobertas nas últimas duas décadas — permanecem quase inteiramente ignoradas pelo grande público.

O livro que você tem em mãos, *Por que nós dormimos*, do neurocientista britânico Matthew Walker, é uma saborosa introdução a essa nova ciência do sono e dos sonhos. Além de ser um dos mais relevantes pesquisadores contemporâneos nesse campo, Walker tem grande talento para a comunicação acessível e desprovida de jargões. Parte de experiências cotidianas, como a insônia causada pela ingestão de café, para explicar os mecanismos neurais que governam o ritmo circadiano, a lenta metabolização da cafeína e os efeitos deletérios da perda de sono sobre o cérebro. A viagem até o mundo da fisiologia retorna para o âmbito social para concluir que nenhuma criança deve ter o hábito de tomar café ou energéticos.

Pouco depois, como se estivesse conversando despretensiosamente, fluido e livre de academicismos, Walker leva o leitor a compreender por que nenhum adulto deve tomar pílulas ou ingerir álcool para dormir. Em um Brasil que naturaliza a dependência de remédios "tarja preta" e que ainda glorifica o consumo de álcool, o argumento de Walker é francamente contra-hegemônico. Isso fica nítido na revisão histórica sobre a origem da consagração da privação de sono crônica nos programas de residência médica, uma praga social nascida no final do século XIX e globalmente disseminada até os dias de hoje, com terríveis consequências para a saúde dos médicos e de seus pacientes. Em grande parte do planeta a falta de sono dos médicos é fonte de sofrimento psíquico, desatenção e erros perfeitamente evitáveis.

Em tempos de Donald Trump na presidência dos Estados Unidos, também é contra-hegemônico o repúdio enfático que Walker faz do uso da privação de sono como técnica de tortura por agentes do Estado. A privação de sono não deixa marcas externas, mas é devastadora e desumana. No entanto, a denúncia explícita de nossa crise de insônia não tem nada de derrotista. Em prosa fácil e elegante, Walker demonstra que o sono tem enorme poder regenerativo e deve ser urgentemente recuperado, protegido, respeitado e compreendido. A chave para fazer isso passa pela reeducação dos hábitos que impactam diretamente a qualidade de sono, como a estimulação noturna com aparelhos eletrônicos, a alimentação pouco saudável e a falta de exercícios físicos. A perturbação crônica do sono provoca efeitos deletérios no equilíbrio hormonal, imunidade, bem-estar psicológico, saúde mental e desempenho acadêmico. Soluções simples e comprovadamente eficazes são apresentadas, como remarcar para mais tarde o início das aulas escolares, uma medida prática de grande valia para a educação formal.

Não que Walker proponha regressar ao passado para recuperar hábitos de sono típicos do passado pré-industrial. Ao contrário, ele enxerga virtude na aceitação das mudanças tecnológicas que inevitavelmente virão. Para o autor, precisamos mesmo é de uma sábia adesão às tecnologias do futuro. Telas animadas na hora de dormir são e continuarão a ser uma péssima ideia, mas o sensor térmico capaz de ajustar a temperatura ambiental até alcançar o ponto ideal para maximizar o sono de cada pessoa é uma das muitas aplicações futuras que podem vir a otimizar a duração e a qualidade do sono de modo personalizado.

Walker aponta para mudanças futuras ainda mais simples. A redução de luz azul na iluminação noturna e nas telas eletrônicas em geral deveria provocar uma melhora geral da qualidade do sono, pois comprimentos de onda nessa região do espectro cromático são os que mais inibem a produção noturna de melatonina, que por sua vez influencia fortemente o horário de início do sono. Pela mesma razão, mais luz azul de manhã deveria acelerar a supressão de melatonina residual, facilitando a vigília. Antes de dormir usaríamos uma iluminação entre vermelho e amarelo, depois de dormir usaríamos luzes verdes e azuis... quem diria que a ciência do século XXI soaria tão transcendental? Para além da ficção científica do futuro próximo, o papo reto de Walker é tranquilizador: se a privação do sono é um monstro a ser vencido, a arma mais eficaz não é nenhum bicho de sete cabeças. Começa pelo bom senso.

Sidarta Ribeiro
Professor titular, Instituto do Cérebro,
Universidade Federal do Rio Grande do Norte

PARTE 1

Essa coisa chamada sono

CAPÍTULO 1

Dormir...

Você acha que dormiu o suficiente nessa semana que passou? Consegue se lembrar da última vez que acordou sem despertador sentindo-se revigorado, não tendo que recorrer à cafeína? Se a resposta a qualquer dessas perguntas for negativa, você não está sozinho. Dois terços dos adultos em todos os países desenvolvidos não seguem a recomendação de ter oito horas de sono por noite.*

Duvido que esse dado tenha surpreendido você, mas talvez as suas consequências o espantem. O hábito de dormir menos de seis ou sete horas por noite abala o sistema imunológico, mais do que duplicando o risco de câncer. Sono insuficiente é um fator de estilo de vida decisivo para determinar se um indivíduo desenvolverá doença de Alzheimer. Sono inadequado — até as reduções moderadas por apenas uma semana — altera os níveis de açúcar no sangue de forma tão significativa que pode fazer com que a pessoa seja classificada como pré-diabética. Ele também aumenta a probabilidade de as artérias coronárias ficarem bloqueadas e quebradiças, abrindo assim o caminho para doenças cardiovasculares, derrame cerebral e insuficiência cardíaca congestiva. Confirmando a sabedoria profética de Charlotte Brontë de que "uma mente agitada faz um travesseiro inquieto", a perturbação do sono também contribui para todas as principais enfermidades psiquiátricas, incluindo depressão, ansiedade e tendência ao suicídio.

Talvez você também tenha reparado que sente mais vontade de comer quando está cansado. Isso não é coincidência: a insuficiência de sono eleva

---

* Tanto a Organização Mundial da Saúde quanto a National Sleep Foundation dos Estados Unidos estipulam uma média de oito horas de sono por noite para os adultos.

a concentração de um hormônio que nos faz sentir fome ao mesmo tempo que refreia um hormônio complementar que, ao contrário, gera satisfação alimentar. Apesar de estar satisfeito, você ainda quer comer mais — uma receita comprovada para o ganho de peso tanto em adultos quanto em crianças com deficiência de sono. Pior, quando tentamos fazer dieta, mas não dormimos o bastante, ela se prova inútil, já que a maior parte do peso que perdemos é de massa corporal magra, não gorda.

Ao somar as consequências para a saúde já citadas, fica mais fácil aceitar uma relação comprovada: quanto mais breve é o seu sono, mais breve será a sua vida. Portanto, a velha máxima "Dormirei quando estiver morto" é infeliz — adote tal atitude e você estará morto mais cedo e a qualidade dessa vida (mais curta) será pior. O elástico da privação de sono só pode se esticar até certo ponto antes de arrebentar. Infelizmente, os seres humanos são a única espécie que se priva deliberadamente de sono sem obter um ganho legítimo. Todos os componentes da saúde física, mental e emocional e incontáveis costuras do tecido social estão sendo erodidos pelo nosso oneroso estado de negligência do sono: tanto humano quanto financeiro. A Organização Mundial da Saúde (OMS) inclusive já declarou que há uma epidemia de privação de sono em todos os países industrializados.* Não por acaso, os países onde o tempo de sono diminuiu de forma mais acentuada durante o último século — como os Estados Unidos, o Reino Unido, o Japão e a Coreia do Sul e vários na Europa Ocidental — são também os que sofrem o maior aumento nas taxas de doenças físicas e de transtornos mentais já mencionados.

Cientistas, como eu mesmo, começaram até a pressionar os médicos para que passassem a "prescrever o sono". Em matéria de conselho médico, talvez esse seja o mais indolor e agradável de se seguir. Mas não confunda isso com um apelo para que os médicos passem a prescrever mais *comprimidos* para dormir — trata-se justamente do contrário, considerando os indícios alarmantes que cercam as consequências deletérias do uso de tais medicamentos para a saúde.

Mas é possível chegar ao ponto de afirmar que a falta de sono pode simplesmente levar à morte? Na verdade, sim — pelo menos de dois jeitos.

---

* *Sleepless in America* (2014), National Geographic.

Primeiro, há um transtorno genético muito raro que começa com uma insônia progressiva que surge na meia-idade. Vários meses após o início da doença, o paciente para de dormir por completo. Nesse estágio, ele começa a perder muitas funções cerebrais e corporais básicas. Nenhum dos medicamentos disponíveis atualmente o ajudará a dormir. Depois de doze a dezoito meses nessas condições, o paciente morrerá. Embora seja raríssimo, esse transtorno comprova que a falta de sono pode matar um ser humano.

Segundo, há a situação fatal de estar ao volante de um veículo motorizado sem ter dormido o suficiente. Dirigir com sono é a causa de centenas de milhares de acidentes de trânsito e tragédias todos os anos. E nesse caso não é só a vida dos privados de sono que está em risco, mas a de quem está à sua volta. Tragicamente, a cada hora nos Estados Unidos uma pessoa morre em um acidente de trânsito em virtude de erros relacionados à fadiga. É alarmante saber que o número de acidentes causados por sonolência ao volante excede o dos causados por álcool e drogas combinados.

A apatia da sociedade em relação ao sono se deve, em parte, ao fracasso histórico da ciência em explicar por que precisamos dele. O sono ainda é um dos últimos grandes mistérios da biologia. Todos os poderosos métodos de solução de problemas na ciência — genética, biologia molecular e tecnologia digital de alta potência — foram incapazes de destrancar o resistente cofre do sono. Mentes rigorosíssimas — incluindo o ganhador do prêmio Nobel Francis Crick, que deduziu a estrutura de escada torcida do DNA, o famoso educador e retórico romano Quintiliano e até Sigmund Freud — tentaram em vão decifrar o enigmático código do sono.

Para melhor expressar esse estado de ignorância científica anterior, imagine o nascimento do seu primeiro filho. No hospital, a médica entra no quarto e diz: "Parabéns. É um menino saudável. Fizemos todos os testes preliminares e parece que está tudo bem." Então dá um sorriso tranquilizador e se dirige para a porta; mas, antes de sair, vira-se e completa: "Só tem uma coisa. De agora em diante e pelo resto da vida, seu filho irá cair repetida e rotineiramente em um estado de coma aparente. Às vezes pode até parecer que morreu. E, embora seu corpo permaneça imóvel, com frequência sua mente será povoada por alucinações impressionantes, bizarras. Esse estado consumirá um terço de sua vida e não faço a menor ideia de por que ele fará isso ou para que serve. Boa sorte!"

É espantoso, mas até muito recentemente essa era a realidade: os médicos e os cientistas não tinham como dar uma resposta coerente ou completa sobre por que dormimos. Considere que já conhecemos as funções dos três outros impulsos básicos na vida — comer, beber e se reproduzir — há muitas dezenas, se não centenas, de anos. Entretanto, o quarto principal impulso biológico, comum a todo o reino animal — o desejo de dormir —, permanece além da compreensão da ciência por milênios.

Abordar a questão de por que dormimos de uma perspectiva evolucionária aumenta ainda mais o mistério. Qualquer que seja o ponto de vista que se adote, dormir parece ser o mais estúpido dos fenômenos biológicos. Quando se está dormindo, não é possível obter comida. Não é possível socializar. Não é possível encontrar um parceiro e se reproduzir. Não é possível se alimentar ou proteger a prole. Pior ainda, o sono deixa o indivíduo vulnerável aos predadores. Dormir é sem dúvida um dos comportamentos humanos mais intrigantes.

Por quaisquer dessas razões — quiçá por todas elas combinadas —, deve ter havido uma forte pressão evolucionária para *impedir* o surgimento do sono ou de qualquer coisa remotamente parecida. Como declarou um cientista do sono: "Se o sono não serve a uma função absolutamente vital, ele é o maior erro já cometido pelo processo evolucionário."*

Entretanto, o sono perseverou — e o fez heroicamente. De fato, todas as espécies até hoje estudadas dormem.** Esse simples fato estabelece que o sono evoluiu com a própria vida em nosso planeta ou muito pouco depois dela. Além disso, a subsequente persistência do sono ao longo de toda a evolução significa que deve haver benefícios enormes que superam muito todos os riscos e prejuízos óbvios.

Em última análise, perguntar "Por que nós dormimos?" era a questão errada, pois implica que haveria uma única função — um santo graal de uma razão pela qual dormimos — e insistimos em desvendá-la. As teorias variavam do lógico (um tempo para conservar energia) ao peculiar (uma oportunidade para a oxigenação do globo ocular), passando pelo psicanalítico (um estado não consciente em que realizamos desejos reprimidos).

---

* Dr. Allan Rechtschaffen.
** Kushida, C. *Encyclopedia of Sleep*, Volume 1 (Elsevier, 2013).

Este livro revelará uma verdade muito distinta: o sono é infinitamente mais complexo, profundamente mais interessante e alarmantemente mais relevante para a saúde. Dormimos por causa de uma vasta gama de funções, no plural — uma abundante constelação de benefícios noturnos que reparam tanto nosso cérebro quanto nosso corpo. Parece não haver um órgão importante no corpo ou processo no cérebro que não sejam otimizados pelo sono (e prejudicados quando não dormimos o suficiente). O fato de nossa saúde ser tão beneficiada todas as noites não deveria ser surpreendente. Afinal, passamos dois terços de nossa vida *acordados* e, durante esse período, não fazemos apenas uma coisa útil. Levamos a cabo uma infinidade de tarefas que promovem nosso próprio bem-estar e nossa sobrevivência. Por que, então, esperaríamos que o sono — e os cerca de 25 a trinta anos, em média, que ele toma de nossa vida — desempenhasse apenas uma função?

Graças a um boom de descobertas no decorrer dos últimos vinte anos, sabemos que a evolução não cometeu um erro enorme ao conceber o sono. Ele proporciona vários benefícios garantidores da saúde, passíveis de serem adquiridos pelo uso contínuo a cada 24 horas caso se queira. (Muitos não querem.)

No cérebro, o sono potencializa uma diversidade de funções, incluindo a nossa capacidade de aprender, memorizar e tomar decisões e fazer escolhas lógicas. Ao benevolentemente reparar nossa saúde psicológica, o sono calibra nossos circuitos cerebrais emocionais, permitindo-nos enfrentar os desafios sociais e psicológicos do dia seguinte com sereno autocontrole. Estamos até começando a entender a mais impenetrável e controversa de todas as experiências: o sonho. O sonho provê uma série única de benefícios a todas as espécies afortunadas o bastante para experimentá-lo, incluindo os seres humanos. Entre esses benefícios estão um consolador banho neuroquímico que apazigua lembranças penosas e um espaço de realidade virtual em que o cérebro mescla conhecimento presente e passado, inspirando a criatividade.

No andar de baixo, no restante do corpo, o sono reabastece o arsenal do nosso sistema imune, ajudando a combater o câncer, prevenindo infecções e nos protegendo contra todo tipo de doenças. O sono reforma o estado metabólico do corpo ajustando o equilíbrio de insulina e glicose circulante. Também regula o apetite, ajudando a controlar o peso corporal ao substituir uma alimentação repulsiva pela seleção de alimentos saudáveis. O sono abundante mantém um florescente microbioma no intestino, no qual — como já se sabe — boa parte da nossa saúde nutricional começa. O sono adequado está intimamente associado à boa forma do sistema cardiovascular, baixando a pressão sanguínea ao mesmo tempo que mantém o coração em boa condição.

Sim, uma alimentação equilibrada e a prática de exercícios físicos são de importância vital, porém agora o sono é tido como a força preponderante nessa trindade da saúde. O prejuízo físico e mental causado por uma noite de sono ruim é muito maior do que os causados por uma equivalente falta de alimento ou de exercício. É difícil imaginar qualquer outro estado — natural ou criado pelo uso de medicamentos — que propicie uma reparação mais poderosa da saúde física e mental em todos os níveis de análise.

Com base em uma rica e nova compreensão científica do fenômeno do sono, já não é preciso perguntar para que serve dormir. Agora somos obrigados a questionar se há alguma função biológica que *não* seja beneficiada por uma noite bem dormida. Até o momento, os resultados de milhares de estudos insistem que não há.

Desse renascimento de pesquisas emerge uma mensagem inequívoca: dormir é a ação isolada mais eficaz que se pode fazer para restaurar o cérebro e o corpo todos os dias — até agora ele é o melhor esforço da Mãe Natureza para combater a morte. Infelizmente as verdadeiras provas que evidenciam todos os perigos impostos a indivíduos e sociedades pela escassez de sono não foram claramente transmitidas ao público. Essa é a mais flagrante omissão no debate contemporâneo sobre saúde. Em resposta, este livro se propõe a ser uma intervenção cientificamente precisa voltada para essa necessidade não atendida, e espero que ele seja uma fascinante jornada de descobertas. Seu objetivo é revisar nossa apreciação cultural sobre o sono e inverter nosso descaso por ele.

Pessoalmente, preciso salientar que sou apaixonado pelo sono (não apenas pelo meu próprio, embora minhas oito horas de sono diárias sejam inegociáveis). Sou apaixonado por tudo que o sono é e faz. Sou apaixonado por descobrir tudo que permanece desconhecido acerca dele. Sou apaixonado por divulgar a sua tremenda excelência. Sou apaixonado por encontrar todo e qualquer método que possa levar a humanidade a reencontrar o sono de que tanto precisa. Esse caso de amor já se estendeu por uma carreira de pesquisador de mais de vinte anos que começou quando eu era professor de psiquiatria na Escola de Medicina de Harvard e continua agora que sou professor de neurociência e psicologia na Universidade da Califórnia, em Berkeley.

Mas não se tratou de amor à primeira vista. Virei pesquisador do sono por acaso. Nunca foi minha intenção habitar esse esotérico território externo da ciência. Aos dezoito anos, fui estudar no Queens Medical Center na Inglaterra, um prestigiado instituto em Nottingham que ostentava um incrível grupo de cientistas do cérebro em seu corpo docente. No fim das contas, a medicina não era para mim, já que parecia mais preocupada com respostas, ao passo que eu sempre me senti mais atraído pelas perguntas. Para mim, respostas eram simplesmente uma maneira de se chegar à próxima pergunta. Decidi estudar neurociência e, depois de me formar, obtive o Ph.D. em neurofisiologia com o apoio de uma bolsa concedida pelo Medical Research Council da Inglaterra, em Londres.

Foi durante o doutorado que comecei a dar minhas primeiras contribuições científicas reais para o campo da pesquisa do sono. Eu estava examinando padrões de atividade de ondas elétricas cerebrais em adultos mais velhos nos estágios iniciais da demência. Ao contrário da crença comum, não existe apenas um tipo de demência. A doença de Alzheimer é a mais comum, porém é só um de muitos tipos. Por muitas razões relacionadas a questões de tratamento, é decisivo saber o mais cedo possível de que tipo de demência específico o indivíduo está sofrendo.

Iniciei o trabalho avaliando a atividade das ondas cerebrais dos pacientes durante a vigília e o sono. Minha hipótese era a de que haveria uma marca cerebral elétrica característica, única e específica, que poderia indicar o subtipo de demência para o qual cada participante estava progredindo. Medições tomadas durante o dia eram ambíguas, não sendo possível encontrar qualquer marca característica clássica de diferença. Somente no oceano noturno de ondas cerebrais *adormecidas* os registros revelavam uma clara rotulação do triste destino dos meus pacientes. A descoberta provou que o sono tem o potencial de ser usado como um novo teste decisivo dos diagnósticos precoces de demência.

O sono se tornou minha obsessão. A resposta que ele me fornecera, como toda boa resposta, apenas levou a questões mais fascinantes, entre elas: a perturbação do sono dos meus pacientes realmente contribuía para as doenças de que sofriam e até causavam alguns de seus terríveis sintomas, como perda de memória, agressividade, alucinações, delírios? Li tudo que pude. Uma verdade quase inacreditável começou a emergir — ninguém sabe de fato qual é a razão clara de precisarmos de sono e o que ele faz. Eu não poderia responder à minha própria pergunta sobre a demência se essa primeira questão fundamental permanecesse sem solução. Decidi então tentar decifrar o código do sono.

Interrompi a pesquisa sobre demência e, para uma vaga no pós-doutorado que me levou a Harvard, do outro lado do Atlântico, comecei a trabalhar com um dos mais enigmáticos quebra-cabeças da humanidade — um quebra-cabeça que havia escapado a alguns dos melhores cientistas na história: por que nós dormimos? Com sincera ingenuidade, não presunção, eu acreditava que encontraria a resposta dentro de dois anos. Isso foi vinte anos atrás. Problemas difíceis se importam pouco com o que motiva seus questionadores: eles dosificam suas lições de dificuldade mesmo assim.

Agora, depois de duas décadas de meus próprios esforços de pesquisa, combinados a milhares de estudos de outros laboratórios no mundo todo, temos muitas das respostas. Tais descobertas me fizeram empreender jornadas maravilhosas, privilegiadas e inesperadas dentro e fora da academia — desde atuar como consultor de sono para a NBA, a NFL e times de futebol da British Premier League; passando pela Pixar Animation, por agências governamentais e conhecidas companhias financeiras e de tecnologia; até participar de vários programas e documentários de televisão e ajudar na produção deles. Essas revelações sobre o sono, além de muitas descobertas similares de meus colegas cientistas da mesma área, oferecerão todas as provas de que você precisa sobre a importância vital de dormir.

Um comentário final sobre a estrutura deste livro. Os capítulos foram escritos em uma ordem lógica, percorrendo um arco narrativo composto por quatro partes principais.

A Parte 1 desmistifica essa coisa sedutora chamada sono: o que é, o que não é, quem dorme, o quanto dorme; como os seres humanos deveriam dormir (mas não estão dormindo) e como o sono muda ao longo da sua vida ou da do seu filho para melhor ou para pior.

A Parte 2 detalha o bom, o ruim e o mortal do sono e da privação dele. Vamos explorar todos os benefícios surpreendentes do sono para o cérebro e para o corpo, afirmando que o sono é como um extraordinário canivete suíço da saúde e do bem-estar. Depois, abordaremos como e por que uma falta de sono suficiente leva a um atoleiro de má saúde, doença e morte prematura — uma chamada de atenção para o sono se é que alguma vez houve uma.

A Parte 3 oferece uma passagem segura do sono para o fantástico mundo dos sonhos explicado de forma científica. Desde espiar o interior do cérebro de indivíduos que estão sonhando e como exatamente os sonhos inspiram ideias dignas do prêmio Nobel, até se o controle do sonho é de fato possível e algo sensato — tudo será revelado.

A Parte 4 nos acomoda primeiro à cabeceira, dissecando vários transtornos do sono, incluindo a insônia. Explicarei as razões óbvias e não tão óbvias por que tantos de nós acham difícil ter uma boa noite de sono, noite após noite. Então passaremos por uma discussão franca sobre remédios para dormir, baseada em dados científicos e clínicos em vez de rumores ou publicidade. Também mencionarei detalhes de terapias não medicamentosas novas, mais seguras e mais eficazes para um sono melhor. Deixando a cabeceira para entrar no nível superior do sono na sociedade, vamos aprender sobre o impacto preocupante que o sono insuficiente tem na educação, na medicina, na assistência médica e nos negócios. As provas lançam por terra as crenças sobre a vantagem de longas horas de vigília e pouco sono na concretização efetiva, segura, lucrativa e ética dos objetivos de cada uma dessas disciplinas. Concluindo este livro com genuína esperança, traço um mapa de ideias que podem reconectar a humanidade com o sono de que ela permanece tão desprovida — uma nova visão para este aspecto no século XXI.

Vale ressaltar que você não precisa ler de acordo com este arco narrativo progressivo, de quatro partes. Em geral, cada capítulo pode ser lido individualmente e fora da ordem, sem que seu significado se perca demais. Portanto, convido você a consumir o livro no todo ou em parte, no estilo bufê ou na ordem, tudo de acordo com seu gosto.

Para encerrar, faço uma ressalva. Caso você se sinta sonolento e adormeça durante a leitura, eu, diferentemente da maioria dos autores, não ficarei magoado. Na verdade, tendo em vista o tema e o conteúdo deste livro, encorajo que você tenha esse tipo de comportamento. Por ter o conhecimento que tenho sobre a relação entre sono e memória, adormecer é a melhor forma de lisonja para que eu saiba que você, leitor, não consegue resistir à ânsia de reforçar e assim recordar o que estou lhe dizendo. Por isso, por favor, fique à vontade para flutuar para dentro e para fora da consciência ao longo de toda esta obra. Não me ofenderei de maneira nenhuma. Ao contrário, ficarei maravilhado.

CAPÍTULO 2

Cafeína, *jet lag* e melatonina:
Perda e ganho de controle sobre o ritmo de sono

Como nosso corpo sabe que está na hora de dormir? Por que sofremos de *jet lag* ao entrarmos em outro fuso horário? Como se supera o *jet lag*? Por que essa aclimatação nos faz experimentar um *jet lag* ainda mais forte quando voltamos para casa? Por que algumas pessoas usam melatonina para combater tais problemas? Por que (e como) uma xícara de café nos mantém acordados? Talvez o mais importante: como podemos saber se estamos dormindo o suficiente?

Há dois fatores principais que determinam quando se quer dormir e quando se quer ficar acordado. Enquanto você lê estas palavras, ambos os fatores estão impactando fortemente sua mente e corpo. O primeiro fator é um sinal emitido pelo relógio interno de 24 horas situado nas profundezas do cérebro. Esse relógio cria um ritmo cíclico de dia e noite, que faz com que você se sinta cansado ou alerta em momentos regulares da noite e do dia respectivamente. O segundo fator é uma substância química que se acumula no cérebro e cria uma "pressão do sono". Quanto mais tempo você tiver ficado acordado, mais pressão do sono terá se acumulado e mais sonolento você se sentirá. É o equilíbrio entre esses dois fatores que dita quão alerta e atento você fica durante o dia, quando você se sente cansado e pronto para ir se deitar à noite e, em parte, a qualidade do seu sono.

VOCÊ TEM RITMO?

Ponto central para muitas das questões abordadas no parágrafo inicial é a poderosa força modeladora de seu ritmo de 24 horas, também conhecido como ritmo circadiano. Todo mundo gera um ritmo circadiano (*circa*, isto é, "ao redor"; *diano*, derivativo de *diam*, que significa "dia"). Cada criatura viva no planeta com mais de alguns dias de vida gera esse ciclo natural. O relógio interno de 24 horas no cérebro transmite o sinal diário de ritmo circadiano a todas as outras regiões do cérebro e a todos os órgãos do corpo.

O ritmo de 24 horas ajuda a determinar quando se quer estar acordado e quando se quer estar dormindo. Além disso, ele controla outros padrões rítmicos, que incluem a preferência de horário para comer e beber, os estados de ânimo e emoções, a quantidade de urina produzida,* a temperatura corporal central, a taxa de metabolismo e a liberação de diversos hormônios. Não é por acaso que a probabilidade de um recorde olímpico ser quebrado tenha sido claramente associada à hora do dia, sendo máxima no pico natural do ritmo circadiano humano no início da tarde. Até a hora de nascimentos e mortes demonstra ritmicidade circadiana devido às oscilações acentuadas em processos metabólicos, cardiovasculares, de temperatura e hormonais vitais controlados por esse marca-passo.

Mas, muito antes que ele fosse descoberto, um engenhoso experimento fez algo absolutamente extraordinário: parou o tempo — pelo menos para uma planta. Ele foi realizado em 1729, quando o geofísico francês Jean-Jacques d'Ortous de Mairan descobriu a primeira prova de que plantas geram o próprio tempo interno.

De Mairan estava estudando o movimento das folhas de uma espécie que apresenta heliotropismo: quando as folhas ou flores de uma planta acompanham a trajetória do Sol à medida que ele se move pelo céu durante o dia. O pesquisador estava intrigado com uma planta específica, chamada *Mimosa pudica* [conhecida no Brasil como dormideira ou sensitiva]. Não somente as folhas dessa planta traçam a trajetória diurna em arco do Sol através do céu, como à noite se fecham, quase como se tivessem murchado. Depois, no início do dia seguinte, as folhas se abrem novamente como um guarda-chuva, saudáveis como sempre. Esse comportamento se repete a cada manhã e a cada entardecer, o que levou o famoso biólogo evolucionário Charles Darwin a chamá-las de "folhas adormecidas".

---

* Devo observar que, por experiência própria, esse é um dado incrível para trazer à tona em jantares, reuniões de família e outras ocasiões sociais. É quase certo que ninguém se aproximará ou falará com você de novo pelo resto do evento; além do fato de você nunca mais ser convidado.

Antes do experimento de De Mairan, muitos acreditavam que o comportamento de expansão e retração da planta fosse determinado exclusivamente pelo nascer e pelo pôr do sol correspondentes. Era uma suposição lógica: a luz do dia (mesmo quando estava nublado) induzia as folhas a se abrir de par em par, enquanto a escuridão posterior instruía as folhas a fechar as portas, encerrar o expediente e se dobrar. Essa teoria foi destruída por De Mairan. Primeiro, ele pegou a planta e a deixou ao ar livre, expondo-a aos sinais de luz e escuridão associados ao dia e à noite. Como era esperado, as folhas se expandiram com a luz do dia e se retraíram com a escuridão da noite.

Então veio a reviravolta de gênio. O pesquisador colocou a planta em uma caixa vedada pelo período seguinte de 24 horas, deixando-a no escuro total. Durante essas 24 horas de escuridão, ele de vez em quando dava uma espiada na planta na escuridão controlada, observando o estado das folhas. Apesar de estar desconectada da influência da luz durante o dia, a planta ainda se comportou como se estivesse sendo banhada pela luz solar; suas folhas estavam ostensivamente expandidas. Depois ela retraiu as folhas como se fosse a hora oportuna no fim do dia, mesmo sem o sinal do pôr do sol, e elas permaneceram fechadas ao longo de toda a noite.

Foi uma descoberta revolucionária: De Mairan havia mostrado que um organismo vivo possuía o próprio tempo e não estava preso aos comandos rítmicos do Sol. Em algum lugar no interior da planta havia um gerador de um ritmo de 24 horas capaz de monitorar o tempo sem nenhum sinal do mundo exterior, como a luz do dia. A planta não tinha apenas um ritmo circadiano, tinha um ritmo "endógeno", ou autogerado. É algo muito parecido com o nosso coração martelando ritmicamente o próprio batimento autogerador. A diferença é que o ritmo do marca-passo do coração é muito mais rápido, em geral batendo uma vez por segundo, em vez de uma vez a cada 24 horas, como faz o relógio circadiano.

Surpreendentemente, foram necessários outros duzentos anos para se provar que nós, seres humanos, temos um ritmo circadiano similar, gerado internamente. Mas esse experimento acrescentou algo bem inesperado à compreensão de nossa cronometragem interna. Era 1938 e o professor Nathaniel Kleitman, da Universidade de Chicago, acompanhado de seu assistente de pesquisa Bruce Richardson, realizava um estudo científico ainda mais radical que exigiu um tipo de dedicação que podemos dizer não ter paralelo até hoje.

Kleitman e Richardson foram as cobaias do próprio experimento. Com comida e água para seis semanas na bagagem, além de dois leitos hospitalares altos desmontados, eles foram para Mammoth Cave, no Kentucky, uma das cavernas mais profundas do planeta — tão profunda que nenhuma luz solar detectável penetra suas zonas mais distantes. E nessa escuridão Kleitman e Richarson lançariam luz sobre uma descoberta científica impressionante que definiria nosso ritmo biológico como sendo de *aproximadamente* um dia (circadiano), e não *precisamente* um dia.

Além de comida e água, os dois levaram muitos instrumentos de medição para avaliar a temperatura corporal, bem como o ritmo de vigília e sono. Essa área de registros serviu de coração de seu espaço vital, flanqueada dos dois lados pelos leitos. Cada uma das pernas altas das camas ficou enfiada em um balde d'água para manter afastados — como o fosso de um castelo — os inumeráveis pequenos (e não tão pequenos) bichos que se escondem nas profundezas da Mammoth Cave.

A questão experimental analisada por Kleitman e Richardson era simples: ao ser desconectado do ciclo diário de luz e escuridão, seu ritmo biológico de sono e vigília, bem como sua temperatura corporal, se tornaria completamente errática ou permaneceria igual ao dos indivíduos no mundo exterior expostos à luz rítmica do dia? Ao todo, eles passaram 32 dias na escuridão total. Não só ganharam uma barba impressionante, como fizeram duas descobertas revolucionárias. A primeira foi a de que seres humanos, como as plantas heliotrópicas de De Mairan, geram o próprio ritmo circadiano endógeno na ausência de luz externa do sol. Isto é, nem Kleitman nem Richardson caíram em surtos aleatórios de vigília e sono, tendo em vez disso apresentado um padrão previsível e repetitivo de vigília prolongada (cerca de quinze horas), emparelhado com turnos consolidados de cerca de nove horas de sono.

O segundo resultado inesperado — e mais profundo — foi o de que seu ciclo confiavelmente repetitivo de vigília e sono não tinha uma duração exata de 24 horas, sendo invariável e irrefutavelmente mais longo do que isso. Richardson, que estava na casa dos vinte anos, desenvolveu um ciclo de sono-vigília que ficou entre 26 e 28 horas de duração. O de Kleitman, na casa dos quarenta anos, se aproximou um pouco mais de 24 horas, porém ainda assim foi mais longo. Desse modo, quando afastado da influência externa da luz do dia, o "dia" internamente gerado de cada homem não teve 24 horas exatas, mas um pouco mais do que isso. Como um relógio de pulso impreciso que está se atrasando, a cada dia (real) que se passava no mundo exterior, Kleitman e Richardson apresentaram um acréscimo de tempo tendo por base sua cronometria mais longa, que foi gerada internamente.

Como nosso ritmo biológico inato não é de 24 horas exatas, mas algo por volta disso, foi preciso estabelecer uma nova nomenclatura: o ritmo *circa*diano — isto é, um ritmo que tem *cerca de* um dia de duração, não exatamente um dia.* Nos mais de setenta anos decorridos desde o experimento seminal de Kleitman e Richardson, já conseguimos determinar que a duração média do relógio circadiano endógeno de um humano adulto é de cerca de 24 horas e quinze minutos — não muito distante da rotação de 24 horas da Terra, porém não o ritmo preciso que qualquer relojoeiro suíço de respeito consideraria aceitável.

Felizmente, a maioria de nós não vive na Mammoth Cave, ou na escuridão constante imposta por ela. Recebemos com frequência a luz do sol, que vem salvar nosso relógio circadiano interno impreciso excessivo. Ela age como dedos na lateral do mostrador de um relógio de pulso impreciso, reajustando de forma metódica nosso relógio interno a cada dia, "adiantando-nos" para precisa, não aproximadamente, 24 horas.

Não é por acaso que o cérebro usa a luz do dia para fazer esse reajuste: ela é o sinal repetitivo mais confiável de que dispomos no ambiente. Desde o nascimento do planeta, e em todos os dias desde então, sem exceção, o sol se levanta de manhã e se põe à tarde. De fato, a razão por que a maioria das espécies vivas adotou um ritmo circadiano provavelmente é a tentativa de sincronizarem a si mesmas e as suas atividades — tanto as internas (por exemplo, a temperatura) quanto as externas (por exemplo, a alimentação) — com a mecânica orbital diária da Terra girando em torno do eixo, o que gera fases regulares de luz (quando determinada área está voltada para o Sol) e escuridão (quando está oculta do Sol).

Contudo, a luz do dia não é o único sinal a que o cérebro pode recorrer para reajustar o relógio biológico, embora seja o principal e o preferencial quando

---

* O fenômeno de um relógio biológico interno impreciso já foi observado de forma cabal em muitas espécies. No entanto, ele não é uniformemente longo em todas elas, como ocorre com os seres humanos. Em algumas, o ritmo circadiano endógeno é mais curto, sendo menor do que 24 horas, quando elas estão na escuridão total, como os hamsters e os esquilos. Em outras, como os seres humanos, é maior do que 24 horas.

presente. Contanto que sejam confiavelmente repetitivas, o cérebro pode usar outras pistas externas, como comida, exercício físico, flutuações de temperatura e até interação social programada com regularidade. Todos esses eventos têm a capacidade de reajustar o relógio biológico, permitindo-lhe chegar a 24 horas exatas. Essa é a razão pela qual portadores de certas formas de cegueira não perdem por completo seu ritmo circadiano — apesar de não receber vestígios de luz, outros fenômenos agem como gatilhos de reajuste. Qualquer sinal usado pelo cérebro nesse sentido é chamado de *zeitgeber*, termo alemão para "fornecedor de tempo" ou "sincronizador". Desse modo, apesar de a luz ser o *zeitgeber* mais confiável e, portanto, o principal, há muitos fatores que podem ser utilizados além dela ou na sua ausência.

O relógio biológico de 24 horas situado no meio do cérebro humano é chamado de núcleo supraquiasmático. Como ocorre com grande parte do vocabulário da anatomia, o nome é instrutivo: *supra* significa acima e *quiasma*, um ponto de cruzamento. O ponto de cruzamento é formado pelos nervos ópticos provenientes dos globos oculares. Eles se encontram no meio do cérebro e então trocam de lado. O núcleo supraquiasmático está localizado logo acima dessa interseção por uma boa razão. Ele "prova" o sinal luminoso que está sendo enviado a partir de cada olho ao longo dos nervos ópticos à medida que avança até a parte posterior do cérebro para o processamento visual. O núcleo supraquiasmático usa essa informação luminosa confiável para reajustar sua inexatidão temporal inerente para um ciclo exato de 24 horas, evitando desvios.

Ao saber que o núcleo supraquiasmático é composto de vinte mil células cerebrais, ou neurônios, você poderia achar que ele é enorme, ocupando uma vasta quantidade do espaço craniano, porém na verdade ele é pequenino. O cérebro é composto de cerca de cem bilhões de neurônios, o que torna o núcleo supraquiasmático minúsculo no esquema relativo da matéria cerebral. Entretanto, apesar de sua estatura, sua influência sobre o restante do cérebro e do corpo é tudo menos modesta. Esse reloginho é o maestro central da sinfonia rítmica biológica da vida — da sua e da de todas as outras espécies vivas. Ele controla uma ampla série de comportamentos, incluindo o foco deste capítulo: quando você quer estar acordado e quando você quer estar dormindo.

No caso das espécies diurnas, que são ativas durante o dia, como os seres humanos, o ritmo circadiano ativa muitos mecanismos cerebrais e corporais no cérebro e no corpo durante as horas de luz do dia que visam manter o indivíduo acordado e alerta. Esses processos são reduzidos durante a noite, removendo a influência alertadora. A Figura 1 traz um exemplo de ciclo circadiano — o da temperatura corporal. Ela representa a temperatura corporal central (retal) de um grupo de humanos adultos. Iniciando às "12h" na extrema esquerda, a temperatura corporal começa a se elevar, chegando ao pico no fim da tarde. Em seguida a trajetória muda: a temperatura começa a diminuir, ficando abaixo da do ponto inicial à medida que a hora de dormir se aproxima.

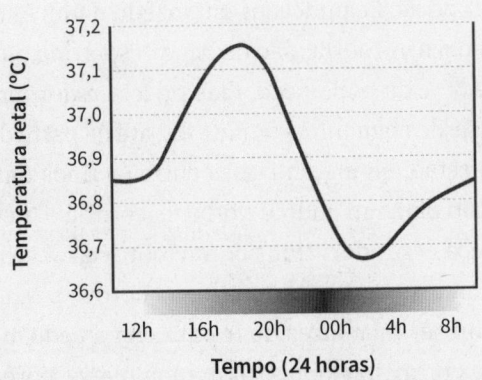

Figura 1: Ritmo circadiano de 24 horas típico (Temperatura corporal central)

O nosso ritmo circadiano biológico coordena uma queda na temperatura corporal central à medida que nos aproximamos da hora de dormir habitual (Figura 1), alcançando o nadir, ou ponto mais baixo, cerca de duas horas após o início do sono. Todavia, esse ritmo da temperatura não depende de estarmos de fato dormindo. Se formos mantidos acordados a noite toda, a nossa temperatura corporal central ainda exibirá o mesmo padrão. Embora a queda da temperatura ajude a iniciar o sono, a temperatura subirá e cairá no decorrer do período de 24 horas quer se esteja acordado ou dormindo. Essa é uma demonstração clássica de um ritmo circadiano pré-programado que se repetirá de forma indefinida, como um metrônomo. A temperatura é apenas um dos muitos ritmos de 24 horas governados pelo núcleo supraquiasmático. A vigília e o sono são outro — os dois estão, portanto, sob o controle do ritmo circadiano, e não o contrário. Isto é, o ritmo circadiano subirá e baixará a cada 24 horas, quer tenhamos dormido ou não. O seu ritmo circadiano é inabalável nesse aspecto, mas compare indivíduos diferentes, e você descobrirá que nem todos têm ritmos iguais.

MEU RITMO NÃO É O SEU RITMO

Embora todo ser humano exiba um padrão inflexível de 24 horas, os respectivos pontos máximo e mínimo variam notavelmente de uma pessoa para outra. No caso de algumas, o ponto máximo do estado de vigília ocorre no início do dia e o ponto mínimo de sonolência chega no início da noite. Essas são do "tipo matutino ou diurno" e compõem cerca de 40% da população. Elas preferem acordar ao amanhecer ou por volta dele, ficam felizes em fazê-lo e funcionam muitíssimo bem nesse momento do dia. As outras são do "tipo vespertino ou noturno" e correspondem a cerca de 30% da população. Elas preferem dormir tarde e consequentemente acordar tarde na manhã seguinte, ou até na parte da tarde. Os 30% restantes das pessoas estão em algum ponto entre os tipos diurno e noturno, com uma leve inclinação para um padrão noturno, como é o meu caso.

Talvez você conheça esses dois tipos como "cotovias matinais" e "corujas noturnas", respectivamente. Diferentemente das cotovias matinais, as corujas noturnas costumam ser incapazes de ir para cama cedo, por mais que se esforcem. É apenas nas primeiras horas da manhã que as corujas conseguem cair no sono. Por terem ido dormir tarde, obviamente detestam despertar cedo. Elas não conseguem funcionar bem nesse período do dia, e uma das causas para isso é o fato de que, apesar de estarem "acordadas", seu cérebro permanece em um estado mais parecido com o de sono durante todas as primeiras horas da manhã. Isso é especialmente verdadeiro no que se refere a uma região chamada córtex pré-frontal, localizada acima dos olhos e que pode ser considerada o escritório central do cérebro. O córtex pré-frontal controla o pensamento de alto nível e o raciocínio lógico e ajuda a manter as emoções sob controle. Quando uma coruja da noite é obrigada a acordar cedo demais, seu córtex pré-frontal permanece desativado, "off-line". Como ocorre com um motor frio que acabou de ser ligado de manhã cedo, essa região precisa de um longo tempo para se aquecer e alcançar a temperatura de funcionamento e antes disso não funcionará com eficiência.

A disposição de coruja ou cotovia de um adulto, também conhecida como cronotipo, é fortemente determinada pela genética. Se você é uma coruja da noite, é provável que um dos seus pais (ou os dois) seja também. Infelizmente a sociedade trata as corujas da noite de uma maneira bem injusta em dois aspectos. Em primeiro lugar, há o rótulo de preguiçosas, baseado no seu costume de acordar em uma hora mais tardia do dia, já que só vão dormir lá pelas primeiras horas da manhã. Os outros (em geral as cotovias matinais) repreendem as corujas com base na suposição equivocada de que tais preferências são uma escolha e de que, se elas não fossem tão relaxadas, conseguiriam acordar cedo. Todavia, corujas não são corujas por escolha própria. Elas estão fadadas a um horário atrasado por causa das inevitáveis características permanentes do DNA. Não se trata de um defeito *consciente* delas, mas de seu destino *genético*.

Em segundo lugar, há o arraigado e desigual campo de jogo do horário de trabalho, que é fortemente parcial, tendendo a ter seu início no começo da manhã, o que pune as corujas e favorece as cotovias. Embora a situação esteja melhorando, o horário de trabalho habitual força as corujas a um ritmo de sono-vigília artificial. Consequentemente, o desempenho das corujas no trabalho como um todo é muito pior de manhã e, além disso, elas são impedidas de expressar seu verdadeiro potencial de desempenho no fim da tarde e início da noite, pois o expediente normal termina antes disso. De maneira muitíssimo lamentável, as corujas são mais cronicamente privadas de sono, tendo de acordar cedo com as cotovias, mas sendo capazes apenas de dormir muito tarde à noite. Desse modo, costumam ser forçadas a queimar sua "vela" pelas duas pontas. Por isso, mais problemas de saúde causados pela falta de sono acometem as corujas, incluindo índices mais altos de depressão, ansiedade, diabetes, câncer, ataque cardíaco e derrame cerebral.

Nesse sentido, faz-se necessária uma mudança na sociedade, oferecendo adaptações não diferentes das disponibilizadas para portadores de outras distinções físicas (por exemplo, visão prejudicada). Precisamos de horários de trabalho mais flexíveis e que se adaptem melhor a todos os cronotipos, não a apenas um em seu extremo.

Você deve estar se perguntando por que a Mãe Natureza programaria essa variabilidade entre as pessoas. Por sermos uma espécie social, não deveríamos estar todos sincronizados e, portanto, despertos ao mesmo tempo a fim de promover o máximo de interações humanas? Talvez não. Como será visto mais tarde neste livro, os seres humanos provavelmente evoluíram para dormir juntos como famílias ou mesmo tribos inteiras, não sozinhos ou em casais. Levando em conta tal contexto evolucionário, dá para entender os benefícios dessa variação geneticamente programada na preferência por horas de sono/vigília. As corujas noturnas no grupo não iriam dormir antes da uma ou duas horas da manhã e só acordariam depois das nove ou dez horas. Já as cotovias matinais já teriam se recolhido às nove da noite e estariam de pé às cinco da manhã. Desse modo, o grupo como um todo ficaria vulnerável (isto é, todas as pessoas adormecidas) por apenas quatro horas em vez de oito, embora todos ainda tenham a oportunidade de desfrutar de oito horas de sono. Isso representa um aumento potencial de 50% na aptidão para a sobrevivência. A Mãe Natureza jamais rejeitaria um traço biológico — nesse caso, a útil variabilidade no momento em que indivíduos de uma tribo vão dormir e acordam — que aumentasse consideravelmente a segurança da sobrevivência e assim a aptidão de uma espécie. E por isso não o fez.

MELATONINA

O núcleo supraquiasmático transmite o sinal repetitivo de dia e de noite para o cérebro e para o corpo usando um mensageiro móvel chamado melatonina. A melatonina também tem outros nomes, que incluem "o hormônio da escuridão" e "o hormônio vampiro" — não porque ela seja sinistra, mas simplesmente porque é liberada à noite. Instruída pelo núcleo supraquiasmático, a elevação do nível de melatonina começa logo após o cair da noite, sendo liberada na corrente sanguínea a partir da glândula pineal, uma área profundamente encravada na parte central do cérebro. A melatonina age como um poderoso megafone, gritando uma mensagem clara para o cérebro e o corpo: "Está escuro, está escuro!" Nesse instante, recebemos uma intimação de que é noite e, com ela, uma ordem biológica para o momento do início do sono.*

Dessa maneira, a melatonina ajuda a regular o *momento* em que o sono ocorre, enviando o sinal de escuridão de forma sistemática para todo o organis-

---

* No caso das espécies noturnas, como morcegos, grilos, vaga-lumes ou raposas, esse grito é dado de manhã.

mo. Contudo, ela tem pouca influência sobre a *geração* do sono: uma suposição equivocada feita por muitas pessoas. Para deixar clara essa distinção, pense no sono como a corrida dos cem metros nos Jogos Olímpicos. A melatonina é a voz do responsável pela cronometragem que diz "Corredores, em suas marcas" e então faz o disparo de partida. Esse funcionário da cronometragem (melatonina) determina quando a corrida (sono) começa, mas não participa dela. Nessa analogia, os velocistas são outras regiões e processos do cérebro que *geram* sono ativamente. A melatonina empurra essas regiões geradoras de sono do cérebro para a linha de partida da hora de dormir. Ela simplesmente dá a ordem oficial para o início do fenômeno do sono, porém não participa da corrida do sono propriamente dita.

Por essa razão, a melatonina não é um poderoso auxiliar do sono por si mesma, pelo menos não no caso de indivíduos saudáveis que não estejam sob o efeito do *jet lag* (vamos discutir o *jet lag* — e como a melatonina pode ser útil — adiante). Pode haver pouca, ou nenhuma, melatonina de qualidade em um comprimido. Dito isso, ela possui um importante efeito placebo sobre o sono, o que não deveria ser subestimado: ele é o efeito mais confiável de toda a farmacologia. É igualmente importante ter em mente o fato de que a venda de melatonina sem prescrição médica não costuma ser controlada por órgãos governamentais no mundo todo, como a Food and Drug Administration (FDA) nos Estados Unidos. Análises científicas de marcas vendidas sem prescrição identificaram concentrações de melatonina que variam de 83% menos do que o afirmado no rótulo a 478% mais do que o declarado.*

Depois que o sono se inicia, a concentração de melatonina diminui lentamente ao longo da noite e pela madrugada. Com o amanhecer, quando a luz do sol entra no cérebro pelos olhos (através até das pálpebras fechadas), um pedal de freio é acionado na glândula pineal, interrompendo assim a liberação desse hormônio. A ausência de melatonina circulante então informa ao cérebro e ao corpo que a linha de chegada do sono foi alcançada: é hora de declarar a corrida do sono encerrada e permitir que o estado ativo de vigília retorne pelo restante do dia. Nesse sentido, nós, seres humanos, somos "movidos a sol". Depois,

---

* L.A. Erland e P.K. Saxena, "Melatonin Natural Health Products and Supplements: Presence of Serotonin and Significant Variability of Melatonin Content", *Journal of Clinical Sleep Medicine* 2017, 13(2): p. 275-81.

quando a luz declina, ocorre o mesmo fenômeno com o pedal de freio solar, que bloqueia a melatonina. À medida que ela se eleva, outra fase de escuridão é sinalizada e outro evento de sono é chamado à linha de partida.

Um perfil de liberação de melatonina típico pode ser visto na Figura 2. Ele começa algumas horas após o anoitecer. Em seguida se eleva depressa, chegando ao pico por volta das quatro horas da manhã. Daí em diante começa a diminuir à medida que o amanhecer se aproxima, caindo a níveis indetectáveis entre o começo e a metade da manhã.

Figura 2: O ciclo de melatonina

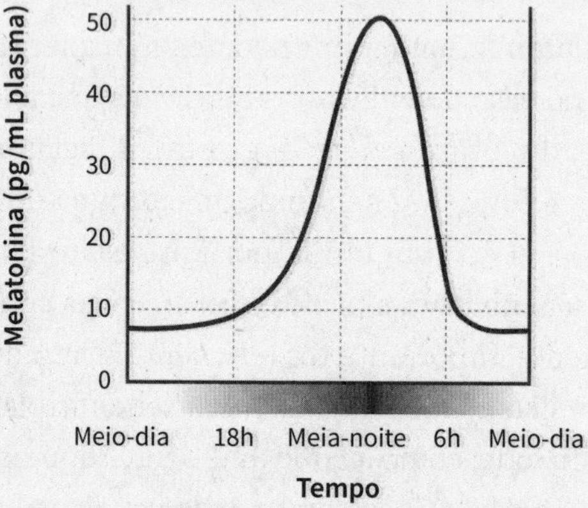

TÊM RITMO, NÃO VIAJAM

O advento do motor a jato foi uma revolução para o trânsito em massa de seres humanos pelo planeta. No entanto, criou uma calamidade biológica inesperada: os aviões a jato conseguem se deslocar através de fusos horários em velocidades tais que nossos relógios internos de 24 horas jamais poderiam acompanhar ou se ajustar. Esses jatos causam um atraso — ou *lag* — biológico: o *jet lag*. Desse modo, sentimo-nos cansados e sonolentos durante o dia em um fuso horário distante porque nosso relógio interno pensa que ainda é noite. Ele ainda está atrasado. Como se isso não bastasse, em geral à noite não conseguimos iniciar ou manter o sono já que o relógio interno acredita que ainda é dia.

Tomemos como exemplo o meu recente voo de volta para casa de São Francisco para a Inglaterra. Londres está oito horas à frente de São Francisco. Quando cheguei à Inglaterra, apesar de o relógio digital no Aeroporto Heathrow de Londres indicar que eram nove da manhã, meu relógio circadiano interno estava registrando uma hora bem diferente — a da Califórnia, onde era uma da manhã. Eu deveria estar em sono profundo. Tive de arrastar meu cérebro e meu corpo defasados ao longo do dia de Londres em um estado de profunda letargia. Cada aspecto de minha biologia exigia sono; estado no qual a maioria das pessoas lá na Califórnia estava mergulhada àquela hora.

Contudo, o pior ainda estava por vir: à meia-noite pelo horário de Londres, eu estava na cama, cansado e querendo dormir. Mas, diferentemente da maioria das pessoas da cidade, eu não conseguia cair no sono. Apesar de ser meia-noite em Londres, meu relógio biológico interno achava que eram quatro horas da tarde. Como costumo estar bem desperto nesse horário, assim estava, deitado na cama em Londres. E lá se passaram cinco ou seis horas antes que minha tendência natural a adormecer chegasse... exatamente quando Londres começou a despertar e tive de dar uma palestra. Que desastre.

Isto é *jet lag*: você se sente cansado e sonolento durante o dia no novo fuso horário porque o relógio corporal e a biologia associada ainda "pensam" que é noite. À noite, você em geral não consegue dormir bem porque o ritmo biológico ainda acha que é dia.

Felizmente meu cérebro e corpo não permaneceram nesse limbo descombinado para sempre. Fui me habituando ao horário de Londres por meio dos sinais de luz solar obtidos na nova localização. Entretanto, o processo de reajuste é lento. Para cada dia que se passa em um fuso horário diferente, o núcleo supraquiasmático só consegue se reajustar em cerca de uma hora. Portanto, levei cerca de oito dias para me reajustar ao horário de Londres, oito horas à frente do de São Francisco. Para o meu azar, após os esforços hercúleos do relógio de 24 horas do meu núcleo supraquiasmático para se arrastar no tempo e se acomodar em Londres, ele depara com uma notícia desalentadora: preciso voar de volta para São Francisco após nove dias. Meu pobre relógio biológico tem de passar por toda essa provação de novo na direção inversa!

Talvez você tenha notado que parece mais difícil se aclimatar a um novo fuso horário quando se viaja para leste do que quando se voa para oeste. Há duas razões para isso. Em primeiro lugar, a direção leste exige que você durma mais cedo do que o habitual — uma baita façanha biológica para a mente. Em contrapartida, a direção oeste requer que você permaneça acordado até mais tarde, o que é uma perspectiva consciente e pragmaticamente mais fácil. Em segundo lugar, como você deve lembrar, quando isolado de todas as influências do mundo exterior, nosso ritmo circadiano natural é inatamente mais longo do que um dia — cerca de 24 horas e quinze minutos. Por mais modesto que seja, esse fenômeno faz com que seja um pouco mais fácil prolongar artificialmente um dia do que encolhê-lo. Quando se viaja para oeste — na direção do relógio interno inatamente mais longo —, esse "dia" tem mais do que 24 horas para você e é por isso que parece um pouco mais fácil se adaptar. Já a viagem para leste, que envolve um "dia" mais curto para você do que 24 horas, vai contra a tendência natural do seu ritmo interno inatamente longo para começar, razão por que é muito mais difícil fazê-la.

Tanto na direção oeste quanto para leste, o *jet lag* submete o cérebro a uma torturante tensão fisiológica e as células, órgãos e sistemas importantes do corpo, a um profundo estresse biológico. E isso tem desdobramentos: cientistas estudaram tripulações de avião que costumam percorrer rotas de longa distância e têm poucas oportunidades de se recuperar. Foram identificados dois resultados alarmantes. O primeiro foi o de que partes de seu cérebro — especificamente as relacionadas com o aprendizado e a memória — tinham encolhido fisicamente, sugerindo a destruição de células cerebrais causada pelo estresse biológico da viagem através dos fusos horários. O segundo foi o de que sua memória de curto prazo estava prejudicada de forma significativa: eles se mostraram consideravelmente mais esquecidos do que indivíduos de idade e antecedentes semelhantes que não viajavam com frequência através de fusos horários. Outros estudos envolvendo pilotos, membros de tripulação e pessoas que trabalham em turnos apontaram outras consequências inquietantes, incluindo índices muito mais altos de câncer e diabetes tipo 2 do que os registrados na população geral — ou até entre indivíduos semelhantes cuidadosamente controlados que não viajam tanto.

Tendo em vista esses efeitos deletérios, dá para entender por que algumas pessoas que enfrentam o *jet lag* com frequência, incluindo pilotos de companhias aéreas e pessoal de bordo, gostariam de limitar esse tormento. Na tentativa de sanar o problema, elas costumam tomar comprimidos de melatonina. Lembre-se do meu voo de São Francisco para Londres: após chegar naquele dia, tive dificuldade de adormecer e permanecer dormindo à noite. Em parte, porque não estava havendo liberação de melatonina durante a minha noite em Londres. A minha elevação de melatonina ainda estava a muitas horas de distância, no horário da Califórnia. Mas imaginemos que eu tivesse usado um legítimo composto de melatonina ao chegar a Londres. Eis como ela teria funcionado: por volta das sete ou oito da noite no horário de Londres eu tomaria um comprimido de melatonina, provocando uma elevação artificial na melatonina circulante que imita o pico natural que estaria ocorrendo naquele momento na maioria dos moradores da cidade. Desse modo, meu cérebro seria enganado e levado a acreditar que era noite e, com esse truque quimicamente induzido, viria o momento sinalizado da corrida do sono. Ainda seria uma luta gerar o evento do sono propriamente dito nessa hora irregular (para mim), porém o sinal de que estava na hora aumentaria significativamente a probabilidade de haver sono nesse contexto afetado pelo *jet lag*.

PRESSÃO DO SONO E CAFEÍNA

O ritmo circadiano de 24 horas é o primeiro dos dois fatores que determinam a vigília e o sono. O segundo é a pressão do sono. Neste exato momento, uma substância química chamada adenosina está se acumulando em seu cérebro. Sua concentração continuará aumentando a cada minuto de vigília que transcorre. Quanto mais tempo você passar acordado, mais adenosina será acumulada. Pense na adenosina como um barômetro químico que registra continuamente o tempo transcorrido desde que você acordou esta manhã.

Uma consequência do aumento do nível de adenosina no cérebro é o crescente desejo de dormir, conhecido como pressão do sono — ela é a segunda força que determina quando você se sente sonolento e, por isso, tem que se deitar. Recorrendo a um engenhoso efeito de dupla ação, concentrações elevadas de adenosina ao mesmo tempo baixam o "volume" de regiões promotoras do estado de vigília no cérebro e elevam o mostrador das regiões indutoras de sono. Em virtude dessa pressão química do sono, quando a concentração de adenosina chega ao pico, uma irresistível ânsia de dormir se apodera de você.*

---

* Supondo que seu ritmo circadiano seja estável e você não tenha viajado recentemente entre fusos horários, caso em que ainda pode ter dificuldade em adormecer, mesmo tendo passado dezesseis horas desperto.

Isso acontece com a maioria das pessoas depois que passam de doze a dezesseis horas acordadas.

Entretanto, é possível suprimir artificialmente o sinal de sono da adenosina utilizando uma substância química que faz você se sentir mais alerta e desperto: a cafeína. Ela não é um suplemento alimentar; pelo contrário, é o estimulante psicoativo mais consumido (e abusado) no mundo. É o segundo produto mais comercializado no planeta, perdendo apenas para o petróleo. O consumo de cafeína representa um dos mais longos e maiores estudos não supervisionados sobre o uso de drogas pela raça humana já conduzidos — e que talvez só tenha o álcool como rival — e perdura até hoje.

A cafeína derrota a adenosina pelo privilégio de se conectar aos locais de ligação da adenosina — ou receptores — no cérebro. No entanto, depois que ocupa esses receptores, a cafeína não os estimula como a adenosina faz, deixando você sonolento. Ao contrário, ela bloqueia e inativa os receptores, se comportando como um agente encobridor. É o equivalente de enfiar o dedo no ouvido para deixar de ouvir um som. Ao sequestrar e ocupar esses receptores, a cafeína bloqueia o sinal de sonolência normalmente transmitido ao cérebro pela adenosina. O resultado: ela engana você, fazendo com que se sinta alerta e desperto, apesar dos elevados níveis de adenosina que de outro modo o teriam induzido a dormir.

Os níveis de cafeína circulante chegam ao máximo cerca de trinta minutos após a administração oral. Contudo, o problema é a persistência da substância em seu sistema. Na farmacologia, usa-se a expressão "meia-vida" ao discutir a eficácia de uma droga. O termo se refere simplesmente ao tempo que o corpo leva para remover 50% da concentração de uma droga. A cafeína tem uma meia-vida média de cinco a sete horas. Digamos que você tome uma xícara de café após o jantar, por volta de sete e meia da noite. Isso significa que, à uma e meia da manhã, 50% da cafeína ainda pode estar ativa e circulando por todo o seu tecido cerebral. Em outras palavras, à uma e meia da manhã você estará apenas a meio caminho de completar a tarefa de limpar o cérebro da cafeína ingerida após o jantar.

Mas não há nada de benigno na marca de 50%. Meia dose de cafeína ainda é muito poderosa e resta ainda muito trabalho de decomposição pela frente ao longo de toda a noite antes que a substância seja eliminada por completo. O sono não virá facilmente ou será tranquilo no decorrer da noite enquanto seu cérebro luta contra a força contrária da cafeína. A maioria das pessoas não se dá conta de quanto tempo é necessário para superar uma única dose da substância e por isso não consegue estabelecer pela manhã o vínculo entre a má noite de sono e a xícara de café tomada dez horas antes no jantar.

A cafeína — que não é predominante apenas no café, em certos chás e muitas bebidas energéticas, mas também em alimentos como o chocolate meio-amargo e o sorvete, bem como comprimidos para emagrecer e analgésicos — é um dos culpados mais comuns por impedir que as pessoas adormeçam com facilidade e depois durmam profundamente, o que em geral é tido por insônia, um problema médico real. É importante também ter consciência de que *descafeinado* não significa *não cafeinado*. Uma xícara de café descafeinado contém de 15% a 30% da dose de uma xícara de café normal, o que está longe de ser isento de cafeína. Tomar de três a quatro xícaras de café descafeinado à noite é tão danoso para o seu sono quanto uma xícara de café normal.

Mas a "sacudida" do café uma hora desaparece. A cafeína é removida do seu sistema por uma enzima do fígado,* que a degrada aos poucos. Devido em grande parte à genética,** algumas pessoas têm uma versão mais eficiente da enzima que degrada a cafeína, permitindo que o fígado a retire depressa da corrente sanguínea. Esses raros indivíduos conseguem tomar um *espresso* após o jantar e adormecer rapidamente à meia-noite sem nenhum problema. Já os outros têm uma versão da enzima que age mais lentamente. Por isso, são muito sensíveis aos efeitos dessa substância — uma xícara de chá ou de café tomada de manhã terá efeito por grande parte do dia, e se eles tomarem uma segunda xícara, mesmo que no começo da tarde, terão dificuldade para dormir à noite. O envelhecimento também afeta a velocidade da remoção da cafeína: quanto mais velhos ficamos, mais tempo o cérebro e o corpo levam para eliminar a substância, e assim mais sensíveis nos tornamos à influência perturbadora da cafeína sobre o sono durante a velhice.

---

* A principal enzima do fígado que metaboliza cafeína se chama citocromo P450 1A2.

** Há outros fatores que contribuem para a sensibilidade à cafeína, como a idade, a interação medicamentosa e a quantidade e qualidade do sono anterior. A. Yang, A.A. Palmer e H. de Wit, "Genetics of Caffeine Consumption and Responses to Caffeine", *Psychopharmacology*, 311, nº 3 (2010): p. 245-57. Disponível em: <http://www.ncbi.nlm.nih.gov/pmc/articles/PMC4242593/>.

Se você está tentando permanecer acordado tarde da noite tomando cafeína, prepare-se para uma consequência desagradável quando o fígado conseguir expulsar a substância do seu organismo: um fenômeno comumente conhecido como "choque de cafeína". Como um robô de brinquedo cujas baterias estão se esgotando, seus níveis de energia despencam depressa. Você tem dificuldade para funcionar e se concentrar, sentindo de novo uma forte sensação de sono.

Hoje sabemos o motivo. Durante todo o tempo em que a cafeína está em seu sistema, a substância química da sonolência bloqueada por ela (a adenosina) continua a se acumular. No entanto, o cérebro não está ciente dessa maré montante de adenosina estimuladora do sono já que a parede de cafeína que você criou a está escondendo. Mas, assim que o fígado acaba com essa barricada de cafeína, você sente uma reação violenta: é atingido pela sonolência que havia experimentado duas ou três horas atrás, antes de tomar a xícara de café, *mais* toda a adenosina extra que se acumulou nas horas transcorridas desde então. Quando os receptores ficam vazios graças à decomposição da cafeína, a adenosina volta depressa e os abafa. Quando isso acontece, você é assaltado por uma vontade fortíssima de dormir provocada pela adenosina — o "choque de cafeína" mencionado há pouco. A menos que consuma ainda mais cafeína para reduzir o peso da adenosina, o que iniciaria um ciclo de dependência, você vai achar muito, muito difícil se manter acordado.

Para elucidar ainda mais os efeitos da cafeína, acrescento uma pesquisa esotérica conduzida pela Nasa nos anos 1980. Os cientistas da agência expuseram aranhas a diferentes drogas e em seguida observaram as teias construídas por elas.* Entre as drogas estavam o LSD, a anfetamina, a maconha e a cafeína. Os resultados, que falam por si mesmos, podem ser observados na Figura 3. Os pesquisadores notaram como as aranhas se mostravam impressionantemente incapazes de construir qualquer coisa que se assemelhasse a uma teia normal ou lógica e com utilidade funcional após receberem cafeína — isso mesmo comparado com outras drogas poderosas testadas.

---

* R. Noever, J. Cronise e R.A. Relwani, "Using Spider-Web Patterns to Determine Toxicity", NASA Tech Briefs 19, nº 4 (1995): p. 82; e Peter N. Witt e Jerome S. Rovner, *Spider Communication: Mechanisms and Ecological Significance* (Princeton University Press, 1982).

Figura 3: Efeitos de várias drogas na construção de teia de aranha

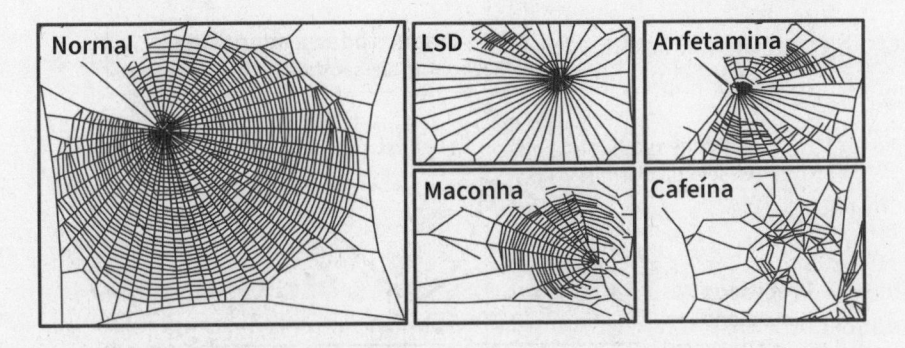

Vale ainda ressaltar que a cafeína é uma droga estimulante, além de única substância viciante que damos prontamente a nossas crianças e adolescentes — algo cujas consequências serão discutidas mais adiante neste livro.

EM COMPASSO, EM DESCOMPASSO

Deixando a cafeína um pouco de lado, talvez você tenha presumido que as duas forças dominantes que regulam o sono — o ritmo circadiano de 24 horas do núcleo supraquiasmático e o sinal da pressão do sono da adenosina — se comunicam de modo a unir suas influências. Na verdade, elas não fazem isso: as duas são sistemas distintos e separados que se ignoram. Elas não estão acopladas, embora costumem estar alinhadas.

A Figura 4 mostra da esquerda para a direita um período de 48 horas — dois dias e duas noites. A linha pontilhada representa o ritmo circadiano, também conhecido como Processo C. Como uma onda senoidal, ela sobe e desce de forma segura e repetitiva, para depois subir e descer mais uma vez. Iniciando na extrema esquerda da figura, o ritmo circadiano começa a aumentar sua atividade algumas horas antes de você despertar, impregnando o cérebro e o corpo com um sinal de energia alertador. Pense nele como uma estimulante banda marcial se aproximando ao longe. A princípio, o sinal é suave, mas vai aumentando aos poucos com o tempo. No início da tarde, no caso da maioria dos adultos saudáveis, o sinal ativador do ritmo circadiano chega ao pico.

Figura 4: Os dois fatores que regulam sono e vigília

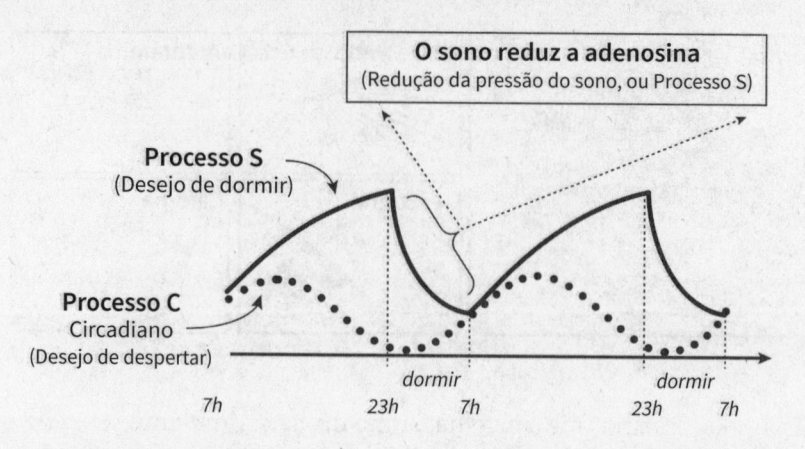

Consideremos agora o que está acontecendo com o outro fator: a adenosina, que é o que cria uma pressão do sono, também conhecida como Processo S. Representada pela linha sólida na Figura 4, quanto mais tempo você passa acordado, mais ela se acumula, gerando um crescente impulso (pressão) para dormir. Por volta da metade até o fim da manhã, você só permaneceu acordado por um punhado de horas; desse modo, as concentrações de adenosina aumentaram só um pouco. Além disso, o ritmo circadiano está em seu poderoso movimento ascendente de alerta. Essa combinação de forte potência ativadora do ritmo circadiano junto com baixos níveis de adenosina gera uma sensação deliciosa de estar totalmente desperto. (Ou pelo menos deveria, contanto que seu sono tenha sido de boa qualidade e tenha durado o suficiente na noite anterior. Se você sente que poderia cair no sono facilmente na metade da manhã, é provável que não esteja dormindo o bastante ou que a qualidade do seu sono seja insuficiente.) A distância entre as linhas curvas na parte de cima será um reflexo direto do seu desejo de dormir — quanto maior a distância entre as duas, maior é o desejo.

Por exemplo, às onze da manhã, tendo acordado às oito, há apenas uma pequena distância entre a linha pontilhada (ritmo circadiano) e a linha sólida (pressão do sono), representada pela seta dupla vertical da Figura 5. Essa diferença mínima significa que há um fraco impulso para dormir e uma forte ânsia de ficar desperto e alerta.

Figura 5: Ânsia de estar acordado

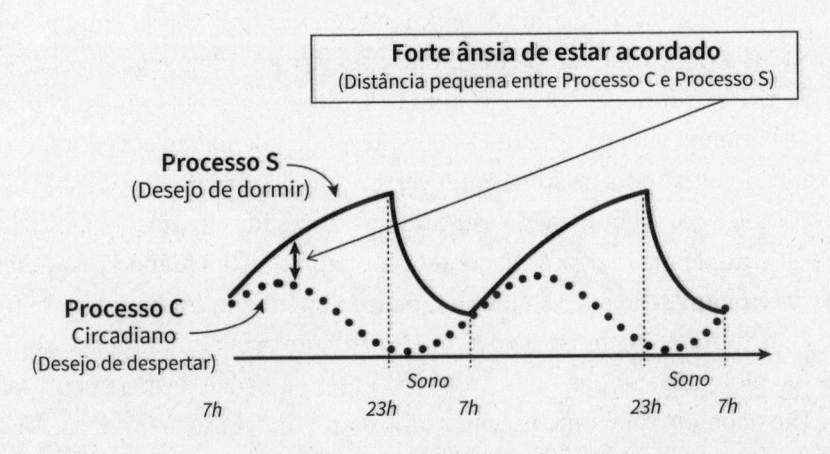

Contudo, às onze horas da noite a situação é bem diferente, como ilustrado na Figura 6. Agora você esteve acordado por quinze horas e seu cérebro está repleto de concentrações elevadas de adenosina (observe como a linha sólida na figura subiu de forma acentuada). Além disso, a linha pontilhada do ritmo circadiano está descendo, reduzindo sua atividade e níveis de alerta. Desse modo, a diferença entre as duas linhas cresceu muito, sendo refletida na longa seta dupla vertical da Figura 6. Essa combinação poderosa de adenosina abundante (pressão do sono elevada) e ritmo circadiano declinante (níveis de atividade reduzidos) provoca um forte desejo de dormir.

Figura 6: A ânsia de dormir

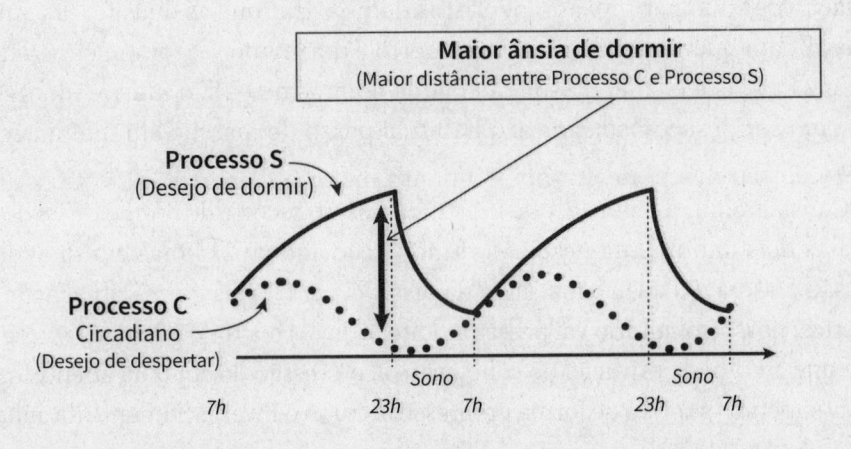

Mas o que acontece com toda a adenosina acumulada depois que você adormece? Durante o sono, inicia-se uma evacuação em massa enquanto o cérebro tem a oportunidade de degradar e remover a adenosina do dia. Ao longo da noite, o sono levanta o grande peso da pressão do sono, aliviando a carga de adenosina. Em um adulto, o expurgo da adenosina está completo após cerca de oito horas de sono saudável. E, quando esse processo está chegando ao fim, a banda marcial do seu ritmo de atividade circadiano já está de volta e sua influência revigorante começa a se aproximar. Quando esses dois processos trocam de lugar pela manhã, momento em que a adenosina foi removida e o volume ascendente do ritmo circadiano está aumentando (como indicado pelo encontro das duas linhas na Figura 6), você desperta naturalmente (no exemplo da figura, às sete horas da manhã no segundo dia). Após toda essa noite de sono, agora você está pronto para encarar mais dezesseis horas de vigília com vigor físico e função cerebral aguçada.

DIA E NOITE DA INDEPENDÊNCIA

Você já passou uma noite em claro — deixando de dormir e permanecendo acordado durante todo o dia seguinte? Se já, e consegue se lembrar bem de qualquer coisa relacionada a ele, talvez recorde que houve momentos em que se sentiu muito mal e sonolento, porém houve outros em que, apesar de ter ficado acordado por mais tempo, se sentiu paradoxalmente *mais* alerta. Por que isso aconteceu? Não aconselho ninguém a realizar esse experimento, mas avaliar o estado de alerta de uma pessoa durante 24 horas de total privação de sono permite aos cientistas demonstrar que as duas forças que determinam quando se quer estar desperto e dormindo — o ritmo circadiano de 24 horas e o sinal da sonolência da adenosina — são independentes e podem ser desacopladas de seu habitual passo de marcha em fileira cerrada.

Consideremos a Figura 7, que mostra o mesmo recorte de tempo de 48 horas e os dois fatores em questão: o ritmo circadiano de 24 horas e o sinal da pressão do sono da adenosina, além da distância entre eles. Nessa situação hipotética, nosso voluntário vai passar a noite toda e o dia todo acordado. À medida que a noite de privação de sono avança, a pressão do sono da adenosina (linha superior) se eleva de forma progressiva, como o nível ascendente da água em uma pia com o ralo tampado e a torneira aberta. Ela não declinará ao longo da noite — não pode, já que o sono está ausente.

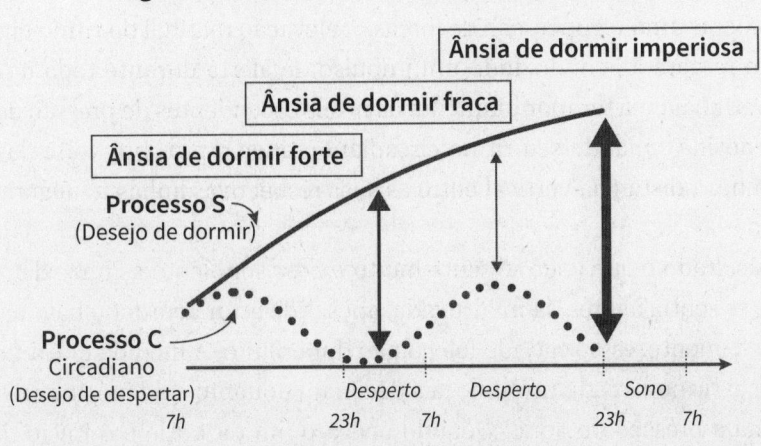

Figura 7: O fluxo e o refluxo da privação de sono

Ânsia de dormir imperiosa
Ânsia de dormir fraca
Ânsia de dormir forte
Processo S
(Desejo de dormir)
Processo C
Circadiano
(Desejo de despertar)
7h   23h   7h   Desperto   Desperto   23h   7h   Sono

Ao permanecer desperto e impedir o escoamento da adenosina promovido pelo sono, o cérebro se torna incapaz de se desvencilhar da pressão química do sono. Os níveis crescentes de adenosina então continuam subindo. Isso deveria significar que quanto mais tempo você permanecer acordado, mais sonolento se sentirá. No entanto, isso não é verdade: embora você vá se sentir cada vez mais sonolento durante toda a fase da noite, atingindo um ponto muito baixo no nível de vigília por volta das seis da manhã, daí em diante você experimentará uma sensação de energia renovada. Mas como isso é possível com os níveis de adenosina e a pressão do sono correspondente ainda aumentando?

A resposta está no seu ritmo circadiano de 24 horas, que oferece um breve período de salvação da sonolência. Diferentemente da pressão do sono, o ritmo circadiano não presta nenhuma atenção ao fato de você estar adormecido ou desperto. Seu vulto lento, rítmico, continua a descer e subir tendo por base estritamente a hora do dia ou da noite. Seja qual for o estado de pressão da sonolência da adenosina presente no cérebro, o ritmo circadiano de 24 horas continua se repetindo como de costume, alheio à continuada falta de sono.

Voltando à Figura 7, o mal-estar da madrugada que você experimenta por volta das seis da manhã pode ser explicado pela combinação da elevada pressão do sono da adenosina com a chegada do ritmo circadiano a seu ponto mais baixo. A distância vertical que separa essas duas linhas às três da manhã é grande, como indicado pela primeira seta vertical no gráfico. Mas, quando você consegue ir além desse ponto baixo do estado de vigília, tem boas razões para esperar uma recuperação de forças. A elevação matinal do ritmo circadiano vem resgatá-lo, conduzindo um impulso de alerta durante toda a manhã que contrabalança temporariamente os níveis ascendentes de pressão do sono da adenosina. Quando seu ritmo circadiano atinge o pico por volta das onze da manhã, a distância vertical entre as suas respectivas linhas na Figura 7 fica reduzida.

O resultado é que você se sente muito *menos* sonolento às onze da manhã do que se sentia às três da madrugada, apesar de estar acordado há mais tempo. Infelizmente, esse segundo fôlego não dura muito. À medida que a tarde se arrasta, o ritmo circadiano começa a declinar enquanto a adenosina crescente acumula a pressão do sono. Quando chega o fim da tarde e o início da noite, qualquer impulso temporário de alerta já foi perdido. Você é golpeado pela força total de uma imensa pressão do sono da adenosina. Às nove da noite, a distância vertical entre as duas linhas na Figura 7 é enorme. Se não houver uma administração intravenosa de cafeína ou anfetamina, a vontade de dormir falará mais alto, arrancando seu cérebro à força do controle agora fraco de uma vigília embaçada, mergulhando-o no sono.

ESTOU DORMINDO O SUFICIENTE?

Deixando de lado o caso extremo da privação de sono, como sabemos se estamos dormindo o suficiente? Apesar de ser necessária uma avaliação clínica do sono para investigar a fundo a questão, uma regra geral fácil é responder a duas perguntas simples. Primeira: após acordar, você conseguiria voltar a dormir às dez ou onze da manhã? Se a resposta for "sim", é provável que não esteja tendo quantidade e/ou qualidade de sono suficiente. Segunda: você consegue funcionar otimamente sem cafeína antes do meio-dia? Se a resposta for "não", o mais provável é que você esteja se automedicando contra o estado de privação de sono crônica.

Recomendo que leve esses dois sinais a sério e tente sanar a deficiência de sono. Eles são tópicos — e uma questão — que serão trabalhados em profundidade nos Capítulos 13 e 14, quando falaremos sobre os fatores que impedem e prejudicam o sono, bem como a insônia e os tratamentos eficazes. Em geral, essa sensação de não revigoramento que compele alguém a voltar a dormir no meio da manhã ou requer o reforço do estado de alerta com cafeína ocorre por negligência de tempo adequado para dormir — pelo menos oito ou nove horas na cama. Quando você não dorme o bastante, uma das muitas consequências é que as concentrações de adenosina permanecem muito elevadas. Como uma dívida pendente em um empréstimo, chegada a manhã, ainda resta certa quantidade da adenosina do dia anterior; você então carrega essa sonolência pendente ao longo de todo o dia seguinte. Também como em um empréstimo atrasado, a dívida de sono continuará se acumulando. E não tem como se esconder dela: a dívida passará para o ciclo de pagamento seguinte, e o seguinte, e o seguinte, produzindo uma condição de privação de sono crônica, prolongada, de um dia para outro. Essa obrigação de repor o sono perdido gera uma sensação de fadiga crônica, que se manifesta em várias formas de enfermidades mentais e físicas hoje bem disseminadas em todos os países industrializados.

Outras questões que podem evidenciar sinais de sono insuficiente são: sem o alarme do celular ou despertador, você perde a hora? (Em caso positivo, você precisa de mais sono do que está se permitindo.) Diante da tela do computador você se pega lendo e depois relendo (e talvez relendo de novo) a mesma frase? (Isso costuma ser um sinal de cérebro fatigado, que dormiu pouco.) Às vezes, ao dirigir, você se esquece de que cor eram os últimos sinais de trânsito? (Muitas vezes a causa é uma simples distração, porém com frequência outro culpado é a falta de sono.)

Evidentemente, mesmo que você esteja se dando tempo suficiente para ter uma noite inteira de sono, ainda pode sentir fadiga e sonolência no dia seguinte por sofrer de um transtorno do sono não diagnosticado, dos quais existe agora mais de uma centena. O mais comum é a insônia, seguida pelo transtorno respiratório do sono, ou apneia do sono, que inclui ronco pesado. Caso você suspeite de que seu sono ou o de outra pessoa está perturbado, causando fadiga diurna, enfraquecimento ou angústia, fale com seu médico imediatamente e peça o encaminhamento para um especialista em sono. O mais importante sobre esse assunto é não recorrer como primeira opção a comprimidos para dormir. Você compreenderá por que digo isso quando chegar ao Capítulo 14, mas, por favor, sinta-se à vontade para pular direto para a seção sobre medicamentos para dormir do Capítulo 14 se já estiver usando ou pensando em usar tais remédios.

Caso isso ajude, eis um link para um questionário desenvolvido por pesquisadores do sono que lhe permitirá determinar o grau em que seu sono é satisfatório.* Chamado SATED, ele é fácil de preencher e contém apenas cinco questões simples [em inglês].

---

* https://www.ncbi.nlm.nih.gov/pubmed/24470692 (fonte: D. J. Buysse, "Sleep Health: Can we define it? Does it matter?", *SLEEP* 37, nº 1 [2014]: p. 9-17).

CAPÍTULO 3

Definição e geração de sono:

Dilatação do tempo e o que aprendemos com um bebê em 1952

Suponhamos que um dia você tenha entrado na sua sala de estar tarde da noite enquanto conversava com um amigo. Você viu um parente seu (vamos chamá-lo de Jessica) deitado imóvel no sofá, sem dar um pio, o corpo recostado e a cabeça virada para um lado. Na mesma hora, você se virou para seu amigo e disse: *"Psiu, Jessica está dormindo."* Mas como você soube que ela estava dormindo? A descoberta demandou uma fração de segundo, mas, em sua mente, o estado de Jessica deu margem a pouca dúvida. Por que, em vez disso, você não achou que ela estava em coma? Ou pior, morta?

SONO AUTOIDENTIFICADOR

Seu julgamento rápido como um raio de que Jessica estava dormindo provavelmente estava correto. E talvez você o tenha confirmado sem querer ao derrubar algo e acordá-la. Com o tempo, todos nós nos tornamos incrivelmente bons em reconhecer vários sinais que sugerem que alguém está dormindo. Esses sinais são tão confiáveis que hoje existe um conjunto de características observáveis consideradas pelos cientistas indicadores da presença de sono em seres humanos e outras espécies.

A cena de Jessica ilustra quase todas essas pistas. Primeiro, organismos adormecidos adotam uma posição típica. Em animais terrestres, ela é muitas vezes horizontal, como a posição de Jessica no sofá. Segundo, e relacionado a isso, organismos adormecidos têm tônus muscular diminuído, o que se evidencia sobretudo no relaxamento dos músculos esqueléticos posturais (antigravitacionais) — os que nos mantêm em pé, impedindo-nos de desabar no chão. Quando a tensão desses músculos relaxa no sono leve e depois no sono pesado, o corpo se deixa cair. Um organismo adormecido fica jogado sobre qualquer coisa que o sustente, o que se mostra extremamente evidente na cabeça virada de Jessica. Terceiro, indivíduos adormecidos não dão nenhuma demonstração evidente de comunicação ou capacidade de reação. Jessica não mostrou nenhum sinal de se voltar na sua direção quando você entrou na sala, como teria feito se estivesse acordada. A quarta característica definidora do sono é o fato de ser facilmente reversível, o que o distingue do coma, da anestesia, da hibernação e da morte. Lembre-se de que Jessica acordou assim que o objeto foi derrubado na sala. Quinto, como estabelecemos no capítulo anterior, o sono adere a um padrão temporal confiável ao longo de 24 horas, guiado pelo ritmo circadiano ditado pelo marca-passo do núcleo supraquiasmático do cérebro. Os seres humanos são diurnos, por isso preferimos permanecer acordados durante todo o dia e dormir à noite.

Agora permita que eu lhe faça uma pergunta um tanto diferente: como você, você mesmo, sabe que dormiu? Você faz essa autoavaliação com ainda mais frequência do que avalia o sono dos outros. Cada manhã, com sorte, você retorna ao mundo desperto sabendo que dormiu.* Essa autoavaliação do sono é tão sensível que é possível ir mais além e discernir quando o sono foi de boa ou de má qualidade. Essa é outra maneira de estimar o sono: uma avaliação fenomenológica em primeira pessoa, distinta de sinais utilizados para determinar o sono em outrem.

Também há aqui indicadores universais que permitem uma conclusão cabal sobre o sono — na verdade, eles são dois. O primeiro é a perda de percepção externa — você deixa de notar o mundo exterior. Não está mais consciente do que o cerca, pelo menos não explicitamente — na realidade, suas orelhas ainda estão "ouvindo"; seus olhos, embora fechados, ainda conseguem "ver". Isso também vale para os outros órgãos sensoriais como o nariz (olfato), a língua (paladar) e a pele (tato).

---

* Algumas pessoas com certo tipo de insônia não conseguem avaliar com precisão se dormiram ou permaneceram acordadas à noite. Em virtude dessa "percepção equivocada" do sono, elas subestimam quanto conseguiram dormir — um problema que será abordado mais adiante neste livro.

Todos esses sinais chegam em grande quantidade ao centro do cérebro, mas, enquanto você dorme, essa viagem termina na zona de convergência sensorial. Os sinais são bloqueados por uma barricada perceptual erguida em uma estrutura chamada tálamo. Liso, oval e pouco menor do que um limão, o tálamo é o portão sensorial do cérebro — é ele que decide quais sinais sensoriais têm permissão de passar. Caso consigam passagem privilegiada, os sinais são enviados para o córtex na parte superior do cérebro, onde são conscientemente percebidos. Ao trancar suas portas no início do sono saudável, o tálamo impõe um blecaute, impedindo o avanço desses sinais até o córtex. Desse modo, você não fica mais consciente dos programas informativos transmitidos a partir dos órgãos sensoriais externos. Seu cérebro perde contato desperto com o mundo exterior ao seu redor. Em outras palavras, agora você está dormindo.

A segunda característica que orienta seu julgamento autodeterminado sobre o sono é uma sensação de distorção do tempo experimentada de duas formas contraditórias. No nível mais óbvio, você perde a noção consciente do tempo quando dorme, o que equivale a um vazio cronométrico. Considere a última vez que dormiu em um avião. Ao acordar, você provavelmente consultou o relógio para saber por quanto tempo dormiu. Mas por que fez isso? Porque seu monitoramento explícito do tempo foi perdido enquanto você dormiu. É a sensação de um buraco temporal que, analisado ao despertar, faz com que você tenha certeza de que esteve dormindo.

Todavia, embora seu mapeamento *consciente* do tempo seja perdido durante o sono, em um nível *não consciente* o tempo continua a ser catalogado pelo cérebro com incrível precisão. Tenho certeza de que você já teve que despertar na manhã seguinte a uma hora bem específica — talvez precisasse pegar um avião logo cedo. Antes de dormir, você programou diligentemente o alarme para as seis da manhã. Mas, por um milagre, você despertou às 5h58, sem auxílio, antes do alarme. Pelo visto, seu cérebro consegue registrar o tempo com notável precisão enquanto dorme. Como ocorre com tantas outras operações que ocorrem nele, você simplesmente não tem acesso explícito a esse conhecimento preciso do tempo durante o sono. Tudo isso voa abaixo do radar da consciência, emergindo apenas quando necessário.

Uma última distorção temporal merece destaque aqui — a da dilatação do tempo em sonhos, além do próprio sono. O tempo não é exatamente tempo nos sonhos. Na maioria das vezes ele é alongado. Pense na última vez que você acionou o botão soneca do despertador, tendo acordado de um sonho. Misericordiosamente, você está se dando mais deliciosos cinco minutos de sono e logo volta a sonhar. Depois do acréscimo de cinco minutos, o alarme toca de novo, mas essa não é a impressão que você tem. Durante os cinco minutos de tempo real, você pode ter tido a impressão de que esteve sonhando por uma hora, talvez até mais. Diferentemente da fase do sono em que não está sonhando, na qual perde toda a consciência do tempo, nos sonhos você continua a ter uma noção do tempo, ela só não é muito precisa — na maioria das vezes, o tempo onírico é estendido e prolongado em relação ao real.

Apesar de os motivos para essa dilatação do tempo não serem de todo compreendidos por nós, registros de experiências recentes realizadas com células cerebrais de ratos fornecem pistas interessantes. No experimento, ratos tiveram permissão para correr em um labirinto. À medida que eles assimilavam a disposição espacial, os pesquisadores registraram padrões característicos de excitação das células cerebrais. Registraram também a atividade das células de impressão de memória depois que os roedores adormeceram. Continuaram a "escutar" o cérebro sub-repticiamente durante os diferentes estágios do sono, incluindo o sono de movimentos oculares rápidos (sono REM, do inglês *rapid eye movement*), o estágio em que os seres humanos sonham.

O primeiro resultado notável foi que o padrão característico de excitação de células cerebrais ocorrido quando os roedores estavam aprendendo a disposição espacial do labirinto reapareceu depois durante o sono, reiteradamente. Isto é, as memórias foram repetidas no nível da atividade das células cerebrais enquanto os ratos dormiam. A segunda descoberta, ainda mais notável, foi a da velocidade desse "replay". Durante o sono REM, as memórias foram repetidas muito mais devagar: em apenas metade ou um quarto da velocidade aferida quando os ratos estavam acordados e aprendendo a geografia do labirinto. Esse lento reconto dos eventos do dia é o melhor indício que temos até hoje para explicar a experiência do tempo alongada no sono REM humano. Essa enorme desaceleração do tempo neural pode ser o motivo para acreditarmos que nossa vida onírica dura muito mais do que o nosso despertador diz.

UMA REVELAÇÃO INFANTIL — DOIS TIPOS DE SONO

Apesar de todos nós já termos determinado que alguém está dormindo, ou que nós estivemos dormindo, a excelência em matéria de verificação científica do sono requer o registro, mediante o uso de eletrodos, de sinais provenientes de três regiões: (1) a atividade de ondas cerebrais; (2) a atividade de movimentos oculares; e (3) a atividade muscular. Em conjunto, esses sinais são agrupados sob o termo geral "polissonografia" (PSG), que significa uma leitura (*grafia*) do sono (*sono*) composta de múltiplos sinais (*poli*).

Por meio do uso dessa coleção de medições surgiu a descoberta que pode ser considerada a mais importante em toda a pesquisa do sono. Ela foi feita em 1952 na Universidade de Chicago, por Eugene Aserinsky (então aluno de pós-graduação) e pelo professor Nathaniel Kleitman, famoso pelo experimento da Mammoth Cave discutido no Capítulo 2.

Aserinsky vinha documentando cuidadosamente os padrões dos movimentos oculares em bebês humanos durante o dia e a noite. Ele observou que havia períodos de sono em que os olhos iam depressa de um lado para outro sob as pálpebras. Além disso, essas fases do sono eram sempre acompanhadas por ondas cerebrais bem ativas, quase idênticas às observadas em um cérebro completamente desperto. Envolvendo essas fases intensas de sono ativo havia faixas mais longas de tempo em que os olhos se acalmavam e permaneciam imóveis. Durante esses períodos tranquilos, as ondas cerebrais também se acalmavam, subindo e descendo devagar.

Como se isso não fosse estranho o suficiente, Aserinsky também notou que essas duas fases de sono (com e sem movimentos oculares) se repetiam em um padrão de certa forma regular ao longo de toda a noite, inúmeras vezes.

Com o clássico ceticismo de um professor, seu mentor, Kleitman, quis ver os resultados reproduzidos antes de considerar sua validade. Por causa da propensão de incluir pessoas mais próximas e mais queridas em experimentos, ele escolheu sua filha bebê, Ester, para fazer a investigação. Os achados se confirmaram. Nesse momento, Kleitman e Aserinsky compreenderam a profunda descoberta que tinham feito: os seres humanos não apenas dormem, como passam por dois tipos de sono bem distintos. Eles denominaram tais estágios com base nas características oculares que os definiam: sono sem movimentos oculares rápidos, ou NREM, e sono com movimentos oculares rápidos, ou REM.

Kleitman e Aserinsky, com a ajuda de outro pós-graduando aluno de Kleitman na época, William Dement, demonstraram também que o sono REM, no qual a atividade cerebral é quase idêntica à que temos quando despertos, está intimamente associado à experiência que chamamos de sonho e é muitas vezes descrito como sono de sonho.

O sono NREM foi mais esmiuçado nos anos seguintes, sendo subdividido em quatro estágios, denominados de maneira pouco imaginativa de estágios NREM de 1 a 4 (nós, pesquisadores do sono, somos uma turma criativa), de profundidade crescente. Os estágios 3 e 4 são, portanto, os mais profundos de sono NREM que experimentamos — sendo a "profundidade" definida como a dificuldade crescente de se despertar um indivíduo nos estágios 3 e 4 de NREM comparada à dos estágios 1 ou 2 de NREM.

O CICLO DO SONO

Nos anos transcorridos desde a revelação baseada na análise de Ester, descobrimos que os dois estágios do sono — NREM e REM — travam uma batalha recorrente, um jogo de empurra e puxa, pela dominação do cérebro ao longo da noite. A guerra cerebral entre os dois é vencida e perdida a cada noventa minutos,* dominada primeiro pelo sono NREM, seguido pelo retorno do sono REM. Assim que termina, a batalha já recomeça, repetindo-se a cada noventa minutos. O monitoramento dessas flutuações extraordinárias e bruscas ao longo da noite revela a bela arquitetura cíclica representada na Figura 8.

No eixo vertical estão os estados distintos do cérebro, com a vigília no alto, depois o sono REM e então os estágios descendentes de sono NREM, do 1 ao 4. No eixo horizontal está a hora da noite, começando na extremidade esquerda por volta das onze da noite até as sete da manhã à direita. O nome técnico para esse gráfico é hipnograma (gráfico do sono).

---

* Diferentes espécies têm diferentes durações do ciclo NREM-REM. Em sua maioria eles são mais curtos do que o dos seres humanos. O objetivo funcional da duração do ciclo é mais um mistério relacionado ao sono. Até hoje, o melhor prognosticador da duração do ciclo NREM-REM é a largura do tronco encefálico, com as espécies dotadas de troncos encefálicos mais largos tendo ciclos de maior duração.

Figura 8: A arquitetura do sono

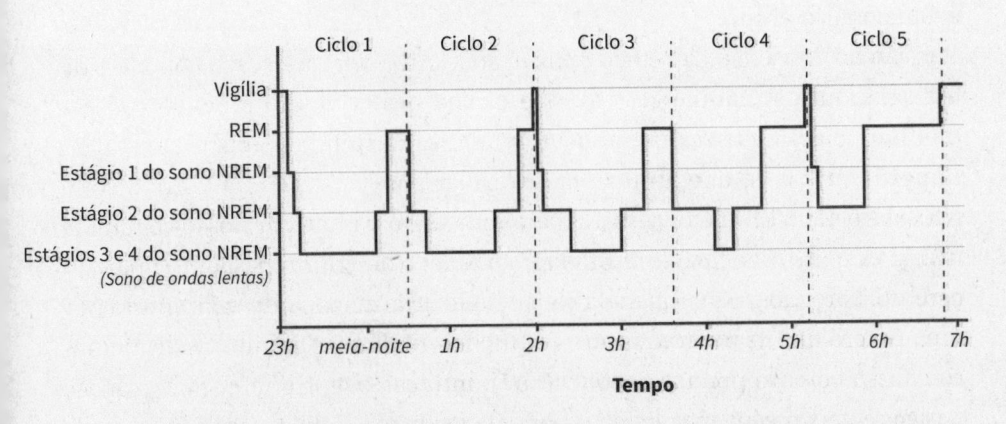

```
                    Ciclo 1    Ciclo 2    Ciclo 3    Ciclo 4    Ciclo 5
Vigília
REM
Estágio 1 do sono NREM
Estágio 2 do sono NREM
Estágios 3 e 4 do sono NREM
(Sono de ondas lentas)

        23h   meia-noite   1h    2h    3h    4h    5h    6h    7h
                                    Tempo
```

Se eu não tivesse acrescentado as linhas verticais tracejadas demarcando cada ciclo de noventa minutos, talvez você não conseguisse ver um padrão se repetindo regularmente. Pelo menos não o que esperava a partir da descrição feita há pouco. A causa é outra característica peculiar do sono: o perfil assimétrico de seus estágios. Embora seja verdade que passamos de repente de um lado para outro entre o sono NREM e o sono REM, a proporção deles em cada ciclo de noventa minutos muda bastante no decorrer da noite. Na primeira metade da noite, a maior parte de nossos ciclos é consumida por sono NREM profundo e muito pouco sono REM, como pode ser visto no ciclo 1 da Figura 8. Entretanto, à medida que passamos para a segunda metade da noite, esse equilíbrio muda, com a maior parte do sono dominado por sono REM, com pouco ou nenhum sono NREM profundo. O ciclo 5 é um exemplo perfeito desse tipo de sono rico em REM.

Mas por que a Mãe Natureza projetou essa estranha e complexa equação de estágios do sono que se desdobram? Por que alternar reiteradamente entre o sono NREM e o sono REM? Por que não obter todo o sono NREM necessário primeiro para depois usufruir de todo o sono REM necessário? Ou vice-versa? Se isso fosse apostar demais na possibilidade remota de o animal desfrutar apenas de uma noite de sono parcial em algum momento, então por que não manter a proporção entre cada ciclo igual, colocando uma porção parecida de ovos em ambas as cestas, por assim dizer, em vez de pôr a maior parte deles em uma no princípio para então inverter esse desequilíbrio mais adiante? Por que variá-la? Ter projetado e colocado em ação biológica um sistema tão complicado parece ser uma quantidade exaustiva de trabalho evolucionário árduo.

Não há consenso científico quanto ao motivo por que nosso sono (e o de todos os outros mamíferos e aves) é cíclico nesse padrão repetível, porém muitíssimo assimétrico, apesar de existirem várias teorias. Uma proposta feita por mim é a de que a interação irregular para cá e para lá entre o sono NREM e o sono REM é necessária para remodelar e atualizar nossos circuitos neurais à noite e, ao fazê-lo, administra o espaço de armazenamento finito no cérebro. Forçado pela conhecida capacidade de armazenamento imposta por um número fixo de neurônios e conexões dentro de suas estruturas de memória, nosso cérebro precisa encontrar o "ponto certo" entre reter informações antigas e deixar espaço suficiente para novas. Para equilibrar essa equação de armazenamento é necessário identificar quais memórias são novas e salientes e quais memórias já existentes são sobrepostas, redundantes ou simplesmente sem relevância.

Como será mostrado no Capítulo 6, uma função essencial do sono NREM profundo, que predomina no início da noite, é depurar e remover conexões neurais desnecessárias. Em contrapartida, o estágio onírico de sono REM, que prevalece mais tarde na noite, atua no fortalecimento dessas conexões.

Combine esses dois e temos pelo menos uma parca explicação de por que os dois tipos de sono se alternam e por que esses ciclos são dominados a princípio pelo sono NREM, com o sono REM reinando absoluto na segunda metade da noite. Considere a criação de uma escultura a partir de um bloco de argila. Ela começa com a colocação de uma grande quantidade de matéria-prima em um pedestal (aquela massa toda de memórias autobiográficas armazenadas, novas e velhas, oferecidas em sacrifício ao sono toda noite). Em seguida vem uma remoção inicial e ampla de matéria supérflua (longos períodos de sono NREM), após o que pode ser feita uma breve intensificação de detalhes iniciais (curtos períodos de sono REM). Depois dessa primeira sessão, as mãos seletivas retornam para uma segunda rodada de escavação profunda (outra longa fase de sono NREM), seguida por um pouco mais de realce de algumas estruturas detalhadas que emergiram (um pouco mais de sono REM). Após vários outros ciclos de trabalho, o equilíbrio da necessidade escultural mudou. Todas as características centrais foram esculpidas grosseiramente a partir da massa original de matéria-prima. Como resta apenas a argila importante, o trabalho do escultor e os instrumentos requeridos devem focar o fortalecimento dos elementos e o realce das características daquilo que resta (uma necessidade que requer majoritariamente as habilidades do sono REM, sobrando assim pouco trabalho para o sono NREM).

Dessa maneira, o sono pode administrar e resolver com elegância nossa crise de armazenamento de memórias, com a força escavadora geral do sono NREM predominando no início, depois do que a mão delineadora do sono REM mescla, interconecta e acrescenta detalhes. Como a experiência da vida está sempre mudando, exigindo que o catálogo de nossa memória seja atualizado *ad infinitum*, a escultura autobiográfica de experiências armazenadas jamais está completa. Por isso, o cérebro sempre requer a cada noite um novo turno de sono e seus variados estágios a fim de atualizar as redes de memória com base nos acontecimentos do dia anterior. Essa descrição é uma das razões (de muitas, suspeito) que explicam a natureza cíclica do sono NREM e do sono REM e o desequilíbrio de sua distribuição ao longo da noite.

Nesse perfil de sono em que o NREM predomina no início da noite, seguido por um domínio do REM mais tarde na manhã, reside um perigo do qual a maior parte das pessoas não tem noção. Digamos que você se deite hoje à meia-noite, mas, em vez de acordar às oito, obtendo oito horas completas de sono, você tenha que levantar às seis da manhã por causa de uma reunião ou porque é um atleta cujo treinador exige treinamentos de manhã cedo. Que porcentagem de sono você terá perdido? A resposta lógica é 25%, já que ao acordar às seis da manhã você cortará duas horas de sono do que seria de outro modo um período normal de oito horas. Mas isso não é de todo verdadeiro. Como o cérebro requer a maior parte do sono REM na última parte da noite, isto é, nas primeiras horas da manhã, você perderá de 60% a 90% de todo o seu sono REM, ainda que perca 25% do tempo total de sono. Isso vale para os dois lados. Se você acorda às oito da manhã, mas só vai se deitar às duas da madrugada, perde uma quantidade significativa de sono NREM profundo. Tal como ocorre em uma dieta desequilibrada em que você só come carboidratos e fica malnutrido pela ausência de proteína, dar ao cérebro menos do que o troco correto do sono NREM ou do sono REM — tendo em mente que ambos servem a funções críticas, embora distintas, do cérebro e do corpo — ocasiona um grande número de enfermidades físicas e mentais, como será visto em capítulos posteriores. No que se refere ao sono, não existe algo como queimar a vela pelas duas pontas — ou mesmo por uma só — e escapar impune.

COMO O CÉREBRO GERA SONO

Como você acha que seriam as suas ondas cerebrais se eu o levasse hoje à noite ao meu laboratório do sono na Universidade da Califórnia, colocasse eletrodos na sua cabeça e no rosto e o deixasse adormecer? Como esses padrões de atividade cerebral seriam diferentes dos que você está experimentando agora mesmo, enquanto lê esta frase, acordado? Como essas mudanças cerebrais elétricas explicam por que você está consciente em um estado (vigília), não consciente em outro (sono NREM) e delirantemente consciente, ou sonhando, em um terceiro (sono REM)?

Figura 9: As ondas cerebrais da vigília e do sono

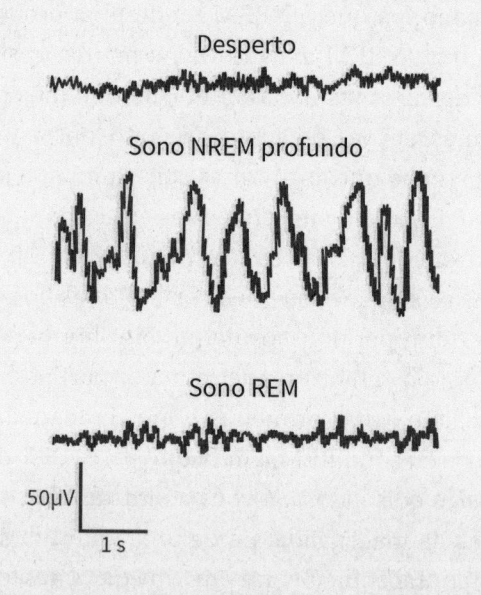

Desperto

Sono NREM profundo

Sono REM

50μV
1 s

Supondo que você seja um adulto jovem/de meia-idade saudável (vamos discutir o sono na infância, na velhice e em uma doença um pouco mais tarde), as três linhas onduladas na Figura 9 refletem os tipos distintos de atividade elétrica que seriam registrados a partir de seu cérebro. Cada linha representa trinta segundos de atividade de ondas cerebrais a partir desses três estados: (1) vigília, (2) sono NREM profundo e (3) sono REM.

Antes de você adormecer, sua atividade cerebral desperta é frenética, isto é, as ondas cerebrais estão passando por ciclos (subindo e descendo) umas trinta ou quarenta vezes por segundo, em algo similar a um toque de tambor muito rápido — o que é chamado de atividade cerebral de "frequência rápida". Além disso, não há um padrão confiável nessas ondas cerebrais; isto é, a batida de tambor não é apenas rápida, mas também errática. Se eu lhe pedisse para prever os próximos segundos da atividade tamborilando junto com a batida, com base no que veio antes, você não seria capaz de fazê-lo. As ondas cerebrais são realmente assíncronas assim — sua batida não tem ritmo discernível. Mesmo se eu convertesse as ondas cerebrais em um som (o que fiz no laboratório em um projeto de resultados arrepiantes aos ouvidos), você acharia impossível dançá-lo. Essas são as marcas elétricas distintivas da vigília plena: frequência rápida e atividade de ondas cerebrais caótica.

Talvez você pudesse pensar que sua atividade geral de ondas cerebrais pareceria belamente coerente e supersincrônica enquanto está desperto, combinando com o padrão ordenado do pensamento (em geral) lógico durante a consciência desperta. Esse contraditório caos elétrico é explicado pelo fato de partes diferentes de seu cérebro desperto estarem processando informações diferentes em momentos e de maneiras diferentes. Quando somadas, elas produzem o que parece ser um padrão de atividade desconcertante registrado pelos eletrodos colocados em sua cabeça.

Como uma analogia, considere um grande estádio de futebol lotado com milhares de torcedores. Há um microfone pendurado no meio da arena. Cada pessoa ali dentro representa uma célula cerebral, sendo que todas estão sentadas em partes distintas do estádio, assim como as células estão agrupadas em regiões distintas do cérebro. O microfone é o eletrodo, situado na cabeça — um aparelho de gravação.

Antes que o jogo comece, todos os presentes no estádio estão conversando sobre coisas diferentes em momentos diferentes. Ou seja: estão dessincronizados em suas discussões particulares. Por causa disso, a soma das conversas captada a partir do microfone é caótica, desprovida de uma voz clara, unificada.

Quando é colocado na cabeça de alguém, como é feito no meu laboratório, o eletrodo mede a atividade somada dos neurônios abaixo da superfície do couro cabeludo enquanto eles processam diferentes fluxos de informação (sons, imagens, cheiros, sentimentos, emoções) em diferentes momentos no tempo e em diferentes localizações subjacentes. O processamento de tamanha quantidade de informação de tipos tão variados significa que suas ondas cerebrais são muito rápidas, frenéticas e caóticas.

Depois de acomodado em um leito no laboratório do sono, com as luzes apagadas e talvez algumas trocas de posição aqui e ali, você conseguirá se desprender das margens da vigília para adentrar no sono. Primeiro, você nadará nas águas rasas do sono NREM leve: os estágios 1 e 2. Daí em diante, entrará nas águas mais profundas dos estágios 3 e 4, que são reunidas sob o termo geral "sono de ondas lentas". Se voltar a olhar os padrões de ondas cerebrais da Figura 9 e focar na linha do meio, você compreenderá por quê. No sono de ondas lentas profundo, o ritmo de subida e descida da atividade de ondas cerebrais se desacelera muitíssimo, chegando até a apenas de duas a quatro ondas por segundo: dez vezes mais devagar que a intensa velocidade da atividade cerebral em vigília.

Igualmente notável, as ondas lentas de NREM são também muito mais sincrônicas e confiáveis do que as da atividade cerebral desperta. São de fato tão confiáveis que você poderia prever os próximos compassos da canção elétrica do sono NREM com base nos que vieram antes. Se eu convertesse essa profunda atividade rítmica em som e o tocasse de manhã (o que também fizemos com os participantes do projeto já citado), você conseguiria entender seu ritmo e se mover no compasso, mexendo-se suavemente segundo a cadência lenta, pulsante.

Entretanto, algo mais ficaria evidente enquanto você ouvisse, gingando, a pulsação de ondas cerebrais de sono profundo. De vez em quando um novo som seria sobreposto ao ritmo das ondas lentas: ele seria breve, durando apenas alguns segundos, porém ocorreria sempre no tempo forte do ciclo das ondas lentas. Você o perceberia como um trinado rápido, não muito diferente do *r* vibrante e forte de certos idiomas, como o híndi e o espanhol, ou o ronronar muito rápido de um gato satisfeito.

O que você está ouvindo é um fuso de sono — uma explosão contundente de atividade das ondas cerebrais que com frequência enfeita o final de cada onda lenta individual. Fusos de sono ocorrem tanto durante os estágios profundos de sono NREM quanto durante os mais leves, antes mesmo que as lentas e poderosas ondas cerebrais do sono profundo comecem a se elevar e predominar. Uma de suas muitas funções é agir como soldados noturnos que protegem o sono, servindo de escudo contra ruídos externos. Quanto mais fortes e frequentes são os fusos de sono de uma pessoa, mais resistente ela é a ruídos externos que de outra forma a acordariam.

Voltando a atenção para as ondas lentas do sono profundo, descobrimos também algo fascinante sobre seu local de origem e como elas varrem a superfície do cérebro. Ponha o indicador entre os olhos, logo acima da ponte do nariz. Agora o deslize cerca de cinco centímetros pela testa acima. Quando você for dormir hoje à noite, é aí que a maioria das suas ondas cerebrais de sono profundo serão geradas: bem no meio dos lobos frontais. Esse é o epicentro, ou centro de atividade, a partir do qual emerge a maior parte de seu sono profundo. No entanto, as ondas lentas de sono profundo não se irradiam em círculos perfeitos, em vez disso, quase todas viajarão em uma só direção: da frente do cérebro para a parte de trás. Elas são como as ondas sonoras emitidas a partir de um alto-falante, que viajam predominantemente em uma única direção, do alto-falante para fora (o som é sempre mais alto em frente ao aparelho do que atrás dele). E, como um alto-falante emitindo som através de um espaço amplo, as ondas lentas que você gerar hoje à noite vão perder força pouco a pouco à medida que fizerem a viagem para a parte de trás do cérebro, sem ricochetear ou retornar.

Nas décadas de 1950 e 1960, quando os cientistas começaram a medir essas ondas cerebrais lentas, foi feita uma suposição compreensível: essa marcha vagarosa, até aparentemente preguiçosa, da atividade das ondas cerebrais deveria refletir um cérebro que está ocioso, ou até adormecido. Era um palpite razoável considerando-se que as ondas cerebrais mais profundas e mais lentas do sono NREM podem se parecer com as que vemos em pacientes sob efeito de anestesia ou mesmo naqueles em certas formas de coma. Todavia, essa suposição estava completamente equivocada. Nada poderia estar mais longe da verdade: o que você de fato experimenta durante o sono NREM profundo é uma das demonstrações mais épicas de colaboração neural de que se tem conhecimento. Por meio de um surpreendente ato de auto-organização, muitos milhares de células cerebrais decidem se unir e "cantar", ou se excitar, no mesmo ritmo. Cada vez que observo esse formidável ato de sincronia ocorrendo à noite no meu laboratório de pesquisa, sinto-me humilde: o sono é verdadeiramente um objeto de assombro.

Voltando à analogia do microfone pendurado acima do estádio de futebol, considere o jogo do sono agora em andamento. A multidão — aqueles milhares de células cerebrais — passou do bate-papo particular pré-jogo (vigília) para um estado unificado (sono profundo). Suas vozes se uniram em um passo de marcha em fileira cerrada, um canto semelhante a um mantra — o canto do sono NREM profundo. De repente elas gritam, criando um pico de atividade cerebral, e depois se calam por vários segundos, produzindo o profundo e prolongado cavado da onda. A partir do microfone no estádio captamos um bramido claramente definido vindo da multidão subjacente, seguido por uma longa pausa para a respiração. Ao compreender que o *incantare* rítmico do sono NREM profundo de ondas lentas é na verdade um estado superativo e meticulosamente coordenado de unidade cerebral, os cientistas foram obrigados a abandonar qualquer ideia simplista do sono profundo como um estado de semi-hibernação ou estupor lerdo.

Entender essa harmonia elétrica assombrosa, que ondula através da superfície do cérebro centenas de vezes toda noite, também ajuda a entender a nossa perda de consciência externa. Ela começa abaixo da superfície do cérebro, dentro do tálamo. Lembre-se de que quando adormecemos, o tálamo — o portão sensorial situado bem no meio do cérebro — bloqueia a transferência de sinais perceptuais (som, visão, tato etc.) para a parte superior, o córtex. Ao cortarmos esses laços com o mundo exterior, não apenas perdemos a consciência (o que explica por que não sonhamos no sono NREM profundo nem mantemos um registro explícito do tempo), como também permitimos ao córtex "relaxar" em seu modo de funcionamento predefinido, ao qual chamamos de sono profundo de ondas lentas. É um estado de atividade cerebral ativo, deliberado, porém extremamente sincrônico — ele também é próximo da meditação cerebral noturna, embora eu deva observar que é muito diferente da atividade de ondas cerebrais de estados meditativos despertos.

Nesse estado xamanístico de sono NREM profundo pode ser encontrado um verdadeiro tesouro de benefícios mentais e físicos para o cérebro e o corpo, respectivamente — uma abundância que será explorada por completo no Capítulo 6. No entanto, um benefício para o cérebro — o salvamento de memórias — merece menção mais extensa neste momento de nossa trajetória, pois serve como um exemplo daquilo de que essas ondas cerebrais profundas e lentas são capazes.

Você já fez uma viagem de carro longa e reparou que em algum ponto do percurso o sinal das estações de rádio FM que estava ouvindo começa a perder intensidade? Em contrapartida, as estações de rádio AM permanecem robustas. Talvez você tenha ido para um local remoto e tentado em vão encontrar uma nova estação FM. Mas basta passar para a banda de AM e vários canais de radiodifusão permanecem disponíveis. A explicação está nas próprias ondas de rádio, o que inclui as duas velocidades das transmissões em FM e AM. A FM usa ondas de rádio de frequência mais rápida que sobem e descem muito mais vezes por segundo do que as ondas AM. Uma vantagem das ondas de rádio FM é o fato de poderem transmitir cargas mais elevadas, mais ricas de informação, e por isso soarem melhor. Entretanto, elas apresentam uma grande desvantagem: perdem força depressa, como um velocista excessivamente musculoso que só consegue correr distâncias curtas. As transmissões AM empregam uma onda de rádio muito mais lenta (mais longa), semelhante a um corredor de longa distância magro. Embora não possam se igualar à qualidade musculosa e dinâmica das da rádio FM, o seu ritmo prosaico lhes dá a capacidade de cobrir vastas distâncias com menos declínio. Portanto, transmissões de maior alcance são possíveis com as lentas ondas de rádio AM, o que permite uma comunicação de larga amplitude entre localizações geográficas muito distantes.

Quando o cérebro passa da atividade de frequência rápida da vigília para o padrão mais lento e comedido do sono NREM profundo, torna-se possível a mesmíssima vantagem de comunicação de amplo alcance. As ondas regulares, lentas, sincrônicas que atravessam o cérebro durante o sono profundo abrem a possibilidade de comunicação entre regiões distantes do cérebro, permitindo-lhes enviar e receber de maneira colaborativa seus diferentes repositórios de experiência armazenada.

No que se refere a esse aspecto, você pode pensar em cada onda lenta individual de sono NREM como um mensageiro capaz de transportar pacotes de informação entre centros cerebrais anatômicos. Um benefício da existência dessas ondas cerebrais itinerantes de sono profundo é o processo de transferência de arquivos: a cada noite, as ondas cerebrais de longo alcance de sono profundo deslocam pacotes de memória (experiências recentes) de um local de armazenamento de curto prazo, que é frágil, para um local de armazenamento de longo prazo mais permanente, e por isso mais seguro. Desse modo, consideramos a atividade de ondas cerebrais desperta como a envolvida sobretudo com a *recepção* do mundo sensorial exterior, ao passo que o estado de sono NREM profundo de ondas lentas gera um estado de *reflexão* interior — um estado que fomenta a transferência de informação e a destilação de memórias.

Se a vigília é dominada pela recepção e o sono NREM, pela reflexão, o que, então, ocorre durante o sono REM — o estado onírico? Voltando à Figura 9, a última linha de atividade de ondas elétricas cerebrais é a que eu observaria vindo de seu cérebro no laboratório do sono quando você entrasse em sono REM. Apesar de você estar dormindo, a atividade de ondas cerebrais associada não tem nenhuma semelhança com a do sono NREM profundo de ondas lentas (a linha do meio da figura). Em vez disso, ela é uma réplica quase perfeita da vista durante a vigília atenta, alerta — a linha superior da figura. De fato, estudos recentes de digitalização por ressonância magnética descobriram que há partes individuais do cérebro que são até 30% mais ativas durante o sono REM do que quando estamos acordados!

Por essas razões, o sono REM foi também chamado de sono paradoxal: um cérebro que parece acordado em um corpo que está claramente adormecido. Em geral é impossível distinguir o sono REM da vigília com base apenas na atividade de ondas elétricas cerebrais. No sono REM, há um retorno às mesmas ondas cerebrais de frequência mais rápida que estão novamente dessincronizadas. Os muitos milhares de células cerebrais no seu córtex que tinham se unificado em uma conversa lenta e sincronizada durante o sono NREM profundo voltaram a processar de forma frenética informações diferentes em velocidades e momentos diferentes em regiões do cérebro diferentes — algo típico da vigília. Mas você não está acordado; pelo contrário, está profundamente adormecido. Então que informação está sendo processada, já que com certeza nesse momento não se trata de algo que venha do mundo exterior?

Como ocorre quando se está acordado, o portão sensorial do tálamo mais uma vez se abre durante o sono REM. Entretanto, a natureza do portão é outra: não são sensações do mundo exterior que têm permissão para viajar até o córtex. Em vez disso, sinais de emoções, motivações e memórias (passadas e presentes) são todos representados nas grandes telas dos córtices sensoriais visual, auditivo e cinestésico no cérebro. Toda noite, o sono REM o introduz em um teatro absurdo em que você é surpreendido com um carnaval bizarro e extremamente associativo de temas autobiográficos. No que se refere ao processamento da informação, pense no estado desperto sobretudo como *recepção* (experimentar e aprender constantemente o mundo à sua volta), no sono NREM como *reflexão* (armazenamento e fortalecimento dos ingredientes crus de novos fatos e habilidades) e no sono REM como *integração* (interconexão desses ingredientes com toda a experiência passada, e, ao fazê-lo, construção de um modelo cada vez mais preciso de como o mundo funciona, incluindo descobertas inovadoras e habilidades de solução de problemas).

Uma vez que as ondas elétricas cerebrais do sono REM e da vigília são tão parecidas, como posso saber qual das duas você está experimentando quando está deitado no quarto de dormir do laboratório do sono, ao lado da sala de controle? O elemento revelador nesse caso é o seu corpo — especificamente os seus músculos.

Antes de deitá-lo no laboratório, nós teríamos colocado eletrodos em seu corpo, além dos que afixamos à cabeça. Enquanto acordado, mesmo deitado na cama e relaxado, resta um grau de tensão geral, ou tônus, nos músculos. Esse zumbido muscular constante é facilmente detectado pelos eletrodos que escutam o corpo. Quando passamos para o sono NREM, parte dessa tensão muscular desaparece, mas ainda resta grande parte dela. Contudo, uma impressionante mudança acontece na preparação para o salto para o sono REM. Meros segundos antes de a fase do sonho começar, e enquanto o período do sono REM dura, ficamos paralisados por completo. Não há nenhum tônus nos músculos voluntários do corpo. Absolutamente zero. Se eu entrasse na ponta dos pés no quarto e levantasse com delicadeza seu corpo sem despertá-lo, ele ficaria completamente flácido, como uma boneca de pano. Fique tranquilo porque seus músculos *involuntários* — os que controlam operações automáticas como respirar — continuam funcionando e mantêm a vida durante o sono. Todos os demais ficam flácidos.

Essa característica, denominada atonia (a ausência de tônus, referindo-se aqui aos músculos), é instigada por um sinal desativador poderoso transmitido por toda a extensão da medula espinhal a partir do tronco cerebral. Uma vez acionado, os músculos posturais do corpo, como os bíceps e os quadríceps, perdem toda tensão e força. Eles não responderão mais aos comandos do cérebro. Você se tornou, de fato, um prisioneiro do próprio corpo, encarcerado pelo sono REM. Felizmente, após cumprir a sentença de detenção desse ciclo de sono, o corpo é libertado do cativeiro físico. Essa impressionante dissociação durante o estado onírico, em que o cérebro está superativo e o corpo está imobilizado, permite aos cientistas do sono reconhecer com facilidade — e, portanto, distinguir — as ondas cerebrais de sono REM das ondas alertas.

Mas por que a evolução decidiu banir a atividade muscular durante o sono REM? Porque com a eliminação da atividade muscular ficamos impedidos de representar nossa experiência onírica. Durante o sono REM há uma torrente incessante de comandos motores girando pelo cérebro, e eles são subjacentes à experiência rica em movimento dos sonhos. Desse modo, a Mãe Natureza foi prudente ao costurar uma camisa de força fisiológica que impede tais movimentos ficcionais de se tornarem realidade, sobretudo considerando-se que nesse estado paramos de perceber conscientemente o ambiente. Imagine o resultado desastroso de encenar falsamente uma luta onírica ou uma corrida frenética para fugir de um adversário onírico que se aproxima, enquanto os olhos estão fechados e não se tem nenhuma compreensão do mundo ao redor. Um indivíduo assim não demoraria muito a deixar o *pool* genético. O cérebro paralisa o corpo para que a mente possa sonhar em segurança.

Mas como sabemos que esses comandos de movimento estão de fato ocorrendo enquanto alguém dorme, a menos que o indivíduo simplesmente acorde e nos conte que sonhou que estava correndo ou lutando? A triste resposta é que esse mecanismo de paralisia pode falhar em alguns indivíduos, particularmente mais tarde na vida. Em virtude disso, eles convertem os impulsos motores relacionados a sonhos em ações físicas no mundo real. Como será visto no Capítulo 11, as repercussões podem ser trágicas.

Finalmente, e não podendo ser deixada de fora do quadro descritivo do sono REM, há a própria motivação de seu nome: os movimentos oculares rápidos correspondentes. Durante o sono NREM profundo, os olhos permanecem parados nas órbitas.* Contudo, os eletrodos colocados acima e abaixo dos seus olhos contam uma história ocular bem diferente quando você começa a sonhar: a mesma história que Kleitman e Aserinsky desenterraram em 1952 ao observar o sono de bebês. Durante o sono REM, há fases em que os globos oculares correm, com urgência, da esquerda para a direita, da direita para a esquerda, e assim por diante. A princípio, os cientistas supuseram que tais movimentos matraqueados correspondessem ao monitoramento da experiência visual em sonhos. Isso não é verdade. Em vez disso, eles estão intimamente ligados à criação fisiológica do sono REM e refletem algo ainda mais extraordinário do que a apreensão passiva de objetos em movimento no espaço onírico. Esse fenômeno será explicado em detalhes no Capítulo 9.

Somos as únicas criaturas que experimentam esses diferentes estágios do sono? Outros animais têm sono REM? Eles sonham? Vamos descobrir.

---

* Curiosamente, durante a transição da vigília para o leve estágio 1 do sono NREM, os olhos começam a rolar suave e lentamente nas órbitas em sincronia, como duas bailarinas oculares fazendo piruetas em perfeito compasso uma com a outra. Essa é uma indicação distintiva de que o início do sono é inevitável. Se você compartilha a cama com alguém, tente observar as pálpebras do(a) parceiro(a) na próxima vez que ele ou ela estiver caindo no sono. Você verá as pálpebras fechadas dos olhos se deformando à medida que os globos oculares rolam de um lado para outro. Um parêntese: caso você opte por realizar esse experimento observacional, esteja ciente dos potenciais desdobramentos. Deve haver poucas coisas mais inquietantes do que acordar de repente, abrir os olhos e dar de cara com o rosto gigante do parceiro sobre o seu, olhando-o fixamente.

CAPÍTULO 4

Camas de antropoides, dinossauros e cochilo com metade do cérebro:
Quem dorme, como e quanto dormimos?

QUEM DORME

Quando foi que a vida começou a dormir? Será que o sono emergiu com os grandes antropoides? Ou antes, com os répteis ou seus antecessores aquáticos, os peixes? A menos que encontremos uma cápsula do tempo, a melhor maneira de responder a essa questão vem do estudo do sono em diferentes filos do reino animal, desde os pré-históricos até os recentes em termos evolucionários. Investigações desse tipo fornecem uma excelente oportunidade de olhar muito atrás no registro histórico e estimar o momento em que pela primeira vez o sono adornou o planeta. Como o geneticista Theodosius Dobzhansky certa vez declarou: "Nada na biologia faz sentido exceto à luz da evolução." Para o sono, a resposta iluminadora revelou-se muito mais antiga do que se previa e muito mais profunda em desdobramentos.

Sem exceção, todas as espécies animais estudadas até hoje dormem ou fazem algo notavelmente parecido com dormir. Isso inclui insetos, como moscas, abelhas, baratas e escorpiões;* peixes, de pequenas percas aos maiores tuba-

---

* A prova de sono em espécies muito pequenas, como insetos, em que o registro da atividade elétrica proveniente do cérebro é impossível, é confirmada com o uso do mesmo conjunto de características comportamentais descrito no Capítulo 3, ilustrado pelo exemplo de Jessica: imobilidade, reatividade reduzida ao mundo exterior, facilidade de reversão. Um critério adicional é o do fato de que privar o organismo do que se assemelha ao sono gera um impulso aumentado por obter mais dele quando o ataque importuno de privação cessa, refletindo em "rebotes do sono".

rões;* anfíbios como sapos; e répteis, como tartarugas, dragões-de-komodo e camaleões. Todos têm sono genuíno. Subindo mais na escada evolucionária descobrimos que todos os tipos de aves e mamíferos dormem: de musaranhos a papagaios, cangurus, ursos-polares e, é claro, nós, seres humanos. O sono é universal.

Mesmo invertebrados, como moluscos primordiais e equinodermos, e até vermes muito primitivos gozam de períodos de sono. Nessas fases, carinhosamente chamadas de "letargia", eles — como os seres humanos — se tornam indiferentes a estímulos externos. E, do mesmo modo como adormecemos mais depressa e dormimos mais profundamente após termos sido privados de sono, também fazem os vermes — fato definido pelo seu grau de insensibilidade a cutucadas dadas por experimentadores.

Diante disso, quão "antigo" seria o sono? Os vermes emergiram durante a explosão cambriana: pelo menos quinhentos milhões de anos atrás. Isto é, os vermes (e o sono por associação) são anteriores à toda vida vertebrada, o que inclui os dinossauros, os quais, por inferência, provavelmente dormiam. Imagine diplodocos e triceratopes se acomodando confortavelmente para uma noite de total repouso!

Ao regredir ainda mais o tempo evolucionário, descobrimos que as mais simples formas unicelulares de vida que sobrevivem por períodos superiores a 24 horas, como bactérias, têm fases ativas e passivas que correspondem ao ciclo claro-escuro da Terra. É um padrão que agora acreditamos ser o precursor do nosso ritmo circadiano e, com ele, da vigília e do sono.

Muitas das explicações de por que nós dormimos giram em torno de uma ideia comum e talvez equivocada: o sono é o estado em que devemos entrar para consertar o que foi perturbado pela vigília. Mas que tal se virássemos esse argumento de cabeça para baixo? E se o sono for tão útil — tão fisiologicamente benéfico a todos os aspectos de nosso ser — que a verdadeira questão seja o por quê de a vida ter se dado alguma vez o incômodo de despertar? Considerando quão danoso o estado de vigília pode ser em termos biológicos, esse deveria ser o verdadeiro enigma evolucionário, não o sono. Ao adotar essa

---

* Antigamente se pensava que os tubarões não dormiam, em parte porque eles nunca fecham os olhos. Na verdade, esses animais têm fases ativa e passiva claras que se assemelham à vigília e ao sono. Hoje sabemos que a razão por que nunca fecham os olhos é o fato de não terem pálpebras.

perspectiva, podemos propor uma teoria bem diferente: o sono foi o primeiro estado da vida neste planeta e foi dele que a vigília emergiu. Talvez essa pareça uma hipótese absurda, uma que ninguém está levando a sério ou explorando, mas pessoalmente eu não a considero de todo insensata.

Independentemente de qual dessas duas teorias for verdadeira, o que se sabe com certeza é que a origem do sono é antiga. Ele surgiu com as formas mais primitivas de vida planetária. Tanto quanto outras características rudimentares, como o DNA, o sono continuou sendo um laço comum que une todas as criaturas no reino animal. Ele é sim um duradouro atributo comum; porém, há diferenças notáveis no sono de uma espécie para outra. Na verdade, elas são quatro.

UMA DESSAS COISAS NÃO É IGUAL À OUTRA

Os elefantes precisam da metade do sono que os seres humanos, tendo que dormir apenas quatro horas por dia. Os tigres e os leões devoram quinze horas de sono diárias. Já o morcego marrom supera todos os outros mamíferos, ficando acordado por apenas cinco horas por dia enquanto dorme as outras dezenove horas. A *quantidade total de tempo* é uma das distinções mais evidentes no modo como os organismos dormem.

Seria de se imaginar que a razão para isso fosse óbvia, mas ela não é. Nenhum dos prováveis candidatos — tamanho do corpo, status de presa/predador, fato de ser diurno/noturno — explica a diferença no que se refere à necessidade de sono entre as espécies. Sem dúvida, o tempo necessário é pelo menos similar dentro de cada categoria filogenética, uma vez que seus integrantes compartilham grande parte do código genético. Isso com certeza também vale para outros traços básicos dentro dos filos, como as capacidades sensoriais, os métodos de reprodução e até o grau de inteligência. Contudo, o sono viola esse padrão previsível. Esquilos e degus fazem parte do mesmo grupo familiar (os roedores), porém não poderiam ser mais diferentes no que tange à necessidade de sono: os esquilos dormem duas vezes mais do que os degus — 15,9 horas *versus* 7,7 horas. Inversamente, é possível encontrar tempos de sono quase idênticos em grupos familiares bem distintos. O porquinho-da-índia e o babuíno, por exemplo, que pertencem a ordens filogenéticas acentuadamente diferentes, sem falar no tamanho físico, dormem a mesmíssima quantidade de horas: 9,4.

Então o que explica as diferenças no tempo de sono (e talvez na necessidade) de uma espécie para outra ou mesmo dentro de uma ordem similar em termos genéticos? Não sabemos ao certo. A relação entre o tamanho do sistema nervoso, a sua complexidade e a massa corporal total parecem ser um indicador de certa forma significativo, com a crescente complexidade do cérebro *em relação* ao tamanho do corpo resultando em uma maior quantidade de sono. Embora fraca e não inteiramente constante, essa relação sugere que a necessidade de reparar um sistema nervoso cada vez mais complexo é uma função evolucionária que exige mais sono. À medida que os milênios se desdobraram e a evolução coroou sua (atual) realização com a gênese do cérebro, a exigência de sono só aumentou, atendendo às necessidades desse que é o mais precioso de todos os aparelhos fisiológicos.

Mas isso não é tudo — não por uma boa medida. Várias espécies fogem totalmente da previsão estabelecida por essa regra. Por exemplo, um gambá-da-virgínia, que pesa quase o mesmo que um rato, dorme por 50% mais tempo, alcançando uma média de dezoito horas diárias. Esse animal perdeu o recorde de maior tempo de sono no reino animal por apenas uma hora — o vencedor, o já citado morcego marrom, acumula colossais dezenove horas de sono por dia.

Houve um momento na história da pesquisa em que os cientistas se questionaram se a medida utilizada por eles — minutos totais de sono — seria uma maneira errada de avaliar por que o sono varia tão consideravelmente entre as espécies. Eles então suspeitaram que na verdade a avaliação da *qualidade* do sono, em vez da *quantidade* (tempo), lançaria alguma luz sobre o mistério. Isto é, as espécies com qualidade de sono superior deveriam ser capazes de satisfazer toda a sua necessidade em um tempo mais curto, e vice-versa. Foi uma excelente ideia, exceto pelo fato de termos descoberto a relação oposta: aqueles que dormem mais têm sono mais profundo, de qualidade "mais elevada". Na realidade, a forma como a qualidade costuma ser avaliada nessas investigações (o grau de indiferença em relação ao mundo exterior e a continuidade do sono) talvez seja um índice inadequado da real medida biológica da qualidade do sono: um índice que ainda não pode ser aferido em todas essas espécies. Quando puder ser medido em todas, nossa compreensão da relação entre quantidade e qualidade de sono através do reino animal provavelmente explicará o que hoje parece um mapa incompreensível.

Por enquanto, nossa estimativa mais precisa de por que diferentes espécies precisam de uma quantidade diferente de sono envolve um complexo híbrido de fatores, como tipo dietético (onívoro, herbívoro ou carnívoro), equilíbrio predador/presa dentro do hábitat, a presença e a natureza de uma rede social, índice metabólico e complexidade do sistema nervoso. Para mim, isso reflete o fato de que provavelmente o sono foi moldado por diversos fatores ao longo do caminho evolucionário e envolve um delicado equilíbrio entre atender às exigências da sobrevivência desperta (por exemplo, caçar a presa/obter alimento no tempo mais curto possível, minimizando o gasto de energia e o risco de ameaças), satisfazer as necessidades fisiológicas de restauração do organismo (por exemplo, um índice metabólico mais elevado requer um esforço de "limpeza" maior durante o sono) e responder às exigências mais gerais da comunidade do organismo.

Ainda assim, até as nossas equações preditivas mais sofisticadas não conseguem explicar casos atípicos extremos no mapa do sono: as espécies que dormem muito (por exemplo, os morcegos) e as que dormem pouco (por exemplo, as girafas, que dormem cerca de quatro a cinco horas por dia). Longe de serem um problema, sinto que essas espécies anômalas podem ter algumas das chaves para o desvendamento do enigma da necessidade de sono. Seguem sendo uma oportunidade deliciosamente frustrante para aqueles de nós que ainda tentam decifrar o código do sono através do reino animal e, dentro desse código, os benefícios ainda não descobertos do sono que nunca imaginamos serem possíveis.

SONHAR OU NÃO SONHAR

Outra diferença extraordinária no sono entre as espécies é a sua *composição*: nem todas as espécies experimentam todos os estágios dele. Todas em que é possível medir os estágios do sono têm sono NREM — o estágio sem sonhos. Entretanto, insetos, anfíbios, peixes e a maioria dos répteis não mostram sinais claros de terem sono REM — o tipo associado com a atividade onírica em seres humanos. Somente aves e mamíferos, que surgiram mais tarde na linha do tempo evolucionária do reino animal, apresentam sono REM plenamente desenvolvido. Isso sugere que o sono com sonhos (REM) é o novo vizinho no quarteirão evolucionário. Ele parece ter emergido para apoiar funções que o sono NREM não poderia desempenhar sozinho ou em cuja execução ele não seria tão eficiente.

Todavia, como ocorre com tantas coisas relacionadas ao sono, há outra anomalia. Eu disse que todos os mamíferos têm sono REM, porém não há consenso no que se refere aos cetáceos, ou mamíferos aquáticos. Algumas dessas espécies oceânicas, como os golfinhos e as orcas, contrariam a tendência dos mamíferos de ter sono REM — elas não têm nenhum. Embora um registro de 1969 sugerisse que uma baleia-piloto permaneceu em sono REM por seis minutos, a maioria das avaliações feitas até hoje não conseguiu identificá-lo — ou pelo menos o que muitos cientistas do sono acreditariam ser sono REM genuíno — em mamíferos aquáticos. Sob certo prisma, isso faz sentido: quando um organismo entra em sono REM, o cérebro paralisa o corpo, tornando-o flácido e imóvel. Nadar é vital para os mamíferos aquáticos, já que eles têm de ir à superfície para respirar. Se houvesse uma paralisia total durante o sono, eles certamente se afogariam.

O mistério se aprofunda quando consideramos os pinípedes (uma de minhas palavras favoritas, composta pelos derivativos latinos *pinna*, "nadadeira", e *pedis*, "pé"), como os lobos-marinhos. Mamíferos parcialmente aquáticos, eles dividem seu tempo entre a terra e o mar. Quando estão na terra, eles têm tanto sono NREM quanto sono REM, assim como os seres humanos e todos os outros mamíferos terrestres e as aves. Mas, uma vez na água, eles param de ter sono REM quase que por completo. No mar, os lobos-marinhos experimentam apenas uma quantidade mínima dele, acumulando de 5% a 10% do total de que desfrutariam normalmente em terra. No oceano, foram registradas até duas semanas sem nenhum sono REM observável em lobos-marinhos, que sobrevivem durante esses períodos à base de sonecas de sono NREM.

Essas anomalias não necessariamente põem em questão a utilidade do sono REM. Sem dúvida, ele, e até o sonho, parece ser extremamente útil e adaptativo nas espécies que o experimentam, como será visto na Parte 3 deste livro. O fato de o sono REM ser reincorporado quando esses animais retornam à terra, em vez de dispensado de vez, confirma isso. A questão é simples: o sono REM não parece ser praticável por mamíferos aquáticos ou necessário quando eles estão no mar. Acredita-se que durante esse período eles se contentem com o modesto sono NREM — o que para os golfinhos e as baleias parece ser sempre o caso.

Não creio que os mamíferos aquáticos, mesmo os cetáceos, como os golfinhos e as baleias, tenham total ausência de sono REM (apesar de muitos de meus colegas cientistas dizerem que estou errado). Pelo contrário, acho que a forma de sono REM experimentada por eles seja um tanto diferente e mais difícil de ser detectada: seja ele breve por natureza, ocorrendo em momentos em que não conseguimos identificá-lo, ou expresso de formas ainda não mensuráveis em partes do cérebro que ainda não somos capazes de analisar.

Em defesa do meu ponto de vista divergente, observo que antigamente acreditava-se que os mamíferos ovíparos (monotremos), como a equidna e o ornitorrinco, não tivessem sono REM. Mas foi descoberto que eles têm, ou pelo menos uma versão dele. A superfície externa de seu cérebro — o córtex —, a partir da qual a maioria dos cientistas mede ondas cerebrais de sono, não exibe as características agitadas e caóticas da atividade do sono REM. No entanto, quando os cientistas olharam um pouco mais a fundo, belas explosões de atividade de ondas elétricas cerebrais foram identificadas na base do cérebro — ondas que correspondem perfeitamente às vistas em todos os outros mamíferos. Descobriu-se que o ornitorrinco gera mais desse tipo de atividade elétrica de sono REM do que qualquer outro mamífero! Portanto, se não têm sono REM, têm ao menos uma versão beta dele, lançada primeiro nesses animais mais antigos em termos evolutivos. Uma versão totalmente operacional, que abarca o cérebro inteiro, parece ter sido introduzida em mamíferos mais desenvolvidos que evoluíram mais tarde. Acredito que um histórico semelhante de sono REM atípico, porém ainda assim presente, acabará sendo identificado nos golfinhos, nas baleias e nas focas quando no mar. Afinal, a ausência de prova não é prova de ausência.

Mais intrigante do que a escassez de sono REM nesse canto aquático do reino mamífero é o fato de que as aves e os mamíferos evoluíram separadamente. Portanto, o sono REM pode ter sido criado duas vezes no curso da evolução: uma vez para as aves e outra para os mamíferos. Também é possível que uma pressão evolucionária comum o tenha criado em ambos, da mesma maneira que os olhos se desenvolveram separada e independentemente várias vezes através de diferentes filos ao longo da evolução para o objetivo comum de percepção visual. Em geral, o fato de um tema se repetir na evolução e de isso ser feito de forma independente através de linhagens não relacionadas indicam a existência de uma necessidade fundamental.

Contudo, um artigo muito recente sugeriu que há uma forma primitiva de sono REM em um lagarto australiano que, no que se refere à linha do tempo evolucionária, é anterior à emergência das aves e dos mamíferos. Se for reproduzido, esse achado sugerirá que a semente original do sono REM estava presente pelo menos cem milhões de anos antes de nossas estimativas originais. É possível então que essa semente comum em certos répteis tenha germinado na forma completa de sono REM que hoje vemos em aves e mamíferos, incluindo os seres humanos.

Independentemente do ponto em que o verdadeiro sono REM tenha emergido durante a evolução, estamos descobrindo depressa por que o sonho do sono REM surgiu, que necessidades vitais ele satisfaz no mundo de sangue quente das aves e dos mamíferos (por exemplo, a saúde cardiovascular, a restauração emocional, a associação mnêmica, a criatividade e a regulação da temperatura corporal) e se outras espécies sonham. Como será explorado mais tarde, parece que sim.

Deixando de lado o questionamento sobre a presença de sono REM em todos os mamíferos, um fato incontestado é que o sono NREM foi o primeiro a aparecer na evolução. Ele é a forma original tomada pelo sono ao sair de trás da cortina criativa da evolução — um verdadeiro pioneiro. Essa precedência leva a outra pergunta intrigante, uma que me fazem em quase todas as palestras que dou: qual tipo de sono — o NREM ou o REM — é mais importante? De qual deles nós realmente *precisamos*?

"Importância" ou "necessidade" podem ser definidas de muitas maneiras, havendo, portanto, várias formas de responder à pergunta. Entretanto, talvez a fórmula mais simples seja pegar um organismo que apresenta os dois tipos de sono, uma ave ou um mamífero, e mantê-lo acordado a noite toda e durante todo o dia seguinte. Desse modo, o sono NREM e o REM são similarmente eliminados, criando as condições de ânsia equivalente por cada estágio de sono. A questão é: com que tipo de sono o cérebro vai se deleitar quando for oferecida a oportunidade de consumir ambos durante uma noite de recuperação? O sono NREM *e* o REM em iguais proporções? Ou mais um do que o outro, sugerindo uma importância maior do estágio de sono que for predominante?

Esse experimento já foi realizado muitas vezes com várias espécies de aves e mamíferos, incluindo os seres humanos. Há dois resultados claros. O primeiro, e pouco surpreendente, é o fato de a duração do sono ser muito mais longa na noite de recuperação (dez ou até doze horas em seres humanos) do que em uma noite comum sem privação anterior (oito horas, no nosso caso). Em reação ao débito, essencialmente tentamos nos livrar dele dormindo, o que, em termos técnicos, é chamado de rebote do sono.

O segundo é o fato de o rebote do sono NREM ser mais intenso. O cérebro consome uma porção muito maior de sono NREM profundo do que a de sono REM na primeira noite após a privação total de sono, demonstrando uma ânsia desigual. Apesar de ambos os tipos de sono estarem à disposição no bufê de canapés do sono de recuperação, o cérebro opta por colocar muito mais sono NREM profundo no prato. Portanto, na batalha da importância o sono NREM teria vencido. Mas será mesmo?

Não exatamente. Caso se prossiga com o registro do sono ao longo de uma segunda, terceira e até quarta noite de recuperação, veremos uma inversão. Nesse caso o sono REM se torna a principal travessa a que se recorre em cada ida à mesa do bufê de recuperação, com o sono NREM fazendo as vezes de acompanhamento. Desse modo, os dois estágios podem ser descritos como essenciais. Nós tentamos recuperar um deles (o NREM) um pouco mais cedo do que o outro (REM), mas não se engane: o cérebro tentará obter ambos, buscando compensar algumas das perdas incorridas. E é importante observar que, seja qual for a quantidade de oportunidades de recuperação, o cérebro nunca chega perto de reaver todo o sono que perdeu. Isso se aplica tanto para o tempo total de sono quanto para o sono NREM e para o sono REM. O fato de nós, seres humanos (e todas as outras espécies), nunca podermos recuperar o sono perdido é uma das maiores lições deste livro, algo cujas consequências deploráveis descreverei nos Capítulos 7 e 8.

SE AO MENOS OS SERES HUMANOS PUDESSEM

Uma terceira diferença notável no sono do reino animal é a *maneira* como dormimos. Nesse aspecto, a diversidade é extraordinária e, em alguns casos, quase inacreditável. Tomemos os cetáceos, como os golfinhos e as baleias, por exemplo. Seu sono, que se restringe ao sono NREM, pode ser uni-hemisférico, isto é, eles dormem com uma metade do cérebro de cada vez! Uma metade do cérebro deve permanecer sempre desperta para manter o movimento necessário à vida no ambiente aquático, enquanto a outra às vezes cai no mais belo sono NREM.

Ondas cerebrais profundas, fortes, rítmicas e lentas inundam a totalidade de um hemisfério cerebral, enquanto o outro fica repleto de atividade de ondas cerebrais frenética, rápida e completamente desperta. Isso ocorre mesmo que ambos os hemisférios sejam extremamente interconectados, com grossas fibras entrecruzadas, e estejam separados por poucos milímetros, como o cérebro humano.

É claro que as metades do cérebro de um golfinho podem estar — e em geral estão — despertas ao mesmo tempo, operando em uníssono. Entretanto, quando é hora de dormir, os dois lados podem se desacoplar e funcionar de maneira independente, com um permanecendo acordado enquanto o outro tira uma soneca. Depois que a metade em repouso dormiu o suficiente, faz-se a troca, permitindo que a metade do cérebro antes vigilante desfrute um merecido período de sono NREM profundo. Mesmo com metade do cérebro adormecida, os golfinhos são capazes de realizar um impressionante nível de movimentação e até alguma comunicação vocalizada.

A complexa engenharia neural requerida para a execução desse assombroso truque de atividade cerebral em oposição a "luzes acesas, luzes apagadas" é rara. Com certeza a Mãe Natureza poderia ter arranjado uma forma de evitar por completo o sono sob a pressão extrema do movimento aquático incessante, 24 horas por dia, sete dias por semana. Não teria sido mais fácil do que elaborar um complexo sistema em dois turnos de repouso entre as metades do cérebro, permitindo ainda um sistema de funcionamento em conjunto em que ambos os lados se unem quando despertos? Pelo visto não. O sono é uma necessidade tão vital que não importa quais fossem as exigências evolucionárias de um organismo, até mesmo a inflexível necessidade de nadar *in perpetuum* do nascimento à morte. A Mãe Natureza não tinha escolha. Dormir com ambos os lados do cérebro ou dormir com apenas um lado e depois trocar — as duas formas são possíveis, o essencial é que se durma. O sono é inegociável.

O dom de ter sono NREM profundo com cérebro dividido não é exclusivo dos mamíferos aquáticos: as aves também conseguem fazer isso. Contudo, elas o fazem por um motivo um tanto diferente, embora igualmente preservador da vida: esse recurso lhes permite ficar literalmente de olho nas coisas. Quando uma ave está sozinha, uma metade do cérebro e o olho correspondente (no lado oposto) permanecem acordados, mantendo-se vigilante contra ameaças ambientais. Enquanto isso, o outro olho fica fechado, permitindo à metade do cérebro correspondente dormir.

As coisas ficam ainda mais interessantes quando as aves estão em grupos. Em algumas espécies, muitos membros de um bando dormem com as duas metades do cérebro ao mesmo tempo. Então como eles se mantêm a salvo de ameaças? A resposta é de fato engenhosa. O bando primeiro se alinha em uma fileira. Com exceção das aves em cada extremidade, o restante do grupo permite que as duas metades do cérebro se entreguem ao sono. Já as que estão na extrema esquerda e na extrema direita não têm a mesma sorte: elas entram em sono profundo com apenas metade do cérebro (oposta em cada uma), o que deixa o olho correspondente direito e esquerdo de cada ave bem aberto. Com isso, elas dispõem de detecção panorâmica completa de ameaças para todo o grupo, maximizando o número total de metades de cérebro que podem dormir. Em algum momento, os dois guardas das pontas vão se levantar, girar 180 graus e se sentar de novo, permitindo ao outro lado do cérebro entrar em sono profundo.

Nós, meros seres humanos, e um número seleto de outros mamíferos terrestres parecemos bem menos hábeis. Somos incapazes de tomar nosso medicamento de sono NREM em uma dose para metade do cérebro. Ou será que não somos?

Dois artigos publicados recentemente sugerem que os seres humanos têm uma versão muito suave de sono uni-hemisférico — uma que foi descoberta por motivos similares. Quando o indivíduo está dormindo em casa, são aproximadamente iguais as profundidades elétricas das ondas lentas do novo NREM nas duas metades do cérebro. Mas, quando ele é levado para um laboratório do sono ou para um hotel — ambos ambientes de sono não familiares —, uma metade do cérebro dorme um pouco mais levemente do que a outra, como se precisasse de um bocadinho mais de vigilância por causa do contexto potencialmente menos seguro registrado pelo cérebro consciente quando estava acordado. Quanto mais noites uma pessoa dorme no novo local, mais semelhante é o sono em cada metade do cérebro. Esse talvez seja o motivo pelo qual tantos de nós dormimos tão mal na primeira noite em um quarto de hotel.

No entanto, o fenômeno não se aproxima da completa divisão entre vigília plena e sono NREM verdadeiramente profundo obtido por cada lado do cérebro de aves e golfinhos. Os seres humanos sempre têm de dormir com ambos os lados do cérebro em algum estado de sono NREM. Todavia, imagine as possibilidades que teríamos se pudéssemos descansar nosso cérebro uma metade de cada vez.

Mas devo salientar que o sono REM é estranhamente imune a ser dividido entre os lados do cérebro, não importa de que animal se trate. Todas as aves, seja qual for a situação ambiental, sempre dormem com ambas as metades do cérebro durante o sono REM. O mesmo se aplica a todas as espécies que experimentam sono onírico, incluindo o ser humano. Sejam quais forem as funções do sonho do sono REM — e pelo visto são várias —, elas requerem a participação total do cérebro ao mesmo tempo e num grau igual.

SOB PRESSÃO

A quarta e última diferença no sono no reino animal é a forma como os *padrões de sono* podem ser diminuídos sob circunstâncias raras e muito especiais, algo que o governo dos Estados Unidos vê como assunto de segurança nacional — e por isso investiu uma quantia considerável do dinheiro dos contribuintes em sua investigação.

A situação infrequente acontece somente em reação a pressões ambientais ou desafios extremos. A fome é um exemplo. Coloque um organismo sob condições de fome severa e a busca por alimento suplantará o sono. Por um tempo, a nutrição vai empurrar para um lado a necessidade de sono, embora isso não possa ser mantido por um período muito longo. Deixe uma mosca com fome e ela permanecerá acordada por mais tempo, demonstrado um padrão de busca por alimento. O mesmo se aplica aos seres humanos. Indivíduos jejuando deliberadamente dormirão menos porque o cérebro é induzido a pensar que o alimento de repente se tornou escasso.

Outro exemplo raro é a privação de sono conjunta que ocorre em baleias orcas fêmeas e seus filhotes recém-nascidos. Essa espécie dá à luz um único filhote a cada três a oito anos. O parto costuma ocorrer longe dos outros membros do baleal, o que deixa o recém-nascido supervulnerável durante as primeiras semanas de vida, sobretudo durante o retorno ao grupo enquanto ele nada ao lado da mãe. Até 50% de todos os novos filhotes morrem durante essa viagem de volta. Ela é tão perigosa que nem a mãe nem o filhote parecem dormir enquanto estão em trânsito. Segundo cientistas, nenhum par observado apresentou sinais de sono robusto no percurso. Isso é especialmente surpreendente no caso do filhote, já que, em todas as outras espécies vivas, a demanda e o consumo mais elevados de sono ocorrem nas primeiras semanas de vida, como uma mãe ou um pai recentes lhe dirão. O perigo notório da viagem de longa distância no oceano é tamanho que essas baleias bebês invertem uma tendência ao sono que de outro modo é universal.

Contudo, a mais incrível proeza de privação deliberada de sono pertence às aves durante a migração transoceânica. No decorrer dessa corrida impelida pelo clima através de milhares de quilômetros, bandos inteiros voam por muito mais horas do que o habitual. Por causa disso, eles perdem grande parte da oportunidade estacionária de desfrutar de sono abundante. Entretanto, mesmo nesse caso o cérebro encontra uma forma engenhosa de obter sono. Durante o voo, as aves migrantes gozam de brevíssimos intervalos de sono que duram apenas segundos. Esses cochilos ultrapotentes são apenas o suficiente para evitar os catastróficos déficits cerebrais e corporais que ocorreriam caso houvesse uma privação total de sono prolongada. (Caso você queira saber, os seres humanos não têm nenhuma capacidade similar.)

O pardal-de-coroa-branca talvez seja o exemplo mais espantoso de privação de sono aviária em voos de longa distância. Essa ave pequena, comum, é capaz de uma façanha espetacular que valeu o investimento de milhões de dólares das Forças Armadas americanas em pesquisas. Esse animal tem uma resistência sem paralelo, embora limitada no tempo, à privação total de sono, algo que nós, seres humanos, jamais suportaríamos. Quando é privado de sono no laboratório durante o período migratório anual (quando ele, de outro modo, estaria voando), esse pássaro não sofre praticamente nenhum efeito adverso. Entretanto, privar o mesmo pardal da mesma quantidade de sono *fora* dessa janela de tempo migratória inflige um redemoinho de disfunções cerebrais e corporais. Esse humilde passarinho desenvolveu um extraordinário manto biológico de resistência à privação total de sono, um que só é usado durante um momento de grande necessidade de sobrevivência. Já deu para entender por que o governo dos Estados Unidos mantém um forte interesse em descobrir exatamente em que consiste essa armadura biológica: ela é a sua esperança de desenvolver um soldado que atue por 24 horas.

COMO DEVERÍAMOS DORMIR?

Os seres humanos não estão dormindo tal como a natureza pretendia que fizéssemos. O número de turnos de sono, sua duração e o momento em que ele ocorre foram totalmente distorcidos pela modernidade.

Em todos os países desenvolvidos, a maioria dos adultos hoje dorme em um padrão *monofásico* — isto é, tentamos usufruir de um longo e único turno de sono à noite, cuja duração média é de menos de sete horas. Visite culturas intocadas pela eletricidade e com frequência você verá algo bem diferente. Tribos caçadoras-coletoras, como os gabras no norte do Quênia ou o povo san do deserto do Kalahari, cujo modo de vida mudou pouco nos últimos milhares de anos, dormem em um padrão *bifásico*. Esses grupos têm um período de sono similarmente mais longo à noite (de sete a oito horas na cama, conseguindo cerca de sete horas de sono), seguidos por uma sesta de trinta a sessenta minutos à tarde.

Há também indícios de uma mistura dos dois padrões de sono, determinada pela época do ano. Tribos pré-industriais, como os hadzas no norte da Tanzânia e os sans da Namíbia, dormem em um padrão bifásico nos meses mais quentes do verão, incorporando uma sesta de trinta a quarenta minutos ao meio-dia. Depois, passam a adotar um padrão em grande medida monofásico durante os meses mais frescos do inverno.

Mesmo quando dormem em um padrão monofásico, o momento do sono observado em culturas pré-industrializadas não é o visto em nosso modelo distorcido. Em média, os integrantes dessas tribos adormecem duas a três horas após o pôr do sol, em torno de nove da noite. Seus turnos de sono da noite terminam pouco antes ou logo depois do raiar do dia. Você já parou para pensar sobre o significado do termo "meia-noite"? Obviamente ele significa o meio da noite, ou, em termos mais técnicos, o ponto médio do ciclo solar. E o mesmo pode ser dito do ciclo de sono de culturas caçadoras-coletoras — e, como se pode presumir, de todas as que vieram antes. Agora considere nossas normas de sono culturais. Meia-noite não é mais o "meio da noite". Para muitos de nós, meia-noite em geral é a hora em que pensamos em checar a caixa de e-mails uma última vez — e sabemos o que muitas vezes acontece no prolongado período subsequente. Para agravar o problema, não dormimos mais pela manhã para compensar o horário mais tardio do início do sono. Não podemos. Nossa biologia circadiana e as demandas insaciáveis do início da manhã, resultado de um modo de vida pós-industrial, nos negam o sono de que precisamos vitalmente. Houve uma época em que íamos para a cama poucas horas depois do anoitecer e acordávamos com as galinhas. Hoje muitos de nós ainda acordam cedinho assim, porém o anoitecer é simplesmente a hora em que encerramos o expediente no escritório, com grande parte da vigília noturna ainda por vir. Além disso, poucos de nós desfrutam de uma sesta da tarde completa, o que contribui ainda mais para nosso estado de falência do sono.

Contudo, a prática do sono bifásico não tem sua origem na cultura — ela é profundamente biológica. Todos os seres humanos, não importa a cultura ou a localização geográfica, têm um declínio do estado de alerta geneticamente programado para ocorrer nas horas do meio da tarde. Basta observar uma reunião depois do almoço para testemunhar esse fato. Como fantoches cujas cordas de controle tivessem sido afrouxadas para logo depois serem retesadas, as cabeças tombam e voltam ao lugar. Tenho certeza de que você já passou por esse cobertor de sonolência que parece se apossar de nós no meio da tarde, como se o cérebro estivesse a ponto de ingressar em uma hora de dormir inusitadamente precoce.

Tanto você quanto os outros participantes da reunião estão sendo vítimas de uma calmaria evolucionariamente incorporada à vigília, que favorece uma sesta da tarde, chamada declínio pós-prandial do estado de alerta (do latim *prandium*, "refeição"). Essa breve queda de um alto grau de vigília para um baixo nível de alerta reflete um impulso inato para estar adormecido e fazendo uma sesta à tarde, em vez de trabalhando. Acredita-se que ela seja uma parte normal do ritmo diário da vida. Caso você tenha de fazer uma apresentação no trabalho, para seu próprio bem — e o do estado consciente de seus ouvintes —, se puder, evite o horário do meio da tarde.

Ao analisar esses detalhes com certo distanciamento, fica patente que a sociedade moderna nos divorciou do que deveria ser um arranjo pré-ordenado de sono bifásico — o qual, não obstante, nosso código genético tenta reativar toda tarde. O abandono do sono bifásico ocorreu no momento da nossa mudança de uma existência agrária para uma existência industrial, ou talvez antes.

Estudos antropológicos sobre caçadores-coletores pré-industriais desmentiram também um mito popular sobre o modo como os seres humanos deveriam dormir.* Por volta do fim da era moderna inicial (*circa* final do século XVII e início do século XVIII), textos históricos sugerem que europeus ocidentais tinham dois longos turnos de sono à noite, separados por várias horas de vigília. No meio dessas duas porções idênticas de sono — às vezes chamadas de primeiro sono e segundo sono —, eles liam, escreviam, rezavam, tinham relações sexuais ou até socializavam.

É bem possível que essa prática tenha ocorrido durante esse momento na história humana, nessa região geográfica. Entretanto, o fato de nenhuma cultura pré-industrial estudada até hoje ter demonstrado um padrão semelhante sugere que essa não é a forma natural, evolucionariamente programada de sono humano. Em vez disso, parece ter sido um fenômeno cultural que surgiu e foi popularizado com a migração europeia ocidental. Além do mais, não há nenhum ritmo biológico — de atividade cerebral, neuroquímica ou metabólica — que insinue um desejo humano de passar várias horas acordado no meio da noite. Pelo contrário, o verdadeiro padrão de sono bifásico — do qual há indícios antropológicos, biológicos e genéticos e que permanece mensurável em todos os seres humanos até hoje — é o que consiste de um turno mais longo de sono contínuo à noite, seguido por uma soneca mais curta no meio da tarde.

Mas, tendo esse como o nosso padrão natural de sono, há algum modo de saber com certeza que tipos de consequências para a saúde foram causadas pelo abandono do sono bifásico? Esse tipo de sono ainda é observado em várias culturas que cultivam a sesta espalhadas pelo mundo todo, incluindo regiões da América do Sul e da Europa mediterrânea. Quando eu era criança nos anos 1980, fui passar férias na Grécia com a minha família. Ao percorrer as ruas das maiores cidades metropolitanas gregas que visitamos, vimos cartazes nas vitrines bem diferentes daqueles a que eu estava acostumado na Inglaterra. Eles diziam: aberto das 9h às 13h, fechado das 13h às 17h, aberto das 17h às 21h.

Ainda hoje existem alguns desses cartazes em vitrines de lojas por toda a Grécia. Antes da virada do milênio, houve uma crescente pressão pelo abandono da prática da sesta nesse país. Uma equipe de pesquisadores da Escola de Saúde Pública da Universidade de Harvard decidiu quantificar as consequências para a saúde dessa mudança radical em mais de 23 mil gregos adultos, abrangendo homens e mulheres cujas idades variavam de vinte a 83 anos. Os

---

* A. Roger Ekirch, *At Day's Close: Night in Times Past* (Nova York, W. W. Norton, 2006).

cientistas focaram os resultados cardiovasculares, monitorando o grupo ao longo de um período de seis anos ao mesmo tempo que a prática da sesta chegava ao fim para muitos deles.

Como ocorre em inúmeras tragédias gregas, o resultado final foi de cortar o coração — nesse caso, no mais sério sentido literal. Nenhum dos indivíduos analisados tinha um histórico de doença cardíaca ou derrame cerebral no início do estudo, o que indica a ausência de enfermidade cardiovascular. No entanto, os que abandonaram a prática das sestas regulares passaram a sofrer um risco 37% maior de morte por doença cardíaca ao longo do período de seis anos, comparados aos que mantiveram as sonecas regulares durante o dia. O efeito foi especialmente forte nos operários, entre os quais o risco de mortalidade resultante de não fazer sestas aumentou bem mais de 60%.

O que ficou claro a partir desse estudo notável foi o seguinte fato: quando somos afastados da prática inata do sono bifásico, nossa vida é encurtada. Talvez não seja de surpreender que nos pequenos enclaves da Grécia onde a sesta ainda permanece intacta, como a ilha de Ikaria, os homens tenham uma probabilidade quatro vezes maior de chegar aos noventa anos do que os homens nos Estados Unidos. Essas comunidades adeptas da sesta foram descritas algumas vezes como "os lugares onde as pessoas se esquecem de morrer". De uma receita escrita muito tempo atrás em nosso código genético ancestral, a prática do sono bifásico natural e uma dieta saudável parecem ser a chave para uma vida duradoura.

SOMOS ESPECIAIS

O sono, como já deu para entender, é uma característica unificadora de todo o reino animal, porém dentro das espécies e entre elas há uma diversidade extraordinária em termos de quantidade (por exemplo, tempo), forma (por exemplo, metade do cérebro, cérebro inteiro) e padrão (monofásico, bifásico e polifásico). Mas será que nós, seres humanos, somos especiais no que se refere ao perfil de sono, pelo menos em sua forma pura quando não prejudicado pela modernidade? Muito foi escrito sobre a singularidade de *Homo sapiens* em outros domínios — a nossa cognição, criatividade e cultura e o tamanho e formato do cérebro. Há algo similarmente excepcional em nosso sono noturno? Se sim, poderia esse sono ímpar ser uma causa não reconhecida das proezas mencionadas ainda há pouco e que prezamos como tão intrinsecamente humanas — seria ele a justificativa de nosso nome de hominídeos (*Homo sapiens*, derivativo latino, "pessoa sábia")?

De fato, nós, seres humanos, *somos* especiais quando se trata de sono. Comparados a macacos do Velho e do Novo Mundo, bem como a antropoides, como chimpanzés, orangotangos e gorilas, o sono humano se destaca. A quantidade total de tempo que passamos dormindo é acentuadamente mais curta do que a de todos os outros primatas (oito horas, comparadas às de dez a quinze horas de sono observadas em todos os demais); entretanto, temos uma quantidade desproporcional de sono REM, o estágio em que sonhamos. Entre 20% e 25% de nosso tempo de sono é dedicado ao sonho do sono REM, em comparação com uma média de apenas 9% entre todos os outros primatas! Somos a anomalia no que se refere ao tempo de sono e ao tempo de sonho em relação a todos os outros macacos e antropoides. Compreender como e por que nosso sono é tão diferente é compreender a evolução do antropoide para o homem, da árvore para o chão.

Os seres humanos dormem exclusivamente na terra — desfrutamos nosso sono deitados no chão (ou algumas vezes um pouco acima dele, em uma cama). Os primatas dormem em árvores, em galhos ou ninhos — só de vez em quando os deixam para dormir no chão. Grandes antropoides, por exemplo, constroem um ninho, ou plataforma, inteiramente novo na copa de uma árvore a cada noite. (Imagine toda noite ter de reservar várias horas depois do jantar para construir uma nova armação de cama antes de poder descansar!)

Dormir em árvores foi uma ideia até certo ponto sábia em termos evolucionários. Esse hábito garante um porto seguro contra grandes predadores que caçam no chão, como as hienas, e pequenos artrópodes sugadores de sangue, o que inclui os piolhos, as pulgas e os carrapatos. Mas é preciso ser cuidadoso quando se dorme de seis a quinze metros de altura. Ficar relaxado demais em sono profundo em um galho ou ninho e deixar pender um membro pode ser tudo de que a gravidade precisa para derrubá-lo em uma queda fatal, eliminando-o do *pool* genético. Isso se aplica especialmente ao estágio do sono REM, em que o cérebro paralisa por completo todos os músculos voluntários do corpo, deixando-os flácidos — um saco de ossos sem nenhuma tensão muscular. Tenho certeza de que você nunca tentou deixar uma sacola cheia de mantimentos em um galho de árvore, mas posso lhe assegurar que fazê-lo não é nada fácil. Mesmo que você consiga deixar a sacola em delicado equilíbrio por um momento, ele não dura muito. Para os nossos antepassados primatas, tentar estabelecer o equilíbrio do corpo era o desafio e o perigo de dormir em árvores, o que restringia acentuadamente seu sono.

O *Homo erectus*, predecessor do *Homo sapiens*, foi o primeiro bípede obrigatório, andando ereto sobre duas pernas. Acreditamos que ele também tenha sido o primeiro a dormir exclusivamente no chão. Braços mais curtos e uma postura ereta tornavam a vida e o sono em árvores bem improvável. Mas como o *Homo erectus* (e, por inferência, o *Homo sapiens*) sobrevivia no ambiente do sono no chão, cheio de predadores, com leopardos, hienas e tigres-dentes-de--sabre (que podem todos caçar à noite) andando a esmo e vários sugadores de sangue terrestres? Parte da resposta reside no fogo. Embora persista certo debate sobre o tema, muitos acreditam que o *Homo erectus* foi o primeiro a usar o fogo, um dos mais importantes catalisadores — se não o mais importante — que nos permitiram sair das árvores e viver em *terra firma*. O fogo é também uma das melhores explicações para o modo como fomos capazes de dormir em segurança junto ao solo: ele mantinha grandes carnívoros afastados, ao passo que a fumaça agia como uma engenhosa forma de fumigação noturna, repelindo pequenos insetos sempre ávidos por picar nossa epiderme.

Todavia, o fogo não era uma solução perfeita e o sono no chão ainda sim seria arriscado. Por esse motivo, desenvolveu-se uma pressão evolucionária para que nos tornássemos mais eficientes em nosso modo de dormir. Qualquer *Homo erectus* capaz de usufruir de um sono mais eficiente provavelmente teria sido favorecido em termos de sobrevivência e seleção. A evolução assegurou que nossa antiga forma de sono se tornasse um pouco mais curta em *duração*, porém aumentada em *intensidade*, sobretudo mediante o aumento da quantidade de sono REM inserido em uma noite.

De fato, como ocorre tantas vezes com a genialidade da Mãe Natureza, o problema se tornou parte da solução. Em outras palavras, o ato de dormir no chão firme, não em um precário galho de árvore, foi o ímpeto para as quantidades enriquecidas e acentuadas de sono REM que se desenvolveram, ao mesmo tempo que a quantidade de tempo passada dormindo pôde diminuir modestamente. Quando se dorme próximo ao solo, não há mais risco de queda. Pela primeira vez em nossa evolução, os hominídeos puderam desfrutar do sonho de sono REM com todo o corpo imobilizado, sem temer que o laço da gravidade os fizesse despencar das árvores. Por isso nosso sono se tornou "concentrado": mais curto e mais consolidado em duração e repleto de sono de alta qualidade. E não de qualquer tipo de sono, mas de sono REM, que banhava um cérebro em desenvolvimento acelerado em termos de complexidade e conectividade. Há espécies que têm mais tempo de sono REM total do que os hominídeos, mas não há nenhuma que apresente uma proporção tão vasta de sono REM em um cérebro complexo e ricamente interconectado como nós, *Homo sapiens*, fazemos.

A partir dessas pistas, proponho um teorema: a reengenharia do sono da árvore para o chão foi um gatilho decisivo que impulsionou o *Homo sapiens* para o topo da pirâmide da evolução. Pelo menos duas características definem os seres humanos em relação aos outros primatas. Proponho que ambas tenham sido moldadas de maneira benéfica e causal pela mão do sono, e sobretudo nosso intenso grau de sono REM em comparação a todos os outros mamíferos: (1) nosso grau de complexidade sociocultural; e (2) nossa inteligência cognitiva. O sono REM, e o próprio ato de sonhar, lubrifica esses dois traços humanos.

No que se refere ao primeiro aspecto, descobrimos que o sono REM calibra e ajusta delicadamente os circuitos emocionais do cérebro humano (que serão discutidos em detalhes na Parte 3 deste livro). Em virtude disso, é bem possível que o sono REM tenha acelerado o desenvolvimento da riqueza e do controle racional de nossas emoções a princípio primitivas. Creio eu que essa mudança contribuiu significativamente para a rápida ascensão do *Homo sapiens* ao domínio sobre todas as outras espécies de maneiras decisivas.

Sabemos, por exemplo, que o sono REM aumenta nossa capacidade de reconhecer o caleidoscópio de sinais socioemocionais abundantes na cultura humana — como expressões faciais francas e dissimuladas, grandes e pequenos gestos corporais e até o comportamento de multidões — e de nos orientarmos nele. Basta considerarmos transtornos como o autismo para ver como a existência social pode ser desafiadora e diferente quando tais capacidades de orientação emocional não estão intactas.

Com relação a isso, a dádiva do sono REM de facilitar o reconhecimento e a compreensão precisa nos permite tomar decisões e empreender ações mais inteligentes. Mais especificamente, a serena capacidade de regular nossas emoções todos os dias — essencial para o que chamamos de QI emocional — depende da obtenção de sono REM suficiente todas as noites. (Se pensou logo de cara em colegas, amigos e figuras públicas desprovidas desses traços, talvez você esteja se questionando quanto sono, sobretudo o das primeiras horas da manhã rico em REM, eles estão obtendo.)

Além disso, e de forma mais decisiva, se multiplicarmos esses benefícios individuais dentro de grupos e tribos, todos os quais estão experimentando uma intensidade e riqueza cada vez maior de sono REM ao longo de milênios, poderemos começar a entender como essa calibração noturna de nosso cérebro emocional poderia ter se intensificado rápida e exponencialmente. A partir desse QI emocional melhorado pelo sono REM emergiu uma forma nova e muito mais sofisticada de socioecologia hominídea através de vastas coletividades, algo que permitiu a criação de comunidades de seres humanos grandes, emocionalmente sagazes, estáveis, muito interligados e intensamente sociais.

Vou dar um passo além e sugerir que essa é *a* função mais influente do sono REM em mamíferos, quiçá a mais influente de *todos* os tipos de sono em *todos* os mamíferos e até mesmo a vantagem mais eminente já concedida pelo sono nos anais de toda a vida planetária. Os benefícios adaptativos conferidos pelo processamento emocional complexo são de fato monumentais e em geral ignorados. Nós, seres humanos, conseguimos exemplificar uma vasta gama de emoções em nosso cérebro encarnado e, com isso, experimentá-las a fundo e até regulá-las. Além disso, conseguimos reconhecer e ajudar a moldar as emoções dos outros. Por meio desses dois processos intra e interpessoais, podemos forjar os tipos de alianças necessárias para estabelecer grandes grupos sociais e, além deles, sociedades inteiras, cheias de poderosas estruturas e ideologias. Eu acredito que o que à primeira vista pode ter parecido um bem modesto proporcionado pelo sono REM a um único *indivíduo* seja um dos bens mais valiosos a assegurar a sobrevivência e o domínio de nossa espécie como um *coletivo*.

A segunda contribuição evolucionária alimentada pelo estado onírico do sono REM é a criatividade. O sono NREM ajuda a transferir informações recém-adquiridas para locais de armazenamento a longo prazo no cérebro, mantendo-as seguras. Mas é o sono REM que pega essas memórias recém-cunhadas e começa a chocá-las com todo o catálogo da autobiografia do indivíduo.

Esses choques mnemônicos durante o sono REM inflamam insights criativos à medida que novas ligações são forjadas entre informações não relacionadas. A cada ciclo do sono, o sono REM ajuda a construir vastas redes associativas de informação no cérebro. Ele consegue até dar um passo atrás, por assim dizer, e adivinhar insights abrangentes e ideias gerais: algo semelhante a conhecimento geral — isto é, depreender o que uma coleção de informações significa como um todo, em vez de vê-la apenas como um catálogo inerte de fatos. Podemos despertar na manhã seguinte com novas soluções para problemas antes insuperáveis ou mesmo ser imbuídos de ideias radicalmente novas e originais.

Além, portanto, do tecido socioemocional opulento e dominante que o sono REM ajuda a tecer há esse segundo benefício, o da criatividade do sono onírico. Deveríamos (com cautela) reverenciar quanto nossa engenhosidade hominídea é superior em relação à de qualquer de nossos rivais mais próximos, primatas ou não. Os chimpanzés — nossos parentes primatas vivos mais chegados — estão por aqui cinco milhões de anos a mais que nós; alguns dos grandes antropoides nos precederam por pelo menos dez milhões de anos. Apesar de eras de tempo de oportunidades, nenhuma das espécies foi à Lua, criou o computador ou desenvolveu vacinas. Humildemente, nós, seres humanos, fizemos tudo isso. O sono, sobretudo o sono REM, e o ato de sonhar são um fator sustentável, embora subestimado, subjacente a muitos elementos que formam nossa engenhosidade singular e façanhas humanas como a linguagem ou o uso de ferramentas (na verdade, há até indícios de que o sono também molda de maneira causal essas últimas características).

Ainda assim, os superiores dons emocionais proporcionados pelo sono REM deveriam ser considerados mais influentes na definição de nosso sucesso hominídeo do que o segundo benefício — o de inspirar criatividade. Sim, é verdade que a criatividade é uma ferramenta evolucionária poderosa, porém encontra-se em grande parte limitada a um indivíduo. A menos que soluções criativas, engenhosas, possam ser compartilhadas por meio dos laços pró-sociais, emocionalmente ricos, e das relações cooperativas que o sono REM fomenta, a criatividade se torna muito mais propensa a permanecer fixada dentro de um indivíduo, em vez de se espalhar para as massas.

A essa altura já deu para entender o que acredito ser um ciclo positivo clássico de evolução, autorrealizável. A mudança do sono na árvore para o sono no chão instigou uma quantidade cada vez mais abundante de sono REM relativo em comparação com os outros primatas, e dessa abundância emergiu um aumento abrupto da criatividade cognitiva, da inteligência emocional e, desse modo, da complexidade social. Isso, com o nosso cérebro interconectado e cada vez mais denso, levou a melhores estratégias diárias (e noturnas) de sobrevivência. Por sua vez, quanto mais arduamente trabalhávamos esses circuitos cerebrais cada vez mais desenvolvidos durante o dia, maior era nossa necessidade de repará-los e calibrá-los à noite com mais sono REM.

À medida que esse circuito de feedback positivo se enraizou de forma exponencial, nós formamos, organizamos, reparamos e moldamos deliberativamente grupos sociais cada vez maiores. As capacidades criativas em rápida evolução puderam assim se espalhar mais depressa e de forma mais eficiente e até melhoraram graças ao aumento progressivo do sono REM hominídeo, ampliando a sofisticação emocional e social. Portanto, o sonho do sono REM representa um novo fator, entre outros, contribuinte à nossa ascensão assombrosamente rápida ao poder, para o bem e para o mal — uma nova superclasse *social* globalmente dominante (alimentada pelo sono).

CAPÍTULO 5

Mudanças no sono ao longo da vida

O SONO ANTES DO NASCIMENTO

Por meio da fala ou do canto, os futuros pais costumam se emocionar com sua capacidade de fazer com que o filho *in utero* dê chutinhos e se mexa. Embora você nunca deva lhes dizer isso, o mais provável é que o feto esteja dormindo profundamente. Antes do nascimento, o bebê humano passa quase todo o tempo em um estado semelhante ao sono, grande parte do qual se parece com o estado de sono REM. Portanto, o feto adormecido não tem consciência das performances dos pais. É mais provável que os socos e chutes sentidos pela grávida sejam fruto de explosões aleatórias de atividade cerebral que tipificam o sono REM.

Os adultos não exibem — ou pelo menos não deveriam exibir — chutes e movimentos noturnos similares, uma vez que são contidos pelo mecanismo paralisador do corpo do sono REM. Mas no útero o cérebro imaturo do feto ainda não desenvolveu o sistema inibidor dos músculos presente no sono REM de que os adultos dispõem. Contudo, outros centros profundos do cérebro do feto já foram posicionados, incluindo os que geram o sono. De fato, no fim do segundo trimestre de desenvolvimento (por volta da 23ª semana de gestação), a maioria dos mostradores e interruptores neurais requeridos para produzir sono NREM e sono REM já foram esculpidos e conectados. Por causa dessa disparidade, o cérebro do feto ainda gera comandos motores formidáveis durante o sono REM, com a diferença de que não há paralisia para contê-los. Sem restrição, tais comandos são livremente traduzidos em movimentos corporais frenéticos, sentidos pela mãe como saltos acrobáticos e socos de um peso-pluma.

Nesse estágio do desenvolvimento uterino, a maior parte do tempo é passada dormindo. O período de 24 horas contém uma desproporção de cerca de seis horas de sono NREM, seis horas de sono REM e doze horas de um estado de sono intermediário que não se pode afirmar com segurança ser um ou outro, mas com certeza não é plena vigília. É somente quando o feto entra no último trimestre que surgem os vislumbres do verdadeiro despertar. Entretanto, eles são muito menos do que você imaginaria: o feto passa apenas de duas a três horas de cada dia acordado.

Ainda que o tempo total de sono diminua no último trimestre de gestação, ocorre um aumento paradoxal e espetacular do tempo de sono REM. Nas duas últimas semanas de gestação, o consumo de sono REM pelo feto aumenta para quase nove horas por dia. Na última semana antes do parto, a quantidade atinge um recorde da vida inteira: doze horas por dia. Ou seja, com apetite quase insaciável, o feto humano duplica sua fome por sono REM logo antes de vir ao mundo. Não há outro momento durante a vida de um indivíduo — pré-natal, pós-natal inicial, adolescência, idade adulta ou velhice — em que ele sofra uma mudança tão extraordinária na necessidade de sono REM ou se banqueteie tão fartamente com ele.

Mas o feto sonha durante o sono REM? Provavelmente não da maneira que a maioria de nós considera sonho. Entretanto, sabemos de fato que o sono REM é vital para promover a maturação do cérebro. O desenvolvimento de um ser humano no útero ocorre em estágios distintos, interdependentes, um pouco como a construção de uma casa. Não se pode coroar uma casa com um telhado antes que haja estruturas de paredes nas quais apoiá-lo, e não se pode erguer paredes sem um alicerce no qual assentá-las. O cérebro, como o telhado de uma casa, é um dos últimos itens a se desenvolver. E, como um telhado, há subestágios para esse processo — é preciso que haja uma estrutura do telhado antes que se possa acrescentar as telhas, por exemplo.

A criação detalhada do cérebro e de suas partes constituintes ocorre em um ritmo acelerado durante o segundo e o terceiro trimestres do desenvolvimento humano — justamente a janela de tempo em que a quantidade de sono REM dispara. Isso não é uma coincidência: o sono REM atua como um fertilizante elétrico nessa fase crítica do início da vida. Explosões estonteantes de atividade elétrica durante o sono REM estimulam o crescimento exuberante de vias neurais por todo o cérebro em desenvolvimento e depois proveem cada uma com um saudável buquê de extremidades conectoras, ou terminais sinápticos. Pense no sono REM como um provedor de internet que povoa novos bairros do cérebro com muitas redes de cabos de fibra óptica. Por meio desses raios de eletricidade inaugurais, o sono REM então ativa seu funcionamento de alta velocidade.

Essa fase do desenvolvimento, que impregna o cérebro com uma grande quantidade de conexões neurais, é chamada de *sinaptogênese*, pois envolve a criação de milhões de elos de conexão, ou sinapses, entre os neurônios. Trata-se de uma primeira etapa superentusiástica da instalação do computador central do cérebro. Há uma grande quantidade de redundância, o que possibilita que muitas configurações de circuitos possíveis surjam no cérebro do bebê assim que ele nascer. Da perspectiva da analogia do provedor de internet, todas as casas, por todos os bairros, em todos os territórios do cérebro foram agraciadas com um elevado grau de conectividade e largura de banda em sua primeira fase de vida.

Encarregado de uma tarefa tão hercúlea de neuroarquitetura — estabelecer as rodovias neurais e as ruas secundárias que engendrarão pensamentos, memórias, sentimentos, decisões e ações —, não admira que o sono REM domine a maior parte da vida em desenvolvimento inicial, quando não toda ela. Na verdade, isso vale para todos os outros mamíferos:* a época da vida em que o sono REM é maior é o mesmo estágio em que o cérebro está passando pela maior construção.

De forma inquietante, o ato de perturbar ou prejudicar o sono REM do cérebro de um bebê em desenvolvimento — antes do parto ou logo após — gera consequências. Nos anos 1990, pesquisadores começaram a estudar ratos recém-nascidos. Observou-se que seu progresso gestacional foi retardado simplesmente pelo bloqueio do sono REM, embora o tempo cronológico avançasse — os dois deveriam, é claro, avançar em uníssono. Privar os ratos bebês de sono REM impediu a construção de seu telhado neural — o córtex cerebral. Sem o sono REM, o trabalho de montagem no cérebro parou aos poucos, congelado no tempo pela cunha experimental de uma falta de sono REM. Dia após dia, o

---

* A exceção, observada no Capítulo 4, talvez sejam as baleias orcas recém-nascidas. Aparentemente, elas não têm a chance de dormir logo após o nascimento, pois farão a perigosa viagem de volta ao bando a partir dos campos de parto situados a quilômetros de distância, seguidas de perto pela mãe. Contudo, isso é uma suposição: é possível que elas, como todos os outros mamíferos, ainda consumam *in utero* um vasto volume de sono, e até de sono REM, logo antes de vir ao mundo. Apenas ainda não sabemos ao certo.

perfil semiacabado do telhado do córtex cerebral privado de sono não mostrou qualquer sinal de crescimento.

O mesmo efeito foi demonstrado em várias outras espécies mamíferas, sugerindo que ele provavelmente é comum entre animais dessa classe. Quando enfim foi permitido aos ratos bebês ter algum sono REM, a montagem do telhado cerebral recomeçou, porém não se acelerou e jamais entrou nos eixos por completo. Um cérebro bebê sem sono será um cérebro para sempre não inteiramente construído.

Uma ligação mais recente com o sono REM deficiente diz respeito ao transtorno do espectro autista (TEA) (não confundir com o transtorno do déficit de atenção com hiperatividade [TDAH], que será discutido mais tarde neste livro). O autismo, do qual há várias formas, é uma enfermidade neurológica que emerge cedo no desenvolvimento, em geral por volta dos dois ou três anos de idade. O principal sintoma do transtorno é a falta de interação social — indivíduos que o apresentam não se comunicam ou se envolvem com outras pessoas com facilidade ou da forma mais habitual.

Nossa compreensão atual do que causa o autismo é incompleta, porém o que parece ser central para o estabelecimento da enfermidade é uma conexão inapropriada do cérebro durante o início do desenvolvimento, especificamente na formação e no número de sinapses — isto é, uma sinaptogênese anormal. Desequilíbrios em conexões sinápticas são comuns em indivíduos autistas: quantidade excessiva de conectividade em algumas partes do cérebro, deficiência em outras.

Tendo isso em vista, os cientistas começaram a examinar se o sono de indivíduos com autismo é atípico. E ele é. Bebês e crianças pequenas que mostram sinais de autismo, ou que foram diagnosticados com essa condição, não apresentam padrões ou quantidades de sono normais. Os ritmos circadianos das crianças autistas também são mais fracos do que o de suas homólogas não autistas, mostrando um perfil mais achatado de melatonina no período de 24 horas em vez de uma forte elevação na concentração à noite e queda rápida durante todo o dia.* Em termos biológicos, é como se o dia e a noite fossem

---

* S. Cohen, R. Conduit. S.W. Lockley, S.M. Rajaratnam e K.M. Cornish, "The Relationship Between Sleep and Behavior in Autism Spectrum Disorder (ASD): a Review", *Journal of Neurodevelopmental Disorders* 6, nº 1 (2011): p. 44.

muito menos claros e escuros, respectivamente, para os indivíduos autistas. Por causa disso, há um sinal mais fraco para o momento em que a vigília estável e o sono profundo deveriam ocorrer. Além disso, e talvez de maneira relacionada, a quantidade de sono que crianças autistas podem gerar é menor do que a de crianças não autistas.

Contudo, o mais notável é a significativa escassez de sono REM. Indivíduos autistas apresentam um déficit de 30% a 50% na quantidade de sono REM em relação a crianças sem autismo.* Tendo em mente o papel do sono REM na criação de uma massa equilibrada de conexões sinápticas no cérebro em desenvolvimento, há agora um intenso interesse por descobrir se a deficiência de sono REM contribui para o autismo.

No entanto, a evidência existente em seres humanos é simplesmente correlacional. O mero fato de o autismo e anormalidades no sono REM andarem de mãos dadas não significa que uma coisa cause a outra. Essa associação tampouco nos revela a direção da causalidade caso ela exista: é o sono REM deficiente que causa o autismo, ou o contrário? Todavia, é curioso observar que privar seletivamente um rato bebê de sono REM leva a padrões aberrantes de conectividade neural, ou sinaptogênese, no cérebro.** Além disso, ratos privados de sono REM durante a primeira infância tornam-se depois adolescentes e adultos socialmente esquivos e isolados.*** Independentemente das questões de causalidade, o monitoramento de anormalidades do sono representa uma nova esperança diagnóstica para a detecção precoce do autismo.

É óbvio que nenhuma gestante precisa temer que cientistas perturbem o sono REM de seu feto em desenvolvimento. No entanto, o álcool pode infligir a mesma remoção seletiva de sono REM: ele é um dos mais poderosos repressores de sono REM de que se tem conhecimento. Discutiremos a razão pela qual o álcool age dessa forma e as consequências dessa perturbação do sono

---

* A.W. Buckley, A.J. Rodriguez, A. Jennison et al., "Rapid Eye Movement Sleep Percentage in Children with Autism Compared with Children with Developmental Delay and Typical Development", *Archives of Pedriatics and Adolescent Medicine* 164, nº 11 (2010): p. 1.032-37. Ver também S. Miano, O. Bruni, M. Elia, A. Trovato et al., "Sleep in Children with Autistic Spectrum Disorder: a Questionnaire and Polysomnographic Study", *Sleep Medicine* 9, nº 1 (2007): p. 64-70.

** G. Vogel e M. Hagler, "Effects of Neonatally Administered Iprindole on Adult Behaviors of Rats", *Pharmacology Biochemistry and Behavior* 55, nº 1 (1996): p. 157-61.

*** Ibid.

em adultos em capítulos posteriores. Por enquanto, vamos focar o impacto do álcool sobre o sono em fetos em desenvolvimento e recém-nascidos.

O álcool consumido pela mãe atravessa depressa a barreira placentária e por isso logo impregna o feto em desenvolvimento. Por saber disso, cientistas examinaram primeiro a situação extrema: mães que eram alcoólatras ou que bebiam muito durante a gravidez. Logo após o parto, o sono desses neonatos foi avaliado mediante o uso de eletrodos na cabeça. Os recém-nascidos de mães que bebiam muito passaram muito menos tempo no estado ativo do sono REM em comparação com bebês de idade similar, mas filhos de mães abstêmias durante a gestação.

Em seguida, os eletrodos mostraram uma história fisiológica ainda mais preocupante. Recém-nascidos de mães que bebiam muito não tinham a mesma qualidade elétrica de sono REM. Como você deve se lembrar do Capítulo 3, o sono REM é exemplificado por ondas cerebrais deliciosamente caóticas, ou dessincronizadas: uma forma vivaz e saudável de atividade elétrica. Entretanto, os bebês de mães que bebiam muito apresentaram uma redução de 200% nessa medida em relação aos bebês nascidos de mães abstêmias. Pelo contrário, os bebês de mães que bebiam muito exibiram um padrão de onda cerebral muito mais sedentário nesse aspecto.* Se você está se questionando se estudos epidemiológicos já associaram o consumo de álcool durante a gravidez a uma probabilidade maior de os filhos dessas mães desenvolverem doenças neuropsiquiátricas, incluindo o autismo, a resposta é sim.**

Felizmente hoje em dia a maioria das mulheres não bebe em excesso durante a gravidez. Mas o que se pode dizer da situação mais comum de uma gestante que toma uma ou duas taças de vinho de vez em quando? Por meio do monitoramento não invasivo da frequência cardíaca, junto com medidas de ultrassom de movimento corporal, dos olhos e da respiração, agora somos capazes de determinar os estágios básicos de sono NREM e de sono REM de um feto. Lançando mão de tais métodos, um grupo de pesquisadores estudou

---

* V. Havlicek, R. Childiaeva e V. Chernick, "EEG Frequency Spectrum Characteristics of Sleep States in Infants of Alcoholic Mothers", *Neuropädiatrie* 8, nº 4 (1977): p. 360-73. Ver também S. Loffe, R. Childiaeva e V. Chernick, "Prolonged Effects of Maternal Alcohol Ingestion on the Neonatal Electroencephalogram", *Pediatrics* 74, nº 3 (1984), p. 330-35.

** A. Ornoy, L. Weinstein-Fudim e Z. Ergaz, "Prenatal Factors Associated with Autism Spectrum Disorder (ASD)", *Reproductive Toxicology* 56 (2015): p. 155-69.

o sono de bebês que nasceriam dentro de apenas algumas semanas. As grávidas foram avaliadas em dois dias sucessivos. Em um, elas beberam fluidos não alcoólicos; já no outro consumiram cerca de duas taças de vinho (a quantidade absoluta foi controlada com base no peso corporal). O álcool reduziu significativamente a quantidade de tempo que os fetos passaram em sono REM em comparação à condição sem álcool.

A bebida também diminuiu a intensidade de sono REM experimentada pelos fetos, definida pela medida-padrão de quantos movimentos rápidos dos olhos adornam o ciclo de sono REM. Além disso, os fetos sofreram uma acentuada queda na respiração durante o sono REM, com a frequência respiratória caindo do padrão normal de 381 por hora durante o sono natural para apenas quatro por hora com o feto inundado de álcool.*

Além da abstinência de álcool durante a gravidez, o período da amamentação também merece menção. Nos países ocidentais, quase metade de todas as lactantes consome álcool nos meses em que dão o peito. O álcool é logo absorvido no leite materno e sua concentração se assemelha muito à presente na corrente sanguínea da mãe: um nível de 0,08 de álcool no sangue da lactante resultará em um nível de cerca de 0,08 de álcool em seu leite.** Recentemente foi descoberto o que o álcool no leite materno faz com o sono do bebê.

Recém-nascidos costumam passar direto para o sono REM após uma mamada. Muitas mães já sabem disso: assim que a sucção acaba, e às vezes antes mesmo que as pálpebras do bebê se fechem, sob elas os olhos começam a disparar da esquerda para a direita, indicando que o bebê agora está sendo alimentado por sono REM. Segundo um mito que já foi comum, o bebê dorme melhor se a mãe tiver tomado um drinque alcoólico antes da mamada — cerveja era a bebida sugerida. Para aquelas de vocês que são apreciadoras de cerveja, trata-se apenas disso: um mito. Vários estudos alimentaram bebês com leite materno contendo ou um sabor não alcoólico, como baunilha, ou uma quantidade controlada de álcool (o equivalente a um ou dois drinques). Quando bebês

---

* E.J. Mulder, L.P. Morssink, T. van der Schee e G.H. Visser, "Acute Maternal Alcohol Consumption Disrupts Behavioral State Organization in the Near-Term Fetus", *Pediatric Research* 44, nº 5 (1998), p. 774-79.

** Além do sono, o álcool também inibe o reflexo de ejeção do leite e causa uma redução temporária na produção do mesmo.

consomem leite com álcool, seu sono é mais fragmentado. Eles passam mais tempo acordados e sofrem uma redução do sono REM de 20% a 30% logo depois.* Com frequência, os bebês até tentam recuperar parte desse sono REM perdido depois que eliminam o álcool da corrente sanguínea, mas isso não é uma tarefa fácil para seus sistemas inexperientes.

O que emerge de todos esses estudos é o fato de o sono REM não ser opcional durante o início da vida humana, mas obrigatório. Pelo visto, cada hora de sono REM conta, como fica evidente pela tentativa desesperada do feto ou recém-nascido de recuperar qualquer quantidade quando este é perdido.** Infelizmente ainda não compreendemos por completo quais são os efeitos a longo prazo da perturbação do sono REM de fetos e neonatos, desencadeadas pelo álcool ou outros fatores. Sabemos apenas que o bloqueio ou a redução de sono REM em animais recém-nascidos dificulta e distorce o desenvolvimento do cérebro, gerando um adulto socialmente anormal.

SONO NA INFÂNCIA

Talvez a diferença mais óbvia e inquietante (para os pais recentes) entre o sono de bebês e crianças pequenas e o de adultos seja o número de fases. Em contraste com o padrão de sono único, monofásico, observado em adultos de países industrializados, bebês e crianças pequenas apresentam sono polifásico: muitos fragmentos curtos de sono ao longo do dia e da noite, pontuados por numerosos despertares em geral ruidosos.

Não há afirmação melhor ou mais cômica desse fato do que o livrinho de cantigas de ninar escrito por Adam Mansbach, intitulado *Vai dormir, p__ra* — obviamente, o livro é para adultos. Na época em que o escreveu, o filho de Mansbach tinha acabado de nascer. E, como muitos pais recentes, o escri-

---

* J.A. Mennella e P.L. Garcia-Gomez, "Sleep-Disturbances After Acute Exposure to Alcohol in Mother's Milk", *Alcohol* 25, nº 3 (2001): p. 153-58. Ver também J.A. Mennella e C.J. Gerrish, "Effects of Exposure to Alcohol in Mother's Milk on Infant Sleep", *Pediatrics* 101, nº 5 (1998): E2.

** Embora não diretamente relacionado à quantidade ou qualidade do sono, o consumo de álcool pela mãe antes de dormir junto com o recém-nascido (cama com sofá) leva a um aumento de sete a nove vezes da síndrome de morte súbita infantil (SMSI) em comparação com as que não consomem álcool (P.S. Blair, P. Sidebotham, C. Evason-Coombe et al., "Hazardous Cosleeping Environments and Risks Factors Amenable to Change: Case-Control Study of SIDS in Southwest England", *BMJ* 339 (2009): b3666).

tor estava ficando exausto com os constantes despertares do filho: o perfil polifásico do sono dos bebês. A incessante necessidade de se ocupar de sua filhinha, ajudando-a a adormecer de novo diversas vezes, noite após noite, deixou-o desesperado. A situação chegou a tal ponto que Mansbach simplesmente teve de dar vazão a toda a raiva amorosa que havia acumulado. O que se transferiu para as páginas foi uma cômica série de poemas rimados que ele ficticiamente leria para a filha, cujos temas encontrarão eco em muitos pais recentes: "Vou ler esse livro pela última vez. Mas você tem que dormir, p*##@" (Eu imploro que você ouça a versão americana do audiolivro da obra, narrada à perfeição em inglês pelo sensacional ator Samuel L. Jackson.)

Felizmente para todos os pais recentes (incluindo Mansbach), quanto mais velha a criança fica, menos numerosos, mais longos e mais estáveis se tornam os episódios de sono.* O que explica essa mudança é o ciclo circadiano. Apesar de as áreas cerebrais que geram o sono serem moldadas muito antes do nascimento, o relógio mestre de 24 horas que controla o ritmo circadiano — o núcleo supraquiasmático — leva um tempo considerável para se desenvolver. Só depois dos três ou quatro meses de idade o bebê mostra sinais modestos de estar sendo governado por um ritmo diário. Aos poucos, o núcleo supraquiasmático começa a se prender a sinais repetitivos, como a luz do dia, a mudança de temperatura e as mamadas (contanto que estas sejam feitas de forma extremamente organizada), estabelecendo um ritmo de 24 horas mais forte.

Na altura do marco do desenvolvimento de um ano, o relógio do núcleo supraquiasmático do bebê já tomou as rédeas do ritmo circadiano, o que significa que a criança agora passa uma parte maior do dia acordada, entremeada com vários cochilos e, misericordiosamente, a maior parte da noite dormindo. Nesse ponto também desaparece a maioria dos turnos indiscriminados de sono e vigília que antes salpicavam o dia e a noite. Aos quatro anos,

---

* A capacidade de bebês e crianças pequenas de passarem a dormir durante a noite de maneira independente é o foco agudo de atenção — ou talvez, melhor dizendo, a franca obsessão — de muitos pais recentes. Há inúmeros livros cujo único foco é estabelecer as melhores práticas para fazer com que o bebê ou a criança durma. A presente obra não pretende fornecer uma visão geral do tópico. No entanto, uma recomendação essencial é sempre pôr seu filho na cama quando ele estiver sonolento, não quando já estiver dormindo. Dessa forma, bebês e crianças ficam significativamente mais propensos a desenvolver a capacidade de se acalmarem à noite de forma independente, de modo que possam voltar a dormir sem precisar da presença de um dos pais.

o ritmo circadiano está no comando dominante do comportamento de sono da criança, com uma longa porção de sono noturno, em geral suplementada por apenas um único cochilo durante o dia. Nesse estágio, a criança faz a transição de um padrão de sono polifásico para um padrão de sono bifásico. Chegada a infância tardia, o padrão moderno de sono monofásico enfim se torna uma realidade.

No entanto, a progressão dessa estabilidade oculta é uma luta pelo poder muito mais turbulenta entre o sono NREM e o sono REM. Embora a quantidade de sono diminua aos poucos a partir do nascimento, tornando-se ao mesmo tempo mais estável e consolidada, a proporção de tempo gasto no sono NREM e no sono REM não diminui de forma similarmente estável.

Durante as quatorze horas de sono total por dia que um bebê de seis meses dorme, há uma divisão do tempo de 50/50 entre o sono NREM e o sono REM. Já uma criança de cinco anos apresenta uma divisão de 70/30 entre o sono NREM e o sono REM ao longo das onze horas do sono diário total. Em outras palavras, a proporção de sono REM *diminui* na primeira infância, ao passo que a proporção de sono NREM *aumenta*, apesar de o tempo total de sono diminuir. A redução da porção de sono REM e a elevação do domínio do sono NREM se mantêm durante toda a primeira e a segunda infâncias. Esse equilíbrio enfim se estabiliza em uma divisão de sono NREM/sono REM de 80/20 no fim da adolescência e permanece assim durante toda a vida adulta inicial e intermediária.

SONO E ADOLESCÊNCIA

Mas por que passamos tanto tempo em sono REM no útero e no início da vida e depois passamos para um domínio de sono NREM profundo na infância tardia e no início da adolescência? Ao quantificarmos a intensidade das ondas cerebrais do sono profundo, vemos o mesmo padrão: um declínio na intensidade do sono REM no primeiro ano de vida e um aumento exponencial da intensidade de sono NREM profundo na segunda e terceira infâncias, atingindo um pico pouco antes da puberdade e depois voltando a diminuir. O que há de tão especial nesse tipo de sono nessa época transicional da vida?

Antes e logo depois do nascimento, o desafio para o desenvolvimento é construir e adicionar vastos números de rodovias e interconexões neurais que se tornarão um cérebro. Como já foi explicado, o sono REM desempenha um papel essencial nesse processo de proliferação, ajudando a povoar os bairros do cérebro com conectividade neural e depois a ativar essas vias com uma dose saudável de largura de banda informacional.

Entretanto, como essa primeira rodada de instalação de conexões é deliberadamente bem entusiasta, há uma segunda rodada de remodelação, que ocorre durante a infância tardia e a adolescência. Nessa etapa, a meta arquitetônica não é ampliar, mas reduzir para que se atinja a meta de eficiência e eficácia. O tempo de acrescentar conexões cerebrais com a ajuda do sono REM terminou. Em contrapartida, a poda de conexões se torna a ordem do dia ou, melhor dizendo, da noite. Entra em ação a mão escultora do sono NREM profundo.

Vale a pena voltar à analogia do provedor de internet. Quando a rede está sendo instalada, cada casa no bairro recém-construído recebe uma quantidade igual de largura de banda e, assim, potencial para uso. No entanto, essa é uma solução ineficiente em longo prazo, já que algumas dessas casas vão se tornar usuários intensos ao longo do tempo, enquanto outras vão consumir muito pouco. Algumas casas podem até permanecer vazias e nem sequer usar largura de banda. Para avaliar de maneira confiável qual é o padrão de demanda, o provedor precisa de tempo para colher estatísticas de uso. Só após um período de experiência ele poderá tomar uma decisão fundamentada sobre como refinar a estrutura original da rede que instalou, diminuindo a conectividade para casas de baixo consumo ao mesmo tempo que a aumenta para as residências com demanda elevada. Não é uma reconstrução completa da rede, e grande parte da estrutura original permanecerá como antes. Afinal, o provedor fez isso muitas vezes e tem uma estimativa razoável de como construir uma primeira etapa da rede. Todavia, uma remodelação e enxugamento dependente do uso ainda deve ocorrer para que a rede atinja sua máxima eficiência.

O cérebro humano passa por uma transformação semelhante, determinada pelo uso, durante a infância tardia e a adolescência. Grande parte da estrutura original estabelecida no início da vida permanecerá, já que a Mãe Natureza a essa altura já aprendeu a criar uma primeira etapa bem precisa de um cérebro após bilhões de tentativas ao longo de muitos milhares de anos de evolução. Mas ela prudentemente deixa algo por fazer em sua escultura genérica do cérebro: o trabalho de refinamento individualizado. As experiências únicas de uma criança durante seus anos formativos se traduzem em uma série de estatísticas de uso pessoal. Essas experiências, ou estatísticas, fornecem a planta personalizada para uma última rodada de refinamento cerebral,* tirando proveito da oportunidade que a natureza proporciona. Um cérebro (de certo modo) genérico torna-se cada vez mais individualizado com base no uso do dono.

Para ajudar no trabalho de refinamento e redução da conectividade, o cérebro lança mão dos serviços do sono NREM profundo. Das muitas funções desempenhadas por ele — cuja lista completa será discutida no próximo capítulo —, a da poda de sinapses é a que se destaca de forma proeminente durante a adolescência. Em uma notável série de experimentos, o pesquisador pioneiro do sono Irwin Feinberg descobriu algo fascinante sobre o modo como essa operação ocorre no cérebro adolescente. Suas descobertas ajudam a justificar uma opinião que talvez também seja a sua: adolescentes têm uma versão menos racional do cérebro adulto, uma que se expõe a mais riscos e cujas habilidades de tomada de decisão são relativamente deficientes.

Usando eletrodos colocados em toda a cabeça — na frente e atrás, do lado esquerdo e do direito —, Feinberg registrou o sono de um grupo grande de crianças então na faixa dos seis aos oito anos de idade. A cada seis a doze meses ele reconduzia os participantes ao seu laboratório e realizava mais uma medição do sono. O experimento foi realizado durante dez anos e reuniu mais de 3.500 avaliações de noites inteiras: um total de quase inacreditáveis 320 mil horas de registros de sono! A partir desse material, Feinberg criou uma série de instantâneos, descrevendo como a intensidade do sono profundo muda com os estágios do desenvolvimento do cérebro à medida que as crianças fazem a transição muitas vezes difícil da adolescência para a idade adulta. Foi o equivalente neurocientífico da fotografia em *time-lapse* na natureza: fazer fotos repetidas de uma árvore quando ela surge primeiro como um broto na primavera (primeira infância), depois explode em folhas

---

* Ainda que o grau de conectividade neural diminua durante o desenvolvimento, o tamanho físico de nossas células cerebrais — e, portanto, o tamanho físico do cérebro e da cabeça — aumenta.

durante o verão (infância tardia), então amadurece em cores com a chegada do outono (início da adolescência) para enfim deixar cair suas folhas no inverno (adolescência tardia e início da idade adulta).

Feinberg observou que durante a infância intermediária e tardia há uma quantidade moderada de sono profundo enquanto as últimas arrancadas de crescimento neural estavam sendo completadas, algo análogo ao fim da primavera e início do verão. Depois o pesquisador começou a notar nos registros elétricos um crescimento pronunciado na intensidade do sono profundo bem no momento em que as necessidades de conectividade cerebral ditadas pelo desenvolvimento mudam de fazer crescer conexões para perdê-las — o equivalente do outono para as árvores. Exatamente quando o outono maturacional estava prestes a se transformar no inverno, e a perda estava quase completa, os registros de Feinberg voltaram a mostrar uma clara redução na intensidade do sono NREM profundo. O ciclo vital da infância estava terminado e, quando as últimas folhas caíam, o progresso neural desses adolescentes tinha sido assegurado — o sono NREM profundo havia auxiliado sua transição para o início da idade adulta.

Feinberg propôs que o aumento e a queda da intensidade do sono profundo ajudaram a conduzir a viagem maturacional através das alturas precárias da adolescência, seguindo depois para uma progressão segura rumo à idade adulta. Descobertas recentes corroboraram essa teoria. Enquanto o sono NREM profundo executa sua última inspeção e refinamento do cérebro durante a adolescência, as habilidades cognitivas, o raciocínio e o pensamento crítico começam a melhorar e o fazem de forma proporcional à mudança do sono NREM. Ao examinar mais de perto os momentos em que essa relação ocorre, é possível ver algo ainda mais interessante. As mudanças no sono NREM profundo sempre precedem os marcos cognitivos e de desenvolvimento no cérebro em várias semanas ou meses, o que sugere uma direção de influência: *o sono profundo pode ser uma força propulsora da maturação cerebral, não o contrário.*

Feinberg fez uma segunda descoberta seminal. Ao examinar a linha do tempo da intensidade do sono profundo em mudança em cada ponto de eletrodo na cabeça, percebeu que ela não é igual: o padrão de ascensão e queda da maturação sempre começa na parte de trás do cérebro, que executa as funções de percepção visual e espacial, e depois avança de maneira constante para a frente à medida que o adolescente progride. O mais notável é o fato de o último ponto da viagem maturacional ser a extremidade do lobo frontal, que permite o pensamento racional e a tomada de decisão crítica. Portanto, a parte de trás do cérebro de um adolescente é mais adulta, ao passo que a da frente permanece mais infantil em qualquer momento durante essa janela de tempo do desenvolvimento.*

Suas descobertas ajudaram a explicar por que a racionalidade é uma das últimas coisas a florescer nos adolescentes, já que é o último território cerebral a receber tratamento maturacional do sono. Sem dúvida o sono não é o único fator que influencia o amadurecimento do cérebro, porém parece ser um fator significativo que abre caminho para o pensamento maduro e a capacidade de raciocínio. O estudo de Feinberg me lembra o texto de um outdoor de uma grande seguradora que vi certa vez: "Por que a maioria dos jovens de 16 anos dirige como se lhes faltasse uma parte do cérebro? É porque lhes falta." É preciso sono profundo e tempo de desenvolvimento para levar a cabo a maturação neural que tapa essa "fenda" cerebral no lobo frontal. Quando seus filhos enfim chegarem à metade da casa dos vinte anos e o prêmio do seguro do seu carro cair, agradeça ao sono pela economia.

A relação entre intensidade do sono profundo e maturação cerebral descrita por Feinberg já foi observada em muitas populações de crianças e adolescentes no mundo todo. Mas como podemos ter certeza de que o sono profundo de fato executa a poda neural necessária para a maturação do cérebro? Não poderia se tratar apenas do fato de as mudanças no sono e a maturação cerebral simplesmente acontecerem quase ao mesmo tempo, sendo independentes entre si?

A resposta pode ser encontrada em estudos feitos com ratos e gatos jovens no estágio equivalente à adolescência humana. Ao privarem esses ani-

---

* Com toda essa conversa sobre remoção de sinapses no cérebro adolescente, devo observar que ainda ocorre muito fortalecimento no cérebro adolescente (e adulto) nos circuitos que permanecem, e isso é levado a cabo por diferentes ondas cerebrais adormecidas que serão discutidas no próximo capítulo. Basta dizer que a capacidade de aprender, reter e assim lembrar novas memórias é mantida mesmo quando contraposta ao cenário de uma redução da conectividade geral durante o desenvolvimento tardio. Apesar disso, na adolescência, o cérebro é menos maleável, ou plástico, do que durante a primeira ou a segunda infâncias — um exemplo disso é a facilidade com que crianças mais novas conseguem aprender um segundo idioma em comparação a adolescentes mais velhos.

mais do sono profundo, os cientistas detiveram o refinamento maturacional da conectividade cerebral, o que demonstrou haver um papel causal para o sono NREM profundo na propulsão do cérebro para a idade adulta saudável.*
Um dado preocupante é que a administração de cafeína a ratos jovens também perturba o sono NREM e, desse modo, atrasa várias medidas de maturação cerebral e o desenvolvimento de habilidades de atividade social, asseio independente e exploração do ambiente — todas medidas de aprendizado automotivado.**

O reconhecimento da importância do sono NREM profundo para os adolescentes foi fundamental para a nossa compreensão do desenvolvimento saudável e, além disso, ofereceu pistas sobre o que acontece quando as coisas dão errado e o desenvolvimento é anormal. Muitos dos principais transtornos psiquiátricos, como a esquizofrenia, o transtorno bipolar, a depressão grave e o TDAH hoje são considerados transtornos de desenvolvimento anormal, pois em geral emergem durante a infância e a adolescência.

Retornaremos à questão do sono e da doença psiquiátrica várias vezes ao longo deste livro, porém a esquizofrenia merece uma menção especial neste ponto. Diversos estudos monitoraram o desenvolvimento neural usando escâneres cerebrais a cada dois meses em centenas de adolescentes à medida que avançavam até a idade adulta. Uma proporção dos participantes veio a desenvolver esquizofrenia no fim da adolescência e início da idade adulta. Esses indivíduos apresentaram um padrão anormal de maturação cerebral associado com a poda sináptica, principalmente em regiões do lobo frontal em que os pensamentos lógicos, racionais, são controlados — a incapacidade de fazer tal controle é um sintoma importante de esquizofrenia. Em uma série separada de estudos, também foi observado que em indivíduos jovens que correm grande risco de desenvolver esquizofrenia e em adolescentes e adultos jovens que já tem a doença há uma redução de duas a três vezes do sono NREM profundo.*** Além disso, as ondas cerebrais elétricas do sono NREM

---

* M.G. Frank, N.P. Issa e M.P. Stryker, "Sleep Enhances Plasticity in the Developing Visual Cortex", *Neuron* 30, nº 1 (2001): p. 275-87.

** N. Olini, S. Kurth e R. Huber, "The Effects of Caffeine on Sleep and Maturational Markers in the Rat", *PLOS ONE* 8, nº 9 (2013): e72539.

*** S. Sarkar, M.Z. Katshu, S.H. Nizamie e S.K. Phaharaj, "Slow Wave Sleep Deficits as a Trait Marker in Patients with Schizophrenia", *Schizophrenia Research* 124, nº 1 (2010): p. 127-33.

não são normais em sua forma e número nos indivíduos afetados. A poda defeituosa de conexões cerebrais na esquizofrenia causada por anormalidades do sono é agora uma das mais ativas e empolgantes áreas de investigação no campo das doenças psiquiátricas.*

Adolescentes enfrentam dois outros desafios nocivos na luta para obter sono suficiente à medida que seus cérebros se desenvolvem. O primeiro é uma alteração no ritmo circadiano; a segunda é o início das aulas muito cedo de manhã. A questão dos efeitos nocivos e ameaçadores para a vida do horário de início das aulas será tratada em um capítulo posterior; contudo, as complicações geradas por ela estão inextricavelmente ligadas ao primeiro fator — a alteração no ritmo circadiano. Quando éramos pequenos, muitas vezes queríamos ficar acordados até mais tarde para poder ver televisão ou nos juntar aos nossos pais e irmãos no que quer que estivessem fazendo durante essas horas. Entretanto, quando essa chance nos era dada, em geral éramos vencidos, no sofá, em uma cadeira ou às vezes no chão e então carregados para a cama, dormindo e inconscientes, pelo irmão mais velho ou um dos pais. A razão por trás do fenômeno não é simplesmente que crianças precisam de mais sono do que os irmãos mais velhos ou os pais, mas também que o ritmo circadiano de uma criança pequena funciona em um horário adiantado. Por isso elas ficam sonolentas mais cedo e acordam mais cedo que os pais.

Os adolescentes, por sua vez, têm um ritmo circadiano diferente do de seus irmãos mais novos. Durante a puberdade, a regulagem do tempo do núcleo supraquiasmático é progressivamente avançada: uma alteração comum entre todos os adolescentes, seja qual for sua cultura ou localização geográfica. Na verdade, o avanço é tamanho que chega a superar a regulagem do tempo dos pais.

Aos nove anos, o ritmo circadiano faz a criança adormecer por volta das nove da noite, impelida em parte pela maré montante de melatonina nessa hora característica dessa faixa etária. Quando o mesmo indivíduo chega aos 16 anos, o ritmo circadiano sofre uma enorme mudança para a frente em sua

---

* M.F. Profitt, S. Deurveilher, G.S. Robertson, B. Rusak e K. Semba, "Disruptions of Sleep/Wake Patterns in the Stable Tubule Only Polypeptide (STOP) Null Mouse Model of Schizophrenia", *Schizophrenia Bulletin* 42, nº 5 (2016), p. 1.207-15.

fase cíclica. A maré montante de melatonina e a instrução de escuridão e sono estão a muitas horas de distância. Em virtude disso, o adolescente de 16 anos não costuma ter interesse algum em dormir às nove da noite — na verdade, a vigília *máxima* costuma ainda estar em ação a essa hora. No momento em que os pais estão ficando cansados, já que seu ritmo circadiano sofre um declínio e a liberação de melatonina instrui sono — lá pelas dez ou onze da noite —, o filho adolescente pode ainda estar completamente desperto. Mais algumas horas devem se passar antes que o ritmo circadiano de um cérebro adolescente comece a desativar o estado de alerta e permitir que um sono fácil e profundo tenha início.

Obviamente, isso gera muita angústia e frustração em todos os envolvidos. Os pais querem que o filho esteja acordado a uma hora "razoável" de manhã. Já o adolescente, só tendo conseguido conciliar o sono algumas horas depois dos pais, pode ainda estar em seu vale do declive circadiano. Como um animal prematuramente arrancado da hibernação, o cérebro adolescente ainda precisa de mais sono e mais tempo para completar o ciclo circadiano antes que possa funcionar de forma eficiente, sem estar grogue.

Se mesmo assim a questão permanece desconcertante para os pais, uma forma diferente de formular e talvez apreciar tal disparidade é esta: pedir que um adolescente se deite e adormeça às dez da noite é o equivalente circadiano de pedir que você, seu pai ou sua mãe durmam às sete ou oito da noite. Não importa a veemência com que você dê a ordem, não importa quanto esse adolescente deseje verdadeiramente obedecer à sua instrução e não importa que quantidade de esforço deliberado seja aplicado por qualquer uma das duas partes, o ritmo circadiano de um adolescente não será milagrosamente persuadido a mudar. Além disso, pedir a esse mesmo adolescente que acorde às sete na manhã seguinte e funcione com intelecto, elegância e bom humor é o equivalente a pedir que você, pai ou mãe, faça o mesmo às quatro ou cinco da manhã.

Infelizmente nem a sociedade nem nossas atitudes parentais são bem planejadas para compreender ou aceitar que os adolescentes precisam de mais sono do que os adultos e que eles são biologicamente programados para obter esse sono em horários diferentes dos pais. É bem compreensível que os pais se sintam frustrados, já que acreditam que os padrões de sono dos adolescentes refletem uma escolha consciente e não um fato biológico. Todavia, esses padrões são não voluntários, não negociáveis e fortemente biológicos. Nós, pais, deveríamos ter a sabedoria de aceitar esse fato e abraçá-lo, incentivá-lo e louvá-lo, a menos que desejemos que nossos filhos estejam sujeitos a anormalidades decorrentes de um desenvolvimento inadequado do cérebro ou lhes imponhamos um risco mais elevado de desenvolver doença mental.

Você talvez se pergunte por que o cérebro adolescente primeiro se excede em seu ritmo circadiano adiantado — dormindo tarde e acordando tarde — para depois enfim voltar, posteriormente na vida adulta, a um ritmo de sono e vigília regulado para mais cedo. Embora essa questão ainda esteja sendo analisada, a explicação que proponho é do tipo social-evolucionário.

Para o desenvolvimento adolescente, é central a transição da dependência parental para a independência, momento no qual ele vai aprendendo a se orientar em meio às complexidades de relações e interações do grupo de pares. Uma maneira pela qual a Mãe Natureza talvez tenha ajudado os adolescentes nesse processo foi avançando seu ritmo circadiano no tempo para além do de seus pais. Essa engenhosa solução biológica leva seletivamente os adolescentes para uma fase mais tardia em que eles podem, por várias horas, agir de forma independente — e fazê-lo como um grupo de pares. Não se trata de um deslocamento permanente ou total do cuidado parental, é mais como uma tentativa segura de separar parcialmente futuros adultos dos olhos da mãe e do pai. Obviamente isso envolve riscos, mas a transição precisa ocorrer. E o momento em que essas asas adolescentes se abrem e os primeiros voos solo a partir do ninho acontecem, isso de forma alguma ocorre durante o dia, mas sim durante a noite, graças a um ritmo circadiano adiantado.

Ainda há muito a aprender sobre o papel do sono no desenvolvimento. Entretanto, já se pode argumentar fortemente em defesa de um tempo ampliado de sono durante a adolescência, em vez de denegrir o sono como um sinal de preguiça. Como pais, costumamos focar demais o que o sono está tirando dos adolescentes, sem parar para pensar no que ele pode estar acrescentando. A cafeína também entra em questão. Nos Estados Unidos, já houve uma política educacional conhecida como "No Child Left Behind" [nenhuma criança deixada para trás]. Com base em evidências científicas, uma nova política foi corretamente sugerida por minha colega dra. Mary Carskadon: "Nenhuma criança precisa de cafeína."

SONO NA MEIA-IDADE E NA VELHICE

Como você, leitor, talvez tenha descoberto a duras penas: o sono é mais problemático e mais perturbado em adultos mais velhos. Os efeitos de certos medicamentos que costumam ser tomados por idosos junto com enfermidades coexistentes fazem com que as pessoas nessa faixa etária sejam menos capazes, em média, de dormir tanto ou de ter um sono tão restaurador quanto os jovens adultos.

Que os idosos simplesmente *precisem* de menos sono é um mito. Eles parecem precisar tanto quanto quem está na meia-idade, porém simplesmente são menos capazes de gerar esse sono (ainda necessário). Corroborando isso, grandes levantamentos demonstram que, apesar de obter menos sono, adultos mais velhos relataram *precisar* de tanto quanto adultos mais jovens e que de fato *tentam* obtê-lo.

Outras descobertas científicas corroboram o fato de os adultos mais velhos ainda necessitarem de uma noite inteira de sono — falarei delas daqui a pouco. Antes disso, deixe-me explicar primeiro os principais prejuízos ao sono decorrentes do envelhecimento e por que tais descobertas ajudam a refutar o argumento de que idosos não precisam dormir tanto. São três mudanças essenciais: (1) quantidade/qualidade reduzida; (2) eficiência do sono reduzida; e (3) perturbação do momento de adormecer.

A estabilização pós-adolescente do sono NREM profundo quando se está no início da casa dos vinte anos não é mantida por muito tempo. Logo — mais depressa do que se imagina ou deseje — vem uma grande recessão do sono, com o sono profundo sendo atacado com especial violência. Em contraste com o sono REM, que permanece em grande parte estável na meia-idade, o declínio do sono NREM profundo já está em curso quando se chega aos vinte e tantos anos e os trinta e poucos.

Quando entramos na casa dos quarenta, há uma redução palpável na quantidade e na qualidade elétrica do sono NREM profundo: obtemos menos horas de sono profundo e as ondas cerebrais de NREM profundo se tornam menores, menos poderosas e mais reduzidas em número. Quando estamos na segunda metade dos quarenta, a idade já nos terá privado de 60% a 70% do sono profundo que desfrutamos na adolescência. Aos setenta, teremos perdido de 80% a 90% do sono profundo juvenil.

Sem dúvida, quando dormimos à noite, e mesmo quando despertamos de manhã, a maioria de nós não tem uma boa percepção da qualidade elétrica do sono. Em geral isso significa que muitos idosos avançam para os últimos anos de vida sem se dar conta de quanto a quantidade e a qualidade de seu sono profundo decaiu. Esse é um ponto importante: isso significa que os idosos deixam de associar a deterioração de sua saúde com a deterioração do sono, embora os cientistas saibam há muitas décadas das ligações causais entre os dois. Por isso, quando vão ao clínico geral, os idosos se queixam e procuram tratamento para seus problemas de *saúde*, mas raramente falam de suas questões de sono igualmente problemáticas. Desse modo, os clínicos gerais raramente são motivados a tratar esse aspecto da saúde do adulto mais velho.

Para deixar bem claro: nem todos os problemas médicos do envelhecimento podem ser atribuídos ao sono insatisfatório, mas um número muito maior de nossas enfermidades físicas e mentais relacionadas à idade tem ligação com a deterioração do sono, mais do que nós ou muitos médicos nos damos conta ou tratamos com seriedade. Mais uma vez, recomendo aos idosos que possam estar preocupados com seu sono que não recorram a comprimidos para dormir. Em vez disso, aconselho que antes experimentem as intervenções não farmacológicas eficazes e cientificamente comprovadas indicadas por um médico especialista em medicina do sono.

A segunda marca distintiva de sono alterado à medida que envelhecemos — e da qual adultos mais velhos têm mais consciência — é a *fragmentação*. Quanto mais velhos ficamos, mais frequentemente acordamos durante a noite. Há muitas causas, incluindo interação medicamentosa e doenças, porém a principal delas é uma bexiga enfraquecida. Por isso adultos mais velhos vão ao banheiro com mais frequência à noite. A redução da ingestão de líquidos na metade e no final da noite talvez ajude, mas não é a cura total.

Em virtude dessa fragmentação, os mais velhos sofrem uma redução na eficiência do sono, definida como a porcentagem de tempo em que ficam adormecidos enquanto estão na cama. Se você passou oito horas na cama e dormiu durante todas elas, sua eficiência do sono é de 100%. Se dormiu por apenas quatro dessas oito, sua eficiência do sono é de 50%.

Como adolescentes saudáveis, gozamos de uma eficiência do sono de cerca de 95%. Como parâmetro, a maioria dos especialistas considera que um sono de boa qualidade envolve uma eficiência de pelo menos 90%. Quando chegamos à casa dos oitenta anos, ela costuma ficar abaixo de 70% ou 80% — isso pode parecer razoável até você compreender que significa que, em um período de oito horas na cama, terá passado nada menos do que de uma hora a uma hora e meia acordado.

Sono ineficiente não é pouca coisa, como mostram estudos que avaliam dezenas de milhares de adultos mais velhos. Mesmo quando existe um controle de fatores como índice de massa corporal, sexo, raça, histórico de tabagismo, frequência da prática de exercícios e de uso de medicamentos, quanto mais baixa é a eficiência do sono de uma pessoa mais velha, mais elevado é seu risco de mortalidade, pior sua saúde física, maior a probabilidade de sofrer de depressão, menos energia ela relata e mais baixa sua função cognitiva, tipificada por esquecimento.* Independentemente da idade, todo indivíduo apresenta enfermidades físicas, instabilidade da saúde mental, nível de alerta reduzido e memória prejudicada quando seu sono está cronicamente perturbado. O problema no envelhecimento é que os familiares observam esses traços durante o dia nos idosos e se apressam a diagnosticá-los com demência, ignorando que um sono ruim é uma causa igualmente provável. Nem todos os adultos com problemas de sono têm demência, porém no Capítulo 7 serão descritas provas que mostram claramente como e por que a perturbação do sono é um fator causal que contribui para a demência na meia-idade e no fim da vida.

Uma consequência mais imediata — apesar de igualmente perigosa — do sono fragmentado em idosos merece uma breve discussão: as idas noturnas ao banheiro e os riscos associados de quedas e, por conseguinte, fraturas. Em geral, quando levantamos durante a noite estamos grogues. Acrescente a esse atordoamento cognitivo o fato de estar escuro. Além disso, o fato de ter estado reclinado na cama significa que, ao ficar de pé e começar a se mover, o sangue pode correr da cabeça, encorajado pela gravidade, para as pernas, fazendo com que a pessoa se sinta tonta e instável. Isso é especialmente ver-

---

* D.J. Foley, A.A. Monjan, S.L. Brown, E.M. Simonsick et al., "Sleep Complaints Among Elderly Persons: an Epidemiologic Study of Three Communities", *Sleep* 18, nº 6 (1995): p. 425-32. Ver também D.J. Foley, A.A. Monjan, E.M. Simonsick, R.B. Wallace e D.G. Blazer, "Incidence and Remission of Insomnia Among Elderly Adults: an Epidemiologic Study of 6.800 Persons Over Three Years", *Sleep* 22 (supl. 2) (1999): S366-72.

dadeiro em adultos mais velhos cujo controle da pressão sanguínea em geral já é deficiente. Todas essas questões fazem com que os mais velhos corram um risco muito mais elevado de tropeçar, cair e quebrar ossos durante as idas noturnas ao banheiro. Quedas e fraturas aumentam acentuadamente a morbidez e apressam de forma significativa o fim da vida dos idosos. Na nota de rodapé, ofereço uma lista de sugestões para um sono noturno mais seguro para eles.*

A terceira mudança do sono decorrente da idade avançada é a da *temporização circadiana*. Em forte contraste com os adolescentes, os idosos costumam experimentar uma regressão na hora de dormir, indo para a cama cada vez mais cedo. Isso ocorre porque a melatonina é liberada e chega ao pico mais cedo ao anoitecer à medida que envelhecemos, instruindo uma hora anterior para o início do sono. Restaurantes em comunidades de aposentados há muito tempo sabem dessa mudança, epitomada (e acomodada) pelo "especial para madrugadores".

As alterações no ritmo circadiano decorrentes do avanço da idade talvez até pareçam inofensivas, mas fato é que podem causar vários problemas de sono (e vigília) nos idosos. Adultos mais velhos muitas vezes querem ficar acordados até mais tarde para irem ao teatro ou ao cinema, socializar, ler ou ver televisão. Ao fazê-lo, veem-se acordando no sofá, na poltrona do teatro ou em uma espreguiçadeira, tendo adormecido inadvertidamente no meio da noite. Seu ritmo circadiano regredido, instruído por uma liberação antecipada de melatonina, não lhes deixa escolha.

Entretanto, o que parece um cochilo inocente tem uma consequência danosa: a soneca do início da noite joga fora uma preciosa pressão do sono, retirando o poder de sonolência da adenosina que foi se acumulando durante todo o dia. Várias horas depois, quando vai para a cama e tenta dormir, o idoso pode não ter pressão do sono suficiente para adormecer ou permanecer adormecido com tanta facilidade. Segue-se então uma conclusão equivocada: "Tenho insônia." Na verdade, cochilar durante o anoitecer, o que maioria dos adultos mais

---

* Dicas para um sono seguro para os idosos: (1) tenha uma lâmpada de cabeceira ao seu alcance que possa ser ligada com facilidade; (2) instale luzes noturnas tênues ou ativadas por sensores de movimento nos banheiros e corredores; (3) remova obstáculos ou tapetes no caminho para o banheiro a fim de prevenir tropeções; e (4) mantenha um telefone junto da cama com números de emergência programados com discagem rápida.

velhos não se dá conta de que é classificado como um sono breve, pode ser a fonte da dificuldade para dormir, não insônia de verdade.

Um agravante surge de manhã. Apesar de ter tido dificuldade para adormecer naquela noite e já com uma dívida de sono, o ritmo circadiano — que, como você se lembra do Capítulo 2, age de forma independente do sistema de pressão do sono — começa a subir por volta das quatro ou cinco da manhã em muitos indivíduos idosos, sancionando seu clássico horário mais antecipado nessa faixa etária. Portanto, adultos mais velhos costumam despertar cedo, quando o toque de tambor de alerta do ritmo circadiano fica mais forte e, ao mesmo tempo, as esperanças de voltar a dormir diminuem.

Para piorar as coisas, a intensidade do ritmo circadiano e a quantidade de melatonina liberada à noite também diminuem à medida que envelhecemos. Some tudo isso e está criado um ciclo autoperpetuante em que muitos idosos lutam contra uma dívida de sono, tentam ficar acordados até mais tarde da noite, cochilam sem querer mais cedo, têm dificuldade para adormecer ou permanecer dormindo à noite, e, por fim, acordam mais cedo do que desejam por causa de um ritmo circadiano regredido.

Há métodos que podem ajudar a empurrar o ritmo circadiano dos idosos para um pouco mais tarde, além de fortalecer o ritmo. Mais uma vez: eles não são uma solução completa ou perfeita, lamento dizer. Em capítulos posteriores falarei da influência danosa da luz artificial sobre o ritmo de 24 horas circadiano. A luz noturna intensa reprime a elevação normal da melatonina, empurrando a hora do início do sono de um adulto médio para as primeiras horas da madrugada, impedindo que o sono ocorra em uma hora razoável. No entanto, esse mesmo efeito de adiamento pode ser útil no caso de adultos mais velhos quando regulado corretamente. Por acordarem cedo, muitos idosos são fisicamente ativos durante as horas da manhã e, portanto, obtêm grande parte de sua exposição à luz intensa na primeira metade do dia. Isso não é o ideal, pois reforça o ciclo de levantar cedo e entrar em declínio cedo do relógio interno de 24 horas. Desse modo, adultos mais velhos que querem alterar a hora em que dormem para mais tarde devem obter exposição à luz intensa no fim da tarde.

Não estou sugerindo que deixem de se exercitar de manhã. O exercício pode ajudar a solidificar o sono bom, sobretudo em idosos. Na verdade, recomendo que implementem duas modificações. Primeiro, que usem óculos escuros durante a prática de exercícios matinais ao ar livre. Isso reduz a influência da luz matinal enviada para o relógio supraquiasmático que, de outra maneira, manteria a tendência de levantar cedo. Segundo, que voltem para o ar livre no fim da tarde para a exposição à luz solar, mas dessa vez sem óculos escuros, embora sem abrir mão de algum tipo de proteção contra o sol, como um chapéu. A luz do dia abundante desse período ajuda a atrasar a liberação de melatonina no anoitecer, o que auxilia a empurrar a hora de dormir para mais tarde.

Os idosos também podem perguntar ao médico sobre a conveniência de tomar melatonina à noite. Diferentemente do que acontece com jovens adultos ou pessoas na meia-idade, para os quais a eficácia da melatonina na geração do sono não foi comprovada para além do contexto do *jet lag*, sob orientação médica, a substância ajuda a estimular nos idosos o ritmo circadiano de outro modo embotado e o ritmo da melatonina associado, reduzindo o tempo necessário para adormecer e melhorando a qualidade do sono e o estado de alerta matinal autorrelatados.*

A mudança no ritmo circadiano ao envelhecermos, junto com as idas mais frequentes ao banheiro, ajuda a explicar dois dos três principais problemas noturnos dos idosos: o início e o fim precoces do sono e sua fragmentação. Contudo, isso não explica a primeira mudança essencial no sono advinda com o avanço da idade: a perda de quantidade e qualidade do sono profundo. Embora há muitas décadas os cientistas tenham conhecimento da perda perniciosa de sono profundo com o avanço da idade, a causa desse fenômeno ainda não foi esclarecida: o que há no processo de envelhecimento que tira o cérebro desse estado de sono essencial? Além da curiosidade científica, essa é também uma questão clínica premente para os idosos, considerando-se a importância do sono profundo para o aprendizado e a memória, sem falar de todos os aspectos da saúde corporal — da cardiovascular e da respiratória à metabólica, ao equilíbrio energético e à função imune.

Trabalhando com uma equipe talentosíssima de jovens pesquisadores, me propus a tentar responder a essa questão vários anos atrás. Eu me perguntava se a causa desse declínio do sono poderia estar no intricado padrão

---

* A.G. Wade, I. Ford, G. Crawford et al., "Efficacy of Prolonged Release Melatonin in Insomnia Patients Aged 55-80 Years: Quality of Sleep and Next-Day Alertness Outcomes", *Current Medical Research and Opinion* 23, nº 10 (2007): p. 2.597-605.

de deterioração cerebral estrutural que ocorre à medida que envelhecemos. Como você deve se lembrar do Capítulo 3, as poderosas ondas cerebrais do sono NREM profundo são geradas nas regiões frontais médias do cérebro, vários centímetros acima da ponte do nariz. Nós já sabíamos que, à medida que as pessoas envelhecem, seu cérebro não se deteriora uniformemente. Na verdade, algumas partes dele começam a perder neurônios muito mais cedo e muito mais depressa do que outras — um processo chamado atrofia. Após realizar centenas de escâneres cerebrais e de reunir quase mil horas de registros de sono noturno, obtivemos uma resposta clara, que se desdobra em uma história em três partes.

Primeiro, as áreas do cérebro que sofrem a deterioração mais acentuada com o envelhecimento infelizmente são aquelas que geram sono profundo — as regiões frontais médias situadas acima da ponte do nariz. Ao sobrepor o mapa dos principais pontos da degeneração em idosos ao mapa com as regiões geradoras de sono profundo em jovens adultos realçando a correspondência é quase perfeita. Segundo, e de maneira não surpreendente, verificamos que os adultos mais velhos sofrem uma perda de sono profundo de 70% comparada com a de indivíduos jovens emparelhados. Terceiro, e mais crítico, descobrimos que essas alterações não são independentes, mas significativamente conectadas entre si: quanto mais grave a deterioração dessa região frontal média específica no cérebro de um idoso, mais acentuada é a perda de sono NREM profundo. Foi uma triste confirmação da minha teoria: as partes do cérebro que geram sono profundo saudável à noite são as mesmas que se degeneram, ou se atrofiam, mais cedo e mais severamente com o envelhecimento.

Nos anos que culminaram nessas pesquisas, minha equipe e várias outras no mundo todo tinham demonstrado quão crucial o sono profundo é para cimentar novas memórias e reter novos fatos nos jovens adultos. Com isso em mente, incluímos uma alteração no nosso experimento com os adultos mais velhos. Várias horas antes de ir dormir, todos esses idosos aprenderam uma lista de novos fatos (associações de palavras), e em seguida fizeram um teste de memória imediato para ver quanta informação tinha sido retida. Na manhã seguinte, depois da noite de registro do sono, nós os testamos uma segunda vez a fim de determinar a quantidade de salvamento de memória ocorrida em cada indivíduo durante a noite de sono.

Os adultos mais velhos esqueceram-se de muito mais fatos na manhã seguinte do que os jovens adultos — uma diferença de quase 50%. Além disso, os idosos com maior perda de sono profundo mostraram o mais catastrófico esquecimento durante a noite. Não é mera coincidência que memória e sono deficientes na velhice ocorram juntos — eles estão profundamente inter-relacionados. As descobertas nos ajudaram a lançar uma nova luz sobre o tipo de esquecimento muito comum nos idosos, como a dificuldade para lembrar os nomes das pessoas ou a data de compromissos.

É importante observar que a extensão da deterioração em adultos mais velhos explica 60% de sua incapacidade de gerar sono profundo. Essa foi uma descoberta útil, porém para mim a lição mais relevante tirada dela é o fato de 40% da perda do sono profundo em idosos ainda não terem sido explicados. Temos trabalhado com afinco para solucionar a questão. Recentemente, identificamos um fator — uma proteína pegajosa e tóxica que se acumula no cérebro chamada beta-amiloide, uma causa decisiva da doença de Alzheimer. Essa descoberta será discutida nos próximos capítulos.

De um modo geral, esses estudos e outros similares confirmaram que o sono de má qualidade é um dos fatores mais subestimados que contribuem para enfermidades cognitivas e médicas em idosos, incluindo diabetes, depressão, dor crônica, derrame cerebral, doença cardiovascular e doença de Alzheimer.

Portanto, é urgente que se desenvolvam novos métodos que restaurem alguma qualidade de sono estável e profundo nessas pessoas. Um exemplo promissor no qual estivemos trabalhando envolve métodos de estimulação cerebral, incluindo estimulação elétrica controlada e pulsada no cérebro durante a noite. Como um coro de apoio para um vocalista que está falhando, nosso objetivo é entoar uma canção elétrica (estimular) em compasso com as ondas cerebrais que falham nos idosos, amplificando a qualidade de suas ondas cerebrais profundas e recuperando os benefícios para a saúde e promotores da memória que o sono traz.

Nossos primeiros resultados parecem moderadamente promissores, apesar de ainda ser necessário muito mais trabalho. Com reprodução, nossas descobertas poderão desmentir em maior medida a crença por tanto tempo sustentada que citamos anteriormente: a de que idosos precisam dormir menos. Esse mito surgiu a partir de certas observações que, para alguns cientistas, sugerem que uma pessoa de, digamos, 81 anos simplesmente precisa de menos sono do que uma de cinquenta. Os argumentos são os seguintes: primeiro, quando são privados de sono, os adultos mais velhos não demonstram um prejuízo tão acentuado no desempenho de uma tarefa básica de tempo de resposta quanto um adulto mais jovem. Portanto, os idosos devem precisar de menos sono do que os adultos mais jovens. Segundo, os idosos geram menos sono do que os adultos jovens; assim, por inferência, eles simplesmente precisam dormir menos. Terceiro, eles não apresentam um rebote do sono tão forte após uma noite de privação em comparação com adultos jovens. A conclusão seria a de que os idosos sentem menos necessidade de dormir quando têm um rebote de recuperação menos intenso.

No entanto, há explicações alternativas. Usar o desempenho como uma medida da necessidade de sono é perigoso em se tratando de adultos mais velhos, pois, para início de conversa, eles já são prejudicados em seu tempo de reação. Sendo bem direto: eles não têm muito mais para cair em termos de piora, o que é por vezes chamado de "efeito chão", o que dificulta a avaliação do real impacto da privação de sono sobre o desempenho.

Além disso, o simples fato de um indivíduo mais velho obter menos sono, ou não obter tanto sono de recuperação após passar por uma privação, não significa necessariamente que sua *necessidade* de sono seja menor. Isso pode com igual facilidade indicar que os idosos não podem fisiologicamente *gerar* o sono de que ainda precisam. Tomemos o exemplo alternativo da densidade óssea, que é mais baixa em adultos mais velhos. Nós não supomos que os mais velhos precisam de ossos mais fracos só porque têm densidade óssea reduzida. Nem acreditamos que isso se dê simplesmente porque os idosos não recuperam a densidade óssea e se curam tão depressa quanto os jovens adultos após sofrer uma fratura ou quebra. Em vez disso, compreendemos que seus ossos, como os centros do cérebro que produzem sono, se deterioram com o envelhecimento e aceitamos essa degeneração como a causa de vários problemas de saúde. Para remediar isso, fornecemos suplementos dietéticos, terapia física e medicamentos em uma tentativa de compensar a deficiência óssea. Acredito que deveríamos reconhecer e tratar os prejuízos do sono dos idosos com uma consideração e compaixão semelhantes, reconhecendo que eles realmente precisam de tanto sono quanto os outros adultos.

Por fim, os resultados preliminares dos nossos estudos de estimulação do cérebro sugerem que, na verdade, os idosos talvez necessitem de mais sono do que são capazes de gerar naturalmente, uma vez que se beneficiam de uma melhora na qualidade do sono, ainda que através de meios artificiais. Se não precisassem de mais sono, os idosos já estariam saciados e não obteriam benefícios ao receber mais dele (nesse caso artificialmente). Entretanto, eles de fato se beneficiam ao ter seu sono melhorado — ou talvez, para usar a palavra correta, restaurado. Isto é, os adultos mais velhos, e sobretudo os portadores de demência, parecem sofrer de uma necessidade de sono não suprida, o que exige alternativas de tratamento: um tópico que será abordado em breve.

PARTE 2

Por que você deveria dormir?

CAPÍTULO 6

Sua mãe e Shakespeare sabiam:
Os benefícios do sono para o cérebro

> **DESCOBERTA SENSACIONAL**
> Cientistas descobriram um novo tratamento revolucionário que fará você viver por mais tempo. Ele melhora a memória e o torna mais criativo. Deixa você mais atraente, o mantém magro e reduz o desejo por comida. Protege contra o câncer e a demência. Diminui o risco de sofrer ataques cardíacos e derrame cerebral, sem falar do diabetes. Você se sentirá mais feliz, menos deprimido e menos ansioso. Está interessado?

Embora possa soar exagerado, nada nesse anúncio fictício é inexato. Se ele estivesse falando de um novo medicamento, muitas pessoas duvidariam. As que estivessem convencidas pagariam caro até pela menor dose. Caso ensaios clínicos corroborassem as afirmações, o valor das ações da companhia farmacêutica responsável pelo remédio dispararia.

É claro que o anúncio não é de uma nova infusão ou droga milagrosa para todos os males, mas dos benefícios comprovados de uma noite inteira de sono. As provas que confirmam tudo isso foram registradas em mais de dezessete mil artigos científicos bem documentados até agora. Quanto ao custo: zero. O medicamento é gratuito. Mas, com demasiada frequência, nos esquivamos do convite que recebemos a cada noite para tomar nossa dose completa desse remédio natural — o que gera consequências terríveis.

Prejudicados por uma educação deficiente, a maioria de nós não compreende a extraordinária panaceia que é o sono. Os próximos três capítulos têm por objetivo sanar nossa ignorância, nascida da ausência dessa mensagem de saúde pública. Neles aprenderemos que o sono é *o* provedor universal de assistência médica: seja qual for a enfermidade física ou mental, ele sempre tem uma receita a aplicar. Ao término desses capítulos, espero que até o mais ardoroso dos adeptos do pouco sono tenha sido influenciado, adquirindo um novo respeito em relação à prática.

Já tendo descrito os estágios componentes do sono, agora revelarei as virtudes associadas a cada um deles. Por ironia, a maior parte das "novas" descobertas, feitas no século XXI, com relação ao sono foram resumidas em 1611 em *Macbeth*, Ato Dois, Cena Dois, em que Shakespeare declara profeticamente que o sono é "o principal nutridor no banquete da vida".* Talvez com uma linguagem menos pomposa, sua mãe tenha lhe dado um conselho semelhante, enaltecendo os benefícios do sono na cura de feridas emocionais, ajudando-o a aprender e a lembrar, presenteando-o com soluções para problemas desafiadores e prevenindo doenças e infecções. Pelo visto, a ciência se baseou simplesmente em testemunhos, fornecendo provas de tudo o que sua mãe — e ao que tudo indica Shakespeare — sabia sobre as maravilhas do sono.

O SONO PARA O CÉREBRO

O sono não é a ausência de vigília. É muito mais que isso. Como já foi descrito, o sono noturno é uma série requintadamente complexa, metabolicamente ativa e deliberadamente ordenada de estágios únicos.

Diversas funções do cérebro são restauradas pelo sono e dependem dele. Mas nenhum tipo de sono realiza tudo. Cada estágio — o sono NREM leve, o sono NREM profundo e o sono REM — oferece benefícios cerebrais distintos em momentos distintos da noite. Desse modo, um tipo não é mais importante do que outro. A perda de qualquer um deles causa dano cerebral.

---

* "Sono que cerze a emaranhada teia dos cuidados,/ A morte da vida de cada dia, banho das lides dolorosas,/ Bálsamo dos corações feridos, magnífico segundo prato da natureza,/ Principal nutridor no banquete da vida, [...]". Traduzido livremente de William Shakespeare, *Macbeth*, Folger Shakespeare Library (Nova York, Simon & Schuster; 1ª ed., 2003).

Das muitas vantagens conferidas pelo sono ao cérebro, a da memória é especialmente impressionante e bem compreendida. Repetidas vezes o sono se provou um auxiliar poderoso: tanto antes do aprendizado, para preparar o cérebro para a princípio gravar novas memórias, como após o aprendizado para cimentá-los e impedir o esquecimento.

SONO NA NOITE ANTERIOR AO APRENDIZADO

Dormir *antes* do aprendizado revigora nossa capacidade de gravar inicialmente novas memórias — o que ocorre a cada noite. Enquanto estamos acordados, o cérebro está constantemente adquirindo e absorvendo novas informações (de forma intencional ou não). Oportunidades de memória que surgem são capturadas por partes específicas do cérebro. No caso das informações baseadas em fatos — ou o que a maioria de nós vê como aprendizado tipo livro-texto, como memorizar o nome de alguém, um novo número de telefone ou onde o carro ficou estacionado —, uma região chamada hipocampo ajuda a apreender essas experiências transitórias e aglutina seus detalhes. Uma estrutura longa, em forma de dedo, profundamente encravada de ambos os lados do cérebro, o hipocampo oferece um reservatório de curto prazo, ou depósito de informações temporárias, para o acúmulo de novas memórias. Infelizmente ele tem uma capacidade de armazenamento limitada, quase como um rolo de câmera, ou, para usar uma analogia mais atualizada, um pen-drive. Quando se excede essa capacidade, corre-se o risco de não conseguir acrescentar mais informações, ou, o que é igualmente ruim, de sobrescrever memórias: um acidente chamado esquecimento de interferência.

Como, então, o cérebro lida com esse desafio da capacidade da memória? Alguns anos atrás, minha equipe de pesquisa questionou se o sono ajudaria a resolver esse problema de armazenamento por meio de um mecanismo de transferência de arquivos. Queríamos descobrir se o sono deslocaria memórias recentemente adquiridas para um local de armazenamento mais permanente, de longo prazo, liberando depósitos para memórias de curto prazo de modo que despertemos com uma capacidade renovada para novos aprendizados.

Começamos a testar essa teoria usando sonecas durante o dia. Recrutamos um grupo de jovens adultos saudáveis e os dividimos aleatoriamente em um grupo que tiraria uma soneca e outro que não o faria. Ao meio-dia, os participantes foram submetidos a uma rigorosa sessão de aprendizado (cem pares rostos-nomes) destinada a sobrecarregar o hipocampo — o local da memória de curto prazo. Como esperado, ambos os grupos tiveram desempenhos de níveis comparáveis. Logo depois, o grupo da soneca fez uma sesta de noventa minutos no laboratório com eletrodos colocados na cabeça. O grupo sem soneca permaneceu acordado no laboratório e desempenhou atividades corriqueiras como navegar na internet ou se distrair com jogos de tabuleiro. Mais tarde naquele dia, às seis da tarde, todos os participantes passaram por outra rodada de aprendizado intensivo em que tentaram colocar mais uma série de novos fatos nos reservatórios de armazenamento de curto prazo (mais uma centena de pares rostos-nomes). Nossa questão era simples: a capacidade de aprendizado do cérebro humano declina com tempo contínuo acordado ao longo do dia? E, nesse caso, o sono pode reverter esse efeito de saturação e assim restaurar a capacidade de aprendizado?

Os que ficaram acordados durante o dia inteiro se tornaram progressivamente piores para aprender, ainda que sua capacidade de concentração permanecesse estável (o que foi determinado por testes separados de atenção e reação). Em contrapartida, os que tiraram uma soneca tiveram um desempenho bem superior e um aprimoramento da capacidade de memorizar. A diferença entre os dois grupos às seis da tarde não foi pequena: os que dormiram apresentaram uma vantagem de 20%.

Tendo observado que o sono restaura a capacidade de aprender, criando espaço para novas memórias, tentamos então descobrir o que exatamente no sono proporciona essa restauração. A análise das ondas cerebrais elétricas dos membros do grupo da soneca nos deu a resposta. A renovação da memória está relacionada ao sono NREM mais leve, o estágio 2, e especificamente às rajadas curtas e poderosas de atividade elétrica chamadas fusos de sono, comentadas no Capítulo 3. Quanto mais fusos de sono um indivíduo obtinha durante a soneca, maior era a restauração do seu aprendizado ao acordar. É importante ressaltar que os fusos de sono não previram a aptidão inata para o aprendizado de uma pessoa. Esse teria sido um resultado menos interessante, pois implicaria que a capacidade inerente de aprendizado e os fusos de sono simplesmente andam lado a lado. Na verdade, o que os fusos previram foi especificamente a *mudança* no aprendizado antes do sono em relação ao aprendizado depois do sono, isto é, o *reabastecimento* da capacidade de aprender.

Um fato que talvez seja o mais notável: enquanto analisávamos as rajadas de atividade dos fusos de sono, observamos um círculo impressionantemente forte de corrente elétrica pulsando por todo o cérebro que se repetia a cada cem a duzentos milissegundos. Os pulsos não pararam de traçar um caminho de ida e volta entre o hipocampo, com seu espaço limitado de armazenamento de curto prazo, e o local de armazenamento de longo prazo, que é muito maior, do córtex (análogo a um disco rígido de grande memória).* Nesse momento, tínhamos acabado de nos inteirar de uma mudança elétrica que ocorria no silencioso sigilo do sono: uma mudança que desloca memórias baseadas em fatos do depósito de armazenamento temporário (o hipocampo) para um cofre seguro de longo prazo (o córtex). Ao fazê-lo, o sono esvazia maravilhosamente o hipocampo, reabastecendo esse repositório de informações de curto prazo com espaço livre abundante. Os participantes despertaram com uma capacidade renovada de absorver novas informações no hipocampo, tendo realocado as experiências gravadas do dia anterior para um compartimento seguro mais permanente. Desse modo, o aprendizado de novos fatos pôde recomeçar, mais uma vez, no dia seguinte.

Desde então, nós e outros grupos de pesquisa repetimos esse estudo ao longo de uma noite inteira de sono e chegamos à mesma descoberta: quanto mais fusos de sono um indivíduo tem à noite, maior é a restauração noturna da capacidade de aprendizado ao raiar da manhã seguinte.

Nosso trabalho recente sobre esse tópico voltou à questão do envelhecimento. Descobrimos que os idosos (na faixa dos sessenta aos oitenta anos) são incapazes de gerar fusos de sono no mesmo grau que os jovens adultos saudáveis, sofrendo um déficit de 40%. Isso levou a uma previsão: quanto menos fusos de sono o idoso tem em determinada noite, mais difícil deve

---

* O leitor mais literal não deve achar, por causa dessa analogia, que acredito que o cérebro humano, ou mesmo suas funções de aprendizado e memória, funcionam como um computador. Há semelhanças abstratas, sim, porém há muitas diferenças claras, grandes e pequenas. Não se pode dizer que o cérebro é o equivalente de um computador nem o inverso. Ocorre simplesmente que certos paralelos conceituais oferecem analogias úteis para se compreender como os processos biológicos do sono se dão.

ser para ele colocar novos fatos no hipocampo no dia seguinte, já que não houve tanta renovação noturna da capacidade de conter as memórias de curto prazo. Ao conduzir a análise, chegamos à mesma conclusão: quanto menor era o número de fusos de sono produzidos pelo cérebro de um idoso em determinada noite, mais baixa era a capacidade de aprendizado no dia seguinte, tornando mais difícil para ele memorizar a lista de fatos que apresentávamos. Essa ligação entre sono e aprendizado é mais uma razão para que a medicina leve a sério as queixas dos idosos sobre o sono, compelindo ainda mais pesquisadores como eu a encontrar novos métodos, não farmacológicos, para melhorar o sono em populações em processo de envelhecimento no mundo todo.

De relevância social mais ampla, a concentração de fusos de sono de NREM é especialmente alta nas primeiras horas da manhã, imprensados entre longos períodos de sono REM. Ao dormir por menos de seis horas, nós despojamos o cérebro de um benefício de restauração do aprendizado em geral levado a cabo por fusos de sono. Retornarei às implicações mais amplas dessas descobertas na educação em um capítulo posterior, no qual discutirei se o início das aulas muito cedo de manhã, que estrangula justamente essa fase do sono, é bom para o aprendizado das mentes jovens.

O SONO NA NOITE POSTERIOR AO APRENDIZADO

O segundo benefício do sono para a memória ocorre *depois* do aprendizado — um que aciona o botão "salvar" dos arquivos recém-criados. Ao fazer isso, o sono protege informações recém-adquiridas, conferindo imunidade contra o esquecimento: uma operação chamada consolidação. O fato de o sono colocar o processo de consolidação da memória em movimento foi reconhecido há muito tempo e talvez seja uma das mais antigas funções do sono já propostas. A primeira dessas afirmações registradas por escrito parece ter sido feita pelo profético retórico romano Quintiliano (35-100 d.C.), que declarou:

> É um fato curioso, cuja razão não é óbvia, que o intervalo de uma única noite aumenta enormemente a força da memória. [...] Seja qual for a causa, coisas que não podiam ser lembradas no ato são facilmente coordenadas no dia

seguinte, e o próprio tempo, que em geral é considerado uma das causas do esquecimento, serve na verdade para fortalecer a memória.*

Isso só ocorreu em 1924, quando os pesquisadores alemães John Jenkins e Karl Dallenbach colocaram o sono e a vigília um contra o outro para ver qual deles sairia vitorioso no quesito benefício de salvamento de memória — uma versão dos estudiosos da memória do clássico desafio Coca *versus* Pepsi. Os participantes do estudo primeiro aprenderam uma lista de fatos verbais. Depois os cientistas monitoraram com que rapidez eles esqueciam essas memórias ao longo de um intervalo de tempo de oito horas, que passavam acordados ou no decorrer de uma noite de sono. O tempo passado dormindo ajudou a cimentar os nacos de informação recém-aprendidos, impedindo que desaparecessem. Em contrapartida, o tempo equivalente passado em vigília se revelou profundamente perigoso para as memórias recém-adquiridas, resultando em uma trajetória acelerada de esquecimento.**

Os resultados experimentais de Jenkins e Dallenbach já foram replicados repetidas vezes, com o sono tendo uma vantagem de 20% a 40% no que se refere à retenção de memórias em comparação à gerada pela mesma quantidade de tempo em vigília. Esse não é um conceito trivial quando se consideram as vantagens potenciais no contexto dos estudos para uma prova, por exemplo, ou em termos evolucionários, na lembrança de informações relevantes para a sobrevivência, como as fontes de alimento e água e a localização de parceiros e predadores.

Foi somente nos anos 1950, com a descoberta do sono NREM e do sono REM, que começamos a entender mais *como*, em vez de simplesmente *se*, o sono ajuda a solidificar novas memórias. Os esforços iniciais se concentraram em decifrar que estágio(s) do sono tornava(m) consolidado aquilo que tínhamos gravado no cérebro durante o dia, fossem fatos na sala de aula, conhecimento em medicina de um programa de residência ou um plano de negócio pensado a partir de um seminário.

Como você deve se lembrar do Capítulo 3, nós obtemos a maior parte do sono NREM profundo no início da noite e grande parte do sono REM (e

---

* Nicholas Hammond, *Fragmentary Voices: Memory and Education at Port-Royal* (Tübingen, Alemanha: Narr Dr. Gunter, 2004).
** J.G. Jenkins e K.M. Dallenbach, "Obliviscence During Sleep and Waking", *American Journal of Psychology* 35 (1924): p. 605-12.

do sono NREM mais leve), tarde da noite. Após terem aprendido listas de fatos, os pesquisadores proporcionaram aos participantes a oportunidade de dormir apenas durante a primeira ou a segunda metade da noite. Dessa maneira, ambos os grupos experimentais obtiveram a mesma quantidade total de sono (ainda que curta). No entanto, o sono do primeiro grupo foi rico em NREM profundo enquanto o do segundo foi dominado pelo sono REM. Estava armado o palco para uma batalha real. A questão era qual deles iria conferir um maior benefício de salvamento de memória — o repleto de NREM profundo ou o com sono REM abundante? No caso da memória baseada em fatos, do tipo livro-texto, o resultado foi claro: o sono do início da noite, rico em NREM profundo, venceu no que se refere ao salvamento de retenção de memórias superiores em comparação ao sono rico em REM do fim da noite.

Análises feitas no início dos anos 2000 chegaram a uma conclusão similar usando uma abordagem um pouco diferente. Após aprenderem uma lista de fatos antes de se deitar, os participantes tinham permissão para dormir oito horas inteiras, registradas com eletrodos colocados na cabeça. Na manhã seguinte, os pacientes eram submetidos a um teste de memória. Quando correlacionaram os estágios de sono intervenientes com o número de fatos retidos na manhã seguinte, os pesquisadores declararam o sono NREM vencedor: quanto mais sono NREM profundo havia, mais informação era lembrada no dia seguinte. De fato, se você participasse desse estudo e a única informação de que eu dispusesse fosse a quantidade de sono NREM que você obtivera naquela noite, eu poderia prever com grande precisão quanta coisa você lembraria no teste de memória que lhe seria aplicado após acordar, mesmo antes que você o fizesse. A ligação entre o sono e a consolidação da memória pode ser determinística a esse ponto.

Depois disso, lançando mão de escâneres de imageamento por ressonância magnética (MRI, na sigla em inglês), examinamos a fundo o cérebro dos participantes para ver de onde essas memórias são resgatadas antes do sono em relação a depois do sono. Revelou-se que esses pacotes de informação são retirados de localizações geográficas muito diferentes no cérebro nos dois momentos. Antes de ter dormido, os participantes buscaram as memórias no local de armazenamento de curto prazo do hipocampo — aquele depósito temporário, que é um lugar vulnerável para uma memória nova estar por um tempo mais longo. Mas as coisas se revelaram muito diferentes na manhã seguinte: as memórias tinham mudado de lugar. Após a noite inteira de sono, os participantes estavam agora resgatando a mesma informação do neocórtex, que se situa no alto do cérebro — uma região que serve de local de armazenamento de longo prazo para memórias baseadas em fatos, onde elas podem viver em segurança talvez até de forma permanente.

Constatamos que há uma transação imobiliária que ocorre toda noite quando dormimos. Como um sinal de rádio de onda longa que transmite informação através de grandes distâncias, as ondas cerebrais lentas do sono NREM profundo funcionam como um serviço de mensageiro, transportando pacotes de memória de um compartimento de armazenamento temporário (hipocampo) para um local mais seguro, permanente (o córtex). Ao fazer isso, o sono ajuda a assegurar a preservação dessas memórias no futuro.

Juntando essas descobertas com as já descritas em relação à memorização inicial, é possível entender que o diálogo anatômico estabelecido durante o sono NREM (usando fusos de sono e ondas lentas) entre o hipocampo e o córtex é sinergístico. Ao transferir memórias do dia anterior do repositório de curto prazo do hipocampo para o lar de longo prazo no córtex, nós acordamos ao mesmo tempo com as experiências do dia anterior arquivadas em segurança e tendo recuperado a nossa capacidade de armazenamento de curto prazo para o novo aprendizado durante todo o dia a frente. O ciclo se repete todos os dias e todas as noites, limpando o cache de memória de curto prazo para a nova gravação de fatos, enquanto acumula um catálogo sempre atualizado de memórias passadas. O sono está constantemente modificando a arquitetura de informação do cérebro à noite. Mesmo sonecas de apenas vinte minutos tiradas durante o dia podem oferecer uma vantagem de consolidação de memórias, contanto que contenham sono NREM suficiente.*

Ao analisar bebês, crianças pequenas e adolescentes, é possível constatar esse mesmo benefício noturno para a memória do sono NREM, por vezes de maneira ainda mais evidente. Para quem está na meia-idade, na faixa dos quarenta aos sessenta anos, o sono NREM profundo ainda ajuda o cérebro a reter

---

* Essas descobertas podem ser uma justificativa cognitiva para a incidência de sonecas não intencionais tiradas em público na cultura japonesa, denominadas *inemuri* ("sono estando presente").

novas informações dessa maneira — o declínio no sono NREM profundo e a deterioração da capacidade de aprender e conservar memórias na velhice já foi discutido neste livro.

Portanto, em cada estágio da vida humana há uma relação entre o sono NREM e a solidificação da memória. E isso não ocorre apenas com os seres humanos. Estudos realizados com chimpanzés, bonobos e orangotangos demonstraram que a capacidade desses três grupos de lembrar onde itens de comida tinham sido colocados era maior depois que tinham dormido.* Ao descer pela cadeia filogenética até os gatos, os ratos e até os insetos, percebe-se que o benefício do sono NREM para a manutenção da memória permanece claramente evidente.

Embora eu ainda me maravilhe com a antevisão de Quintiliano e sua descrição clara do que cientistas constatariam milhares de anos depois, prefiro as palavras de dois filósofos igualmente talentosos de seu tempo: Paul Simon e Art Garfunkel. Em fevereiro de 1964, eles escreveram uma famosa letra que sintetiza o mesmo evento noturno na canção "The Sound of Silence". Talvez você conheça a música e a letra. Nela, Simon e Garfunkel descrevem uma saudação a sua velha amiga, a escuridão (o sono). Falam de transmitir eventos de vigília do dia para o cérebro adormecido à noite na forma de uma visão, que se insinua suavemente — um *upload* suave de informação, caso você prefira. De maneira perspicaz, eles ilustram como essas frágeis sementes de experiência da vigília, semeadas durante o dia, são então incrustadas ("*planted*") no cérebro durante o sono. Em virtude desse processo, essas experiências agora são mantidas após o despertar na manhã seguinte. A proteção de memórias contra o desgaste no futuro efetuada pelo sono toda empacotada para nós em uma letra de música perfeita.

Uma modificação sutil, porém importante, na letra de Simon e Garfunkel se justifica com base em evidências muito recentes. O sono não apenas *mantém* as memórias adquiridas antes de se ir dormir ("*the vision that was planted in my brain/ Still remains*" — a visão que foi plantada em meu cérebro/ Ainda permanece), como até recupera as que pareciam ter sido perdidas logo após o aprendizado. Em outras palavras, após uma noite de sono recobramos o acesso a memórias que não podíamos recuperar antes de dormir. Como um disco rígi-

---

* G. Martin-Ordas e J. Call, "Memory Processing in Great Apes: the Effect of Time and Sleep", *Biology Letters* 7, nº 6 (2011): p. 829-32.

do de computador em que alguns arquivos ficaram corrompidos e inacessíveis, o sono oferece um serviço de restauração à noite. Tendo reparado esses itens, salvando-os das garras do esquecimento, acordamos na manhã seguinte capazes de localizar e recuperar esses arquivos de memória antes indisponíveis com facilidade e precisão. É a sensação de "ah sim, agora eu me lembro" que talvez você já tenha experimentado após uma boa noite de sono.

Ao focar o tipo de sono — o sono NREM — responsável por tornar permanentes as memórias baseadas em fatos e, além disso, recuperar as que estavam sob o risco de serem perdidas, começamos a explorar formas de estimular experimentalmente os benefícios do sono para a memória. O sucesso se deu de duas maneiras: a estimulação do sono e a ativação de memória direcionada. As implicações clínicas de ambas se tornarão claras quando consideradas no contexto das doenças psiquiátricas e dos transtornos neurológicos, incluindo a demência.

Como o sono é expresso em padrões de atividade elétrica de ondas cerebrais, as abordagens de estimulação do sono começaram negociando na mesma moeda: a eletricidade. Em 2006, uma equipe de pesquisa na Alemanha recrutou um grupo de jovens adultos saudáveis para um estudo pioneiro em que foram aplicados eletrodos na cabeça, na frente e atrás. Em vez de registrar as ondas elétricas que estavam sendo emitidas a partir do cérebro durante o sono, os cientistas fizeram o contrário: aplicaram uma pequena quantidade de voltagem elétrica. Eles esperaram pacientemente até que cada participante tivesse entrado nos estágios mais profundos de sono NREM e, nesse ponto, ligaram o estimulador cerebral, pulsando em compasso rítmico com as ondas lentas. As pulsações elétricas eram tão leves que os participantes não as sentiam nem acordavam.* Mas elas tinham um impacto mensurável sobre o sono.

Tanto a intensidade das ondas cerebrais lentas quanto o número de fusos de sono montados sobre as ondas cerebrais profundas aumentaram com a estimulação comparado a um grupo de controle composto por indivíduos que não receberam estimulação durante o sono. No experimento, todos os partici-

---

* Essa técnica, chamada estimulação cerebral transcraniana por corrente contínua (ETCC), não deve ser confundida com a eletroconvulsoterapia (conhecida popularmente como eletrochoque), em que a voltagem elétrica inserida no cérebro é muitas centenas ou milhares de vezes mais forte (algo cujas consequências foram ilustradas incrivelmente por Jack Nicholson no filme *Um estranho no ninho*).

pantes tinham aprendido uma lista de novos fatos antes de irem para a cama e então foram testados na manhã seguinte após terem dormido. Com o estímulo elétrico da atividade de ondas cerebrais do sono profundo, o número de fatos que os indivíduos conseguiram lembrar no dia seguinte quase dobrou, em comparação ao dos indivíduos que não receberam nenhuma estimulação. A aplicação de estimulação durante o sono REM ou durante a vigília ao longo do dia não produziu vantagens de memória semelhantes. Somente a estimulação durante o sono NREM, em sincronia com o mantra do ritmo lento do próprio cérebro, alavancou uma melhora da memória.

Outros métodos para amplificar as ondas cerebrais do sono estão sendo desenvolvidos rapidamente. Uma tecnologia envolve a reprodução de tons auditivos moderados por alto-falantes junto do indivíduo adormecido. Como um metrônomo em passo rítmico com as ondas lentas individuais, os tons de tique-taque são sincronizados de forma precisa com as ondas cerebrais de sono do indivíduo para ajudar a sincronizar seu ritmo e produzir um sono ainda mais profundo. Em relação a um grupo de controle que dormiu sem nenhum toque auditivo sincrônico à noite, a estimulação auditiva aumentou a potência das ondas cerebrais lentas e proporcionou uma impressionante melhora de 40% da memória na manhã seguinte.

Antes que você largue este livro e instale alto-falantes sobre a cama ou compre um estimulador cerebral elétrico, deixe-me dissuadi-lo. No caso dos dois métodos, é fundamental o alerta de "não tente fazer isto em casa". Algumas pessoas fizeram os próprios aparelhos de estimulação cerebral — que não seguem uma regulamentação de segurança — ou os compraram pela internet. Foram relatadas queimaduras na pele e perdas temporárias de visão em virtude de erros na construção ou na aplicação de voltagem. Colocar para tocar tons acústicos altos de tique-taque repetitivos perto da cama parece ser uma opção mais segura, mas talvez faça mais mal do que bem. Quando os pesquisadores dos estudos já citados regularam os tons auditivos para que batessem em ligeiro descompasso com o pico natural de cada onda cerebral lenta, em vez de em perfeita sincronia com cada onda cerebral, eles perturbaram, em vez de melhorar, a qualidade do sono.

Como se recorrer à estimulação do cérebro ou aos tons auditivos já não fosse estranho o suficiente, recentemente uma equipe de pesquisa suíça pendurou uma cama com cordas no teto de um laboratório do sono (continue comigo aqui). Havia uma polia giratória afixada em um lado da cama suspensa, que permitia aos pesquisadores balançar a cama de um lado para outro em velocidades controladas. Os voluntários então tiravam uma soneca na cama enquanto os pesquisadores registravam suas ondas cerebrais de sono. No caso de metade dos participantes, os pesquisadores balançavam de leve a cama depois que eles entravam em sono REM. Já no da outra metade, a cama permanecia estática, servindo de controle. O balançar lento aumentou a profundidade do sono profundo, elevou a qualidade das ondas cerebrais lentas e mais do que dobrou o número de fusos de sono. Ainda não se sabe se essas alterações no sono induzidas pelo balanço melhoram a memória, pois os cientistas não realizaram nenhum teste nesse sentido com os participantes. Ainda assim, as descobertas oferecem uma explicação científica para a antiga prática de balançar uma criança de um lado para outro nos braços ou em um berço, induzindo um sono profundo.

Métodos de estimulação do sono são promissores, porém têm uma limitação potencial: o benefício para a memória que proporcionam é indiscriminado. Isto é, todas as coisas aprendidas antes do sono em geral são acentuadas no dia seguinte. Como um cardápio com preço fixo de um restaurante, no qual não há opções, nós somos servidos de todos os pratos listados, gostemos disso ou não. A maioria das pessoas não aprecia esse tipo de serviço, razão pela qual a maior parte dos restaurantes oferece um grande cardápio a partir do qual o cliente pode escolher, selecionando apenas os itens que deseja consumir.

Que tal se pudéssemos fazer o mesmo com o sono e a memória? Antes de ir para a cama, você revisaria as experiências de aprendizado do dia, selecionando apenas as memórias da lista do cardápio que gostaria que fossem melhoradas. Você faria o seu pedido, depois iria dormir, sabendo que ele lhe seria servido durante a noite. Ao acordar de manhã, seu cérebro teria sido alimentado somente com os itens específicos encomendados por você a partir da *carte du jour* autobiográfica. Desse modo, você teria realçado seletivamente apenas as memórias individuais que queria conservar. Isso parece coisa de ficção científica, mas agora é um fato da ciência: o método é chamado de reativação direcionada da memória. E, como tantas vezes acontece, a história verdadeira se revela muito mais fascinante do que a ficcional.

Antes de os participantes irem dormir, nós lhes mostramos imagens individuais de objetos em localizações espaciais distintas em uma tela de computador, como um gato no lado direito inferior, ou uma campainha no centro superior, ou uma chaleira perto da parte superior direita da tela. Se você fosse chamado a participar desse experimento, teria de lembrar não só os itens individuais que lhe foram mostrados, mas também sua localização espacial na tela. Os pesquisadores lhe mostrariam uma centena desses itens. Depois do sono, imagens de objetos apareceriam novamente na tela, agora no centro, alguns dos quais você viu antes, outros não. Você teria de decidir se lembra ou não do objeto e, caso lembre, deveria mover a imagem para a localização onde aparecera originalmente, usando o mouse. Dessa maneira, seria possível avaliar se você lembra do objeto e também quão precisamente consegue lembrar sua localização.

Mas aqui está a guinada intrigante. Quando você estivesse aprendendo originalmente as imagens antes de dormir, cada vez que um objeto fosse apresentado na tela, um som correspondente seria tocado. Por exemplo, você ouviria um "miau" quando a imagem do gato fosse mostrada ou um "tlin-tlin" quando a campainha fosse mostrada. Todas as imagens de objetos estariam emparelhadas ou "auditivamente identificadas" com um som correspondente em termos semânticos. Quando você estivesse dormindo, e especificamente no sono NREM, um experimentador voltaria a tocar metade dos sons previamente identificados (cinquenta do total de cem) para seu cérebro adormecido em baixo volume usando alto-falantes dos dois lados da cama. Como que ajudando a guiar o cérebro em um esforço direcionado de buscar e recuperar, podemos pôr em marcha a reativação seletiva de memórias individuais correspondentes, priorizando-as para que se fortaleçam pelo sono, em relação às que não foram reativadas durante o sono NREM.

Quando você fosse testado na manhã seguinte, apresentaria uma tendência bem notável em sua rememoração, lembrando-se muito mais dos itens que foram reativados durante o sono com as pistas sonoras do que dos não reativados. Observe que todos os cem itens de memória originais teriam passado pelo sono, mas, com as pistas sonoras, evitaríamos a acentuação indiscriminada de tudo que você teria aprendido. Análogo a colocar suas músicas favoritas para tocar em *looping* em uma *playlist* repetitiva à noite, nós escolhemos a dedo trechos específicos de seu passado autobiográfico e os reforçamos com as pistas sonoras individualizadas durante o sono.*

---

* Esse método de reativação noturna só funciona durante o sono NREM e não funciona quando tentado durante o sono REM.

Tenho certeza de que você pode imaginar inúmeros usos para um método como esse. Dito isso, talvez você se sinta eticamente incomodado diante de tal possibilidade, considerando que teria o poder de escrever e reescrever sua própria narrativa de vida recordada ou — o mais preocupante — a de outra pessoa. Esse dilema moral está um pouco distante no futuro, mas, caso esses métodos continuem a ser refinados, talvez cheguemos a encará-lo.

DORMIR PARA ESQUECER?

Até agora, discutimos o poder do sono após o aprendizado para melhorar a recordação e evitar o esquecimento. Todavia, a capacidade de esquecer pode, em certos contextos, ser tão importante quanto a necessidade de lembrar, tanto na vida cotidiana (por exemplo, esquecer o local onde deixou o carro na semana passada em vez do de hoje) quanto clinicamente (por exemplo, ao extirpar memórias dolorosas e incapacitantes ou ao eliminar a ânsia em transtornos de adição). Além disso, o esquecimento não é benéfico apenas para apagar informações armazenadas de que não precisamos mais. Ele também reduz os recursos cerebrais requeridos para recuperar as memórias que queremos conservar, assim como é mais fácil encontrar documentos importantes em uma mesa cuidadosamente organizada, livre de desordem. Dessa maneira, o sono nos ajuda a conservar somente aquilo que necessitamos, aumentando a facilidade com que nos lembramos das coisas. Em outras palavras, esquecer é o preço que pagamos para lembrar.

Em 1983, o ganhador do prêmio Nobel Francis Crick, que descobriu a estrutura helicoidal do DNA, decidiu voltar sua mente teórica para o tópico do sono. Ele sugeriu que a função do sonho do sono REM era remover cópias indesejadas ou sobrepostas de informação no cérebro: o que ele chamou de "memórias parasíticas". Era uma ideia fascinante, porém, ficou restrita a isso — uma ideia — por quase trinta anos, não recebendo qualquer exame formal. Em 2009, um jovem estudante de pós-graduação e eu testamos a hipótese. Os resultados revelaram mais do que algumas surpresas.

Elaboramos um experimento que mais uma vez recorreu a sonecas durante o dia. Ao meio-dia, os analisados estudavam uma longa lista de palavras apresentadas uma de cada vez em uma tela de computador. Contudo, depois que cada palavra tinha sido exibida na tela, aparecia um grande "R" verde ou um grande "F" vermelho, indicando para o participante que ele deveria lembrar a palavra anterior [R, de *remember*] ou esquecê-la [F, de *forget*]. Não é diferente de estar em uma aula e, depois de receber uma informação, o professor frisar que ela é importantíssima para a prova ou, em vez disso, que na verdade ela está errada ou que não cairá na prova, de modo que você não precisa se preocupar em se lembrar dela. Nós fizemos a mesmíssima coisa com cada palavra logo após o aprendizado, marcando-as com o rótulo "para ser lembrada" ou "para ser esquecida".

Após a apresentação das palavras, metade dos participantes tinha permissão para tirar uma soneca de noventa minutos, enquanto a outra metade permanecia acordada. Às seis da tarde, testamos a memória com todas as palavras. Dissemos aos participantes que, apesar do rótulo anteriormente associado a uma palavra — para ser lembrada ou para ser esquecida —, eles deveriam tentar se lembrar do maior número de palavras possível. Nossa questão era esta: o sono melhora igualmente a retenção de todas as palavras ou ela obedece ao comando recebido na vigília de só se lembrar de alguns itens, ao mesmo tempo esquecendo outros, com base nas etiquetas relacionadas a cada uma?

Os resultados foram claros. O sono estimulou muitíssimo, ainda que de maneira bem seletiva, a retenção das palavras marcadas antes como para serem lembradas, porém evitou de forma ativa o fortalecimento das memórias marcadas para serem esquecidas. Os participantes que não tiraram a soneca não mostraram essa impressionante análise e salvamento diferencial das memórias.*

Tínhamos aprendido uma lição sutil, porém importante: o sono é muito mais inteligente do que imaginávamos. Contrariando suposições feitas nos séculos XX e XXI, foi constatado que o sono não oferece uma preservação geral, não específica (e por isso prolixa) de toda a informação aprendida durante o dia. Em vez disso, ele oferece uma ajuda muito mais sagaz na melhora da memória: uma ajuda que escolhe preferencialmente qual informação será reforçada. O sono leva isso a cabo usando etiquetas significativas que são penduradas nessas memórias durante o aprendizado inicial ou potencialmente identificadas

---

* Dá até para pagar os participantes por cada palavra que lembrarem corretamente e tentar invalidar o que pode ser uma simples tendência no relato, mas mesmo assim os resultados não mudam.

durante o próprio sono. Muitos estudos identificaram uma forma similarmente inteligente de seleção de memórias dependente do sono realizada através de sonecas durante o dia ou de uma noite inteira de sono.

Quando analisamos os registros do sono dos indivíduos que tiraram uma soneca, fizemos outra descoberta. Ao contrário do que Francis Crick previra, não é o sono REM que examinou a lista de palavras anteriores, separando as que deviam ser retidas das que deviam ser removidas. Na verdade, foi o sono NREM, e sobretudo os fusos de sono mais rápidos que ajudaram a separar as curvas de lembrança e esquecimento. Quanto mais desses fusos um participante tinha durante uma soneca, maior era a eficiência com que o sono reforçava itens marcados para serem lembrados e eliminava ativamente os destinados ao esquecimento.

Ainda permanece um mistério como exatamente os fusos de sono executam esse engenhoso truque de memória. O que descobrimos foi um padrão bem revelador de atividade em circuito no cérebro que coincide com esses fusos de sono rápidos. A atividade circula entre o local de armazenamento da memória (o hipocampo) e as regiões que programam a decisão de intencionalidade (no lobo frontal), como "Isto é importante" ou "Isto é irrelevante". O ciclo recursivo de atividade entre essas duas áreas (memória e intencionalidade), que ocorre de dez a 15 vezes por segundo durante os fusos, talvez explique a influência da memória discernidora do sono NREM. Tal como a escolha de filtros em uma busca na internet ou em um aplicativo de compras, os fusos oferecem um benefício refinador à memória, permitindo ao local de armazenamento do hipocampo fazer contato com os filtros transportados no sagaz lobo frontal, permitindo a seleção somente daquilo que é preciso guardar ao mesmo tempo que descarta o que não é necessário.

Estamos agora explorando maneiras de utilizar esse notável serviço inteligente de recordação e esquecimento seletivo com memórias dolorosas ou problemáticas. A ideia talvez evoque a premissa do filme ganhador do Oscar *Brilho eterno de uma mente sem lembranças*, em que as pessoas podem ter memórias indesejadas deletadas por uma máquina especial de escaneamento do cérebro. A minha esperança no mundo real é desenvolver métodos precisos para enfraquecer ou apagar de forma seletiva certas memórias da biblioteca de um indivíduo quando há uma necessidade clínica confirmada, como no caso de traumas ou abuso de substâncias.

SONO PARA OUTROS TIPOS DE MEMÓRIA

Todos os estudos que descrevi até agora lidam com um tipo de memória — a factual, que associamos com livros-texto ou a recordação do nome de alguém. Contudo, existem muitos outros tipos de memória no cérebro, incluindo a memória de habilidades. Tomemos o ato de andar de bicicleta como exemplo. Quando você era criança, seus pais não lhe deram um livro intitulado *Como andar de bicicleta*, lhe pediram que o estudasse e depois esperaram que você começasse na mesma hora a pedalar com hábil desembaraço. Ninguém pode lhe dizer como andar de bicicleta. Bem, as pessoas podem tentar, mas isso não vai adiantar nada. Só é possível aprender fazendo na prática. O mesmo se aplica a todas as habilidades motoras, quer se esteja aprendendo a tocar um instrumento, a praticar um esporte, a efetuar um procedimento cirúrgico ou a pilotar um avião.

A expressão "memória muscular" é errônea, já que os músculos não têm essa memória por si mesmos: um músculo que não está conectado a um cérebro não pode efetuar qualquer ação especializada e um músculo tampouco armazena rotinas especializadas. A memória muscular é, na verdade, memória cerebral. Treinar e fortalecer os músculos pode ajudá-lo a *executar* melhor uma rotina de memória especializada, porém a *rotina* propriamente dita — o programa da memória — reside firme e exclusivamente no cérebro.

Anos antes de explorar os efeitos do sono sobre o aprendizado baseado em fatos, do tipo livro-texto, analisei a memória de habilidade motora. Duas experiências levaram à minha decisão de realizar tais estudos. A primeira aconteceu quando eu era um jovem estudante no Queen's Medical Center — um grande hospital de ensino em Nottingham, Inglaterra. Ali realizei uma pesquisa sobre os transtornos de movimento, especificamente as lesões da medula espinhal. Eu estava tentando descobrir maneiras de reconectar uma medula espinhal rompida, com o objetivo final de reconectar o cérebro com o corpo. Infelizmente minha pesquisa foi um fracasso. No entanto, durante esse período tive contato com pacientes com diferentes formas de transtornos motores, incluindo o derrame cerebral. O que impressionou em muitos deles foi a recuperação iterativa, passo a passo, da função motora após o derrame, fossem as pernas, os braços, os dedos ou a fala. Raramente a recuperação era completa, mas dia a dia, mês a mês, todos eles mostravam alguma melhora.

A segunda experiência transformadora aconteceu alguns anos mais tarde enquanto eu estava obtendo o Ph.D. Estávamos no ano 2000, e a comunidade científica tinha proclamado que os dez anos seguintes seriam "A Década do Cérebro", prevendo (corretamente, como se revelou) que haveria um progresso extraordinário no âmbito das neurociências. Eu tinha sido convidado para dar uma palestra sobre o sono em um evento comemorativo. Na época, eu ainda sabia relativamente pouco acerca dos efeitos do sono sobre a memória, embora tivesse feito uma breve menção às descobertas embrionárias então disponíveis.

Depois da minha palestra, um senhor de aparência distinta com modos gentis, vestindo um paletó de *tweed* com um leve tom amarelo-esverdeado do qual ainda me lembro vividamente, aproximou-se de mim. Foi uma conversa breve, mas uma das mais importantes da minha vida do ponto de vista científico. Ele me agradeceu pela apresentação e me contou que era pianista. Disse que estava intrigado pela minha descrição do sono como um estado cerebral ativo, no qual podemos revisar e até fortalecer aquilo que aprendemos antes. Em seguida fez um comentário que me deixaria chocado e desencadearia um foco essencial de minha pesquisa nos anos vindouros. "Como pianista", disse ele, "tenho uma experiência que é frequente demais para ser casual. Eu fico praticando uma peça específica, até tarde da noite, e parece que não consigo dominá-la. Com frequência, cometo o mesmo erro no mesmo lugar de um movimento específico. Vou para a cama frustrado. Mas, quando acordo na manhã seguinte e volto a me sentar ao piano, simplesmente consigo tocar com perfeição."

"*Simplesmente consigo tocar.*" As palavras reverberavam em minha mente enquanto eu tentava elaborar uma resposta. Retruquei que aquela era uma ideia fascinante e que com certeza era possível que o sono auxiliasse a musicalidade e levasse a desempenhos sem erros, mas que eu não conhecia nenhum indício científico que corroborasse tal afirmação. Ele sorriu, parecendo imperturbado pela ausência de afirmação empírica, agradeceu-me de novo pela palestra e foi em direção ao saguão da recepção. Eu, em contrapartida, permaneci no auditório, assimilando que aquele senhor tinha acabado de me dizer algo que violava o mais repetido e aceito mandamento do ensino: a prática faz a perfeição. Pelo visto, não era assim que acontecia. Será que é a prática, *acrescida do sono*, que faz a perfeição?

Depois de três anos de pesquisa subsequente, publiquei um artigo com um título similar, e os estudos que se seguiram reuniram provas que enfim confirmaram todas as intuições maravilhosas do pianista sobre o sono. As descobertas também lançaram luz sobre o modo como o cérebro, após uma lesão ou um dano decorrente de um derrame, recupera aos poucos certa habilidade para guiar movimentos de habilidade dia após dia — ou talvez eu devesse dizer noite após noite.

Nessa altura, eu assumira um cargo na Escola de Medicina de Harvard e, com Robert Stickgold, um orientador e agora um colaborador de longa data e amigo, comecei a tentar determinar se e como o cérebro continua a aprender na ausência de qualquer prática adicional. O tempo claramente fazia alguma coisa. Mas parecia haver de fato três possibilidades entre as quais era preciso discriminar: (1) o tempo, (2) o tempo desperto ou (3) o tempo adormecido que incubava a perfeição da memória especializada?

Recrutei um grupo grande de indivíduos destros e os fiz aprender a digitar uma sequência de números em um teclado com a mão esquerda, como 4-1-3-2-4, com o máximo de rapidez e precisão possíveis. Como ao aprender uma escala de piano, os participantes do experimento praticaram a sequência de habilidades motoras repetidas vezes, durante um total de vinte minutos, fazendo intervalos curtos ao longo do tempo. Como não é de surpreender, o desempenho dos participantes melhorou ao longo da sessão de treinamento: a prática, afinal, supostamente faz a perfeição. Depois testamos os participantes doze horas mais tarde. Metade deles tinha aprendido a sequência de manhã e foi testada mais tarde naquela tarde após passar o dia acordada. Já a outra metade aprendeu a sequência à noite e voltamos a testá-la na manhã seguinte após um intervalo similar de doze horas, mas no qual estava inserida uma noite de oito horas de sono.

Aqueles que permaneceram acordados durante o dia inteiro não mostraram nenhum indício de melhora significativa no desempenho. Entretanto, correspondendo à descrição original do pianista, os que foram testados depois do mesmo intervalo de doze horas só que incluindo uma noite de sono mostraram um impressionante salto de 20% na rapidez e uma melhora de quase 35% na precisão. É importante ressaltar que os participantes que aprenderam a habilidade motora de manhã — e que não mostraram nenhuma melhora à noite — vieram a apresentar um salto idêntico no desempenho quando testados de novo após mais doze horas, só que dessa vez depois de terem tido também uma noite inteira de sono.

Em outras palavras, o cérebro continua a melhorar as memórias de habilidade na ausência de qualquer prática adicional. É realmente mágico. Todavia, esse aprendizado atrasado, "off-line", ocorre exclusivamente ao longo de um período de sono, não ao longo de períodos de tempo equivalentes passados em vigília, não importando se é o tempo em vigília ou o tempo dormindo que vem primeiro. A prática não faz a perfeição. É a prática seguida de uma noite de sono. Demos um passo além para mostrar que esses benefícios para a memória ocorrem quer você aprenda uma sequência motora curta ou muito longa (e.g., 4-3-1-2 *versus* 4-2-3-4-2-3-1-4-3-4-1-4), quer você use uma única mão ou ambas (semelhante a um pianista).

A análise dos elementos individuais da sequência motora, como 4-1-3-2-4, permitiu-me descobrir como exatamente o sono aperfeiçoa a habilidade. Mesmo após um longo período de treinamento individual, os participantes lutavam constantemente com transições específicas dentro da sequência. Esses pontos problemáticos se destacavam como um polegar dolorido quando eu examinava a rapidez dos toques. Havia uma pausa muito mais longa, ou erro constante, em transições específicas. Por exemplo, em vez de digitar ininterruptamente 4-1-3-2-4, 4-1-3-2-4, um participante digitava 4-1-3 [*pausa*] 2-4, 4-1-3 [*pausa*] 2-4. Eles cortavam a rotina motora em pedaços, como se tentar as sequências inteiras de uma só vez fosse simplesmente demais. Os analisados apresentavam problemas diferentes de pausa em pontos diferentes da rotina, mas quase todos tinham uma ou duas dessas dificuldades. Avaliei tantos participantes que dava para saber onde estavam suas dificuldades singulares só de ouvi-los digitando durante o treinamento.

Entretanto, quando testava os participantes após uma noite de sono, meus ouvidos ouviam algo distinto. Eu sabia o que estava acontecendo antes de analisar os dados: domínio. Sua digitação pós-sono era então fluida e ininterrupta. O desempenho *staccato* desaparecera, substituído pela automaticidade contínua, que é o objetivo final do aprendizado motor: 4-1-3-2-4, 4-1-3-2-4, 4-1-3-2-4, rápido e quase perfeito. O sono havia sistematicamente identificado onde estavam as transições difíceis na memória motora e as aplainado. Essa descoberta reacendeu as palavras do pianista: "Mas, quando acordo na manhã seguinte e volto a me sentar ao piano, simplesmente consigo tocar *com perfeição*."

Prosseguindo, testei os participantes dentro de um escâner cerebral depois de terem dormido e pude ver como essa habilidade maravilhosa tinha sido adquirida. O sono havia mais uma vez transferido memórias, porém os resultados foram diferentes dos obtidos para memória do tipo livro-texto. Em vez de uma transferência da memória de curto prazo para a de longo prazo requerida para salvar fatos, as memórias motoras tinham sido deslocadas para circuitos cerebrais que operam abaixo do nível da consciência. Desse modo, as ações de destreza tinham passado a ser hábitos instintivos. Elas fluíam a partir do corpo com facilidade, em vez de parecerem feitas com esforço e de forma deliberada. Isso significa que o sono ajudou o cérebro a automatizar rotinas de movimento, tornando-as naturais — sem esforço —, precisamente o objetivo de um treinador olímpico quando está aperfeiçoando as habilidades de atletas de elite.

Minha descoberta final, que abarcou quase uma década de pesquisa, identificou o tipo de sono responsável pelo aperfeiçoamento da habilidade motora durante a noite, o que gerou também lições sociais e médicas. O aumento na velocidade e na precisão, apoiado por automaticidade eficiente, estava diretamente relacionado à quantidade de sono NREM de estágio 2, sobretudo nas duas últimas horas de uma noite de sono de oito horas (por exemplo, entre as cinco e as sete da manhã, para quem dormiu às onze horas). De fato, era o número desses fusos de sono maravilhosos nas duas últimas horas da noite — o momento da noite com as mais ricas rajadas de atividade cerebral na forma de fusos do sono — que estava associado com o incremento da memória off-line.

Mais impressionante foi o fato de que o aumento desses fusos após o aprendizado só ter sido detectado em regiões do couro cabeludo situadas acima do córtex motor (bem diante da coroa da cabeça), não em outras áreas. Quanto maior era o aumento local de fusos de sono sobre a parte do cérebro que tínhamos forçado para aprender a habilidade motora exaustivamente, melhor era o desempenho ao despertar. Muitos outros grupos de pesquisa encontraram um efeito similar de "sono local" e aprendizado. Em se tratando de memórias de habilidade motora, as ondas cerebrais de sono agiam como uma boa massagista — o cliente ganha uma boa massagem no corpo inteiro, mas ela se concentra especialmente nas áreas do corpo que precisam de mais atenção. Da mesma maneira, os fusos de sono banham todas as partes do cérebro, mas há uma ênfase desproporcional nas que foram mais duramente demandadas pelo aprendizado durante o dia.

Talvez mais relevante para o mundo moderno seja o efeito da hora da noite que descobrimos. As duas últimas horas de sono são a janela que muitos de nós achamos que não tem problema abreviar para dar uma impulsionada no dia. Ao fazer isso, nós nos privamos desse banquete de fusos de sono das primeiras horas da manhã. Esse fenômeno também traz à mente o protótipico treinador olímpico que faz os atletas praticarem até tarde, somente para fazê-los acordar muito cedo de manhã para voltar a praticar. Agindo assim, os treinadores podem estar sem querer, mas efetivamente, negando aos atletas uma fase importante de desenvolvimento da memória motora no cérebro — uma fase que refina o desempenho atlético especializado. Quando se consideram as diferenças ínfimas de desempenho que costumam separar a obtenção da medalha de ouro da chegada em último lugar, a vantagem competitiva conferida naturalmente pelo sono pode ajudar a determinar quem vai ouvir o hino nacional ecoar pelo estádio. Sendo bem direto: se não cochilar, você perde.

O astro da prova de cem metros rasos Usain Bolt em muitas ocasiões tirou uma soneca nas horas que precederam o recorde mundial e antes das finais olímpicas em que conquistou o ouro. Nossos próprios estudos respaldam essa sabedoria: sonecas tiradas durante o dia que contêm um número suficiente de fusos de sono também proporcionam uma melhora significativa da memória de habilidade motora, juntamente com um benefício restaurador da energia percebida e da fadiga muscular reduzida.

Nos anos transcorridos desde a nossa descoberta, vários estudos mostraram que o sono melhora as habilidades motoras de atletas juniores, amadores e de elite através de esportes tão diversos quanto o tênis, o basquete, o futebol americano, o futebol e o remo. Tanto que, em 2015, o Comitê Olímpico Internacional emitiu uma declaração de consenso destacando a importância decisiva do sono e a necessidade essencial dele no desenvolvimento atlético em todos os esportes para homens e mulheres.*

---

* M.F. Bergeron, M. Mountjoy, N. Armstrong, M. Chia et al., "International Olympic Committee Consensus Statement on Youth Athletic Development", *British Journal of Sports Medicine* 49, nº 13 (2015): p. 843-51.

Equipes esportivas profissionais estão seguindo essa orientação e por uma boa razão. Recentemente fiz uma apresentação para várias seleções de basquete e futebol americano nos Estados Unidos e para as últimas no Reino Unido. De pé diante do diretor técnico, da equipe e dos jogadores, falei sobre um dos mais sofisticados, potentes e poderosos — para não dizer legais — potencializadores de desempenho com real potencial para determinar uma partida: o sono.

Eu respaldo essas afirmações com exemplos tirados dos mais de 750 estudos científicos que investigaram a relação entre o sono e o desempenho humano, muitos dos quais analisaram especificamente atletas profissionais e de elite. Tire menos que oito horas de sono por noite, e sobretudo menos de seis horas por noite, e ocorre o seguinte: o tempo para a exaustação física cai de 10% a 30% e a produção aeróbica é reduzida de forma significativa. Prejuízos similares são observados na força de extensão dos membros e na altura de salto vertical, além de reduções da força muscular de pico e sustentada. Acrescente a isso prejuízos acentuados nas capacidades cardiovascular, metabólica e respiratória, o que inclui índice mais rápido de acúmulo de ácido lático, redução na saturação de oxigênio no sangue e aumento inverso do dióxido de carbono no sangue, decorrentes em parte de uma redução na quantidade de ar que os pulmões conseguem expirar. Até a capacidade do corpo de se refrescar durante o esforço físico por meio do suor — um aspecto decisivo do desempenho máximo — é prejudicada pela perda de sono.

Além disso, há o risco de lesão — o maior medo de todos os atletas competitivos e de seus treinadores. Essa também é uma preocupação dos diretores gerais de equipes profissionais, que consideram seus jogadores investimentos financeiros valiosos. No que se refere a lesões, não há melhor apólice de seguro mitigadora de riscos do que o sono. Como foi descrito em uma pesquisa com jovens atletas competitivos em 2014,* é possível perceber como uma falta de sono crônica ao longo da temporada prognosticou um risco muitíssimo maior de lesão (Figura 10).

---

* M.D. Milewski et al., "Chronic Lack of Sleep Is Associated With Increased Sports Injuries in Adolescent Athletes", *Journal of Paediatric Orthopaedics* 34, nº 2 (2014): p. 129-33.

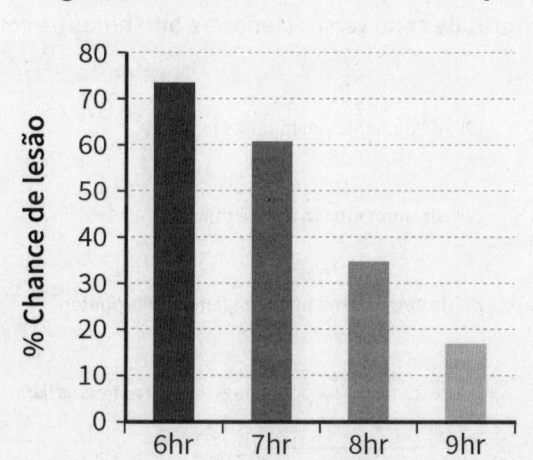

Figura 10: Perda de sono e lesão nos esportes

[Gráfico de barras: % Chance de lesão vs Média de sono — 6hr: ~73%, 7hr: ~60%, 8hr: ~34%, 9hr: ~17%]

As equipes esportivas pagam salários milionários, prodigalizando toda espécie de cuidado médico e nutricional aos seus atletas a fim de aumentar seu talento. Contudo, a vantagem profissional muitas vezes é diluída pelo único ingrediente que algumas equipes deixam de priorizar: o sono.

Mesmo as equipes cientes da importância do sono antes de uma partida se surpreendem com minha declaração da necessidade igualmente essencial, se não mais, do sono nos dias *depois* de um jogo. O sono pós-desempenho acelera a recuperação física da inflamação comum, estimula a reparação muscular e ajuda a reabastecer a energia celular na forma de glicose e glicogênio.

Antes de passar para essas equipes um conjunto estruturado de recomendações relativas ao sono — que podem ser postas em prática para ajudar a capitalizar o pleno potencial dos atletas —, forneço dados comprobatórios da National Basketball Association (NBA), utilizando o sono medido de Andre Iguodala, que integra o meu time local, o Golden State Warriors. Com base em dados de controle do sono, a Figura 11 representa a diferença no desempenho de Iguodala quando tinha dormido mais de oito horas por noite em relação a quando tinha dormido menos de oito horas por noite.*

---

* Ken Berger, "In Multibillion-Dollar Business of NBA, Sleep Is the Biggest Debt" (7 de junho de 2016). Disponível em: http://www.cbssports.com/nba/news/in-multi-billion-dollar-business-of-nba-sleep-is-the-biggest-debt/.

Figura 11: Desempenho de jogador da NBA
Mais de oito horas de sono *versus* Menos de oito horas de sono

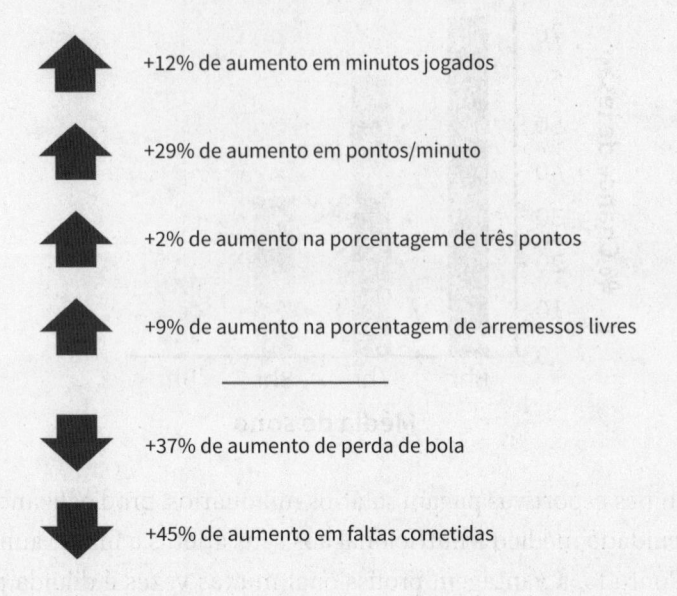

⬆ +12% de aumento em minutos jogados

⬆ +29% de aumento em pontos/minuto

⬆ +2% de aumento na porcentagem de três pontos

⬆ +9% de aumento na porcentagem de arremessos livres

⬇ +37% de aumento de perda de bola

⬇ +45% de aumento em faltas cometidas

É óbvio que a maioria aqui não joga em equipes profissionais. Entretanto, muitos de nós somos fisicamente ativos ao longo da vida e estamos constantemente adquirindo novas habilidades. Aprendizado motor e fisicalidade geral ainda são parte da nossa vida, desde o banal (aprender a digitar em um laptop novo ou a escrever mensagens de texto em um smartphone de tamanho diferente) até o essencial, como o caso de cirurgiões experientes aprendendo um novo procedimento endoscópico ou pilotos aprendendo a pilotar um modelo de avião diferente ou novo. Portanto, sempre precisamos contar com o sono NREM para refinar e manter esses movimentos motores. De interesse para os pais, o tempo mais crucial de aprendizado motor especializado ocorre nos primeiros anos após o nascimento, quando começamos a ficar de pé e a andar. Não é de surpreender que vejamos um pico no sono NREM de estágio 2, incluindo fusos de sono, exatamente por volta do momento em que o bebê faz a transição do engatinhar para o caminhar.

Fechando o círculo e retornando àquilo que eu tinha aprendido anos antes no Queen's Medical Center com relação ao dano cerebral, descobrimos agora que o retorno lento, dia após dia, da função motora em vítimas de derrame cerebral se deve em parte ao árduo trabalho do sono noite após noite. Depois de um derrame, o cérebro começa a reconfigurar as conexões neurais que restam e a fazer brotar novas conexões em torno da zona danificada. Essa reorganização plástica e a gênese de novas conexões são subjacentes ao retorno de certo grau de função motora. Hoje temos indícios preliminares de que o sono é um fator decisivo nesse esforço de recuperação neural. A qualidade atual do sono prognostica o retorno gradual da função motora e também determina o reaprendizado de diversas habilidades de movimento.* Caso emerjam mais descobertas como essas, um esforço mais coordenado para priorizar o sono como ajuda terapêutica para pacientes que sofreram dano cerebral pode se justificar, ou mesmo a implementação de métodos de estimulação do sono como os descritos anteriormente. Há muito que o sono pode fazer que nós, da medicina, hoje não podemos. Desde que os indícios científicos justifiquem, deveríamos fazer uso da poderosa ferramenta de saúde que o sono representa na recuperação dos pacientes.

SONO PARA A CRIATIVIDADE

Um último benefício do sono para a memória talvez seja o mais extraordinário de todos: a criatividade. O sono fornece um teatro noturno em que o cérebro experimenta e constrói conexões entre vastos estoques de informação. Essa tarefa é realizada por meio de um estranho algoritmo que tende a procurar a associação mais distante e não óbvia, mais ou menos como uma busca do Google às avessas. De formas que o cérebro desperto jamais tentaria, o cérebro adormecido funde conjuntos díspares de conhecimento que fomentam impressionantes habilidades de solução de problemas. Se parar para pensar no tipo de experiência consciente que essa esquisita mescla de memórias pode produzir, talvez você não fique surpreso ao saber que esse processo acontece durante o estado onírico — o sono REM. Vamos explorar todas as vantagens do sono REM no capítulo posterior sobre o sonho. Por enquanto, direi apenas que essa alquimia informacional invocada pelo sonho do sono REM levou a alguns dos maiores feitos de pensamento transformador na história da raça humana.

---

* K. Herron, D. Dijk, J. Ellis, J. Sanders e A.M. Sterr, "Sleep Correlates of Motor Recovery In Chronic Stroke: a Pilot Study Using Sleep Diaries and Actigraphy", *Journal of Sleep Research* 17 (2008): p. 103; C. Siengsukon e L.A. Boyd, "Sleep Enhances Off-Line Spatial and Temporal Motor Learning After Stroke", *Neurorehabilitation & Neural Repair* 4, nº 23 (2009): p. 327-35.

CAPÍTULO 7

Extremo demais para o
Guinness Book of World Records:
Privação do sono e o cérebro

Pressionado pelo peso dos indícios científicos incriminadores, o *Guinness Book of World Records* parou de reconhecer tentativas de quebrar o recorde mundial de privação de sono. Isso levando em consideração que o *Guinness* considera aceitável que um homem (Felix Baumgartner) suba 39 mil metros até as regiões exteriores de nossa atmosfera em um balão de ar quente usando um traje espacial, abra a porta de sua cápsula, fique de pé no alto de uma escada suspensa sobre o planeta e depois volte à Terra em queda livre em uma velocidade máxima de 1.358 quilômetros por hora, ultrapassando a barreira do som enquanto cria uma explosão sônica com o corpo. Ou seja, os riscos associados à privação de sono são considerados muito mais elevados. Na verdade, inaceitavelmente altos com base nas provas.

Mas quais são essas provas convincentes? Nos próximos dois capítulos, aprenderemos por que e como a falta de sono inflige efeitos tão arrasadores ao cérebro, relacionando-a a várias enfermidades neurológicas e psiquiátricas (por exemplo, doença de Alzheimer, ansiedade, depressão, transtorno bipolar, suicídio, derrame cerebral e dor crônica) e a todos os sistemas fisiológicos do corpo, contribuindo também para incontáveis quadros (por exemplo, câncer, diabetes, ataque cardíaco, infertilidade, ganho de peso, obesidade e imunodeficiência). Nenhuma faceta do corpo humano é poupada do dano incapacitante e nocivo da perda de sono. Somos, como você verá, social, organizacional, econômica, física, comportamental, nutricional, linguística, cognitiva e emocionalmente dependentes dele.

Este capítulo trata das consequências medonhas e por vezes mortais do sono inadequado para o cérebro. Já o seguinte discutirá os efeitos diversos — embora igualmente prejudiciais e similarmente fatais — da falta de sono para o corpo.

PRESTE ATENÇÃO

Há muitas maneiras pelas quais a falta de sono suficiente pode matá-lo. Algumas demandam tempo; já outras são muito mais imediatas. Uma função do cérebro que cede mesmo sob a menor dose de privação de sono é a concentração. As consequências sociais altamente prejudiciais das falhas de concentração são mais evidentes e fatais na forma da sonolência ao volante. Nos Estados Unidos, a cada hora alguém morre em um acidente de trânsito decorrente de um erro relacionado à fadiga.

Há dois culpados principais pelos acidentes por sonolência ao volante. O primeiro são os motoristas adormecendo completamente na direção. Contudo, isso acontece com pouca frequência e em geral requer que o motorista esteja agudamente privado de sono (não tendo fechado os olhos por pelo menos vinte horas). A segunda causa, mais comum, é um lapso momentâneo na concentração, chamado microssono. Esses lapsos duram apenas alguns segundos, tempo durante o qual as pálpebras se fecham parcial ou completamente. Em geral atingem indivíduos que estão sob restrição crônica do sono, definida como a obtenção de menos de sete horas de sono por noite de forma habitual.

Durante um microssono, o cérebro fica cego para o mundo exterior por um breve instante — e não só no domínio visual, mas em todos os canais da percepção. Na maioria das vezes a vítima não tem consciência do evento. O mais problemático é que o controle decisivo de ações motoras, como as necessárias para manejar o volante ou o pedal do freio, cessa momentaneamente. Desse modo, não é preciso adormecer por dez a quinze segundos para morrer dirigindo: dois segundos já bastam. Um microssono de dois segundos a 48 quilômetros por hora com um leve ângulo de desvio pode fazer um veículo passar para a outra pista, o que inclui entrar na contramão. Quando isso acontece a cem quilômetros por hora, esse pode ser o último microssono que a pessoa terá.

David Dinges, na Universidade da Pensilvânia, um titã no campo da pesquisa do sono e meu herói pessoal, fez mais do que qualquer cientista na história para responder à seguinte questão fundamental: qual é o índice de reciclagem de um ser humano? Isto é, até onde um ser humano pode ir sem dormir antes que seu desempenho seja verdadeiramente prejudicado? Quanto sono um ser humano pode perder a cada noite, e durante quantas noites, antes que os processos fundamentais do cérebro falhem? Esse indivíduo pelo menos tem consciência do quanto é prejudicado quando se encontra privado de sono? Quantas noites de sono reparador são necessárias para restaurar o desempenho estável de alguém após a perda de sono?

A pesquisa de Dinges emprega um teste de atenção sedutoramente simples para medir o nível de concentração. Cada participante deve apertar um botão em resposta a uma luz que aparece em um quadro de botões ou em uma tela de computador dentro de um período determinado de tempo. A resposta e o tempo de reação dessa resposta são medidos. Em seguida, outra luz se acende e o participante faz a mesma coisa. As luzes aparecem de forma imprevisível, às vezes em rápida sucessão, outras aleatoriamente, separadas por uma pausa que dura vários segundos.

Parece fácil, certo? Tente fazer isso durante dez minutos sem interrupção, todo dia, durante 14 dias. Dinges e sua equipe de pesquisa aplicaram isso em um grande número de pessoas que foram monitoradas sob condições de laboratório rigorosas. Todos os participantes começaram o experimento podendo dormir oito horas inteiras na noite anterior ao teste, o que lhes permitiu ser avaliados quando plenamente descansados. Depois eles foram divididos em quatro grupos experimentais. Mais ou menos como em um estudo sobre drogas, cada grupo recebeu uma "dose" distinta de privação de sono. Um grupo foi mantido acordado por 72 horas sem interrupção, passando três noites consecutivas sem dormir. O segundo grupo teve permissão para dormir quatro horas por noite. O terceiro teve seis horas de sono por noite. O afortunado quarto grupo teve permissão para continuar dormindo oito horas por noite.

Foram feitas três descobertas principais. Primeiro, embora a privação de sono em quantidades variadas tenha tornado o tempo de reação mais lento, constatou-se algo mais revelador: por breves momentos, os participantes deixavam de responder completamente. A marca característica mais sensível da sonolência não foi a lentidão, mas as respostas omitidas. Dinges estava capturando lapsos, também conhecidos como microssonos: o equivalente na vida real ao que seria deixar de reagir a uma criança que sai correndo diante do seu carro ao tentar pegar uma bola.

Ao descrever tais descobertas, Dinges muitas vezes leva o interlocutor a pensar no bip repetitivo de um monitor cardíaco em um hospital: bip, bip, bip. Agora imagine o efeito sonoro dramático que se ouve em um seriado sobre emergência médica quando um paciente começa a ser perdido e a equipe tenta freneticamente salvar-lhe a vida. A princípio, os batimentos cardíacos são constantes — bip, bip, bip — como são as respostas na tarefa de atenção visual quando se está bem descansado: estáveis, regulares. Mude para o desempenho quando se está privado de sono, e é o equivalente auditivo do paciente no hospital entrando em parada cardíaca: bip, bip, biiiiiiiiiiiiip. O desempenho do analisado caiu a um nível muito baixo. Nenhuma resposta consciente, nenhuma resposta motora. Um microssono. E depois o batimento cardíaco retorna, assim como o desempenho — bip, bip, bip —, mas só por um tempo curto. Logo o paciente tem outra parada: bip, bip, biiiiiiiiiiiip. Mais microssonos.

A comparação do número de lapsos, ou microssonos, dia após dia nos quatro grupos experimentais levou Dinges a fazer uma segunda descoberta fundamental. Os indivíduos que dormiam oito horas todas as noites mantiveram um desempenho estável, quase perfeito, ao longo das duas semanas. Os do grupo que teve privação total do sono por três noites sofreram um prejuízo catastrófico, o que não foi motivo de surpresa. Após a primeira noite sem dormir nada, seus lapsos na concentração (respostas omitidas) aumentaram em mais de 400%. O espantoso foi que esses prejuízos continuaram a aumentar na mesma taxa vertiginosa após a segunda e terceira noites de privação completa, como se fossem continuar progredindo severamente se mais noites de sono fossem perdidas.

No entanto, foram os dois grupos de privação parcial do sono que trouxeram a mensagem mais preocupante de todas. Após quatro horas de sono por seis noites, o desempenho dos participantes foi tão ruim quanto o daqueles que tinham passado 24 horas ininterruptas sem dormir — isto é, um aumento de 400% no número de microssonos. No décimo primeiro dia desse regime de quatro horas de sono por noite, o desempenho dos analisados tinha se degradado ainda mais, correspondendo ao de alguém que tinha passado duas noites seguidas em claro.

Mais preocupantes de uma perspectiva social foram os indivíduos do grupo que dormiu seis horas por noite — algo que pode soar familiar a muitos dos leitores. Dez dias dormindo seis horas por noite foram o suficiente para ter o desempenho tão prejudicado quanto se tivesse passado 24 horas ininterruptas acordado. E, como ocorreu no grupo da privação de sono total, o prejuízo acumulado no desempenho dos grupos de quatro horas e seis horas não mostrou nenhum sinal de se nivelar. Todos os indícios sugeriram que, se o experimento tivesse continuado, a deterioração do desempenho teria continuado a se acumular ao longo de semanas ou meses.

Outra pesquisa, esta conduzida pelo dr. Gregory Belenky no Walter Reed Army Institute of Research, chegou a resultados quase idênticos por volta da mesma época. Eles também testaram quatro grupos de participantes, mas lhes foram dadas nove horas, sete horas, cinco horas e três horas de sono ao longo de sete dias.

VOCÊ NÃO SABE QUÃO PRIVADO DE SONO ESTÁ QUANDO ESTÁ PRIVADO DE SONO

A terceira descoberta fundamental, comum aos dois estudos, é a que pessoalmente considero a mais danosa de todas. Ao serem questionados sobre sua sensação subjetiva de seu estado, os participantes invariavelmente subestimaram seu grau de incapacidade de desempenho. Esse tipo de resposta foi um péssimo prognosticador de quão ruim o desempenho deles era de fato e objetivamente. É o equivalente de alguém que bebeu demais pegar as chaves do carro e dizer: "Estou bem para voltar para casa."

Igualmente problemática é a redefinição do ponto de referência. Após passar meses ou anos com restrição crônica de sono, a pessoa se acostuma com o desempenho prejudicado, o nível mais baixo de alerta e os níveis de energia reduzidos. Essa exaustão de baixo nível se torna a norma aceita, ou o ponto de referência. A pessoa deixa de reconhecer como seu estado perene de deficiência de sono passou a comprometer sua aptidão mental e vitalidade física, o que inclui a lenta acumulação de problemas de saúde. A relação entre causa e efeitos raramente é feita pela pessoa. Com base em estudos epidemiológicos de tempo médio de sono, milhões de indivíduos passam anos sem se dar conta de que estão em um estado de funcionamento psicológico e fisiológico subótimo, nunca maximizando o potencial da mente ou do corpo em virtude da persistência cega em dormir muito pouco. Sessenta anos de pesquisas científicas me impedem de acreditar em alguém que diz que consegue "ficar muito bem com quatro ou cinco horas de sono por noite".

Retornando aos resultados do estudo de Dinges, você pode ter previsto que o desempenho de todos os participantes voltou a ser ótimo após uma boa noite de sonho reparador, similar à ideia comum de "compensar" o déficit de sono semanal nos fins de semana. No entanto, mesmo após três noites de sono restaurador à vontade, o desempenho dos analisados não voltou a ser o observado do ponto de referência original, quando eles vinham obtendo oito horas inteiras de sono regularmente. Nenhum grupo tampouco recuperou todas as horas de sono que havia perdido nos dias anteriores. Como já aprendemos, o cérebro é incapaz de fazer isso.

Em uma perturbadora investigação posterior, pesquisadores na Austrália recrutaram dois grupos de adultos saudáveis, um dos quais foi embriagado até o então limite jurídico para dirigir (0,08% de álcool no sangue), enquanto o outro foi privado de sono por uma única noite. Os dois grupos executaram o teste de concentração para avaliar o desempenho da atenção, especificamente o número de lapsos. Após passar 19 horas acordadas, as pessoas privadas de sono tiveram a cognição tão prejudicada quanto a daquelas que tinham sido embriagadas. Em outras palavras, se você se levanta às sete da manhã e permanece acordado durante todo o dia, depois sai com os amigos e fica acordado até tarde da noite, mas não bebe nenhuma gota sequer de álcool, na hora em que está dirigindo de volta para casa às duas da madrugada sua cognição está tão prejudicada no que diz respeito à capacidade de prestar atenção na estrada e ao que está ao redor quanto a de um motorista embriagado. De fato, os participantes do estudo em discussão começaram a apresentar um rápido declínio em performance depois de passar apenas quinze horas acordados (dez da noite na situação hipotética deste parágrafo).

Na maioria dos países de primeiro mundo, os acidentes de carro figuram entre as principais causas de morte. Em 2016, a Associação Automobilística Americana [AAA, na sigla em inglês] de Washington (DC) divulgou os resultados de um amplo estudo realizado com mais de sete mil motoristas nos

Estados Unidos monitorados em detalhes ao longo de dois anos.* A principal descoberta, representada na Figura 12, revela como a sonolência ao volante é catastrófica em se tratando de acidentes. Tendo dormido menos de cinco horas, o risco de se envolver em uma batida triplica. Ao pegar o volante tendo dormido por até quatro horas na noite anterior, existe uma probabilidade 11,5 vezes maior de se envolver em um acidente. Observe como a relação entre as horas de sono decrescentes e o crescente risco de mortalidade de um acidente não é linear, mas cresce exponencialmente. Cada hora de sono perdida amplifica muitíssimo a probabilidade da batida, em vez de aumentá-la aos poucos.

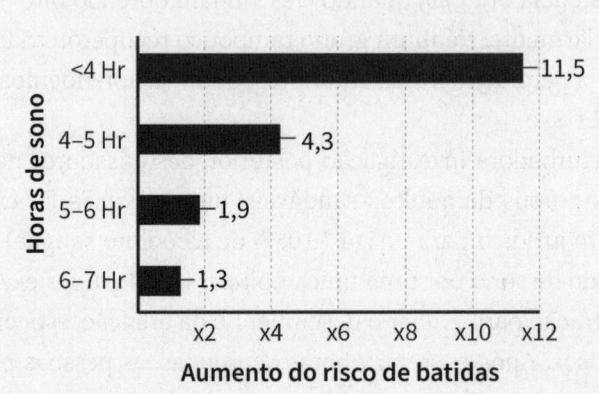

Figura 12: Perda de sono e batidas de veículos

Horas de sono	Aumento do risco de batidas
<4 Hr	11,5
4–5 Hr	4,3
5–6 Hr	1,9
6–7 Hr	1,3

Direção alcoolizada e sonolência ao volante são situações por si mesmas mortais, mas o que acontece quando alguém combina as duas? Essa é uma pergunta relevante, uma vez que a maioria das pessoas dirige embriagada nas primeiras horas da manhã, e não no meio do dia, o que significa que a maior parte dos motoristas bêbados também está privada de sono.

Hoje é possível monitorar os erros de motoristas de uma maneira realística, porém segura, usando simuladores de direção. Com esse tipo de máquina virtual, um grupo de pesquisadores examinou o número de desvios completos para fora da estrada em participantes sob quatro condições experimentais: (1)

---

* Foundation for Traffic Safety, "Acute Sleep Deprivation and Risk of Motor Vehicle Crash Involvement". Disponível em: <https://aaafoundation.org/acute-sleep-deprivation-risk-motor-vehicle-crash-involvement/>.

oito horas de sono, (2) quatro horas de sono, (3) oito horas de sono mais álcool até o limite jurídico para determinar embriaguez e (4) quatro horas de sono mais álcool até o limite jurídico para determinar embriaguez.

Os integrantes do grupo das oito horas de sono cometeram nenhum ou poucos erros de desvios para fora da estrada. Os que dormiram quatro horas (o segundo grupo) cometeram seis vezes mais desvios para fora da estrada do que os indivíduos sóbrios e com bom repouso. O mesmo grau de prejuízo na direção foi constatado no terceiro grupo, que teve oito horas de sono, mas estava bêbado de acordo com a lei. Ou seja, dirigir embriagado ou dirigir sonolento é igualmente perigoso.

Seria razoável supor que o desempenho do quarto grupo refletisse o impacto cumulativo desses dois grupos: quatro horas de sono mais o efeito do álcool (isto é, doze vezes mais desvios para fora da estrada). O resultado foi muito pior: esse grupo dirigiu para fora da estrada trinta vezes mais do que o sóbrio e com bom repouso. O inebriante coquetel de privação de sono e álcool não se mostrou *aditivo*, mas *multiplicativo*. Um potencializou o outro, como duas drogas cujos efeitos são nocivos por si mesmos mas que, quando tomadas em conjunto, interagem para produzir consequências verdadeiramente nefastas.

Depois de trinta anos de intensa pesquisa, agora podemos responder a muitas das perguntas que formulamos anteriormente. O índice de reciclagem de um ser humano é por volta de 16 horas. Após 16 horas acordado, o cérebro começa a falhar. Os seres humanos precisam de mais de sete horas de sono todas as noites para manter o desempenho cognitivo. Depois de dez dias dormindo apenas sete horas por noite, o cérebro é tão disfuncional quanto seria após passar 24 horas sem dormir. Três noites inteiras de recuperação (isto é, mais noites do que há em um fim de semana) não bastam para restaurar o desempenho a níveis normais após uma semana de sono insuficiente. Por fim o ser humano não consegue perceber com precisão quanto está privado de sono quando está sob privação.

Retornaremos às implicações desses resultados nos capítulos restantes, porém as consequências para a vida real da sonolência ao volante merecem menção especial. Na próxima semana, mais de dois milhões de pessoas nos Estados Unidos vão adormecer enquanto dirigem. Isso dá mais do que 250 mil por dia, com um número maior desses eventos ocorrendo durante a semana do que em fins de semana por motivos óbvios. Mais de 56 milhões de americanos admitem lutar para se manter acordados na direção de um carro a cada mês.

Desse modo, 1,2 milhão de acidentes são causados por sonolência todo ano nos Estados Unidos. Em outras palavras: para cada trinta segundos que você passou lendo este livro, houve um acidente de trânsito em algum lugar nos Estados Unidos causado pela falta de sono. É mais do que provável que alguém tenha perdido a vida em um acidente de carro relacionado à fadiga durante o tempo em que você esteve lendo este capítulo.

Talvez você se espante ao saber que o número de acidentes causados por sonolência ao volante excedem o dos causados por álcool e drogas *combinados*. Sozinha, a sonolência ao dirigir é pior do que dirigir bêbado. Talvez isso pareça algo controverso ou irresponsável de se dizer, e não quero de forma alguma banalizar o ato lamentável de dirigir embriagado. Entretanto, minha afirmação é verdadeira por essa simples razão: os motoristas bêbados muitas vezes *demoram* a frear e a fazer manobras evasivas. Mas, quando adormece ou tem um microssono, o motorista *para de reagir por completo*. Quem experimenta um evento desse tipo não freia nem tenta evitar o acidente. Por causa disso, acidentes de carro causados por sonolência costumam ser muito mais mortíferos do que os causados por álcool ou drogas. Sendo bem direto: quando alguém dorme ao volante em uma autoestrada, o carro passa a ser um míssil de uma tonelada viajando a cem quilômetros por hora sem ninguém no controle.

Os motoristas de carro não são as únicas ameaças: os caminhoneiros sonolentos são ainda mais perigosos. Nos Estados Unidos, cerca de 80% dos caminhoneiros estão acima do peso e 50% são clinicamente obesos. Esse quadro os coloca sob um risco muito mais alto de sofrer de um transtorno chamado apneia do sono, em geral associado a roncos intensos e que causa privação de sono crônica e severa. Desse modo, os caminhoneiros são de 200% a 500% mais propensos a se envolver em um acidente de trânsito. E ao perder a vida em um acidente provocado por direção sonolenta, em média um caminhoneiro leva consigo outras 4,5 vidas.

Na verdade, eu gostaria de salientar que não há nenhum *acidente* causado por fadiga, microssonos ou adormecimento. Absolutamente nenhum. O que acontece são *colisões*. O *Oxford English Dictionary* define acidentes como eventos inesperados que ocorrem por acaso ou sem causa aparente. Mortes por sonolência ao volante não são nem casuais, nem sem causa — elas são previsíveis e o resultado direto de não se dormir o suficiente. Desse modo, são desnecessárias e evitáveis. Vergonhosamente, os governos da maioria dos países desenvolvidos gasta menos de 1% de seu orçamento educando o público sobre os perigos da sonolência ao volante comparado ao que investem no combate à direção sob o efeito do álcool.

Mesmo propagandas de saúde pública bem-intencionadas podem se perder em uma torrente de estatísticas. Muitas vezes é preciso recorrer à trágica narrativa de relatos pessoais para tornar a mensagem real. Há milhares desses eventos que eu poderia descrever. Permita-me falar apenas de um na esperança de salvá-lo dos danos da sonolência ao volante.

Union County, Flórida, janeiro de 2006: um ônibus escolar transportando nove crianças parou de repente em uma placa de parada obrigatória. Um carro Pontiac Bonneville com sete passageiros freou atrás do ônibus e também parou. Foi então que um caminhão de dezoito rodas veio disparado pela estrada atrás dos dois veículos. Só que o caminhão não parou. Ele bateu no Pontiac, passou por cima dele e, com o carro transformado em sanfona por baixo, atingiu em seguida o ônibus. Todos os três veículos atravessaram um fosso e continuaram se movendo, ponto em que o Pontiac destruído foi consumido pelas chamas. O ônibus escolar girou no sentido anti-horário e continuou avançando, agora do lado oposto da estrada, de trás para a frente. Fez isso por cem metros até que saiu da estrada e colidiu com um denso arvoredo. Com o impacto, três das nove crianças no ônibus foram ejetadas pelas janelas. Todos os sete ocupantes do Pontiac morreram, assim como o motorista do ônibus. O caminhoneiro e todas as nove crianças sofreram lesões graves.

O caminhoneiro era um motorista qualificado e habilitado. Todos os testes toxicológicos do seu sangue deram negativo. Contudo, veio à tona mais tarde que ele passara 34 horas ininterruptas acordado e dormira ao volante. Todas as sete vítimas do Pontiac eram crianças ou adolescentes. Cinco das sete eram da mesma família. O ocupante mais velho era um adolescente que estava dirigindo legalmente o carro. O mais jovem era um bebê de apenas 1 ano e 8 meses.

Há muitas coisas que espero que os leitores extraiam deste livro. Esta é a mais importante: se você se sentir sonolento ao dirigir, *por favor, por favor, pare*. Dirigir com sono é letal. Carregar nos ombros o ônus da morte de outra pessoa é terrível. Não se deixe enganar pelas muitas táticas ineficazes que as pessoas lhe recomendarão para combater a sonolência ao volante.* Muitos de nós achamos que podemos superá-la por meio da pura força de vontade, mas infelizmente isso não é verdade. Acreditar no contrário pode pôr em risco a sua vida, a de sua família e amigos no carro com você e a dos outros usuários da estrada. Algumas pessoas têm apenas uma chance de adormecer ao volante antes de morrer.

Se você notar que está se sentindo sonolento ou até adormecendo enquanto dirige, pare para pernoitar. Se realmente tiver que seguir viagem — e fez esse julgamento levando em consideração o contexto ameaçador para a vida que ele de fato apresenta —, então saia da estrada para um acostamento seguro por um tempo. Tire uma breve soneca (de vinte a trinta minutos). Ao acordar, *não* dirija imediatamente — você estará sofrendo de inércia do sono, os efeitos remanescentes do sono sobre a vigília. Espere mais de vinte a trinta minutos, talvez depois de tomar uma xícara de café caso necessário, e só então pegue de novo no volante. Todavia, isso só o levará até certo ponto estrada adiante antes que precise de outra recarga, e os retornos são cada vez menores. Em última análise, fazer isso simplesmente não vale a sua vida.

SONECAS PODEM AJUDAR?

Nos anos 1980 e 1990, David Dinges, junto com seu perspicaz colaborador (e recente chefe da National Highway Traffic Safety Administration) dr. Mark Rosekind, conduziu outra série de estudos inovadores, dessa vez avaliando as vantagens e desvantagens de se tirar sonecas em face da inevitável privação de sono. Eles cunharam a expressão "*power naps*" [sonecas energéticas] — ou, eu deveria dizer, cederam a ela. Grande parte de seu trabalho foi realizada com a indústria da aviação, examinando pilotos em viagens de longa distância.

O momento mais perigoso do voo é o pouso, que ocorre no fim de uma viagem, quando a maior quantidade de privação de sono muitas vezes se acumulou. Pense no quanto você se sente cansado e sonolento ao fim de um voo

---

* Mitos comuns que são inúteis para ajudar a superar a sonolência enquanto se dirige incluem aumentar o volume da música, abaixar o vidro da janela do carro, soprar ar frio ou água fria no rosto, falar ao celular, mascar chiclete, esbofetear-se, beliscar-se, socar-se e prometer a si mesmo um prêmio por ficar acordado.

noturno, transatlântico, tendo estado em movimento há mais de 24 horas. Nessas condições, você se sentiria no máximo de seu rendimento, pronto para pousar um Boeing 747 com 467 passageiros a bordo, se tivesse competência para tanto? É durante essa fase final do voo, conhecida na indústria da aviação como "desde o início da descida até o pouso", que ocorrem 68% de todas as perdas de casco — eufemismo para um desastre catastrófico de avião.

Os pesquisadores se puseram a trabalhar respondendo à seguinte questão, proposta pela Autoridade Federal da Aviação dos Estados Unidos [FAA, na sigla em inglês]: se um piloto só tiver oportunidade de tirar uma curta soneca (40-120 minutos) em um período de 36 horas, quando ela deve ser tirada de modo a minimizar a fadiga cognitiva e os lapsos de atenção? No início da primeira noite, no meio da noite ou no final da manhã seguinte?

À primeira vista a questão parece ilógica, mas Dinges e Rosekind fizeram uma inteligente previsão baseada na biologia. Eles acreditavam que, ao inserir uma soneca na parte dianteira de um próximo turno de privação de sono, seria possível aplicar um amortecedor, ainda que temporário e parcial, que protegeria o cérebro de sofrer lapsos catastróficos em concentração. Eles estavam certos. Os pilotos sofriam menos microssonos nos estágios finais do voo quando as sonecas eram tiradas cedo na noite anterior em comparação a quando esses mesmos períodos de soneca eram tirados no meio da noite ou mais tarde na manhã seguinte, contexto em que o ataque da privação de sono já estava muito avançado.

Eles haviam descoberto o equivalente para o sono do paradigma médico da prevenção *versus* tratamento. A prevenção tenta evitar um problema antes da ocorrência, enquanto o tratamento tenta remediar o problema depois de instalado. E assim acontecia também com as sonecas. De fato, esses turnos curtos de sono tirados cedo também reduziam o número de vezes que os pilotos adormeciam de leve durante os últimos noventa minutos cruciais do voo. Houve menos dessas intromissões de sono, medidas com eletrodos de EEG na cabeça.

Quando relataram suas descobertas à FAA, Dinges e Rosekind recomendaram que as "sonecas profiláticas" fossem instituídas como norma entre os pilotos, como muitas outras autoridades da aviação no mundo todo permitem hoje. A agência de aviação, apesar de acreditar na descoberta, não ficou convencida pela nomenclatura. Eles acharam que o termo "profilático" se prestava a muitas brincadeiras entre os pilotos. Dinges sugeriu "soneca planejada", mas a FAA também não gostou, pois soava muito "administrativo". Então sugeriram "*power napping*", que consideraram mais condizente com postos de trabalho baseados em liderança ou dominância, os outros sendo diretores executivos ou executivos militares. E assim nasceu a expressão "*power nap*".

Contudo, o problema é que as pessoas, sobretudo as que ocupavam tais posições, passaram a acreditar erroneamente que uma *power nap* de vinte minutos era tudo de que se precisava para sobreviver e ter perfeita, ou mesmo aceitável, sagacidade. Breves *power naps* tornaram-se sinônimos do pressuposto inexato de que elas permitem a um indivíduo se abster de sono suficiente, noite após noite, especialmente quando combinadas com o uso indiscriminado de cafeína.

Não importa o que você possa ter ouvido ou lido por aí, não temos nenhum indício científico sugerindo que uma droga, um aparelho ou qualquer quantidade de força de vontade psicológica substitua o sono. *Power naps* podem aumentar temporariamente a concentração sob condições de privação de sono, como a cafeína também pode fazer até certa dose. Mas nos estudos subsequentes realizados por Dinges e muitos outros pesquisadores (inclusive eu) constatou-se que nenhuma das duas pode salvaguardar funções mais complexas do cérebro, o que inclui o aprendizado, a memória, a estabilidade emocional, o raciocínio complexo ou a tomada de decisão.

Talvez um dia venhamos a descobrir esse método neutralizador. Contudo, hoje não há nenhuma droga que tenha a capacidade comprovada de substituir os benefícios que uma noite inteira de sono infunde no cérebro e no corpo. David Dinges convida a qualquer um que sugira que pode sobreviver dormindo pouco a ir ao seu laboratório para uma estada de dez dias. Ele vai colocar essa pessoa em seu proclamado regime de pouco sono e medir sua função cognitiva. Dinges, com razão, está confiante de que mostrará de maneira categórica uma degradação de função cerebral e corporal. Até hoje, nenhum voluntário se mostrou à altura de sua pretensão.

No entanto, descobrimos um grupo muito raro de indivíduos que parecem capazes de sobreviver com seis horas de sono e apresentar prejuízos mínimos — uma elite insone, por assim dizer. Dê-lhes várias horas de oportunidade para dormir no laboratório, sem nenhum alarme ou despertador, e ainda assim eles dormem naturalmente por esse curto tempo e não mais. Parte da explicação parece residir na genética, especificamente em uma subvariante de um gene chamado BHLHE41.* Os cientistas estão agora tentando compreender o que esse gene faz e como ele confere resiliência a tão pouco sono.

Ao saber disso, imagino que alguns leitores acreditem agora que fazem parte desse grupo seleto. Isso é muito, muito improvável. O gene é raríssimo, estimando-se que apenas um número muito pequeno de pessoas no mundo inteiro seja portador dessa anomalia. Para reforçar ainda mais esse fato, cito um de meus colegas de pesquisa, o dr. Thomas Roth, do Henry Ford Hospital em Detroit, que disse certa vez: "O número de pessoas que podem sobreviver com cinco horas ou menos de sono sem nenhum prejuízo, expresso como uma porcentagem da população e arredondado para um número inteiro, é zero."

Há apenas uma fração de 1% da população que é de fato resiliente aos efeitos da restrição de sono crônica em todos os níveis da função cerebral. É muito, muito mais provável que você seja atingido por um raio (as chances em uma vida são de 1 em 12 mil) do que seja de fato capaz de sobreviver com sono insuficiente graças a um gene raro.

IRRACIONALIDADE EMOCIONAL

"Eu simplesmente perdi o controle e..." Essas palavras costumam fazer parte de uma tragédia anunciada quando um soldado reage a um civil que o provoca, um médico a um paciente exigente ou um pai a uma criança malcriada. Todas elas são situações em que indivíduos cansados, privados de sono, lidam com raiva e hostilidade inapropriadas.

Muitos de nós sabemos que o sono inadequado causa estragos em nossas emoções. Até reconhecemos isso nos outros. Considere outra situação comum de um pai segurando uma criança que está berrando ou chorando e, no meio do tumulto, se vira para você e diz: "Bem, o Steven não dormiu bem a noite passada." A sabedoria parental universal diz que uma noite de sono ruim leva a mau humor e reatividade emocional no dia seguinte.

Embora o fenômeno da irracionalidade emocional após a perda de sono seja subjetivo e anedoticamente comum, até pouco tempo não sabíamos como a privação de sono influencia o cérebro emocional em um nível neural, apesar

---

* Também conhecido como DEC2.

das implicações profissionais, psiquiátricas e sociais. Vários anos atrás, minha equipe e eu conduzimos um estudo utilizando escaneamento do cérebro por MRI para tentar elucidar a questão.

Analisamos dois grupos de jovens adultos saudáveis. Um grupo permaneceu acordado a noite toda, monitorado com supervisão total em meu laboratório, ao passo que o outro dormiu normalmente aquela noite. Durante as sessões de escaneamento do cérebro realizadas no dia seguinte, foram mostradas aos integrantes de ambos os grupos as mesmas cem imagens que variavam de neutras em conteúdo emocional (por exemplo, uma cesta e um pedaço de madeira boiando) a emocionalmente negativas (por exemplo, uma casa pegando fogo e uma cobra venenosa prestes a dar o bote). Com esse gradiente emocional de imagens, conseguimos comparar o aumento na resposta cerebral aos gatilhos emocionais cada vez mais negativos.

A análise dos escâneres cerebrais revelou os maiores efeitos medidos em minhas pesquisas até hoje. Uma estrutura situada nos lados esquerdo e direito do cérebro chamada amídala — um importante centro de atividades que desencadeia emoções fortes como raiva e fúria, ligado à resposta de luta ou fuga — mostrou uma amplificação de bem mais de 60% na reatividade emocional nos participantes que estavam privados de sono. Em contraposição, os escâneres cerebrais dos participantes a quem fora dada uma noite inteira de sono revelaram um grau controlado, modesto, de reatividade na amídala, apesar de eles terem visto as mesmas imagens. Era como se, sem sono, o cérebro retornasse a um padrão primitivo de reatividade descontrolada. Nesse estado, produzimos reações emocionais desmedidas e inapropriadas e somos incapazes de situar os eventos em um contexto mais amplo ou ponderado.

Essa resposta suscitou outro questionamento: por que os centros da emoção do cérebro são tão reativos quando não se dorme o suficiente? Outros estudos de MRI que utilizaram análises mais refinadas nos permitiram identificar a causa original. Após uma noite inteira de sono, o córtex pré-frontal — região do cérebro situada logo acima dos globos oculares, mais desenvolvida nos seres humanos em comparação aos outros primatas e associada com o pensamento racional, lógico, e a tomada de decisão — fica fortemente acoplado com a amídala, regulando esse profundo centro cerebral emocional com controle inibitório. Com uma noite inteira de sono abundante, há uma mistura equilibrada entre o acelerador emocional (a amídala) e o freio (córtex pré-frontal). Todavia, sem sono o forte acoplamento entre essas duas regiões do cérebro é perdido. Não conseguimos refrear os impulsos atávicos — acelerador (amídala) demais e freio regulatório (córtex pré-frontal) insuficiente. Sem o controle racional provido a cada noite pelo sono, perdemos equilíbrio neurológico e, portanto, emocional.

Estudos recentes realizados por uma equipe de pesquisa no Japão reproduziram agora nossas descobertas, porém eles o fizeram restringindo o sono dos participantes a cinco horas por cinco noites. Não importa como se priva o cérebro de sono — de maneira aguda, ao longo de uma noite toda, ou cronicamente, dormindo por poucas horas ao longo de um punhado de noites —, as consequências cerebrais emocionais são as mesmas.

Quando nós conduzimos os experimentos originais, fiquei impressionado com as oscilações pendulares no humor e nas emoções dos participantes. Em um instante, os indivíduos privados de sono passavam de um estado de irritabilidade e nervosismo para um de atordoamento, somente para depois oscilar de volta para um estado de negatividade feroz. Eles estavam atravessando enormes distâncias emocionais — do negativo para o neutro e então para o positivo — e todo o caminho de volta outra vez em um período notavelmente curto de tempo. Estava claro que eu tinha deixado escapar alguma coisa. Eu precisava conduzir um estudo "irmão" do que descrevi há pouco, dessa vez analisando como o cérebro privado de sono reage a experiências cada vez mais positivas e recompensadoras, como imagens empolgantes de esportes radicais ou a chance de ganhar quantidades cada vez maiores de dinheiro ao concluir tarefas.

Descobrimos que diferentes centros emocionais profundos no cérebro logo acima e atrás da amídala, chamados corpo estriado — associados à impulsividade e à recompensa e banhados pela substância química dopamina — se tornaram hiperativos em indivíduos privados de sono em resposta às experiências recompensadoras, prazerosas. Como ocorre com a amídala, a sensibilidade aumentada dessas regiões hedônicas está associada a uma perda do controle racional do córtex pré-frontal.

Portanto, o sono insuficiente não empurra o cérebro para um estado de humor negativo e o mantém nele. Em vez disso, o cérebro que não dormiu o bastante oscila excessivamente para ambos os extremos de valência emocional, o positivo e o negativo.

Você pode achar que o primeiro contrabalança o segundo, neutralizando assim o problema. Infelizmente as emoções e a sua orientação de decisão e ações ótimas não funcionam assim. Os extremos costumam ser perigosos. Depressão e humor negativo acentuado podem, por exemplo, infundir no indivíduo uma sensação de inutilidade, além de questionamentos sobre o valor da vida. Hoje há provas mais claras dessa preocupação. Estudos feitos com adolescentes identificaram uma ligação entre perturbação do sono e pensamentos suicidas, tentativas de suicídio e tragicamente a concretização do ato nos dias posteriores. Essa é uma razão a mais para que a sociedade e os pais valorizem o sono abundante dos adolescentes em vez de puni-lo, sobretudo levando-se em consideração que o suicídio é a segunda principal causa de morte em jovens adultos nos países desenvolvidos, perdendo apenas para os acidentes de carro.

O sono insuficiente também foi relacionado à agressividade, ao *bullying* e a problemas comportamentais em crianças de várias idades. Uma relação semelhante entre a falta de sono e violência foi observada em populações adultas de prisões — lugares que, devo acrescentar, são muitíssimo deficientes em permitir um bom sono que poderia reduzir a agressividade, a violência, a perturbação psiquiátrica e o suicídio, o que, além das questões humanitárias envolvidas, aumenta os custos para o contribuinte.

Questões igualmente problemáticas surgem a partir de oscilações extremas no humor positivo, embora as consequências sejam distintas. Hipersensibilidade a experiências prazerosas pode gerar busca de sensações, exposição a riscos e vício. A perturbação do sono é uma reconhecida marca distintiva associada ao uso aditivo de substâncias.* O sono insuficiente também determina os índices de recaídas em vários transtornos de adição, associado à ânsia

---

* K.J. Brower e B.E. Perron, "Sleep Disturbance As a Universal Risk Factor for Relapses in Addictions to Psychoative Substances", *Medical Hypotheses* 74, nº 5 (2010): p. 928-33; D.A. Ciraulo, J. Piechniczek-Buczek e E.N. Iscan, "Outocomes Predictors in Substance Use Disorders", *Psychiatric Clinics of North America* 26, nº 2 (2003): p. 381-409; J.E. Dimsdale, D. Norman, D. DeJardin e M.S. Wallace, "The Effect of Opioids on Sleep Architecture", *Journal of Clinical Sleep Medicine* 3, nº 1 (2007): p. 33-36; E.F. Pace-Schott, R. Stickgold, A. Muzur, P.E. Wigren et at., "Sleep Quality Deteriorates Over a Binge-Abstinence Cycle in Chronic Smoked Cocaine Users", *Psychopharmacology (Berl)* 179, nº 4 (2005): p. 873-83; e J.T. Arnedt, D.A. Conroy e K.J. Brower, "Treatment Options for Sleep Disturbances During Alcohol Recovery", *Journal of Addictive Diseases* 26, nº 4 (2007), p. 41-54.

por recompensas desmedidas, não controladas pelo escritório central racional do córtex pré-frontal.* Relevante do ponto de vista da prevenção, o sono insuficiente na infância prognostica de forma significativa o início precoce do uso de drogas e álcool durante os anos posteriores de adolescência, mesmo quando controlados os outros traços de alto risco, como ansiedade, déficit de atenção e histórico parental de uso de drogas.** A essa altura você já deve compreender por que a labilidade emocional pendular causada pela privação de sono é tão preocupante, em vez de ser neutralizadora.

Nossos experimentos de escaneamento do cérebro em indivíduos saudáveis deram margem a reflexões sobre a relação entre o sono e as doenças psiquiátricas. Não há nenhuma enfermidade psiquiátrica importante em que o sono seja normal. Isso se aplica em relação a depressão, ansiedade, transtorno de estresse pós-traumático (TEPT), esquizofrenia e transtorno bipolar (antes conhecido como psicose maníaco-depressiva).

Há muito tempo a psiquiatria está ciente da coincidência entre a perturbação do sono e a doença mental. No entanto, uma concepção predominante nesse campo foi a de que os transtornos mentais causam perturbação do sono — uma rua de mão única de influência. Na verdade, demonstramos que pessoas que de outra maneira seriam saudáveis podem experimentar um padrão neurológico de atividade cerebral semelhante ao observado em várias doenças psiquiátricas simplesmente por terem o sono perturbado ou serem privadas dele. De fato, muitas das regiões do cérebro em geral impactadas por transtornos psiquiátricos do humor são as mesmas regiões que estão envolvidas na regulação do sono e são impactadas pela perda dele. Além disso, muitos dos genes que mostram anormalidades em doenças psiquiátricas são os mesmos que ajudam a controlar o sono e o ritmo circadiano.

Podemos dizer então que a psiquiatria havia entendido errado a direção causal e, que na verdade, é a perturbação do sono que instiga a doença mental, e não o contrário? Não. Acredito que seja igualmente impreciso e reducionista sugerir tal coisa. Em vez disso, creio que a perda do sono e a

---

* K.J. Brower e B.E. Perron, "Sleep Disturbance Is a Universal Risk Factor for Relapses in Addictions to Psychoative Substances", *Medical Hypotheses* 74, nº 5 (2010): p. 928-33.

** N.D. Volkow, D. Tomasi, G.J. Wang, F. Telang et al., "Hyperstimulation of Striatal D2 Receptors with Sleep Deprivation: Implications for Cognitive Impairment", *NeuroImage* 45, nº 4 (2009): p. 1.232-40.

doença mental são mais bem descritas como uma via de mão dupla, com o fluxo do tráfego sendo mais forte em uma direção ou na outra, dependendo do transtorno.

Não estou sugerindo que todas as doenças psiquiátricas sejam causadas pela ausência de sono; na verdade, estou sugerindo que a perturbação do sono ainda é um fator negligenciado que contribui para o desencadeamento e/ou a manutenção de diversas doenças psiquiátricas e que há um poderoso potencial diagnóstico e terapêutico que ainda está por ser compreendido e utilizado por completo.

Indícios preliminares (porém convincentes) começam a corroborar essa afirmação. Um exemplo envolve o transtorno bipolar. Ele não deve ser confundido com o transtorno depressivo maior, em que os indivíduos mergulham exclusivamente na extremidade negativa do espectro do humor. Em vez disso, os pacientes bipolares vacilam entre as duas extremidades do espetro da emoção, experimentando períodos perigosos de mania (comportamento emocional excessivo, impelido por recompensas) e também períodos de profunda depressão (humores e emoções negativos). Tais extremos costumam ser separados por um período em que os pacientes estão em um estado emocional estável, nem maníacos nem deprimidos.

Uma equipe de pesquisa na Itália examinou pacientes bipolares durante essa fase estável, interepisódios. Em seguida, sob cuidadosa supervisão clínica, privaram os indivíduos de sono por uma noite. Quase que de imediato, uma grande proporção dos participantes espiralou para um episódio maníaco ou se tornou seriamente deprimida. Do ponto de vista ético, esse me parece um experimento difícil de se avaliar, porém os cientistas tinham demonstrado de forma relevante que a falta de sono é um gatilho causal de um episódio psiquiátrico de mania ou depressão. O resultado corrobora a existência de um mecanismo em que a perturbação do sono — que quase sempre precede a mudança de um estado estável para um estado instável maníaco ou depressivo em pacientes bipolares — pode sem dúvida ser um(o) gatilho do transtorno, e não simplesmente um epifenômeno.

Felizmente o contrário também é verdadeiro. Caso se melhore a qualidade do sono em pacientes que sofrem de várias doenças psiquiátricas usando uma técnica que discutiremos mais tarde, chamada terapia comportamental cognitiva para insônia (TCC-I), é possível melhorar a gravidade dos sintomas e os índices de remissão. A dra. Allison Harvey, minha colega na Universidade da Califórnia, em Berkeley, foi uma pioneira nesse aspecto.

Ao aprimorar a quantidade, a qualidade e a regularidade do sono, Harvey e sua equipe demonstraram sistematicamente a capacidade curativa do sono para as mentes de numerosas populações psiquiátricas. Ela interveio com a ferramenta terapêutica do sono em condições tão diversas quanto depressão, transtorno bipolar, ansiedade e suicídio, tudo isso com ótimos resultados. Ao regularizar e melhorar o sono, Harvey afastou esses pacientes da beira de doenças mentais incapacitantes. Na minha opinião, esse é um serviço verdadeiramente notável à humanidade.

As oscilações na atividade cerebral emocional que observamos em indivíduos saudáveis privados de sono também podem explicar uma descoberta que deixou a psiquiatria perplexa por décadas. Os pacientes que sofrem de depressão maior — em que ficam exclusivamente aprisionados na extremidade negativa do espectro do humor — apresentam o que a princípio parece ser uma resposta ilógica a uma noite de privação de sono. Cerca de 30% a 40% desses pacientes se sentem *melhor* após uma noite em claro — a falta de sono parece ser para eles um antidepressivo.

Entretanto, há duas razões para que a privação de sono não seja um tratamento em geral usado. A primeira é que, assim que esses indivíduos dormem, o benefício antidepressivo desaparece. A segunda é o fato de que os 60% a 70% dos pacientes que não respondem de forma positiva à privação de sono se sentirão pior, intensificando a depressão. Por isso, a privação de sono não é uma opção terapêutica realística ou abrangente. Ainda assim, ela suscitou uma questão interessante: como ela pôde se mostrar proveitosa para alguns desses indivíduos, mas prejudicial a outros?

Acredito que a explicação reside nas mudanças bidirecionais na atividade cerebral emocional que observamos. A depressão não é, como se poderia pensar, apenas uma questão de presença excessiva de sentimentos negativos. A depressão maior tem muito a ver com a *ausência* de emoções positivas, um traço descrito como anedonia: a incapacidade de obter prazer com experiências normalmente prazerosas, como a comida, a socialização ou o sexo.

Portanto, o um terço dos indivíduos deprimidos que reage à privação de sono pode ser formado por aqueles que experimentam a maior amplificação dentro dos circuitos de recompensa do cérebro já descritos neste livro, o que resulta em sensibilidade e experiência muito mais forte de gatilhos recompensadores positivos após a privação de sono. Dessa forma, a anedonia é diminuída e o deprimido pode começar a experimentar um maior grau de prazer a partir das experiências prazerosas da vida. Em contrapartida, os outros dois terços dos pacientes deprimidos podem sofrer as consequências emocionais negativas opostas da privação de sono de forma mais acentuada: uma piora em vez de um alívio da depressão. Se conseguirmos identificar o que determina quem responde bem e quem não o faz, minha esperança é a de que possamos criar métodos de intervenção pelo sono melhores, mais personalizados, a fim de combater a depressão.

Voltaremos aos efeitos da perda de sono sobre a estabilidade emocional e outras funções cerebrais em capítulos posteriores. Neles, discutiremos as reais consequências da perda de sono na sociedade, na educação e no ambiente de trabalho. As descobertas justificam nosso questionamento sobre se médicos privados de sono podem ou não tomar decisões e fazer julgamentos emocionalmente racionais; se efetivos militares que tiveram poucas horas de sono devem ou não ter os dedos nos gatilhos de armas; se banqueiros e operadores da bolsa sobrecarregados podem ou não tomar decisões financeiras racionais, não arriscadas, ao investir fundos de aposentadoria arduamente coletados; e se adolescentes devem ou não lutar contra o horário de início das aulas inacreditavelmente cedo durante uma fase da vida em que são mais vulneráveis ao desenvolvimento de transtornos psiquiátricos. Por enquanto resumirei esta seção valendo-me de uma citação perspicaz sobre o tópico sono e emoção do empresário americano E. Joseph Cossman: "A melhor ponte entre o desespero e a esperança é uma boa noite de sono."*

CANSADO E ESQUECIDO?

Você já passou uma noite toda em claro deliberadamente? Uma das coisas de que mais gosto é lecionar para uma turma de graduação grande sobre a ciência do sono na Universidade da Califórnia, em Berkeley. Dei um curso semelhante sobre o sono quando estava na Universidade de Harvard. No início das aulas,

---

* Cossman também tinha outras pérolas de sabedoria, como "A melhor forma de lembrar o aniversário de sua mulher é esquecê-lo uma vez".

faço um levantamento sobre o sono, interrogando os alunos sobre seus hábitos, como a hora em que vão para a cama e acordam durante a semana e o fim de semana, por quanto tempo dormem, se acham que seu desempenho acadêmico está relacionado ao sono.

Considerando que estão me dizendo a verdade (o levantamento é feito de forma anônima, pela internet), a resposta que costumo obter é entristecedora. Mais de 85% deles passam noites em claro. Especialmente preocupante é o fato de que entre os que afirmaram passar noites em claro, quase um terço o faz mensalmente, semanalmente ou até várias vezes por semana. À medida que o curso avança ao longo do semestre, volto aos resultados do levantamento e associo seus próprios hábitos de sono com a ciência sobre a qual estamos aprendendo. Dessa maneira, procuro mostrar os perigos muito pessoais para a saúde psicológica e física que os alunos enfrentam por causa do sono insuficiente e o perigo que eles mesmos representam para a sociedade em virtude disso.

A justificativa mais comum dada pelos alunos para passar noites em claro é estudar muito para uma prova. Em 2006, decidi realizar um estudo usando MRI para investigar se eles estavam certos ao fazer isso. Passar uma noite em claro era uma ideia sensata para o aprendizado? Pegamos um grupo grande de indivíduos e os dividimos entre um grupo de sono e outro de privação de sono. Os dois permaneceram acordados normalmente no primeiro dia. Na noite seguinte, os integrantes do grupo do sono dormiram uma noite inteira, ao passo que os do grupo de privação foram mantidos acordados a noite toda sob o olhar vigilante da equipe treinada em meu laboratório. Depois ambos os grupos passaram a manhã seguinte acordados. Por volta do meio-dia, colocamos os participantes em um escâner de MRI e os fizemos tentar aprender uma lista de fatos, um de cada vez, enquanto tirávamos fotografias de sua atividade cerebral. Em seguida os testamos para ver a efetividade do aprendizado. No entanto, em vez de testá-los logo depois do aprendizado, esperamos até que tivessem tido duas noites de sono restaurador. Isso foi um modo de assegurar que quaisquer prejuízos observados no grupo de privação de sono não fossem interpretados de forma equivocada pelo fato de eles estarem sonolentos ou distraídos demais para lembrar o que talvez tivessem aprendido muito bem. Portanto, a manipulação da privação de sono só estava presente no ato de aprendizado e não no ato posterior de recordação.

Quando comparamos a eficácia do aprendizado entre os dois grupos, o resultado foi claro: houve um déficit de 40% na capacidade do grupo privado de sono para introduzir novos fatos no cérebro (isto é, para criar novas memórias) em relação ao grupo que tinha dormido uma noite inteira. Contextualizando, seria a diferença entre tirar a nota máxima em uma prova e ser vergonhosamente reprovado!

O que estava indo mal no cérebro para produzir esses déficits? Comparamos os padrões de atividade cerebral durante a tentativa de aprendizado entre os dois grupos e focamos a análise na região cerebral sobre a qual falamos no Capítulo 6, o hipocampo — a "caixa de entrada" de informações do cérebro que adquire novos fatos. Havia uma grande quantidade de atividade saudável relacionada ao aprendizado no hipocampo dos participantes que tinham dormido na noite anterior. No entanto, ao olhar a mesma estrutura em participantes privados de sono, não encontramos qualquer atividade significativa de aprendizado. Era como se a privação de sono tivesse bloqueado a caixa de entrada da memória e qualquer nova informação simplesmente fosse repelida. Para se chegar a esse ponto não é preciso nem mesmo a força contundente de uma noite inteira de privação de sono. Simplesmente perturbar a profundidade do sono NREM de alguém com sons infrequentes, impedindo o sono profundo e mantendo o cérebro em sono superficial, produz déficits cerebrais e prejuízos do aprendizado similares.

Talvez você tenha visto o filme *Amnésia*, em que o protagonista sofre uma lesão cerebral e, a partir de então, não consegue mais criar novas memórias. Em neurologia, ele é o que chamamos de "densamente amnésico". A parte de seu cérebro danificada é o hipocampo — a mesma estrutura atacada pela privação de sono, bloqueando nossa capacidade de adquirir novos aprendizados.

Perdi a conta de quantos alunos foram falar comigo no fim da aula em que descrevo esses estudos e disseram: "Sei exatamente qual é a sensação. Parece que estou olhando para a página do livro, mas nada está entrando. Eu consigo me lembrar de alguns fatos no dia seguinte para a prova, mas, se você me pedisse para fazer o mesmo teste um mês depois, acho que dificilmente me lembraria de alguma coisa."

Essa descrição tem respaldo científico. As poucas memórias que conseguimos reter quando somos privados de sono são esquecidas muito mais depressa nas horas e dias que se seguem. As memórias formadas sem sono são mais fracas, evaporam depressa. Estudos realizados com ratos chegaram à conclusão de que é quase impossível reforçar as conexões sinápticas entre neurônios individuais que costumam forjar um novo circuito de memória nos animais que tinham sido privados de sono — gravar memórias duradouras na arquitetura do cérebro tornou-se quase impossível. Isso ocorreu quando os pesquisadores privaram os ratos de sono por 24 horas inteiras e também quando o fizeram só um pouco, por duas ou três horas. Até as unidades mais elementares do processo de aprendizado — a produção de proteínas que formam as peças fundamentais das memórias dentro dessas sinapses — são tolhidas pelo estado de perda de sono.

O trabalho mais recente nessa área revelou que a privação de sono impacta até o DNA e os genes relacionados ao aprendizado nas células cerebrais do hipocampo. Trata-se de uma força profundamente penetrante e corrosiva que debilita o aparelho de formação de memórias no cérebro, impedindo-o de criar traços de memória duradouros. É mais ou menos como construir um castelo de areia perto demais da linha da maré — as consequências são inevitáveis.

Quando estava na Universidade de Harvard, fui convidado para escrever meu primeiro artigo para o jornal de lá, o *Crimson*. O tema era perda de sono, aprendizado e memória. Foi o primeiro e também o último artigo que fui convidado a escrever.

Nele descrevi os estudos há pouco citados e sua relevância, voltando repetidas vezes à questão da privação de sono pandêmica que estava se propagando pelo corpo discente. Contudo, em vez de criticar os estudantes por tais práticas, repreendi diretamente o corpo docente, o que também me incluía. Sugeri que se nós, professores, nos esforçamos para realizar apenas esse objetivo — ensinar —, a carga final das provas nos últimos dias do semestre era uma decisão estúpida. Ela forçava um comportamento em nossos alunos — o de dormir pouco ou passar noites em claro na véspera da prova — que está em oposição direta ao objetivo de cultivar jovens mentes acadêmicas. Afirmei que a lógica, respaldada pelo fato científico, deveria prevalecer e que já passara havia muito da hora de repensarmos nossos métodos de avaliação, seu impacto antieducativo e o comportamento pouco saudável que ele impõe aos alunos.

Sugerir que a reação do corpo docente foi gélida seria um cálido elogio.

"Foi a escolha dos estudantes", disseram-me em inflexíveis e-mails de resposta. "Uma falta de estudo planejado por parte de alunos de graduação irresponsáveis" foi outra refutação comum da parte de professores e administradores que tentaram se esquivar da responsabilidade. Na verdade, jamais achei que uma coluna de opinião provocaria uma volta de 180 graus nos métodos de avaliação deficientes em Harvard ou em qualquer outra instituição de ensino. Como muitos já afirmaram em relação a essas instituições estoicas: teorias, crenças e práticas morrem uma geração por vez. Mas o diálogo e a batalha têm de começar em algum lugar.

Você talvez se pergunte se eu mudei minha prática de ensino e meu modo de avaliação. Sim, eu mudei. Nos meus cursos, não há prova "final" no fim do semestre. Em vez disso, divido a avaliação em três partes de modo que os alunos só tenham que estudar um punhado de aulas de cada vez. Além disso, nenhuma das provas é cumulativa. Trata-se de um efeito comprovado e verdadeiro na psicologia da memória, descrito como aprendizado em massa *versus* aprendizado espaçado. Como no caso de uma experiência gastronômica, é de longe preferível separar a refeição educacional em pratos menores, com intervalos entre eles, para permitir a digestão, em vez de tentar enfiar todas essas calorias informacionais goela abaixo de uma só vez.

No Capítulo 6, descrevi o papel crucial do sono após o aprendizado na cimentação off-line, ou consolidação, de memórias recentemente aprendidas. O dr. Robert Stickgold, meu amigo e colaborador de longa data na Escola de Medicina de Harvard, conduziu um engenhoso estudo com vastas implicações. Ele fez um total de 133 estudantes de graduação aprenderem uma tarefa de memória visual por meio de repetição. Depois os participantes voltaram ao seu laboratório e foram testados para ver quanto tinham retido. Alguns voltaram no dia seguinte após uma noite inteira de sono, já outros retornaram dois dias depois, após duas noites inteiras de sono, e ainda houve os que só voltaram após três dias, com três noites de sono no intervalo.

Como você já poderia prever a essa altura, uma noite de sono reforçou as memórias recém-aprendidas, estimulando sua retenção. Além disso, quanto mais noites de sono os participantes tiveram antes de serem testados, melhor foi a sua memória. Isso aconteceu com todos, exceto outro subgrupo de participantes. Como os integrantes do terceiro grupo, esses participantes aprenderam a tarefa no primeiro dia e o fizeram igualmente bem. Em seguida, foram testados três noites depois, exatamente como o terceiro grupo. A diferença foi que eles foram privados de sono na primeira noite após o aprendizado e não foram testados no dia seguinte. Em vez disso, Stickgold lhes deu duas noites inteiras de sono de recuperação antes de testá-los. Os indivíduos não mostraram qualquer indício de melhora da consolidação da memória. Em outras palavras, se você não dorme logo na primeira noite após aprender, perde a chance de consolidar essas memórias, mesmo que tenha muito sono de recuperação depois disso. Portanto, em termos de memória o sono não é como um banco. Não é possível acumular uma dívida e esperar saldá-la mais adiante. No que se refere à consolidação da memória, o sono é um evento de tudo ou nada. Esse é um resultado preocupante em nossa sociedade que funciona 24 horas por dia, sete dias por semana, na correria e que não pode esperar. Sinto um novo artigo se aproximando...

SONO E DOENÇA DE ALZHEIMER

As duas doenças mais temidas em todos os países desenvolvidos são a demência e o câncer. Ambas estão relacionadas ao sono inadequado. Vamos falar do câncer mais tarde no próximo capítulo relacionado à privação de sono e o corpo. Com relação à demência, que se centra no cérebro, a falta de sono está rapidamente se tornando reconhecida como um fator de estilo de vida essencial para determinar se um indivíduo vai ou não desenvolver doença de Alzheimer.

Essa condição, originalmente identificada em 1901 pelo médico alemão dr. Aloysius Alzheimer, tornou-se um dos maiores desafios de saúde pública e econômicos do século XXI. Mais de quarenta milhões de pessoas sofrem da doença debilitante. Esse número cresceu à medida que a expectativa de vida aumentou, mas também, de maneira importante, à medida que o tempo total de sono se reduziu. Hoje um em cada dez adultos com mais de 65 anos sofre de doença de Alzheimer. Sem avanços no diagnóstico, na prevenção e na terapêutica, a escalada persistirá.

O sono representa um novo candidato a esperança em todas essas três frentes. Antes de discutir por que, deixe-me descrever como a perturbação do sono e a doença de Alzheimer estão causalmente relacionadas.

Como aprendemos no Capítulo 5, a qualidade do sono — sobretudo a do sono NREM profundo — se deteriora à medida que envelhecemos. Esse fenômeno está relacionado a um declínio na memória. No entanto, quando se avalia um paciente com doença de Alzheimer, percebe-se que a perturbação do sono profundo é muito mais acentuada. Talvez o mais revelador seja o fato de a perturbação do sono preceder o início da doença de Alzheimer em vários anos, sugerindo que ela pode ser um sinal de alerta precoce da enfermidade ou até contribuir para que ocorra. Depois do diagnóstico, a magnitude da perturbação do sono progride em uníssono com a gravidade dos sintomas do portador de Alzheimer, o que sugere mais uma ligação entre os dois fatores. Para piorar as coisas, mais de 60% dos pacientes têm pelo menos um transtorno clínico do sono. A insônia é especialmente comum, como sabem muito bem os cuidadores de um ente querido com a doença.

Contudo, foi apenas recentemente que se compreendeu que a associação entre o sono perturbado e a doença de Alzheimer é mais do que simplesmente isso. Embora ainda reste muito a ser entendido, hoje reconhecemos que a perturbação do sono e o Alzheimer interagem em uma espiral negativa que se retroalimenta e pode iniciar e/ou acelerar a doença.

A doença de Alzheimer está associada ao acúmulo de uma forma tóxica de proteína chamada beta-amiloide, que se agrega em grumos pegajosos, ou placas, no cérebro. Essas placas são venenosas para os neurônios, matando as células cerebrais circundantes. Entretanto, o estranho é que as placas amiloides só afetam algumas partes do cérebro, algo cujas razões permanecem obscuras.

O que me impressionou com relação a esse padrão não explicado foi a localização no cérebro em que a proteína se acumula cedo no curso da doença de Alzheimer e de forma mais severa em estágios avançados da doença. Essa área é a parte central do lobo frontal — que, como você deve se lembrar, é a mesma região essencial para a geração elétrica do sono NREM profundo em jovens saudáveis adultos. Àquela altura, não compreendíamos se ou por que a doença de Alzheimer causava perturbação do sono; nós simplesmente sabíamos que as duas ocorriam ao mesmo tempo. Então me questionei se os portadores de Alzheimer têm o sono NREM tão perturbado em parte porque a doença erode a região do cérebro que normalmente gera esse estágio essencial do sono.

Juntei forças com o dr. William Jagust, uma eminente autoridade em doença de Alzheimer, na Universidade da Califórnia, em Berkeley. Juntas, nossas equipes de pesquisa começaram a testar essa hipótese. Vários anos mais tarde, chegamos à resposta após avaliarmos o sono de muitos adultos mais velhos com diferentes graus de acúmulo de amiloide no cérebro, que quantificamos com um tipo especial de tomografia por emissão pósitrons (TEP). Quanto mais depósitos de amiloide havia nas regiões centrais do lobo frontal, mais prejudicada estava a qualidade do sono profundo do indivíduo analisado. E não se tratava apenas de uma perda geral de sono profundo, o que é comum quando envelhecemos, mas da erosão cruel das mais profundas ondas cerebrais lentas do sono NREM. Essa distinção é fundamental, pois significava que o prejuízo do sono causado pelo acúmulo de amiloide no cérebro é mais do que apenas "envelhecimento normal". Ele é singular — um desvio em relação ao que de outra forma é a marca distintiva do declínio do sono à medida que envelhecemos.

Estamos agora avaliando se essa "mossa" muito particular na atividade das ondas cerebrais do sono representa um jeito de identificar precocemente quem corre um risco maior de desenvolver a doença de Alzheimer. Se o sono de fato se revelar uma medida diagnóstica precoce — sobretudo uma relativamente barata, não invasiva e que pode ser facilmente obtida em um grande número de pessoas, ao contrário das ressonâncias magnéticas ou tomografias por emissão de pósitrons onerosas —, a intervenção precoce se tornará possível.

Tendo por base tais descobertas, nosso trabalho recente acrescentou uma peça fundamental ao quebra-cabeça da doença de Alzheimer. Identificamos um novo caminho através do qual as placas amiloides podem contribuir para o declínio da memória mais tarde na vida: algo que esteve faltando em grande parte de nossa compreensão do funcionamento da doença de Alzheimer. Mencionei que os depósitos tóxicos de amiloide só se acumulam em determinadas partes do cérebro. Apesar de a doença de Alzheimer ser tipificada pela perda de memória, o hipocampo — o reservatório de memórias fundamental do cérebro — permanece misteriosamente não afetado pela proteína amiloide. Essa questão até hoje desconcerta os cientistas: como a amiloide causa perda de memória em pacientes com doença de Alzheimer sem afetar as áreas de memória do cérebro? Embora outros aspectos da enfermidade possam desempenhar algum papel na equação, para mim parecia plausível que estivesse faltando um fator intermediário — um que negociasse a influência da amiloide em uma parte que atuasse sobre a memória e que dependesse de uma região diferente do cérebro. Seria a perturbação do sono o fator que faltava?

Para testar essa teoria, pedimos a pacientes idosos com diferentes níveis de amiloide — de baixo a elevado — no cérebro que aprendessem uma lista com novos fatos à noite. Na manhã seguinte, após termos registrado seu sono no laboratório, nós os testamos para ver quão efetivo o seu sono havia sido para cimentar e assim reter essas novas memórias. Constatamos um efeito de reação em cadeia. As pessoas com os níveis mais altos de depósitos de amiloide nas regiões frontais do cérebro apresentaram a perda mais grave de sono profundo e, como uma consequência indireta, não conseguiam consolidar bem as novas memórias. Ocorrera *esquecimento* noturno, em vez de rememoração noturna. Portanto, a perturbação do sono NREM agiu como intermediário oculto, agenciando o mau negócio entre a amiloide e o prejuízo da memória na doença de Alzheimer. Um elo perdido.

Todavia, essas descobertas foram apenas a metade da história — e reconhecidamente a metade menos relevante. Nosso trabalho havia mostrado que as placas amiloides da doença de Alzheimer podem estar associadas à perda de sono profundo, mas será que isso se dá nos dois sentidos? A falta de sono pode de fato fazer com que a amiloide se acumule no cérebro para início de conversa? Nesse caso, o sono insuficiente ao longo da vida elevaria de forma significativa o risco de o indivíduo desenvolver doença de Alzheimer.

Por volta da mesma época em que estávamos conduzindo os nossos estudos, a dra. Maiken Nedergaard, da Universidade de Rochester, fez uma das descobertas mais espetaculares no campo da pesquisa do sono nas últimas décadas. Trabalhando com camundongos, Nedergaard identificou a existência no cérebro de uma espécie de rede de esgoto chamada sistema glinfático. Seu nome é derivado do equivalente sistema linfático do corpo, porém é composto de células chamadas glia (do radical grego para "cola").

As células da glia estão distribuídas por todo o cérebro, situadas lado a lado com os neurônios, que geram os impulsos elétricos do cérebro. Assim como o sistema linfático drena contaminantes do corpo, o sistema glinfático recolhe e remove contaminantes metabólicos perigosos gerados pelo trabalho pesado dos neurônios, mais ou menos como uma equipe de apoio em torno de um atleta de elite.

Embora o sistema glinfático — a equipe de apoio — esteja um tanto ativo durante o dia, Nedergaard e sua equipe descobriram que é durante o sono que esse trabalho de saneamento neural ganha maior velocidade. Associado ao ritmo pulsante do sono NREM profundo, há um aumento de dez a vinte vezes na expulsão de efluentes do cérebro. No que pode ser descrito como uma limpeza noturna profunda, o trabalho de purificação do sistema glinfático é levado a cabo pelo fluido cerebrospinal que banha o cérebro.

Nedergaard fez uma segunda descoberta surpreendente, que explica por que o fluido cerebrospinal é tão eficiente para dar descarga em destroços metabólicos à noite. As células da glia do cérebro encolhem em tamanho em até 60% durante o sono NREM, o que aumenta o espaço entre os neurônios e permite ao fluido cerebrospinal limpar com eficiência o refugo metabólico produzido pela atividade neural do dia. Pense nos prédios de uma grande metrópole encolhendo à noite, dando fácil acesso às equipes de limpeza municipais para que recolham o lixo espalhado pelas ruas e depois passem um bom tratamento com jato de pressão em cada canto e fissura. Ao acordarmos a cada manhã, o cérebro pode mais uma vez funcionar com eficiência graças a essa limpeza profunda.

Mas o que isso tem a ver com a doença de Alzheimer? Uma parte dos destroços tóxicos descartados pelo sistema glinfático durante a noite é composta pela proteína amiloide — o elemento venenoso associado à doença de Alzheimer. Outros resíduos metabólicos perigosos que têm ligação com essa doença também são removidos pelo processo de limpeza realizado durante o sono, incluindo uma proteína chamada tau, bem como moléculas de estresse produzidas pelos neurônios quando queimam energia e oxigênio ao longo do dia. Ao impedir experimentalmente um camundongo de obter sono NREM, mantendo-o acordado, verifica-se um aumento imediato de depósitos amiloides no cérebro. Sem sono, a escalada dessa proteína venenosa relacionada ao Alzheimer se acumula no cérebro do animal, juntamente com vários outros metabolitos tóxicos. Em outras palavras e simplificando as coisas, a vigília é o dano cerebral de baixo nível, ao passo que o sono é o saneamento neurológico.

As descobertas de Nedergaard completaram o círculo de conhecimento que nossas descobertas haviam deixado sem resposta. O sono inadequado e a patologia da doença de Alzheimer interagem em um círculo vicioso. Sem sono suficiente, as placas amiloides se acumulam no cérebro, sobretudo nas regiões geradoras de sono profundo, atacando-as e degradando-as. Desse modo, a perda de sono NREM profundo causada por esse ataque diminui a capacidade de remoção da amiloide do cérebro à noite, resultando em uma maior sedimentação dessa proteína. Mais amiloide, menos sono profundo; menos sono profundo, mais amiloide, e assim por aí vai.

Dessa cascata se extrai uma previsão: obter muito pouco sono ao longo da vida adulta eleva de forma significativa o risco de se desenvolver doença de Alzheimer. Tal relação foi relatada em diversos estudos epidemiológicos, que incluíram indivíduos que sofrem de transtornos do sono, como a insônia e a apneia do sono.* Um parêntese nada científico: sempre achei curioso que Margaret Thatcher e Ronald Reagan — dois chefes de Estado que professavam com muita franqueza, se não com orgulho, dormir apenas de quatro a cinco horas por noite — tenham desenvolvido essa doença implacável. O atual presidente dos Estados Unidos, Donald Trump — que também se gaba de dormir apenas algumas horas por noite — talvez queira tomar nota disso.

Uma previsão mais radical e inversa que emerge dessas descobertas é a de que, ao melhorar o sono de uma pessoa, deveríamos conseguir reduzir seu risco de desenvolver doença de Alzheimer — ou pelo menos postergar seu surgimento. Uma corroboração provisória já foi obtida a partir de estudos clínicos em que adultos de meia-idade e idosos tiveram os transtornos do sono tratados com sucesso. Com isso, seu índice de declínio cognitivo se desacelerou significativamente e também se postergou o início da doença de Alzheimer em cinco a dez anos.**

Meu grupo de pesquisa está agora tentando desenvolver uma série de métodos viáveis para aumentar artificialmente o sono NREM profundo, que po-

---

* A.S. Lim et al., "Sleep Fragmentation and the Risk of Incident Alzheimer's Disease and Cognitive Decline in Older Persons", *Sleep* 36 (2013): p. 1.027-32; A.S. Lim et al., "Modification of the Relationship of the Apolipoprotein E Epsilon4 Allele to the Risk of Alzheimer's Disease and Neurofibrillary Tangle Density by Sleep", *JAMA Neurology* 70 (2013): 1544:51; R.S. Osorio et al., "Greater Risk of Alzheimer's Disease in Older Adults With Insomnia", *Journal of the American Geriatric Society* 59 (2011): p. 559-62; e K. Yaffe et al., "Sleep-Disordered Breathing, Hypoxia, and Risk of Mild Cognitive Impairment and Dementia in Older Women", *JAMA* 306 (2011): p. 613-19.

** S. Ancoli-Israel et al., "Cognitive Effects of Treating Obstructive Sleep Apnea in Alzheimer's Disease: a Randomized Controlled Study", *Journal of the American Geriatric Society* 56 (2008): p. 2.076-81; e W.d.S. Moraes et al., "The Effect of Donepezil on Sleep and REM Sleep EEG in Patients with Alzheimer's Disease: a Double-Blind Placebo-Controlled Study", *Sleep* 29 (2006): p. 199-205.

deria restaurar algum grau da função de consolidação da memória ausente em pessoas mais velhas com grandes quantidades de amiloide no cérebro. A meta dessa busca por um método economicamente viável e que possa ser aplicado ao nível da população para uso repetido é a prevenção. Será que com ele conseguiremos suplementar o sono profundo declinante de membros vulneráveis da sociedade na meia-idade muitas décadas antes de o ponto de inflexão da doença de Alzheimer ser alcançado, com o intuito de evitar o risco de demência mais tarde na vida? Claramente, trata-se de uma ambição e tanto, e alguns diriam que é uma meta de pesquisa extremamente desafiadora. Entretanto, vale a pena lembrar que já usamos essa abordagem na medicina na forma da prescrição de estatinas para indivíduos com maior risco na casa dos quarenta e dos cinquenta anos a fim de prevenir a doença cardiovascular, em vez de tratá-los décadas depois.

O sono insuficiente é somente um entre vários fatores de risco associados à doença de Alzheimer. Sozinho, portanto, ele não será a bala mágica que erradicará a demência. Mas priorizar o sono ao longo da vida está claramente se tornando um fator significativo na redução do risco de se desenvolver a doença de Alzheimer.

CAPÍTULO 8

Câncer, ataque cardíaco e uma vida mais curta:
Privação do sono e o corpo

Eu costumava dizer que: "o sono é o terceiro pilar da boa saúde, junto com a alimentação e a prática de exercícios". Mas mudei meu mantra. O sono é mais do que um pilar; ele é a base sobre a qual os outros dois bastiões da saúde se assentam. Retire o fundamento do sono, ou o enfraqueça apenas um pouco, e a alimentação regrada e a prática de atividade física se tornam menos do que eficazes, como veremos.

No entanto, o impacto insidioso da perda de sono sobre a saúde é muito mais profundo. Cada sistema, tecido e órgão importante do corpo sofre quando o sono profundo se torna escasso. Nenhum aspecto da saúde consegue escapar incólume. Como a água de um cano furado na sua casa, os efeitos da privação de sono se infiltram em cada recanto e fissura da biologia, até as células, chegando a alterar o eu mais fundamental — o DNA.

Ampliando o foco, há mais de vinte estudos epidemiológicos de grande escala que monitoraram milhões de pessoas ao longo de muitas décadas, todos os quais relatam a mesma relação clara: quanto mais curto é o sono, mais curta é a vida do indivíduo. As principais causas de doenças e morte nos países desenvolvidos — enfermidades que estão paralisando os sistemas de assistência médica, como a doença cardíaca, a obesidade, a demência, a diabetes e o câncer — têm ligações causais reconhecidas com a falta de sono.

Este capítulo descreve, incomodamente, as muitas e variadas maneiras como o sono insuficiente se prova danoso para todos os principais sistemas fisiológicos do corpo humano: o cardiovascular, o metabólico, o imune e o reprodutivo.

PERDA DE SONO E O SISTEMA CARDIOVASCULAR

Sono doente, coração doente. Simples e verdadeiro. Tomemos os resultados de um estudo de 2011 que monitorou mais de quinhentos mil homens e mulheres de várias idades, raças e identidade étnica em oito países. O sono progressivamente mais curto foi associado a um risco 45% maior de desenvolver e/ou morrer de enfermidade coronária em sete a 25 anos a partir do início da pesquisa. Uma relação semelhante foi observada em um estudo japonês realizado com mais de quatro mil trabalhadores do sexo masculino. Em um período de quatorze anos, os participantes que dormiam por até seis horas eram de 400% a 500% mais propensos a sofrer uma ou mais paradas cardíacas do que os que dormiam por mais de seis horas. Vale observar que, em muitas dessas análises, a relação entre pouco sono e insuficiência cardíaca permanece forte mesmo depois de controlados outros fatores de risco cardíaco conhecidos, como o tabagismo, o nível de atividade física e a massa corporal. A falta de sono leva a cabo seu próprio ataque independente ao coração.

Quando nos aproximamos da meia-idade e nosso corpo começa a se deteriorar e a resiliência da saúde inicia seu declínio, o impacto do sono insuficiente sobre o sistema cardiovascular se intensifica. Adultos com mais de 45 anos que dormem menos de seis horas por noite são 200% mais propensos a sofrer um ataque cardíaco ou um derrame cerebral comparados aos que dormem de sete a oito horas. Essa descoberta ressalta como é importante priorizar o sono na meia-idade — que infelizmente é a época em que circunstâncias familiares e profissionais nos estimulam a fazer o contrário.

Parte da razão por que o coração sofre tão dramaticamente com a privação de sono diz respeito à pressão sanguínea. Olhe para o seu antebraço direito e escolha algumas veias. Se você apertar esse antebraço logo abaixo do cotovelo com a mão esquerda, como um torniquete, verá que essas veias começam a se inflar. Um pouco alarmante, não é? A facilidade com que uma pequena perda de sono pode inflar a pressão nas veias de todo o corpo, esticando e afligindo as paredes dos vasos, é igualmente alarmante. Hoje a hipertensão é tão comum que esquecemos o número de vítimas mortais que ela inflige. Somente este ano, ela ceifará mais de sete milhões de vidas por meio de falência cardíaca, doença cardíaca isquêmica, derrame cerebral ou falência dos rins. O sono deficiente é responsável pela perda de muitos desses pais, mães, avós e amigos queridos.

Como ocorre com outras consequências da perda do sono, não é preciso uma noite inteira de privação para que se inflija um impacto mensurável no sistema cardiovascular. Uma noite de modesta redução do sono — mesmo que de apenas uma ou duas horas — prontamente acelera o índice de contração do coração hora após hora e aumenta de forma significativa a pressão sanguínea sistólica na vasculatura.* Você não encontrará nenhum alívio no fato de esses experimentos terem sido conduzidos em indivíduos jovens, em boa forma, todos com um sistema cardiovascular saudável poucas horas antes do início da análise. Essa boa forma física prova não ser um rival à altura de uma noite de sono curta: ela não oferece qualquer resistência.

Além de acelerar a frequência cardíaca e aumentar a pressão sanguínea, a falta de sono erode o tecido dos vasos sanguíneos distendidos, sobretudo os que alimentam o coração, chamados artérias coronárias. Esses corredores de vida precisam estar limpos e bem abertos para abastecer o coração de sangue em todos os momentos. Estreite ou bloqueie tais passagens e seu coração pode sofrer um ataque abrangente em geral fatal causado por fome de oxigênio, coloquialmente conhecido como "ataque cardíaco", ou infarto do miocárdio.

Uma das causas de bloqueio de uma artéria coronária é a aterosclerose — a obstrução gerada por placas endurecidas que contêm depósitos de cálcio. Pesquisadores da Universidade de Chicago analisaram quase quinhentos adultos saudáveis na meia-idade, nenhum dos quais tinha qualquer doença cardíaca existente ou sinal de aterosclerose. Eles monitoraram a saúde das artérias coronárias desses participantes por vários anos, ao mesmo tempo que avaliaram seu sono. As pessoas que dormiam apenas de cinco a seis horas por noite ou menos apresentaram uma probabilidade de 200% a 300% maior de sofrer calcificação nos cinco anos seguintes em relação às que dormiam de sete a oito horas. O sono deficiente desses participantes foi associado a um fechamento

---

* O. Tochikubo, A. Ikeda, E. Miyajima e M. Ishii, "Effects of Insufficient Sleep on Blood Pressure Monitored by a New Multibiomedical Recorder", *Hypertension* 27, nº 6 (1996): p. 1.318-24.

dos corredores críticos que deveriam estar bem abertos e alimentando o coração com sangue, fazendo-o passar fome e aumentando de forma significativa o risco de um ataque cardíaco coronário.

Embora os mecanismos pelos quais a privação de sono degrada a saúde cardiovascular sejam vários, todos eles parecem se agrupar em torno de um culpado comum: o sistema nervoso simpático. Abandone quaisquer pensamentos positivos motivados pelo nome enganoso. O sistema nervoso simpático está resolutamente ativando, incitando e até agitando. Se necessário, ele mobiliza a resposta de estresse de luta ou fuga antiga em termos evolucionários dentro do corpo de maneira abrangente e em questão de segundos. Como um hábil general no comando de vastas forças armadas, o sistema nervoso simpático convoca à ação uma ampla variedade das divisões fisiológicas do corpo — da respiração, função imune e substâncias químicas do estresse à pressão sanguínea e frequência cardíaca.

Uma resposta de estresse aguda do sistema nervoso simpático que em geral só é utilizada por curtos períodos de tempo, durando de minutos a horas, pode ser extremamente adaptativa sob condições de ameaça crível, como o potencial de um ataque físico real. A sobrevivência é a meta e essas respostas promovem ação imediata com o intuito de mantê-la. No entanto, quando esse sistema fica emperrado na posição "ligado" por longos períodos de tempo, a ativação simpática se torna profundamente inadaptada. Na verdade, ela vira uma assassina.

Com poucas exceções nos últimos cinquenta anos, todo experimento que investigou o impacto do sono deficiente sobre o corpo humano identificou que o sistema nervoso simpático estava superativo. Enquanto o estado de insuficiência de sono perdura por um tempo depois, o corpo permanece emperrado em algum grau do estado de luta ou fuga. Esse estado pode durar anos em quem tem algum distúrbio do sono não tratado. Também pode se apresentar em indivíduos saudáveis que trabalham muito e que por isso têm um sono mais curto e de menor qualidade. Como um motor de carro que é acelerado a um extremo agudo por períodos prolongados de tempo, o sistema nervoso simpático é mantido em perpétua sobremarcha pela falta de sono. A tensão imposta ao corpo pela força persistente da ativação simpática se manifesta em toda espécie de problemas de saúde, tal como os pistões, juntas, vedações com falhas e engrenagens rangendo de um motor sobrecarregado.

Por meio desse caminho central do sistema nervoso simpático superativo, a privação de sono provoca um efeito dominó que se espalha como uma onda de danos à saúde. Ela começa com a remoção de um freio de repouso predefinido que em geral impede o coração de se acelerar em seu ritmo de contração. Uma vez que esse freio é solto, o indivíduo experimenta velocidades sustentadas de batimento cardíaco.

Quando o coração bate mais depressa, a taxa volumétrica de sangue bombeado através de sua vasculatura aumenta e com isso vem o estado hipertensivo. Ao mesmo tempo o sistema nervoso simpático superativo provoca um aumento crônico de um hormônio do estresse chamado cortisol. Uma consequência indesejável disso é a constrição dos vasos sanguíneos, provocando uma elevação ainda maior da pressão sanguínea.

Para piorar as coisas, o hormônio do crescimento — um grande remédio do corpo —, que costuma ser disparado à noite, é barrado pelo estado de privação de sono. Sem o hormônio do crescimento para reabastecer o revestimento dos vasos sanguíneos, chamado endotélio, eles são lentamente raspados e despojados de sua integridade. Para culminar, a hipertensão faz com que não seja mais possível reparar os vasos que se fraturam. O estado danificado e debilitado do encanamento vascular em todo o corpo torna-se então sistematicamente mais propenso à aterosclerose (artérias se obstruindo). Com isso, vasos se rompem. E, nesse barril de pólvora de fatores, ataque cardíaco e derrame cerebral são os acidentes mais comuns.

Compare essa cascata de danos com os benefícios curativos que uma noite inteira de sono costuma proporcionar ao sistema cardiovascular. Durante o sono NREM profundo especificamente, o cérebro transmite um sinal calmante ao ramo simpático de luta ou fuga e o faz por longos períodos da noite. Desse modo, o sono profundo previne a escalada desse estresse fisiológico, que é sinônimo de hipertensão, ataque cardíaco, falência do coração e derrame cerebral. Isso inclui um efeito calmante na velocidade de contração do coração. Pense no sono NREM profundo como uma forma natural de gerenciamento noturno da pressão sanguínea, capaz de evitar hipertensão e derrame cerebral.

Ao transmitir a ciência para o público geral em palestras ou textos, sempre tenho o cuidado de não bombardear o receptor com estatísticas intermináveis de mortalidade e morbidade, para que ele não perca a vontade de viver diante de mim. É difícil fazer isso tendo à disposição uma quantidade tão persuasiva de estudos no campo da privação de sono. No entanto, em geral um único resultado assombroso é tudo de que as pessoas necessitam para apreender a ideia. No caso da saúde cardiovascular, acredito que tal noção venha de um "experimento global" em que 1,5 bilhão de pessoas são forçadas a reduzir seu sono em pelo menos uma hora por uma única noite a cada ano. É muito provável que você tenha feito parte desse experimento, também conhecido como horário de verão.

No hemisfério norte, a mudança para o horário de verão em março resulta na perda de uma hora de oportunidade de sono para a maioria das pessoas. Quando tabularam milhões de registros hospitalares diários, os pesquisadores chegaram à conclusão de que essa redução do sono aparentemente trivial é acompanhada de um assustador pico no número de ataques cardíacos no dia seguinte. O impressionante é que isso funciona nos dois sentidos. No outono do hemisfério norte, quando os relógios são atrasados e ganhamos uma hora de oportunidade de sono, as taxas de ataques cardíacos despencam no dia seguinte. Uma relação de elevação e queda similar pode ser vista no número de acidentes de trânsito, o que prova que o cérebro, mediante lapsos de atenção e microssonos, é tão sensível quanto o coração a perturbações muito pequenas do sono. A maioria das pessoas não dá importância à perda de uma hora de sono por uma única noite por considerar isso banal e sem consequências. Sabemos agora que isso não é verdade.

PERDA DE SONO E METABOLISMO: DIABETES E GANHO DE PESO

Quanto menos se dorme, mais se tende a comer. Além disso, o corpo se torna incapaz de lidar com essas calorias de forma eficiente, sobretudo as concentrações de açúcar no sangue. De ambas as maneiras, dormir menos do que sete ou oito horas por noite aumenta a probabilidade de se ganhar peso, ficar acima do peso ou ser obeso, além de ampliar significativamente a probabilidade de se desenvolver diabetes tipo 2.

O custo sanitário global do diabetes é de 375 bilhões de dólares por ano, enquanto que o da obesidade é de mais de 2 trilhões de dólares. Contudo, para quem não dorme o necessário, o custo para a saúde, a queda da qualidade de vida e o risco de morte prematura são mais significativos. A forma exata como a falta de sono direciona o indivíduo rumo ao diabetes e à obesidade está agora bem compreendida e é indiscutível.

DIABETES

O açúcar é algo perigoso. Na alimentação, essa afirmação é muito clara, mas aqui estou me referindo ao açúcar que circula na corrente sanguínea. Níveis excessivamente altos de açúcar no sangue, ou glicose, ao longo de semanas ou anos infligem um dano surpreendente aos tecidos e órgãos do corpo, piora a saúde e encurta a vida. Doença oftalmológica que pode ocasionar cegueira, doença nervosa que costuma levar à amputação e falência dos rins que demanda diálise ou transplante são todas consequências do nível elevado de açúcar no sangue por tempo prolongado, assim como hipertensão e doença cardíaca. Entretanto, o diabetes tipo 2 é a condição mais comum e imediatamente relacionada ao nível desregulado de açúcar no sangue.

Em um indivíduo saudável, o hormônio insulina induz as células do corpo a absorver depressa a glicose da corrente sanguínea caso ela aumente como ocorre após uma refeição. Instruídas pela insulina, as células abrem canais especiais em sua superfície que agem como drenos de acostamento supereficientes no auge de um aguaceiro. Eles escoam o dilúvio de glicose fluindo pelas artérias de trânsito, evitando o que poderia ser uma perigosa inundação de açúcar na corrente sanguínea.

Todavia, quando param de responder à insulina, as células do corpo não conseguem continuar a absorver a glicose com eficiência. Tal como ocorre no caso de drenos de acostamento bloqueados ou erroneamente fechados, a crescente onda de açúcar não retorna a níveis seguros. O corpo passa então a um estado hiperglicêmico. Caso essa condição persista e as células do corpo permaneçam intolerantes, a pessoa entra para o estado pré-diabético e acaba desenvolvendo diabetes tipo 2 em estado avançado.

Os primeiros sinais de alerta para a relação entre perda de sono e açúcar anormal no sangue surgiram em uma série de grandes estudos epidemiológicos que abrangeram vários continentes. Independentemente uns dos outros, os grupos de pesquisa encontraram índices muito mais altos de diabetes tipo 2 entre pessoas que relatavam dormir menos de seis horas por noite de forma rotineira. A associação permaneceu significativa quando foi feito o ajuste para outros fatores contribuintes, como peso corporal, consumo de álcool, tabagismo, idade, sexo, raça e uso de cafeína. Entretanto, por mais impactantes que sejam, esses estudos não informam a direção da causalidade: é o estado de diabetes que prejudica o sono ou é o pouco sono que prejudica a capacidade do corpo de regular o açúcar no sangue, causando diabetes?

Para responder a essa pergunta, os cientistas tiveram de conduzir experimentos cuidadosamente controlados com adultos saudáveis que não apresentavam qualquer sinal de diabetes ou problemas com o nível de açúcar no sangue. No primeiro desses estudos, o sono dos participantes foi limitado a quatro horas por noite durante seis noites. No fim dessa semana, esses indivíduos (antes saudáveis) mostraram eficiência da absorção de uma dose normal de açúcar 40% menor em comparação a quando estavam plenamente repousados.

Para ter uma ideia do que isso significa, se os pesquisadores mostrassem essas leituras de açúcar no sangue a um médico de família não informado da situação, na mesma hora ele classificaria esses participantes como pré-diabéticos. Os pesquisadores iniciariam um rápido programa de intervenção para evitar o desenvolvimento de diabetes tipo 2 irreversível. Vários laboratórios científicos no mundo todo reproduziram esse efeito alarmante do sono insuficiente, alguns com reduções ainda menos agressivas da quantidade de sono.

Mas como a falta de sono sequestra o controle efetivo do corpo sobre o açúcar no sangue? Isso se deve a um bloqueio da liberação de insulina, que remove a ordem essencial para que as células absorvam a glicose? Ou as próprias células se tornam insensíveis a uma mensagem de insulina de outra maneira normal e presente?

Como descobrimos, as duas hipóteses são verdadeiras, apesar de os indícios mais persuasivos apontarem para a segunda. Ao retirar pequenas amostras de tecido, ou biópsias, de participantes no fim dos experimentos citados, foi possível analisar como as células do corpo agiram. Depois que o sono dos participantes tinha sido restringido entre quatro e cinco horas por uma semana, as células se tornaram muito menos receptivas à insulina. Nesse estado de privação de sono, elas passaram a resistir teimosamente à mensagem da insulina e se recusar a abrir seus canais superficiais. Elas repeliram em vez de absorver os níveis perigosamente altos de glicose. Os drenos do acostamento ficaram fechados, ocasionando uma maré crescente de açúcar no sangue e um estado pré-diabético de hiperglicemia.

Embora tenha noção de que o diabetes é um assunto sério, o público geral talvez não compreenda seu verdadeiro ônus. Além do custo médio do tratamento de mais de 85 mil dólares por paciente (o que contribui para elevar os prêmios do seguro-saúde), o diabetes rouba dez anos da expectativa de vida do indivíduo. A privação crônica de sono hoje é reconhecida como um dos principais fatores contribuintes para a escalada do diabetes tipo 2 em todos os países do primeiro mundo. No entanto, é uma contribuição que pode ser prevenida.

GANHO DE PESO E OBESIDADE

Quando o sono se torna curto, a pessoa ganha peso. Múltiplas forças conspiram para expandir a sua cintura. A primeira diz respeito a dois hormônios que controlam o apetite: a leptina e a grelina.* A leptina sinaliza a sensação de saciedade. Quando os níveis circulantes desse hormônio estão altos, o apetite diminui e a pessoa não tem vontade de comer. A grelina, pelo contrário, desencadeia uma forte sensação de fome. Quando os níveis dela aumentam, cresce também o desejo de comer. O desequilíbrio de quaisquer desses dois hormônios pode provocar um aumento no consumo de alimentos e, assim, do peso corporal. Perturbe os dois na direção errada e o ganho de peso torna-se mais do que provável.

Nos últimos trinta anos, minha colega dra. Eve Van Cauter, da Universidade de Chicago, conduziu incansavelmente pesquisas sobre a ligação entre sono e apetite que são ao mesmo tempo incríveis e impactantes. Em vez de privar os analisados de uma noite inteira de sono, Van Cauter adotou uma abordagem mais pertinente. Ela partiu da premissa de que mais de um terço dos integrantes de sociedades industrializadas dormem menos de cinco a seis horas por noite durante a semana. Desse modo, em uma primeira série de estudos

---

* Embora a leptina e a grelina possam parecer nomes de hobbits, a primeira palavra é derivada do termo grego *leptos*, que significa esbelto, ao passo que a segunda vem de *ghre*, o termo protoindo-europeu para crescimento.

realizados com jovens adultos saudáveis com peso normal, ela começou a investigar se uma semana de sono insuficiente socialmente típico bastava para perturbar os níveis de leptina ou de grelina ou de ambos os hormônios.

Para os participantes dos estudos de Van Cauter, a sensação foi a de passar uma semana em um hotel. Eles tinham o próprio quarto, cama, lençóis limpos, televisão, acesso à internet etc. — tudo menos chá e café de graça, já que o consumo de cafeína era proibido. Em um braço do experimento, os analisados tiveram a oportunidade de dormir oito horas e meia cada noite durante cinco noites, registradas com eletrodos colocados na cabeça. Já em outro, só foi permitido dormir de quatro a cinco horas por cinco noites, também medidas com registros de eletrodos. Nos dois braços do estudo, os participantes receberam a mesma quantidade e tipo de comida e seu grau de atividade física também foi mantido constante. Todos os dias, a sensação de fome e o consumo de comida foram monitorados, assim como os níveis circulantes de leptina e grelina.

Lançando mão desse planejamento experimental em um grupo de participantes saudáveis, esbeltos, Van Cauter descobriu que os indivíduos ficaram muito mais vorazes quando dormiram de quatro a cinco horas por noite, apesar de terem recebido a mesma quantidade de comida e de estarem similarmente ativos, o que manteve os níveis de fome desses mesmos indivíduos sob controle quando puderam dormir por pelo menos oito horas. A forte elevação das pontadas de fome e o apetite maior relatado ocorreram depressa já no segundo dia de sono insuficiente.

Os culpados foram os dois personagens: a leptina e a grelina. O sono inadequado reduziu a concentração do hormônio sinalizador da saciedade, a leptina, e aumentou os níveis do que instiga a fome, a grelina. Um caso clássico de duplo risco fisiológico: os participantes foram punidos duas vezes pela mesma transgressão de dormir pouco: uma tendo o sinal de "estou satisfeito" removido do sistema e outra tendo a sensação de "ainda estou com fome" amplificada. Quem dormiu pouco simplesmente não se sentiu satisfeito pela comida.

De uma perspectiva metabólica, os participantes com sono restringido perderam o controle da fome. Ao limitar esses indivíduos ao que algumas pessoas em nossa sociedade considerariam uma quantidade de sono "suficiente" (cinco horas por noite), Van Cauter causou um desequilíbrio profundo nas escalas de desejo de comida hormonal. Ao silenciar a mensagem química que diz "pare de comer" (leptina) e aumentar a voz hormonal que grita "por favor, continue comendo" (grelina), o apetite permanece insatisfeito quando o sono não é abundante, mesmo após uma régia refeição. Como Van Cauter descreveu elegantemente para mim, o corpo privado de sono grita de fome em meio à fartura.

Mas sentir fome e comer mais não são a mesma coisa. Nós comemos mais quando dormimos menos? A nossa cintura se alarga por causa desse aumento do apetite?

Com outro estudo fundamental, Van Cauter provou que isso de fato ocorre. Os participantes desse experimento mais uma vez foram submetidos a duas condições distintas, agindo como seu próprio controle de referência: quatro noites de oito horas e meia na cama e quatro noites de quatro horas e meia na cama. Em cada dia, os participantes foram limitados ao mesmo nível de atividade física em ambas as condições. Além disso, em todos os dias tiveram livre acesso à comida, e os pesquisadores contabilizaram meticulosamente as diferenças no consumo de calorias entre as duas manipulações experimentais.

Quando dormiram pouco, os mesmíssimos indivíduos comeram mais trezentas calorias por dia — ou bem mais de mil calorias antes do fim do experimento — em comparação ao que foi registrado no período em que dormiram por uma noite inteira. Mudanças similares foram vistas quando os analisados tiveram de cinco a seis horas de sono em um período de dez dias. Amplie isso para um ano de trabalho e, levando em conta um mês de férias em que o sono se torna milagrosamente abundante, e a pessoa terá consumido mais de setenta mil calorias extras. Com base em estimativas calóricas, isso causa um ganho de peso de 4,5 a 6,8 quilos por ano todos os anos (o que pode soar dolorosamente familiar para muitos de nós).

O experimento seguinte de Van Cauter foi o mais surpreendente (e diabólico) de todos. Nele, pessoas em boa forma e saudáveis foram submetidas às mesmas duas condições de antes: quatro noites de oito horas e meia na cama e quatro noites de quatro horas e meia na cama. Contudo, no último dia de cada uma das condições experimentais, ocorreu algo diferente. Foi oferecido aos participantes um bufê adicional de comidas estendido por um período de quatro horas. Diante deles ficou exposta uma variedade de alimentos, como carnes, legumes, pão, batatas, saladas, frutas e sorvete. Mas também lhes foi dado acesso a um bar de guloseimas extra cheio de biscoitos, barras de chocolate, batata frita e *pretzels*. Os participantes puderam comer tanto quanto desejassem no período de quatro horas, com o bufê sendo inclusive reabastecido na metade do tempo. Algo importante: os analisados comeram sozinhos, o que eliminou influências sociais ou estigmatizantes que pudessem alterar sua ânsia natural por comer.

Depois do bufê, Van Cauter e sua equipe mais uma vez contabilizaram o que e quanto os participantes tinham comido. Apesar de terem consumido quase duas mil calorias no almoço tipo bufê, os participantes privados de sono caíram de cabeça no bar. Eles consumiram 330 calorias adicionais de guloseimas após a refeição completa em comparação aos dias em que tinham dormido o suficiente.

De relevância para esse comportamento é a recente descoberta de que a perda de sono aumenta os níveis de endocanabinoides circulantes — que, como talvez você tenha adivinhado pelo nome, são substâncias químicas produzidas pelo corpo muito similares à droga canabis. Como acontece com o uso de maconha, essas substâncias químicas estimulam o apetite e aumentam o desejo de beliscar, também conhecido como larica.

Combine esse aumento nos níveis de endocanabinoides com as alterações na leptina e na grelina causadas pela privação de sono e obtemos uma infusão potente de mensagens químicas, todas impelindo o indivíduo em uma única direção: comer em excesso.

Alguns afirmam que comemos mais quando estamos privados de sono porque estar desperto queima calorias extras. Infelizmente isso não é verdade. Nos experimentos de restrição do sono descritos aqui, não foram constatadas diferenças no gasto calórico entre as duas condições. Leve isso ao extremo privando uma pessoa de sono por 24 horas consecutivas e ela só queimará 147 calorias extras em comparação com um período de 24 horas contendo oito horas de sono. O sono, pelo visto, é um estado de intensa atividade metabólica tanto para o cérebro quanto para o corpo. Por essa razão, teorias que propõem que dormimos para conservar uma grande quantidade de energia não são mais sustentadas. As economias calóricas insignificantes são insuficientes para compensar os perigos para a sobrevivência e as desvantagens associadas ao adormecimento.

No que é muito importante, as calorias extras ingeridas quando se é privado de sono ultrapassam de longe qualquer energia extra queimada enquanto se permanece acordado. Para piorar as coisas, quanto menos uma pessoa dorme, menos energia ela sente ter e mais sedentária e menos disposta a se exercitar ela é. O sono inadequado é a receita perfeita para a obesidade: maior consumo de calorias, menor dispêndio de calorias.

O ganho de peso causado pelo sono insuficiente não é apenas uma questão de comer mais, mas também uma mudança *naquilo* que se come compulsivamente. Ao olhar os estudos, Van Cauter notou que a ânsia por doce (por exemplo, biscoitos, chocolate e sorvete), comidas pesadas ricas em carboidratos (por exemplo, pão e massa) e lanches salgados (por exemplo, batata frita e *pretzels*) aumentou em 30% a 40% quando o sono foi reduzido em várias horas a cada noite. Os alimentos ricos em proteínas foram menos afetados (por exemplo, carne vermelha e peixe), laticínios (como iogurte e queijo) e alimentos gordurosos, com um aumento de 10% a 15% na preferência dos participantes sonolentos.

Por que sentimos desejo por açúcares e carboidratos complexos de ação rápida quando somos privados de sono? Minha equipe de pesquisa e eu decidimos realizar um estudo em que escaneamos o cérebro dos participantes enquanto eles viam e escolhiam alimentos e depois classificamos com que intensidade desejaram cada um. Adotamos a hipótese de que mudanças no cérebro podem ajudar a explicar essa alteração pouco saudável na preferência por alimentos causada pela falta de sono. Será que havia uma pane em regiões de controle de impulso que em geral mantêm nossos desejos básicos por comidas hedônicas sob controle, o que nos faria recorrer a rosquinhas e pizza em vez de grãos integrais e verduras?

Participantes saudáveis, com peso médio, executaram o experimento duas vezes: uma após terem tido uma noite inteira de sono e outra depois de terem sido privados de sono por uma noite. Em cada uma das duas condições, eles viram oitenta imagens de alimentos similares, variando de frutas e legumes, como morango, maçã e cenoura, a itens supercalóricos como sorvete, massa e rosquinha. Para assegurar que os participantes fariam escolhas que refletissem seus verdadeiros desejos em vez de simplesmente escolher itens que considerassem a escolha correta ou mais apropriada, forçamos um incentivo: depois que saíam da máquina de ressonância magnética, eles eram recompensados com uma porção da comida que, segundo nos tinham dito, mais tinham desejado durante a tarefa.

Ao comparar os padrões de atividade cerebral do mesmo indivíduo nas duas condições, descobrimos que as regiões de supervisão situadas no córtex pré-frontal necessárias para realizar julgamentos ponderados e tomar decisões controladas haviam sido silenciadas pela falta de sono. Em contrapartida, as estruturas cerebrais profundas mais primitivas que impulsionam motivações e desejos foram amplificadas em resposta às imagens de alimentos. Essa mudança para um padrão mais primitivo de atividade cerebral sem controle deliberativo foi acompanhada de uma alteração nas escolhas de alimentos por parte dos participantes. Os alimentos supercalóricos se tornaram significativamente mais desejáveis aos olhos dos participantes quando estes tinham sido privados de sono. Ao somarmos todos os itens alimentares extras escolhidos por quem tinha sido privado de sono, chegamos ao resultado de seiscentas calorias extras.

A notícia encorajadora é que dormir o suficiente nos ajuda a controlar o peso corporal. Descobrimos que uma noite inteira de sono repara a via de comunicação entre as áreas cerebrais profundas que desencadeiam desejos hedônicos e as regiões cerebrais de ordem mais elevada cuja função é refrear tais anseios. Portanto, o sono abundante pode restaurar o sistema de controle de impulsos no cérebro, pondo os freios apropriados no consumo potencialmente excessivo de alimentos.

Ao sul do cérebro, também estamos descobrindo que o sono abundante deixa o intestino mais feliz. O papel do sono na correção do equilíbrio do sistema nervoso do corpo, sobretudo ao acalmar o ramo simpático de luta ou fuga, melhora a comunidade bacteriana conhecida como microbioma, localizada no intestino (também conhecido como sistema nervoso entérico). Como já aprendemos, quando não se dorme o suficiente e o sistema nervoso de luta ou fuga, relacionado ao estresse, fica acelerado, há o desencadeamento de um excesso de cortisol circulante; ele, por sua vez, cultiva "bactérias ruins" que se inflamam por todo o microbioma. Desse modo, o sono insuficiente impede a absorção significativa de todos os nutrientes dos alimentos e causa problemas gastrointestinais.*

---

* Suspeito que vamos descobrir uma relação de mão dupla em que o sono não somente afeta o microbioma, mas o microbioma pode se comunicar com o sono e alterá-lo por meio de vários canais biológicos.

Obviamente, a epidemia de obesidade que assola grandes porções do mundo não é causada apenas pela falta de sono. O aumento do consumo de alimentos processados e das porções ingeridas e um estilo de vida mais sedentário são todos gatilhos. Entretanto, essas mudanças não dão conta de explicar a enorme escalada de obesidade. Deve haver outros fatores nessa equação.

Com base em indícios coletados ao longo das três últimas décadas, a epidemia de sono insuficiente muito provavelmente é um fator fundamental para essa epidemia. Estudos epidemiológicos estabeleceram que as pessoas que dormem menos são as mesmas que têm maior probabilidade de ficar acima do peso ou obesas. De fato, basta traçar no mesmo gráfico a redução no tempo de sono (linha pontilhada) durante os últimos cinquenta anos e o aumento dos índices de obesidade ao longo do mesmo período de tempo (linha sólida), como mostrado na Figura 13, para ser levado pelos dados a inferir essa relação.

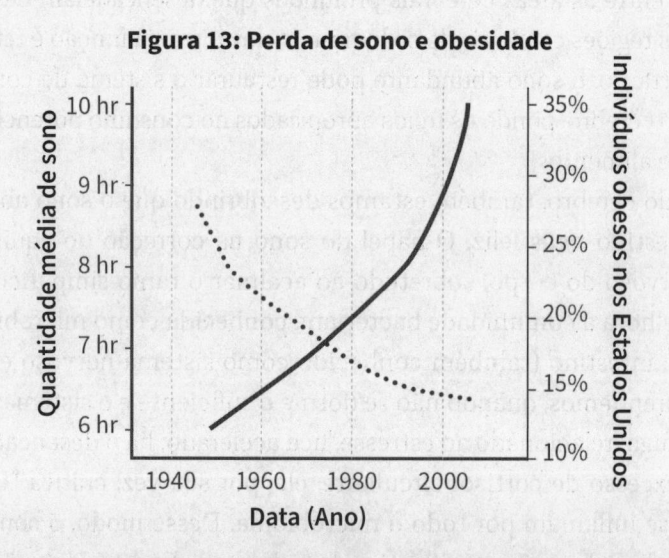

Figura 13: Perda de sono e obesidade

Estamos agora observando esses efeitos muito cedo na vida. Crianças de três anos e meio que dormem apenas dez horas e meia têm um risco 45% maior de serem obesas aos sete anos do que as que dormem doze horas por noite. Colocar nossas crianças em risco tão cedo por meio da negligência do sono é um escândalo.

Um último comentário sobre tentativa de perder peso: digamos que você decida fazer uma dieta rigorosa por duas semanas na esperança de perder gordura e parecer mais esbelto e tonificado. Foi exatamente isso que pesquisadores fizeram com um grupo de homens e mulheres acima do peso que passaram uma quinzena inteira em um centro médico. No entanto, parte dos participantes pôde passar apenas cinco horas e meia na cama, ao passo que o restante pôde passar oito horas e meia.

Embora tenha ocorrido emagrecimento em ambas as condições, o *tipo* de perda de peso veio de fontes muito diferentes. Ao ser dada aos participantes a oportunidade de dormir apenas cinco horas e meia, mais de 70% dos quilos perdidos veio da massa corporal magra — músculo, não gordura. Já no grupo ao qual foram oferecidas oito horas e meia na cama a cada noite foi observado um resultado muito mais desejável, com bem mais de 50% da perda de peso tendo vindo da gordura. Quando não se dorme o suficiente, o corpo se torna especialmente avarento no que se refere a abrir mão da gordura. Em vez disso, a massa muscular é consumida enquanto a gordura é preservada. É improvável que esbelto e tonificado seja o resultado da dieta quando se reduz o sono. A redução do sono é contraproducente nesse sentido.

O resultado final de todo esse trabalho pode ser resumido assim: pouco sono (do tipo que muitos adultos em países do primeiro mundo relatam ser comum e frequente) aumenta a fome e o apetite, compromete o controle dos impulsos no cérebro, aumenta o consumo de comida (sobretudo o de alimentos supercalóricos), reduz a sensação de saciedade após comer e impede a efetiva perda de peso em caso de dieta.

PERDA DE SONO E O SISTEMA REPRODUTIVO

Caso você tenha esperança de êxito, aptidão ou proeza reprodutiva, seria bom dormir a noite inteira todas as noites. Tenho certeza de que Charles Darwin apoiaria facilmente esse conselho se tivesse revisado os indícios que apresento agora.

Uma equipe de pesquisa da Universidade de Chicago pegou um grupo de jovens do sexo masculino esbeltos e saudáveis na metade da casa dos vinte anos e limitou seu sono a cinco horas a cada noite por uma semana. Quando foram analisadas as amostras dos níveis de hormônio circulando no sangue desses participantes cansados foi constatada uma queda acentuada da testosterona em relação aos níveis de referência registrados quando eles estavam plenamente repousados. O grau do efeito de atenuação hormonal é tão grande que chega a "envelhecer" um homem em dez a quinze anos em termos de virilidade da testosterona. Os resultados experimentais corroboram a descoberta de que homens que sofrem de transtornos do sono, sobretudo apneia do sono associada ao ronco, têm níveis de testosterona significativamente mais baixos do que indivíduos de idade e histórico similares que não sofrem de transtorno do sono.

Expor os resultados desses estudos muitas vezes cala quaisquer machos (alfa) convictos que encontro em minhas palestras. Como você pode imaginar, a ardorosa posição antissono deles se torna um pouco vacilante após receber essa informação. Com uma genuína falta de malícia, eu então lhes conto que homens que relatam dormir muito pouco — ou ter uma má qualidade de sono — têm uma contagem de esperma 29% mais baixa do que os que obtêm uma noite de sono completa e repousante, fora o fato de que o esperma deles apresenta mais deformidades. Em geral, concluo meu argumento com um golpe baixo, observando que esses homens que dormem pouco têm também testículos significativamente menores do que seus pares bem repousados.

Raros embates em palestras à parte, testosterona baixa é um assunto clinicamente preocupante e que gera impactos na vida cotidiana. Homens com baixa testosterona costumam se sentir cansados e fatigados durante todo o dia. Eles têm dificuldade em se concentrar nas tarefas do trabalho, pois o hormônio aguça a capacidade do cérebro de focar. E, é claro, sua libido fica embotada, dificultando que a vida sexual seja ativa, satisfatória e saudável. De fato, o humor e o vigor autorrelatados dos rapazes descritos no estudo citado decresceram progressivamente em sincronia com o crescente estado de privação de sono e o declínio dos níveis de testosterona. Acrescente a isso o fato de que o hormônio mantém a densidade óssea e atua na formação da massa muscular e, portanto, da força, e já dá para começar a ter uma ideia de por que uma noite inteira de sono — e a terapia de reposição hormonal natural proporcionada por ela — é tão essencial para esse aspecto da saúde e para uma vida ativa para homens de todas as idades.

Os homens não são os únicos impactados em termos reprodutivos pela falta de sono. Ter o hábito de dormir por menos de seis horas por noite gera uma queda de 20% no hormônio folículo-estimulante nas mulheres — um elemento reprodutivo feminino decisivo que chega ao seu nível mais elevado pouco antes da ovulação e é necessário para a concepção. Em um relatório que reuniu descobertas de estudos realizados nos últimos quarenta anos com mais de cem mil mulheres empregadas, as que trabalhavam em horários noturnos irregulares, o que resulta em sono de má qualidade, como enfermeiras que atuam por turnos (uma profissão exercida quase exclusivamente por mulheres na época desses estudos iniciais), apresentaram uma porcentagem 33% maior de ciclos menstruais anormais do que as que trabalhavam em horários normais durante o dia. Além disso, as participantes que trabalhavam em horários erráticos eram 80% mais propensas a sofrer de problemas de subfertilidade, que reduziam a capacidade de engravidar. Grávidas que costumam dormir menos de oito horas por noite também têm uma probabilidade significativamente maior de sofrer um aborto no primeiro trimestre de gestação em relação às que costumam dormir por pelo menos oito horas.

Combine esses efeitos deletérios sobre a saúde reprodutiva em um casal com falta de sono e é fácil entender por que a epidemia de privação de sono está ligada à infertilidade ou subfertilidade e por que Darwin consideraria esses resultados tão significativos no contexto de um futuro sucesso evolucionário.

Aliás, você deveria perguntar à dra. Tina Sundelin, minha amiga e colaboradora na Universidade de Estocolmo, se você fica atraente quando sofre privação de sono — uma expressão física da biologia subjacente que altera suas chances de formar um casal e, portanto, de se reproduzir. Ela lhe informaria uma verdade horrorosa. Não é a própria Sundelin que faz o julgamento nesse concurso de beleza científico: ela conduziu um experimento em que pessoas comuns fizeram isso em seu lugar.

Sundelin pegou um grupo de homens e mulheres saudáveis com idades variando entre 18 e 31 anos. Todos foram fotografados duas vezes sob condições idênticas de iluminação interior, na mesma hora do dia (14h30), cabelo solto, nenhuma maquiagem no caso das mulheres e sem barba no dos homens. O que diferiu foi a quantidade de sono permitida aos participantes antes de cada uma das sessões de fotos. Em uma delas, os participantes puderam dormir apenas cinco horas antes de serem postos diante da câmera, ao passo que na outra sessão esses mesmos indivíduos tiveram oito horas inteiras de sono. A ordem dessas duas condições foi randomizada como primeira ou segunda, com os modelos não sabendo de nada.

Sundelin levou outro grupo de participantes para o laboratório para que atuassem como juízes independentes. Essas pessoas ignoravam o verdadeiro objetivo do experimento, nada sabendo sobre as diferentes manipulações do sono impostas aos retratados. Os juízes viram os dois conjuntos de fotos em uma ordem embaralhada e tiveram que fazer classificações em três quesitos: saúde aparente, cansaço e atratividade.

Apesar de não saberem nada sobre a premissa subjacente do estudo — ou seja, sem saber das diferentes condições de sono —, as avaliações dos juízes foram inequívocas. Os rostos retratados após uma noite de pouco sono foram classificados como parecendo mais fatigados, menos saudáveis e significativamente menos atraentes em comparação com a atraente imagem dos mesmos indivíduos depois de terem dormido oito horas inteiras. Sundelin havia revelado a verdadeira face da falta de sono e, com isso, ratificado o antigo conceito de "sono da beleza".

O que podemos apreender dessa área de pesquisa ainda em desenvolvimento é que aspectos essenciais do sistema reprodutivo humano são afetados pelo sono tanto no caso dos homens quanto no das mulheres. Hormônios reprodutivos, órgãos reprodutivos e a própria natureza da atratividade física que influencia as oportunidades de reprodução: todos são prejudicados pelo sono insuficiente. Com base nessa última associação, só nos resta imaginar Narciso como alguém que dormia sólidas oito a nove horas, talvez com o acréscimo de uma sesta à tarde, tirada ao lado do lago que reflete sua imagem.

PERDA DO SONO E O SISTEMA IMUNE

Lembre a última vez que você ficou gripado. Horrível, não foi? Nariz escorrendo, dor no corpo e de garganta, tosse intensa e uma total falta de energia. Você provavelmente só queria se enrolar nos lençóis e dormir. E era isso mesmo o que devia fazer. Seu corpo estava tentando se curar pelo sono — existe uma associação íntima e bidirecional entre o sono e o sistema imune.

O sono combate a infecção e a enfermidade utilizando todo tipo de armas do arsenal imune, blindando o indivíduo. Quando a pessoa adoece, o sistema imune estimula ativamente o sistema do sono, exigindo mais repouso a fim de ajudar a reforçar o esforço de guerra. Basta reduzir o sono por uma única noite para que esse traje invisível de resiliência imune seja arrancado bruscamente do corpo.

Tirando o fato de inserir sondas retais para medir a temperatura corporal central como certas pesquisas sobre o sono fazem, meu bom colega dr. Aric Prather na Universidade da Califórnia, em São Francisco, realizou um dos mais fétidos experimentos sobre sono que conheço. Ele mediu o sono de mais de 150 homens e mulheres saudáveis usando um dispositivo de relógio de pulso. Depois os deixou de quarentena e passou a esguichar uma boa dose de rinovírus, ou uma cultura viva do vírus do resfriado comum, bem em seus narizes. Vale ressaltar que todos os participantes sabiam disso de antemão e surpreendentemente deram pleno consentimento para esse abuso nasal.

Depois que o vírus da gripe tinha sido forçado pelas narinas dos participantes, Prather os manteve então no laboratório durante a semana seguinte, monitorando-os intensamente. Ele não só avaliou a extensão da reação imune a partir de amostras de sangue e saliva colhidas com frequência, mas também recolheu praticamente todas as gotas de muco nasal produzidas pelos participantes. Prather os mandava assoarem o nariz, fazendo com que todas as gotas do produto fossem ensacadas, etiquetadas, pesadas e analiticamente examinadas por sua equipe de pesquisa. Com base nessas medidas — anticorpos imunes do sangue e da saliva, além da quantidade média de muco eliminada pelos participantes —, Prather pôde determinar quem de fato havia pegado um resfriado.

O pesquisador tinha separado antes os participantes em quatro subgrupos com base na quantidade de sono obtida na semana anterior à exposição ao vírus do resfriado comum: menos de cinco horas de sono; de cinco a seis horas de sono; de seis a sete horas de sono; e sete ou mais horas de sono. Houve uma relação clara, linear, com o índice de infecção: quanto menos sono o indivíduo tinha usufruído na semana anterior ao contato com o vírus, maior foi a probabilidade de ele ser infectado e pegar um resfriado. Os participantes que dormiram em média cinco horas apresentaram um índice de infecção de quase 50%, enquanto os que tinham dormido no mínimo sete horas por noite na semana anterior tiveram um índice de infecção de apenas 18%.

Tendo em mente que as doenças infecciosas, como o resfriado comum, a gripe e a pneumonia, estão entre as principais causas de morte em países desenvolvidos, os médicos e governos fariam bem em enfatizar a importância do sono suficiente durante a época de gripe.

Talvez você seja uma pessoa responsável, que toma a vacina contra a gripe todos os anos, ao mesmo tempo estimulando sua resiliência e fortalecendo a imunidade do todo — a comunidade. No entanto, a vacina contra a gripe só é eficaz se seu corpo reagir a ela, gerando anticorpos.

Em 2002, uma descoberta extraordinária demonstrou que o sono tem um impacto profundo sobre a resposta à vacina comum contra a gripe. No estudo, jovens adultos saudáveis foram separados em dois grupos: um teve o sono restrito a quatro horas por noite ao longo de seis noites enquanto o outro pôde passar de sete horas e meia a oito horas e meia dormindo. Após os seis dias, todos receberam a vacina contra a gripe. Nos dias que se seguiram, os pesquisadores colheram amostras de sangue para determinar se esses indivíduos eram efetivos na geração de uma resposta de anticorpos, determinando se a vacina tinha de fato funcionado.

Os participantes que tinham desfrutado de sete a nove horas de sono na semana anterior à aplicação da vacina geraram uma reação de anticorpos intensa, refletindo um sistema imune robusto, saudável. Em contrapartida, os integrantes do grupo com restrição de sono mostraram uma resposta insignificante, produzindo menos de 50% da reação imune mobilizada por seus homólogos, que tinham dormido bem. Consequências similares do sono muito insuficiente foram desde então relatadas no que se refere às vacinas contra hepatite A e B.

Mas será que os indivíduos privados de sono poderiam ainda vir a produzir uma reação imune mais robusta se lhes fosse dado tempo suficiente para recuperar o sono? É uma boa ideia, mas vã. Mesmo que sejam dadas a uma pessoa duas ou até três semanas de sono de recuperação para que se refaça do prejuízo de ter dormido pouco por uma semana, ela nunca chegará a desenvolver uma reação imune plena à vacina contra a gripe. De fato, um ano depois do experimento ainda foi constatada uma diminuição de determinadas células imunes nos participantes após apenas uma breve dose de restrição do sono. Como ocorre com os efeitos sobre a memória, depois que se perde o benefício do sono no momento — no presente caso, relacionado a uma resposta imune à gripe —, não é possível recuperá-lo simplesmente tentando repor o sono perdido. O dano já está feito, e parte dele ainda poderá ser medida um ano depois.

Não importa em que circunstância imunológica você se encontra — seja se preparando para receber uma vacina para estimular a imunidade, seja mobilizando uma intensa resposta imune adaptativa para derrotar um ataque viral —, o sono, e uma noite inteira dele, é inviolável.

Não são necessárias muitas noites de sono insuficiente para deixar o corpo imunologicamente fraco, e nesse aspecto a questão do câncer ganha relevância. Células assassinas naturais formam um esquadrão de elite poderoso nas fileiras do nosso sistema imune. Pense nelas como os agentes do serviço secreto do corpo humano, cuja função é identificar elementos estranhos perigosos e eliminá-los.

Um desses elementos estranhos visados pelas células assassinas naturais são as células tumorais (cancerosas) malignas. As células assassinas naturais fazem um buraco na superfície externa das células cancerosas e injetam uma proteína que pode destruir a malignidade. Portanto, tudo o que queremos é dispor de um conjunto viril dessas células imunes à la James Bond o tempo todo. E isso é exatamente o que não temos quando dormimos muito pouco.

O dr. Michael Irwin, da Universidade da Califórnia, em Los Angeles, conduziu estudos fundamentais que revelaram a forma rápida e abrangente como uma breve dose de sono insuficiente afeta as células imunes que combatem o câncer. Ao analisar homens jovens e saudáveis, Irwin demonstrou que uma única noite de quatro horas de sono — como ir se deitar às três e acordar às sete da manhã — elimina 70% das células assassinas naturais que circulam no sistema imune, em comparação com uma noite inteira de oito horas de sono. Esse é um estado drástico de deficiência imune que se instala depressa: basta uma simples noite de sono "ruim". Já dá para você imaginar o estado debilitado do seu arsenal imune de combate ao câncer após uma semana de sono insuficiente, para não falar de meses ou até anos nessa condição.

Mas não precisamos imaginar isso. Vários estudos epidemiológicos proeminentes relataram que trabalhar no turno da noite, e a perturbação do ritmo circadiano e de sono provocada por isso, aumenta consideravelmente a probabilidade de se desenvolver diversas formas de câncer. Até hoje, isso inclui associações com câncer de mama, câncer da próstata, câncer da parede do útero, ou endométrio, e câncer do cólon.

Movida pela força dos indícios acumulados, a Dinamarca se tornou recentemente o primeiro país a pagar indenização trabalhista para mulheres que haviam desenvolvido câncer de mama após anos de trabalho em turnos noturnos em empregos patrocinados pelo governo, como enfermeiras e tripulação de voo. Outros governos — a Grã-Bretanha, por exemplo — até hoje resistem a reivindicações jurídicas similares, recusando-se a pagar indenização apesar das provas apresentadas pela ciência.

A cada ano de pesquisa que passa, mais formas de tumores malignos estão sendo relacionadas ao sono insuficiente. Um grande estudo europeu realizado com cerca de 25 mil pessoas mostrou que dormir por até seis horas está associado a um risco 40% maior de desenvolver câncer em comparação com quem dorme por pelo menos sete horas. Associações semelhantes foram constatadas em um estudo que monitorou mais de 75 mil mulheres ao longo de onze anos.

Exatamente como e por que o sono insuficiente causa câncer também está se tornando claro. Parte do problema tem relação com a influência agitadora do sistema nervoso simpático quando forçado a funcionar em sobremarcha por causa da falta de sono. Aumentar o nível da atividade nervosa simpática do corpo provoca uma resposta desnecessária e constante de inflamação do sistema imune. Quando defrontado com uma ameaça real, um breve pico de atividade do sistema nervoso simpático costuma desencadear uma resposta transitória da atividade inflamatória — uma que é útil em antecipação a um dano corporal potencial (pense em uma luta física contra um animal selvagem ou uma tribo hominídea rival). Entretanto, a inflamação tem um lado sombrio. Ao permanecer ligado sem um retorno natural a uma quietude pacífica, um estado não específico de inflamação crônica causa vários problemas de saúde, incluindo os que dizem respeito ao câncer.

Sabe-se que os cânceres usam a resposta de inflamação em proveito próprio. Por exemplo, algumas células cancerígenas atraem fatores inflamatórios para a massa tumoral a fim de ajudar a iniciar o crescimento de vasos sanguíneos que a alimentam com mais nutrientes e oxigênio. Os tumores também usam fatores inflamatórios para ajudar a danificar e mutar mais o DNA das células cancerosas, aumentando a potência do tumor. Fatores inflamatórios associados à privação de sono também podem ser usados para cortar fisicamente parte do tumor de suas amarrações locais, permitindo ao câncer se desancorar e se espalhar para outras áreas do corpo. É um estado chamado metástase, o termo médico para o momento em que o câncer rompe os limites do tecido de origem (no caso, o local de injeção) e começa a aparecer em outros pontos do corpo.

Hoje sabemos que esses processos amplificadores e disseminadores do câncer são estimulados pela falta de sono, como mostram os estudos recentes do dr. David Gozal na Universidade de Chicago. No seu estudo, camundongos foram primeiro injetados com células malignas e a progressão do tumor foi em seguida monitorada durante quatro semanas. Metade dos camundongos pôde dormir normalmente durante esse período, enquanto a outra teve o sono parcialmente perturbado, reduzindo a qualidade global dele.

Os animais privados de sono sofreram um aumento de 200% na velocidade e no tamanho do crescimento do câncer em relação ao grupo bem descansado. Por mais que seja penoso para mim vê-las, eu costumo mostrar fotos de comparação do tamanho desses tumores de camundongos nos dois grupos experimentais — sono pleno *versus* restrição de sono — em minhas palestras. Tais imagens de tumores descomunais crescendo nos camundongos privados de sono sempre provocam arquejos, mãos cobrindo bocas e alguns desvios de olhar.

Então descrevo a única notícia que poderia ser pior em qualquer história envolvendo câncer. Quando autopsiou os camundongos, Gozal descobriu que os tumores eram muito mais agressivos nos animais com deficiência de sono. Neles, o câncer entrara em metástase, espalhando-se para órgãos, tecidos e ossos ao redor. A medicina moderna está cada vez mais hábil no que se refere ao tratamento do câncer quando este permanece no lugar, mas quando ele entra em metástase a intervenção médica muitas vezes se torna irremediavelmente ineficaz, e os índices de morte aumentam.

Nos anos transcorridos desde o experimento, Gozal afastou ainda mais as cortinas da privação de sono para revelar os mecanismos responsáveis por esse maligno estado de coisas. Em várias pesquisas, Gozal mostrou que células imunes chamadas macrófagos, associadas a tumores, são uma causa primária da influência cancerosa da perda de sono. Ele descobriu que a privação de sono diminui uma forma desses macrófagos, chamados células M1, que de outro modo ajudam a combater o câncer. Todavia, pelo contrário, a privação estimula os níveis de uma forma alternativa de macrófagos, chamados células M2, que promovem o crescimento do câncer. Essa combinação ajuda a explicar os efeitos carcinogênicos arrasadores vistos nos camundongos com sono perturbado.

Desse modo, o sono de má qualidade aumenta o risco de desenvolvimento de câncer e, quando este se estabelece, fornece um fertilizante virulento para seu crescimento rápido e mais desenfreado. Não dormir o suficiente quando se está travando uma batalha contra o câncer pode ser equiparado a derramar gasolina em um fogo já agressivo. Isso talvez soe alarmista, porém as provas científicas ligando a perturbação do sono ao câncer hoje são tão irrefutáveis que a Organização Mundial da Saúde classificou oficialmente o trabalho em turnos noturnos como "provável carcinógeno".

PERDA DE SONO, GENES E DNA

Se o aumento do risco de se desenvolver doença de Alzheimer, câncer, diabetes, depressão, obesidade, hipertensão e doença cardiovascular não for preocupante o bastante, há ainda o fato de a perda crônica de sono erodir a própria essência da vida biológica: o código genético e as estruturas que o encerram.

Cada célula do corpo humano tem um miolo interior, ou núcleo. Dentro desse núcleo reside a maior parte do material genético dos indivíduos na forma de moléculas de ácido desoxirribonucleico (DNA). As moléculas de DNA formam belos filamentos helicoidais, como uma escada em espiral alta em uma casa opulenta. Segmentos dessa espiral fornecem projetos de engenharia específicos que instruem as células do corpo a executar funções também específicas. Esses segmentos distintos são chamados de genes. Mais ou menos como ocorre quando abrimos um arquivo do Word com um duplo clique e depois o enviamos para a impressora, quando os genes são ativados e lidos pela célula, um produto biológico é impresso, como a criação de uma enzima que auxilia a digestão ou uma proteína que fortalece um circuito de memória no cérebro.

Qualquer coisa que cause um remelexo ou balanço na estabilidade genética pode gerar implicações. Superexpressar ou subexpressar erroneamente genes específicos pode criar produtos biologicamente impressos que elevam o risco de se desenvolverem doenças, como demência, câncer, doença cardiovascular e disfunção imune. É aí que entra a força desestabilizadora da privação de sono.

Milhares de genes no cérebro dependem do sono estável e suficiente para que sua regulação seja estável. Basta privar um camundongo de sono por apenas um dia, como os pesquisadores fizeram, para que a atividade desses genes caia bem mais do que 200%. Como um arquivo teimoso que se recusa a ser transcrito para a impressora, quando não se abarrota esses segmentos de DNA com sono suficiente, eles não traduzem seu código instrucional em ação impressa e não dão ao cérebro e ao corpo aquilo de que precisam.

O dr. Derk-Jan Dijk, que dirige o Centro de Pesquisa do Sono da Universidade de Surrey, na Inglaterra, afirmou que os efeitos do sono insuficiente sobre a atividade genética são tão notáveis nos seres humanos quanto o são em camundongos. Dijk e sua equipe prolífica examinaram a expressão genética de um grupo de homens e mulheres jovens e saudáveis depois de ter restringido seu sono a seis horas por noite ao longo de uma semana, tudo monitorado sob condições de laboratório rigorosas. Depois de uma semana de sono levemente reduzido, a atividade de consideráveis 711 genes foi distorcida em comparação ao perfil de atividade genética desses mesmos indivíduos quando haviam dormido oito horas e meia durante uma semana.

Curiosamente, o efeito se deu em ambas as direções: cerca de metade desses 711 genes fora anormalmente acelerada em sua expressão pela perda de sono, ao passo que a outra metade fora diminuída em sua expressão, ou de todo desligada. Os genes que tinham sido aumentados incluíram os ligados a inflamação crônica, estresse celular, e vários fatores que causam doença cardiovascular. Entre os diminuídos ficaram os genes que ajudam a manter o metabolismo estável e as respostas imunes ótimas. Estudos subsequentes concluíram que a duração curta do sono também perturba a atividade de genes que regulam o colesterol. Em particular, a falta de sono causa uma queda em lipoproteínas de alta densidade (HDLs) — um perfil direcional que foi invariavelmente relacionado à doença cardiovascular.*

O sono insuficiente faz mais do que alterar a atividade e a leitura dos genes: ele ataca a estrutura física do material genético. Os filamentos em espiral do

---

* Além de uma simples falta de sono, a equipe de pesquisa de Dijk mostrou também que o sono em horas impróprias, como o imposto pelo *jet lag* ou pelo trabalho em turnos, pode ter efeitos tão significativos sobre a expressão de genes humanos quanto o sono inadequado. Ao empurrar para a frente o ciclo de dormir-despertar de um indivíduo em algumas horas por dia durante três dias, Dijk perturbou nada menos do que um terço da atividade de transcrição dos genes em um grupo de adultos jovens e saudáveis. Mais uma vez, os genes que foram impactados controlavam processos vitais fundamentais, como o ritmo das atividades metabólica, termorregulatória e imune, bem como a saúde cardíaca.

DNA nas células flutuam por toda parte no núcleo, porém estão fortemente enrolados uns nos outros em estruturas chamadas cromossomos, mais ou menos como os fios individuais que tecemos juntos para fazer um cadarço grosso. E, assim como ocorre com um cadarço, as extremidades dos cromossomos precisam ser protegidas por uma tampa ou ponteira revestida. No caso dos cromossomos, essa tampa protetora se chama telômero. Se os telômeros na extremidade dos cromossomos são danificados, as espirais do DNA ficam expostas e seu código genético fica então vulnerável e não consegue funcionar de forma apropriada, tal qual um cadarço esgarçado, sem a ponta.

Quanto menos uma pessoa dorme, ou quanto pior é a qualidade de seu sono, mais danificados são os remates telômeros dos seus cromossomos. Essa descoberta faz parte de uma coleção de estudos realizados por numerosas equipes de pesquisa no mundo todo que analisaram recentemente milhares de adultos na casa dos quarenta, cinquenta e sessenta anos.*

Ainda não foi determinado se essa relação é causal, porém a natureza específica do dano ao telômero causado pelo sono insuficiente está ficando clara agora. Ele parece imitar o visto no envelhecimento ou na decrepitude avançada. Isto é, dois indivíduos da mesma idade cronológica não pareceriam ser da mesma idade biológica com base na saúde de seus telômeros se um tivesse tido o hábito de dormir por cinco horas por noite enquanto o outro tivesse o de dormir por sete horas por noite. O último pareceria "mais jovem" enquanto o primeiro teria envelhecido artificialmente muito além de sua idade cronológica.

A engenharia genética de animais e os alimentos geneticamente modificados são temas pesados que despertam fortes emoções. O DNA ocupa uma posição transcendente, quase divina na mente de muitas pessoas, sejam elas liberais ou conservadoras. Com base nisso, deveríamos também nos sentir repelidos e incomodados com relação à nossa própria falta de sono. Não dormir o bastante, o que para uma parcela da população é uma escolha voluntária, altera de forma significativa o transcriptoma genético — isto é, sua própria essência, pelo menos tal como cada um de nós é biologicamente definido

---

* A relação significativa entre sono curto e telômeros curtos ou danificados é observada até quando são levados em conta outros fatores que sabidamente danificam os telômeros, como a idade, o peso, a depressão e o tabagismo.

por seu DNA. Ao negligenciar o sono, você opta por fazer uma manipulação de engenharia genética sobre si mesmo a cada noite, alterando o alfabeto nucleico que soletra sua história diária de saúde. Permita que isso também ocorra com seus filhos pequenos e adolescentes e você estará lhes impondo um experimento similar de engenharia genética.

PARTE 3

Como e por que sonhamos

CAPÍTULO 9
Rotineiramente psicótico:
o sonho do sono REM

A noite passada, você se tornou flagrantemente psicótico. Acontecerá de novo hoje à noite. Antes que você repudie este diagnóstico, permita-me apresentar cinco justificativas. Primeiro, quando estava sonhando ontem à noite, você começou a ver coisas que não estavam lá — estava *alucinando*. Segundo, acreditou em coisas que não poderiam ser verdade — estava *delirando*. Terceiro, ficou confuso sobre o tempo, o lugar e as pessoas — estava *desorientado*. Quarto, teve oscilações extremas de suas emoções — algo que os psiquiatras chamam de estar *afetivamente lábil*. Quinto (e que delícia!), você acordou hoje de manhã e esqueceu a maior parte dessa experiência onírica bizarra, se não toda — estava sofrendo de *amnésia*. Caso experimentasse qualquer desses sintomas acordado, na mesma hora você procuraria por tratamento psicológico. No entanto, por motivos que só agora estão ficando claros, o estado cerebral chamado sono REM e a experiência mental que o acompanha, o sonho, são processos biológicos e psicológicos normais e de fato essenciais, como veremos.

O sono REM não é o único momento durante o sono em que sonhamos. Na verdade, se usarmos uma definição liberal de sonho como toda atividade mental relatada ao se despertar do sono, como "eu estava pensando em chuva", então tecnicamente sonhamos em todos os estágios do sono. Se eu acordá-lo do estágio mais profundo do sono NREM, há uma chance de até 20% de que você relate algum tipo de pensamento pouco estimulante como esse. Quando estamos adormecendo ou saindo do sono, nossas experiências oníricas tendem a ser baseadas em experiências visuais ou em movimento. Entretanto, os sonhos como a maioria de nós os concebe — as experiências alucinogênicas, movimentadas, emocionais e bizarras com uma narrativa rica — se originam no sono REM, e muitos pesquisadores do sono limitam sua definição de sonho genuíno ao que ocorre no sono REM. Por isso este capítulo focará o sono REM e os sonhos que emergem dele. Contudo, ainda exploraremos o sonho nos outros momentos do sono, pois eles também oferecem insights importantes sobre o próprio processo.

O CÉREBRO NOS SONHOS

Nos anos 1950 e 1960, registros feitos a partir de eletrodos colocados no couro cabeludo deram aos cientistas uma ideia geral do tipo de atividade de ondas cerebrais que apoia o sono REM. Mas ainda tivemos de esperar até o advento das máquinas de imageamento cerebral no início dos anos 2000 para que pudéssemos reconstruir visualizações tridimensionais incríveis da atividade cerebral durante o sono REM. A espera valeu a pena.

Entre outras descobertas, o método e os resultados solaparam os postulados de Sigmund Freud e sua teoria não científica do sonho como realização de desejo, que haviam predominado na psiquiatria e na psicologia por um século inteiro. A teoria de Freud tem virtudes relevantes, e nós as discutiremos daqui a pouco. Contudo, há defeitos profundos e sistêmicos que levaram a uma rejeição da teoria pela ciência atual. Nossa visão mais informada, neurocientífica, do sono REM deu origem desde então a teorias cientificamente testáveis de *como* sonhamos (por exemplo, de forma lógica/ilógica, visual/não visual, emocional/não emocional) e sobre o *que* sonhamos (por exemplo, experiências da vida desperta recente/experiências sob uma nova forma) e até dá margem de se mordiscar aquela que sem dúvida é a mais fascinante questão em toda a ciência do sono — e talvez da ciência em uma escala mais ampla: *por que* sonhamos, isto é, a função ou funções do sonho do sono REM.

Para apreciar o avanço que os escâneres cerebrais propiciaram à nossa compreensão do sono REM e do sonho além dos simples registros de eletroencefalograma (EEG), podemos retornar à analogia do estádio esportivo do Capítulo 3. Através de um microfone posicionado sobre o estádio é possível medir a atividade somada de toda a multidão. Entretanto, ela é geograficamente inespecífica nesse aspecto. Não dá para determinar se um segmento da multidão está cantando em altos brados enquanto outro logo ao lado está relativamente menos veemente ou até em silêncio.

A mesma falta de precisão ocorre quando medimos a atividade cerebral com um eletrodo colocado no couro cabeludo. No entanto, escâneres de imageamento por ressonância magnética (MRI, na sigla em inglês) não sofrem o mesmo efeito de perda de nitidez ao quantificar a atividade cerebral. Eles recortam o estádio (o cérebro) em milhares de caixinhas, mais ou menos como os pixels individuais na tela, e depois medem a atividade local da multidão (células cerebrais) no interior de cada pixel específico, distinto de outros pixels em outras partes do estádio. Além disso, os escâneres de MRI mapeiam essa atividade em três dimensões, cobrindo todos os níveis do estádio-cérebro — inferior, mediano e superior.

Usando máquinas de escaneamento cerebral, eu e muitos outros cientistas conseguimos observar as mudanças surpreendentes na atividade cerebral ocorridas quando as pessoas entram em sono REM e começam a sonhar. Pela primeira vez, pudemos ver como até as estruturas mais profundas, antes ocultas à visão, ganham vida quando o sono REM e o sonho se põem em marcha.

Durante o sono NREM profundo sem sonhos, a atividade metabólica geral mostra uma redução modesta em relação à medida de uma pessoa enquanto ela está descansando, mas acordada. Contudo, algo muito diferente acontece quando a pessoa passa para o sono REM e começa a sonhar: diversas partes do cérebro "se iluminam" no escâner de MRI, indicando um aumento intenso na atividade subjacente. Há quatro grupos principais do cérebro cuja atividade se intensifica quando começamos a sonhar em sono REM: (1) as regiões visuoespaciais na parte de trás do cérebro, que permitem a percepção visual complexa; (2) o córtex motor, que instiga o movimento; (3) o hipocampo e as regiões circundantes sobre as quais já falamos, que dão suporte à memória autobiográfica; e (4) os centros emocionais profundos do cérebro —, a amídala e o córtex cingulado, uma faixa de tecido situada acima da amídala e que forra a superfície interna do cérebro — ambos os quais ajudam a gerar e processar emoções. Essas regiões emocionais do cérebro ficam até 30% mais ativas no sono REM do que quando estamos despertos!

Como o sono REM está associado à experiência ativa e consciente de sonhar, talvez pudéssemos supor que ele envolvesse um padrão similarmente entusiástico de atividade cerebral aumentada. Mas, para nossa surpresa, identificou-se uma *desativação* pronunciada de outras regiões cerebrais — especificamente, de regiões circunscritas dos lados esquerdo e direito extremos do córtex pré-frontal. Para saber onde essa área fica, coloque as mãos nos cantos laterais da frente da sua cabeça, cerca de 5,5 centímetros acima do canto dos olhos (pense na posição universal das mãos dos torcedores quando um jogador simplesmente perde um gol durante a prorrogação em uma partida da Copa do Mundo). Essas são as regiões que se convertem em manchas esquemáticas de cor azul-clara nos escâneres cerebrais, informando-nos que a atividade se tornou acentuadamente reprimida durante o estado de outro modo extremamente ativo do sono REM.

Como foi explicado no Capítulo 7, o córtex pré-frontal age como o CEO do cérebro. A região, sobretudo os lados esquerdo e direito, administra o pensamento racional e a tomada de decisão lógica, enviando instruções "de cima para baixo" para os centros cerebrais profundos mais primitivos, como os que instigam as emoções. E é essa região-CEO do cérebro — que de outro modo mantém a capacidade cognitiva do indivíduo para o pensamento ordenado lógico — que é temporariamente expulsa cada vez que adentramos o estado onírico do sono REM.

Portanto, o sono REM pode ser considerado um estado caracterizado por forte ativação nas regiões visual, motora, emocional e da memória autobiográfica do cérebro e também por uma relativa desativação em regiões que controlam o pensamento racional. Finalmente, graças ao MRI, tivemos nossa primeira visualização do cérebro inteiro no sono REM baseada na ciência. Por mais grosseiro e rudimentar que seja o método, entramos em uma nova era de compreensão do *por quê* e do *como* do sono REM sem nos basear em regras idiossincráticas ou explicações opacas de teorias pregressas do sonho, como a de Freud.

A partir dessa tecnologia, pudemos fazer previsões simples, científicas, passíveis de serem refutadas ou confirmadas. Por exemplo, depois de ter medido o padrão de atividade cerebral de uma pessoa em sono REM, podemos acordá-la e obter um relato do sonho. Mas, mesmo sem tal relato, conseguimos ler os escâneres cerebrais e prever com precisão a natureza do sonho da pessoa analisada antes mesmo de ela relatá-lo. Quando há atividade motora mínima e muita atividade cerebral visual e emocional, o sonho tende a ter pouco movimento, a estar cheio de objetos e cenas visuais e conter fortes emoções — e vice-versa. Conduzimos esse experimento, e as descobertas foram as seguintes: conseguimos prever com confiança a *forma* do sonho de alguém — ele é visual, motor, repleto de emoção, completamente irracional e bizarro? — antes que as pessoas relatassem sua experiência onírica para o assistente de pesquisa.

Por mais revolucionário que seja prever a *forma* geral do sonho de alguém (emocional, visual, motor etc.), isso deixa uma questão mais fundamental sem resposta: podemos prever o *conteúdo* do sonho de alguém — isto é, podemos prever com *o que* um indivíduo está sonhando (por exemplo, um carro, uma mulher, comida), em vez de apenas a *natureza* do sonho (por exemplo, se ele é visual)?

Em 2013, uma equipe de pesquisa no Japão liderada pelo dr. Yukiyasu Kamitani, do Instituto Internacional de Pesquisa Avançada em Telecomunicações [ATR, na sigla em inglês] em Quioto, descobriu uma maneira engenhosa de tratar a questão. Eles basicamente decifraram o código do sonho de um indivíduo pela primeira vez e, ao fazê-lo, nos colocaram em uma situação desconfortável no que se refere à ética.

Os participantes do experimento deram o seu consentimento — um fato importante, como veremos —, e os resultados ainda são preliminares, uma vez que foram obtidos de apenas três pessoas. Contudo, foram extremamente significativos. Além disso, os pesquisadores focaram os sonhos curtos que todos nós costumamos ter no exato momento em que estamos adormecendo, em vez de nos sonhos do sono REM — mas o método será aplicado em breve a ele também.

Os cientistas colocaram cada participante em um escâner de MRI diversas vezes ao longo de vários dias. Cada vez que o participante adormecia, a atividade cerebral era rapidamente registrada e em seguida os pesquisadores acordavam a pessoa e obtinham um relato do sonho. Depois, deixavam que a pessoa voltasse a dormir e repetiam o procedimento. Isso se repetiu até que tivessem sido reunidos centenas de relatos de sonho e instantâneos correspondentes da atividade cerebral dos participantes. Um exemplo de um dos relatos: "Vi uma estátua de bronze grande... sobre um morrinho, e abaixo dele havia casas, ruas e árvores."

Depois Kamitani e sua equipe separaram todos os relatos em vinte categorias centrais de conteúdos que eram mais frequentes no caso desses indivíduos, como livros, carros, móveis, computadores, homens, mulheres e comida. Para obter algum tipo de evidência empírica do aspecto da atividade cerebral dos participantes ou vigília diante dessas imagens, os pesquisadores selecionaram fotografias representativas de cada categoria (imagens de carros, homens, mulheres, móveis etc.). Então colocaram os participantes de novo no escâner de MRI e lhes mostraram essas imagens quando estavam acordados. Depois, usando esses padrões de atividade cerebral desperta como uma espécie de gabarito, Kamitani emparelhou padrões no mar da atividade cerebral adormecida. O conceito é mais ou menos parecido com o emparelhamento de DNA em uma cena de crime: a equipe forense obtém uma amostra do DNA da vítima para usar como gabarito, depois sai em busca de um correspondente específico dentre uma miríade de amostras possíveis.

Foi possível prever com significativa precisão o conteúdo dos sonhos dos participantes em qualquer momento no tempo usando apenas escâneres de MRI, agindo na completa ignorância dos relatos de sonho dos analisados. A partir dos dados do gabarito os cientistas conseguiram dizer se o participante estava sonhando com um homem ou uma mulher, um cachorro ou uma cama, flores ou uma faca. Eles estavam, de fato, lendo mentes — ou, melhor dizendo, lendo sonhos. Eles haviam transformado a máquina de MRI em uma versão muito cara dos belos apanhadores de sonhos artesanais que algumas culturas nativas das Américas penduram sobre a cama na esperança de capturar o sonho.

O método está longe de ser perfeito. Hoje ele é incapaz de determinar exatamente que homem, mulher ou carro o sonhador está vendo. Por exemplo, um sonho meu recente incluiu desavergonhadamente um espantoso Aston Martin DB4 vintage dos anos 1960 — esse grau de especificidade jamais poderia ser alcançado com escâneres de MRI. Com essa tecnologia, só seria possível determinar que eu estava sonhando com um carro em vez de, digamos, com um computador ou um móvel, mas não *que* carro era. Ainda assim, é um avanço extraordinário que só tem a se aperfeiçoar até o ponto de os cientistas terem a clara capacidade de decodificar e visualizar sonhos. Agora nos é possível aprender mais sobre a construção dos sonhos, e esse conhecimento pode ajudar no tratamento de transtornos da mente em que eles são muito problemáticos, como pesadelos traumáticos em pacientes com transtorno do estresse pós-traumático.

Deixando de lado o fato de ser cientista, devo admitir que sinto um leve desconforto com a ideia. Outrora, nossos sonhos eram apenas nossos. Podíamos decidir se os compartilhávamos ou não com outros e, quando compartilhávamos, que partes contar e que partes omitir. Quem participa desses estudos sempre dá seu consentimento. Mas será que esse método algum dia extrapolará os limites da ciência e invadirá o domínio filosófico e ético? É bem possível que em um futuro não tão distante sejamos capazes de "ler em voz alta" com precisão e desse modo nos apropriar de um processo sobre o qual poucas pessoas têm controle volitivo — o sonho.* Quando isso enfim acontecer, e estou certo de que acontecerá, vamos considerar o sonhador responsável por aquilo com que sonha? É justo julgar aquilo com que ele está sonhando, uma vez que ele não foi o arquiteto consciente do sonho? Mas, se ele não foi, então quem é? É uma questão desconcertante e desconfortável de se encarar.

O SIGNIFICADO E O CONTEÚDO DOS SONHOS

Estudos realizados com MRI ajudaram os cientistas a compreender melhor a natureza do sonho e permitiram que se fizesse uma decodificação de baixo nível dele. Os resultados desses experimentos também levaram a uma previsão sobre uma das questões mais antigas de toda a humanidade e do sono: de onde vêm os sonhos?

Antes da nova ciência do sonho, e antes do tratamento assistemático dado por Freud ao tópico, acreditava-se que os sonhos vinham de todos os tipos de fontes. Para os egípcios antigos, eles nos eram enviados pelos deuses nas alturas. Os gregos pensavam de forma semelhante, encarando-os como visitas inspiracionais dos deuses. Mas Aristóteles foi uma notável exceção nesse aspecto. Três dos sete tópicos de seu *Parva Naturalia* (pequenos tratados sobre a natureza) abordam o estado do sono: *De Somno et Vigilia* (sobre o sono e a vigília), *De Insomniis* (sobre os sonhos) e *De Divinatione per Somnum* (sobre a adivinhação pelo sono). Sensato como sempre, Aristóteles rejeitou a ideia de

---

* Eu digo poucas, porque há quem consiga não apenas ter consciência de que está sonhando, mas até controlar como e com o que sonha. Isso é chamado de sonho lúcido, e vamos saber muito mais a esse respeito em um capítulo posterior.

que sonhos seriam dirigidos pelo céu, em vez disso aferrando-se fortemente à crença mais fundada na experiência de que os sonhos têm sua origem em eventos recentes da vigília.

Mas, na minha opinião, foi de fato Freud que deu a contribuição científica mais notável para o campo da pesquisa do sonho, uma pela qual acredito que a neurociência contemporânea não lhe dá o devido crédito. Em seu livro seminal *A interpretação dos sonhos* (1899), Freud situou o sonho inquestionavelmente no cérebro (isto é, na mente, já que é possível sustentar que não há nenhuma diferença ontológica entre os dois) de um indivíduo. Hoje isso parece óbvio, até irrelevante, mas na época foi tudo menos isso, ainda mais levando-se em consideração o passado já mencionado. Sozinho, Freud havia arrancado os sonhos da posse de seres celestiais e da localização anatomicamente obscura da alma. Ao fazê-lo, ele tornou os sonhos um claro domínio do que se tornaria a neurociência — isto é, a *terra firma* do cérebro. Sua proposição de que os sonhos emergem do cérebro foi verdadeira e inspirada, pois implicava que só poderiam ser encontradas respostas através de uma interrogação sistemática deste órgão. Devemos agradecer a Freud por essa mudança paradigmática no pensamento.

Contudo, Freud estava 50% certo e 100% errado. As coisas logo desceram ladeira abaixo a partir desse ponto, pois a teoria mergulhou em um pântano de imponderabilidade. Em poucas palavras, Freud acreditava que os sonhos vinham de desejos inconscientes que não tinham sido satisfeitos. De acordo com a sua teoria, os desejos reprimidos — chamados por ele de "conteúdo latente" — seriam tão poderosos e chocantes que, se aparecessem no sonho sem disfarce, despertariam o sonhador. Para Freud, havia um censor, ou um filtro, dentro da mente que atuaria protegendo o sonhador e seu sono. Desejos reprimidos passariam por esse censor e emergiam disfarçados do outro lado. Portanto, os desejos camuflados, descritos por Freud como o "conteúdo manifesto", seriam irreconhecíveis para o sonhador, não representando qualquer risco de sacudir o indivíduo adormecido, acordando-o.

Freud acreditava compreender como o censor trabalhava e que, desse modo, era capaz de decifrar o sonho disfarçado (conteúdo manifesto) e submetê-lo a uma engenharia reversa a fim de revelar o verdadeiro significado (conteúdo latente, mais ou menos como uma codificação de e-mail em que a mensagem está disfarçada com um código). Sem a chave de decodificação, o conteúdo não pode ser lido. Freud sentia que havia descoberto a chave de decodificação dos sonhos de todas as pessoas e, para muitos de seus abastados pacientes vienenses, ofereceu o serviço pago de remover o disfarce e revelar-lhes o conteúdo original de seus sonhos.

No entanto, o problema da teoria de Freud é a impossibilidade de se fazer qualquer previsão clara a partir dela. Para os cientistas era impossível planejar um experimento que testasse quaisquer princípios de sua teoria a fim de corroborá-la ou refutá-la. Isso foi ao mesmo tempo a genialidade e a perdição de Freud. A ciência nunca pôde provar que ele está errado, razão pela qual o pensador continua a anuviar a pesquisa do sonho até hoje. Mas, pela mesmíssima razão, nunca conseguimos provar que sua teoria é correta. Uma teoria que não pode ser discernida como verdadeira ou falsa será sempre abandonada pela ciência, e foi exatamente isso que aconteceu com Freud e suas práticas psicanalíticas.

Como um exemplo concreto, considere o método científico da datação por carbono, utilizado para determinar a idade de um objeto orgânico, como um fóssil. Para validar o método, os cientistas analisaram o mesmo fóssil com várias máquinas de datação por carbono que funcionavam com base no mesmo princípio subjacente. Se o método fosse cientificamente robusto, todas essas máquinas chegariam ao mesmo número da idade do fóssil. Se não o fizessem, o método seria falho, pois os dados seriam imprecisos e não poderiam ser reproduzidos.

Por meio desse processo, demonstrou-se que o método de datação por carbono é legítimo, diferentemente do que ocorreu com o método psicanalítico freudiano de interpretação dos sonhos. Pesquisadores pediram a psicanalistas freudianos que interpretassem o mesmo sonho de um indivíduo. Se o método fosse cientificamente confiável, com regras e métricas estruturadas e claras passíveis de serem aplicadas pelos terapeutas, então todas as interpretações desse sonho deveriam ser iguais — ou pelo menos ter algum grau de similaridade no que se refere ao significado extraído. Em vez disso, todos os psicanalistas deram interpretações bem distintas, sem nenhuma similaridade estatisticamente significativa entre elas. Não houve uniformidade. Em virtude disso, não se pode colar o selo de controle de qualidade na psicanálise freudiana.

Portanto, uma crítica cética do método psicanalítico freudiano é a da "doença da generalidade". Mais ou menos como ocorre com o horóscopo, a interpretação de sonhos é generalizável, fornecendo aparentemente uma explicação adequável a toda e qualquer coisa. Por exemplo, antes de falar das críticas à teoria freudiana nas aulas na universidade, eu costumo fazer o seguinte com meus alunos a título de demonstração (talvez cruel). Começo perguntando às pessoas quem poderia compartilhar um sonho que teve para que eu interprete de graça, no ato. Algumas mãos se levantam. Eu aponto para um dos voluntários e pergunto seu nome — vamos chamar o deste exemplo de Kyle. Peço a Kyle para me contar seu sonho. Ele diz:

> Eu estava correndo por um estacionamento subterrâneo tentando achar o meu carro. Não sei por que estava correndo, mas sentia que precisava muito chegar ao meu carro. Quando eu o encontrei, ele não era exatamente o carro que tenho, mas entendi que era o meu carro no sonho. Tentei dar partida nele, mas, toda vez que girava a chave, nada acontecia. Então meu celular tocou alto e acordei.

Em resposta, olho intensa e astuciosamente para Kyle, após ter assentido ao longo de toda a descrição. Faço uma pausa e então digo: "Sei exatamente sobre o que é o seu sonho, Kyle." Espantado, ele (e o restante do auditório) espera minha resposta, como se o tempo tivesse parado. Depois de mais uma longa pausa, com confiança anuncio o seguinte: "Seu sonho, Kyle, é sobre o tempo e, mais especificamente, sobre não ter tempo suficiente para fazer as coisas que você realmente quer fazer na vida." Uma onda de reconhecimento, quase alívio, passa pelo semblante de Kyle, e o restante da turma também parece convencido.

Então digo a verdade: "Kyle, tenho uma confissão a fazer. Não importa o sonho que alguém me conte, sempre lhe dou essa mesmíssima resposta genérica, e ela sempre parece se encaixar." Felizmente Kyle tem espírito esportivo e não leva a mal, rindo com o restante da turma. Peço-lhe desculpa mais uma vez. Contudo, esse exercício revela os perigos da interpretação genérica que parece muito pessoal e bem individual, mas que, no entanto, não possui qualquer especificidade científica.

Quero ser claro, pois tudo isso pode soar desdenhoso. Não estou sugerindo de maneira alguma que revisar os seus sonhos, ou compartilhá-los com outra pessoa, seja perda de tempo. Pelo contrário, acho isso muito útil, já que os sonhos têm uma função, como veremos no próximo capítulo. Fazer um diário de pensamentos, sentimentos e preocupações quando acordado provou-se benéfico para a saúde mental, o que também parece se aplicar aos sonhos. Como Sócrates tantas vezes declarou, uma existência significativa, psicologicamente saudável, é uma existência examinada. Ainda assim, o método psicanalítico fundado na teoria freudiana é não científico e não possui poder repetível, confiável ou sistemático para decodificar sonhos. É preciso deixar as pessoas cientes disso.

Na verdade, Freud tinha noção dessa limitação e teve a sensibilidade profética de reconhecer que um dia chegaria o ajuste de contas científico. O sentimento está nitidamente resumido em suas próprias palavras ao discutir a origem dos sonhos em *A interpretação dos sonhos*, quando declara: "Pesquisas mais profundas um dia avançarão nesse caminho e descobrirão uma base orgânica para o evento mental." Ele sabia que uma explicação orgânica (cérebro) em última análise revelaria a verdade sobre os sonhos — uma verdade que faltava à sua teoria.

De fato, em 1895, quatro anos antes de Freud se render a uma teoria não científica, psicanalítica do sonho, a princípio ele tentou elaborar uma explicação cientificamente informada, neurobiológica da mente em uma obra intitulada *Projeto para uma psicologia científica*. Nela se veem belos desenhos de circuitos neurais com sinapses conectoras mapeadas por Freud, que tentou entender o funcionamento da mente quando desperta e dormindo. Infelizmente o campo da neurociência ainda engatinhava na época. A ciência simplesmente não estava à altura da tarefa de desconstruir sonhos, e por isso postulados não científicos como os de Freud eram inevitáveis. Não devemos censurá-lo por isso, mas também não devemos aceitar uma explicação não científica dos sonhos *por causa* disso.

Os métodos de escaneamento do cérebro ofereceram os primeiros indícios dessa verdade orgânica sobre a fonte dos sonhos. Como as regiões de memória autobiográfica do cérebro, incluindo o hipocampo, são tão ativas durante o sono REM, deveríamos esperar que o sonho contivesse elementos da experiência recente do indivíduo e que estes talvez dessem pistas quanto ao significado dos sonhos, se é que eles têm um: algo que Freud elegantemente descreveu como "resíduos do dia". Essa era uma previsão clara e testável que meu velho amigo e colega Robert Stickgold, da Universidade Harvard, provou elegantemente ser falsa... com uma advertência importante.

Stickgold elaborou um experimento para determinar em que medida os sonhos são uma repetição precisa de nossas experiências autobiográficas recentes quando acordados. Durante duas semanas seguidas, ele fez 29 jovens adultos saudáveis manterem um registro detalhado de suas atividades diárias, os eventos em que estavam envolvidos (ir para o trabalho, encontrar amigos específicos, refeições que faziam, esportes que praticavam etc.) e suas preocupações emocionais atuais. Além disso, fez com que mantivessem diários de sonhos, pedindo-lhes para que registrassem quaisquer sonhos de que se lembrassem ao acordar de manhã. Em seguida, pediu que juízes externos comparassem sistematicamente os relatos das atividades dos participantes quando despertos com os relatos de sonhos, focando o grau de semelhança de traços bem definidos, como locais, ações, objetos, personagens, temas e emoções.

De um total de 299 relatos de sonhos recolhidos por Stickgold, a reprise clara de eventos da vida desperta anterior — resíduo do dia — foi encontrada em apenas 1% a 2%. Portanto, os sonhos não são uma repetição indiscriminada de nossa vida desperta. Nós não rebobinamos o vídeo da experiência registrada do dia e a revivemos à noite, projetada na grande tela do córtex. Se existe algo como um "resíduo do dia", há apenas algumas gotas disso em nossos sonhos de outra forma áridos.

Todavia, Stickgold identificou um sinal diurno forte e preditivo na estática dos relatos de sonhos noturnos: as emoções. Entre 35% e 55% dos temas e preocupações emocionais vivenciados pelos participantes enquanto estavam acordados voltavam à tona de forma intensa e inequívoca nos sonhos tidos à noite. Os traços em comum também ficaram claros para os próprios participantes, que fizeram julgamentos similarmente seguros quando lhes foi pedido que comparassem os próprios relatos de sonhos com os relatos sobre a vigília.

Se há uma narrativa central que vai de nossa vida desperta à nossa vida de sonho, é a das preocupações emocionais. Contrariando as suposições freudianas, Stickgold mostrou que não há nenhum censor, nenhum véu, nenhum disfarce. As fontes dos sonhos são transparentes — claras o suficiente para que qualquer um as identifique e reconheça sem a necessidade de um intérprete.

OS SONHOS TÊM UMA FUNÇÃO?

Por meio de uma combinação de medições da atividade cerebral e testes experimentais rigorosos, enfim começamos a desenvolver uma compreensão científica dos sonhos humanos: sua forma, conteúdo e a(s) fonte(s) desperta(s). Entretanto, há algo faltando. Nenhum dos estudos descritos até aqui prova que os sonhos tenham alguma função. O sono REM, do qual os principais sonhos emergem, sem dúvida tem muitas funções, como discutimos e continuaremos a discutir. Mas será que os sonhos em si, acima e além do sono REM, fazem alguma coisa por nós? Como um fato científico posso afirmar que sim, eles fazem.

CAPÍTULO 10
Sonhar como terapia noturna

Por muito tempo se pensou que os sonhos eram simples epifenômenos do estágio do sono (REM) do qual emergem. Para ilustrar o conceito de epifenômenos, consideremos a lâmpada.

A razão pela qual produzimos os elementos físicos de uma lâmpada — a esfera de vidro, o arame enrolado localizado em seu interior, o contato elétrico de atarraxar na base — é criar luz. Essa é a função da lâmpada e a razão pela qual criamos o dispositivo, para início de conversa. No entanto, uma lâmpada também produz calor. O calor não é a função principal dela nem a razão pela qual a fabricamos. Em vez disso, ele é simplesmente o que acontece quando a luz é gerada dessa maneira. É um subproduto acidental da operação, não a verdadeira função. Nesse caso, o calor é um epifenômeno.

De maneira similar, a evolução pode ter feito grandes esforços para criar os circuitos neurais do cérebro que produzem sono REM e as funções a que ele dá apoio. Todavia, quando produz sono REM dessa forma específica, o cérebro (humano) pode também produzir essa coisa que chamamos de sonho. Talvez os sonhos, como o calor de uma lâmpada, não sirvam a nenhuma função, podendo simplesmente ser epifenômenos sem qualquer uso ou implicação. Desse modo, eles seriam meramente um subproduto acidental do sono REM.

Um pensamento bem deprimente, não é? Tenho certeza de que muitos de nós sentimos que nossos sonhos têm sentido e alguma finalidade útil.

Para solucionar o impasse sobre se o sonho, além do estágio do sono do qual emerge, tem uma finalidade genuína, os cientistas começaram a definir as funções do sonho REM. Depois que essas funções fossem conhecidas, poderíamos então analisar se os sonhos que acompanham o sono REM — e o conteúdo muito específico que eles apresentam — são determinantes cruciais dos benefícios adaptativos. Se aquilo com que sonhamos não fornece poder preditivo acerca de seus possíveis benefícios, isso sugeriria que os sonhos são epifenomênicos e o sono REM por si só basta. Contudo, se precisamos tanto do sono REM *e* de sonhar com coisas específicas para realizar tais funções, isso sugeriria que o sono REM por si só, embora necessário, não basta. Em vez disso, uma combinação única de sono REM *mais* sonho — e sonho com experiências muito particulares — é necessária para transacionar esses benefícios noturnos. Se tal teoria fosse provada, os sonhos não poderiam ser tidos apenas como um subproduto. Em vez disso, a ciência teria de reconhecê-los como uma parte essencial do sono e das vantagens adaptativas respaldadas por ele, acima e além do próprio sono REM.

A partir dessa estrutura, encontramos dois benefícios centrais do sono REM. Eles requerem não apenas que tenhamos sono REM, mas que sonhemos — e o façamos com coisas específicas. O sono REM é necessário, mas ele sozinho não é suficiente. O que nos leva a afirmar que os sonhos não são o calor da lâmpada — eles não são um subproduto.

Sua primeira função envolve cuidar de nossa saúde emocional e mental, que é o foco deste capítulo. A segunda é a solução de problemas e a criatividade, cujo potencial algumas pessoas tentam aproveitar mais plenamente controlando seus sonhos, algo de que trataremos no próximo capítulo.

SONHAR — O BÁLSAMO RECONFORTANTE

Diz-se que o tempo cura todas as feridas. Vários anos atrás decidi testar cientificamente essa sabedoria imemorial, quando me questionava se uma correção se fazia necessária. Talvez não seja o tempo que cura todas as feridas, mas o tempo passado em sono onírico. Eu estava desenvolvendo uma teoria baseada nos padrões combinados da atividade cerebral e da neuroquímica cerebral do sono REM, e a partir daí surgiu uma predição específica: o sonho do sono REM oferece uma forma de terapia noturna. Isto é, ele retira o ferrão doloroso de episódios emocionais difíceis, até traumáticos, experimentados durante o dia, fornecendo solução emocional ao acordarmos na manhã seguinte.

No cerne da teoria estava uma mudança assombrosa no coquetel químico do cérebro ocorrida durante o sono REM. A concentração de uma substância fundamental relacionada ao estresse chamada noradrenalina — também conhecida como norepinefrina — é eliminada por completo pelo cérebro quando entramos nesse estado de sono onírico. De fato, o sono REM é o único momento durante o período de 24 horas em que o cérebro fica completamente desprovido dessa molécula desencadeadora de ansiedade. A noradrenalina é o equivalente cerebral de uma substância química corporal que você já conhece e cujos efeitos sentiu: a adrenalina (epinefrina).

Estudos anteriores realizados com MRI estabeleceram que as estruturas fundamentais do cérebro relacionadas à emoção e à memória são reativadas durante o sono REM, enquanto sonhamos: a amídala e as regiões do córtex relacionadas à emoção e o centro mnemônico fundamental, o hipocampo. Isso não só sugeriu que é possível, se não provável, que haja um processamento mnemônico específico da emoção durante o estado onírico, como também nos fez compreender que essa reativação emocional da memória ocorre no cérebro livre de uma substância química do estresse fundamental. A partir disso, eu me questionei se, durante o sono REM, o cérebro reprocessaria experiências e temas perturbadores nesse ambiente cerebral onírico neuroquimicamente calmo (baixa noradrelina) e seguro. Será o estado onírico do sono REM um bálsamo reconfortante projetado à perfeição, no qual são removidos os gumes emocionais afiados de nossa vida diária? Era o que parecia ocorrer com base em tudo que a neurobiologia e a neurofisiologia estava nos contando (a mim). Nesse caso, deveríamos acordar nos sentindo melhor com relação a eventos angustiantes do(s) dia(s) anterior(es).

Essa teoria da terapia noturna postulava que o sonho do sono REM tem dois objetivos decisivos: (1) *lembrar* os detalhes das experiências valiosas, salientes, integrando-as ao conhecimento existente e pondo-as em perspectiva autobiográfica; e (2) *esquecer*, ou dissolver, a carga emocional visceral e penosa previamente atrelada ao redor dessas memórias. Caso a teoria seja verdadeira, isso sugeriria que o estado onírico dá apoio a uma forma de revisão introspectiva da vida para fins terapêuticos.

Pense na sua infância e tente recordar algumas das suas memórias mais fortes sobre ela. Você notará que quase todas são de natureza emocional: talvez uma experiência particularmente aterrorizante de ser separado de seus pais ou de quase ser atropelado. Mas observe também que sua lembrança dessas memórias detalhadas não é mais acompanhada pelo mesmo grau de emoção presente no momento da experiência. Você não esqueceu a memória, mas se desfez da carga emocional, ou pelo menos de uma parte significativa dela. Você consegue revivê-la com exatidão, porém não regurgita a mesma reação visceral presente e impressa no momento do episódio.* A teoria afirmava que é ao sonho do sono REM que devemos agradecer por essa dissolução paliativa da emoção da experiência. Através de seu trabalho terapêutico, o sono REM efetuaria o elegante truque de separar a casca emocional amarga do fruto rico em informação. Desse modo, poderíamos aprender e recordar eventos salientes da vida sem sermos paralisados pela bagagem emocional embutida originalmente nessas experiências penosas.

De fato, afirmei que, se o sono REM não efetuasse essa operação, ficaríamos todos em um estado de ansiedade crônica em nossa rede de memórias autobiográfica; cada vez que lembrássemos algo saliente, não só acessaríamos os detalhes, como reviveríamos a mesma carga emocional estressante. Com base em sua atividade cerebral e composição neuroquímica singulares, o estágio onírico do sono REM nos ajudaria a evitar tal circunstância.

Essa era a teoria, essas eram as predições; então veio o teste experimental, cujos resultados dariam o primeiro passo no sentido de refutar ou confirmar ambas.

Recrutamos um grupo de jovens adultos saudáveis e os dividimos aleatoriamente em dois grupos. Cada grupo viu um conjunto de imagens perturbadoras em termos emocionais dentro de um escâner de MRI enquanto medíamos sua reatividade cerebral emocional. Então, doze horas depois, os participantes voltaram para o aparelho e mais uma vez lhes apresentamos as mesmas imagens perturbadoras em termos emocionais, sugerindo sua lembrança enquanto medíamos de novo a reatividade cerebral emocional. Durante essas duas sessões de exposição, separadas por doze horas, os participantes também classificavam o grau de emoção que sentiam em resposta a cada imagem.

---

* Uma exceção é a condição do transtorno do estresse pós-traumático (TEPT), que discutiremos adiante neste capítulo.

Um detalhe importante: metade dos participantes viu as imagens de manhã e de novo à noite, permanecendo acordada no período entre as duas sessões. Já a outra viu as imagens à noite e de novo na manhã seguinte, após uma noite inteira de sono. Dessa maneira, conseguimos medir o que o cérebro estava dizendo objetivamente e o que os próprios participantes estavam sentindo em relação às experiências revividas, tendo uma noite de sono no intervalo ou não.

Os participantes que dormiram entre as duas sessões relataram uma redução significativa no grau de perturbação emocional sentida em resposta à nova visualização das imagens. Além disso, os resultados dos escâneres de MRI mostraram uma redução grande e significativa na reatividade na amídala, o centro emocional do cérebro que cria sentimentos penosos. Também foi identificado um reengajamento do córtex pré-frontal racional do cérebro após o sono que ajudou a manter um efeito amortecedor sobre as reações emocionais. Em contrapartida, os participantes que permaneceram acordados e não puderam digerir essas experiências não mostraram essa dissolução da reatividade emocional ao longo do tempo. Suas reações emocionais cerebrais profundas foram igualmente, se não mais, fortes e negativas na segunda sessão em comparação com a primeira e eles também relataram uma nova experiência similarmente forte de sentimentos penosos.

Como tínhamos registrado o sono de cada participante na noite interveniente entre as duas sessões de teste, conseguimos responder a uma questão de acompanhamento: há algo no tipo ou na qualidade do sono que prediga quão bem-sucedido é o sono em levar a cabo a solução emocional do dia seguinte?

Como a teoria predisse, é o estado onírico do sono REM — e os padrões específicos de atividade elétrica que refletem a queda na química cerebral relacionada ao estresse durante o estado de sonho — que determina o sucesso da terapia noturna de um indivíduo para outro. Portanto, não é o tempo em si que cura todas as feridas, mas o tempo passado em sono onírico, que fornece convalescença emocional. Dormir dá a possibilidade de nos curarmos.

Assim fica claro que o sono, e especificamente o sono REM, é necessário para nos curarmos de feridas emocionais. Mas seria o ato de sonhar durante o sono REM — e mesmo sonhar com os eventos emocionalmente perturbadores — necessário para alcançar uma solução e manter nossa mente a salvo das garras da ansiedade e da depressão reativa? Essa foi a questão que a dra. Rosalind Cartwright, da Universidade Rush, em Chicago, desmantelou elegantemente em uma série de trabalhos com seus pacientes.

Cartwright, que considero tão pioneira na pesquisa do sonho quanto Sigmund Freud, decidiu estudar o conteúdo dos sonhos de pessoas com sinais de depressão em virtude de experiências emocionais dificílimas, como um rompimento arrasador ou divórcio doloroso. Justo no período do trauma emocional, ela recolheu seus relatos de sonhos e os examinou com cuidado, em busca de sinais claros da emergência dos mesmos temas emocionais na vida onírica. Em seguida, Cartwright fez avaliações de acompanhamento até um ano depois, determinando se a depressão e a ansiedade dos pacientes causadas pelo trauma tinham sido sanadas ou persistiam.

Em uma série de publicações que até hoje ainda releio com admiração, Cartwright demonstrou que apenas os pacientes que por volta da época dos eventos traumáticos sonharam expressamente sobre as experiências penosas conseguiram alcançar uma solução clínica para seu desespero. Um ano depois, como determinado clinicamente por não apresentarem nenhuma depressão identificável, estes pacientes estavam recuperados. Os pacientes que sonhavam, mas não com a experiência penosa propriamente dita não conseguiam superar o evento, ainda estando solapados por uma forte subcorrente de depressão.

Cartwright revelou que ter sono REM, ou mesmo sonhos genéricos, por si só não basta quando se trata de superar o passado emocional. Seus pacientes precisaram de sono REM com um tipo de sonho bem específico: um que envolvesse expressamente os temas e sentimentos emocionais do trauma da vida desperta. Para esses pacientes, somente essa forma de sonhar foi capaz de levar a cabo a remissão clínica e oferecer superação emocional, permitindo-lhes progredir para um novo futuro emocional, sem que permanecessem escravizados por um passado traumático.

Os dados de Cartwright acrescentaram um importante viés psicológico à nossa teoria da terapia noturna, mas foi preciso um encontro casual em uma conferência em um sábado inclemente em Seattle antes que minha própria pesquisa e teoria básicas fossem traduzidas da tribuna para a cabeceira, ajudando a resolver a incapacitante doença psiquiátrica do transtorno do estresse pós-traumático (TEPT).

Pacientes com TEPT, que muitas vezes são veteranos de guerra, têm dificuldade de se recuperar de experiências traumáticas terríveis. Eles costumam ser atormentados durante o dia por flashbacks e sofrer com pesadelos recorrentes. Eu me questionei se o mecanismo de terapia noturna pelo sono REM descoberto por nós em indivíduos saudáveis estaria prejudicado em portadores de TEPT, assim deixando de ajudá-los a lidar com suas memórias de traumas.

Quando sofre um flashback provocado, digamos, pelo estouro do motor de um carro, um soldado veterano revive toda a experiência traumática visceral. Para mim, isso sugeria que a emoção não havia sido propriamente removida da memória traumática durante o sono. Quando se entrevista pacientes com TEPT na clínica, eles com frequência dizem que simplesmente não conseguem "se recuperar" da experiência. Ao fazer tal afirmação, eles em parte estão descrevendo um cérebro que não se desintoxicou da emoção da memória do trauma, de tal modo que, cada vez que ela é revivida (o flashback), a emoção, que não foi removida, também volta.

Já sabíamos que o sono — sobretudo o sono REM — de portadores de TEPT é perturbado. Havia também indícios sugerindo que pacientes com TEPT apresentariam níveis acima do normal de noradrenalina liberada pelo sistema nervoso. Tendo por base nossa teoria da terapia noturna do sonho do sono REM e os dados emergentes que a corroboravam, elaborei uma teoria de acompanhamento, aplicando o modelo ao TEPT. A teoria propunha que um dos mecanismos subjacentes ao TEPT são os níveis altíssimos de noradrenalina no cérebro que bloqueiam a capacidade desses pacientes de ter um sonho de sono REM normal e mantê-lo. Com isso, à noite o cérebro não consegue remover a emoção da memória do trauma, já que o ambiente de estresse químico é elevado demais.

Entretanto, para mim o fator mais convincente foram os pesadelos repetitivos relatados pelos pacientes com TEPT — um sintoma tão previsível que integra a lista de traços requeridos para o diagnóstico da condição. A teoria sugere que, quando o cérebro não consegue dissociar a emoção da memória ao longo da primeira noite após uma experiência traumática, ocorre uma nova tentativa de despojamento na segunda noite, já que a força da "etiqueta emocional" associada à memória permanece excessivamente elevada. Quando o processo fracassa pela segunda vez, repete-se a tentativa na noite seguinte, e na noite seguinte, e por aí vai, como um disco arranhado. Era isso que eu pensava ocasionar os pesadelos recorrentes da experiência traumática em vítimas TEPT.

Então surgiu uma predição testável: se eu reduzisse os níveis de noradrenalina no cérebro de pacientes com TEPT durante o sono, assim restabelecendo as condições químicas corretas para que o sonho faça seu trabalho de terapia do trauma, conseguiria restaurar o sono REM de qualidade mais saudável. Essa qualidade do sono REM restaurada deveria gerar uma melhora dos sintomas clínicos de TEPT e uma redução da frequência dos pesadelos repetitivos. Era uma teoria científica carente de provas clínicas. Então ocorreu o maravilhoso golpe do acaso.

Logo após a publicação do meu artigo teórico, conheci o dr. Murray Raskind, um notável médico que trabalhava em um hospital do Departamento de Assuntos de Veteranos dos Estados Unidos na área de Seattle. Ambos estávamos apresentando as descobertas de nossas pesquisas em uma conferência em Seattle e, na época, cada um ignorava os novos dados descobertos pelo outro. Raskind — um homem alto, de olhos bondosos e cuja atitude encantadoramente relaxada e divertida esconde uma perspicácia clínica que não deve ser subestimada — é um pesquisador eminente tanto no campo do TEPT quanto no da doença de Alzheimer. Na conferência, ele apresentou descobertas recentes que o tinham deixado desconcertado. Em sua clínica de TEPT, ele estivera tratando veteranos de guerra com um medicamento genérico chamado prazosin para controlar a hipertensão. Apesar de ter pouco efeito para baixar a pressão sanguínea, Raskind descobriu que o medicamento produzia um benefício muito mais poderoso, embora inesperado, no cérebro: o de aliviar os pesadelos recorrentes do TEPT. Após apenas algumas semanas de tratamento, os pacientes, com espanto, relataram coisas do tipo: "Doutor, é estranho, mas meus sonhos não têm mais aqueles pesadelos de flashback. Estou me sentindo melhor, com menos medo de dormir à noite."

Ocorre que o prazosin também tem o efeito colateral de conter a noradrenalina no cérebro. Sem querer, Raskind conduziu o experimento que eu estava tentando conceber. Ele criara a condição neuroquímica — uma queda da concentração anormalmente elevada da noradrenalina relacionada ao estresse — no cérebro durante o sono REM que havia estado ausente por muito tempo nesses pacientes de TEPT. O prazosin baixou aos poucos a alta de noradrenalina, dando a esses pacientes uma qualidade de sono REM mais saudável. Graças a isso, houve uma redução nos sintomas clínicos e, de maneira mais decisiva, na frequência dos pesadelos recorrentes.

Raskind e eu mantivemos nossas trocas científicas durante toda a conferência. Ele visitou meu laboratório na Universidade da Califórnia em Berkeley meses depois e conversamos o dia inteiro e pela noite adentro sobre meu modelo neurobiológico de terapia emocional noturna e como este parecia explicar perfeitamente as suas descobertas clínicas com o prazosin. Foram conversas de arrepiar os pelos da nuca, talvez as mais empolgantes que tive em minha carreira. A teoria científica básica não estava mais à procura de confirmação clínica. As duas se encontraram em um dia em que o céu veio abaixo em Seattle.

Cientes do trabalho um do outro, e tendo como base a força dos estudos de Raskind e vários testes clínicos independentes de grande escala, o prazosin se tornou um medicamento oficialmente aprovado pelo Departamento de Assuntos de Veteranos para o tratamento dos pesadelos traumáticos recorrentes e recebeu a aprovação da FDA para ser usado com o mesmo fim.

Muitas questões ainda estão em aberto, entre elas a necessidade de haver mais reprodução independente das descobertas no caso de outros tipos de trauma, como abuso sexual ou violência. O prazosin também não é um medicamento perfeito em razão dos efeitos colaterais em doses maiores e porque nem todos os pacientes respondem ao tratamento com o mesmo sucesso. Mas é um começo. Temos agora uma explicação cientificamente informada de uma função do sono REM e do processo de sonho inerente a ele, e a partir desse conhecimento demos os primeiros passos para tratar a angustiante e incapacitante condição clínica do TEPT. Além disso, ela pode abrir novos caminhos de tratamento relacionados ao sono e a outras doenças mentais, incluindo a depressão.

SONHAR PARA DECODIFICAR EXPERIÊNCIAS DESPERTAS

Bem quando eu achava que o sono REM havia revelado tudo o que tinha a oferecer à saúde mental, uma segunda vantagem para o cérebro emocional proporcionada por ele veio à luz — uma que talvez seja mais relevante para a sobrevivência.

Interpretar com precisão expressões e emoções de rostos é um pré-requisito para ser um ser humano funcional e, na verdade, um primata superior funcional no caso da maioria dos tipos. As expressões faciais representam um dos sinais mais importantes de nosso ambiente. Elas comunicam o estado emocional e a intenção de um indivíduo e, quando interpretadas corretamente, influenciam nosso comportamento em resposta. Há regiões do cérebro cuja função é ler e decodificar o valor e o significado de sinais emocionais, sobretudo aqueles que são manifestados no rosto. E é esse conjunto essencial de regiões cerebrais, ou rede, que o sono REM calibra à noite.

No que se refere a esse papel diferente e adicional, podemos pensar no sono REM como um exímio afinador de piano, que reajusta a instrumentação emocional do cérebro à noite para uma afinação perfeita, de modo que quando acordamos na manhã seguinte podemos discernir microexpressões manifestas e sutilmente dissimuladas com exatidão. Basta privar um indivíduo do seu estado onírico do sono REM para que a curva de afinação emocional do cérebro perca a precisão. De modo análogo a observar uma imagem através de um vidro fosco, ou olhar para uma imagem fora de foco, o cérebro privado de sonhos não consegue decodificar com precisão expressões faciais, que ficam distorcidas. Assim, a pessoa começa a confundir amigos com adversários.

Essa descoberta foi feita com o seguinte processo. Participantes vieram ao meu laboratório e tiveram uma noite inteira de sono. Na manhã seguinte, mostramos a eles várias fotos do rosto de um indivíduo específico, sendo que não havia duas fotos iguais. Todas elas mostravam as expressões faciais desse único indivíduo ao longo de um espectro, mudando de amistosa (com um leve sorriso, olhos abertos, indicando calma, e aparência acessível) para uma cada vez mais dura e ameaçadora (lábios tensionados, testa vincada e olhar ameaçador). Cada foto desse indivíduo era sutilmente diferente das que estavam ao seu lado no espectro emocional e, através de dezenas de imagens, estava expressa toda a gama de intenções, de muito pró-social (amistoso) a fortemente antissocial (hostil).

Os participantes viram as fotos de forma aleatória enquanto seu cérebro era escaneado por uma máquina de MRI e classificaram quão acessível ou ameaçadora era cada uma delas. Os escâneres nos permitiram medir como o cérebro estava interpretando e diferenciando as expressões faciais após os analisados terem tido uma noite inteira de sono. Todos os participantes realizaram o experimento duas vezes, sendo que em uma delas nós os privamos de sono, incluindo o estágio decisivo de sono REM. Metade dos participantes passou pela sessão com privação de sono primeiro, seguida pela sessão com sono normal, e vice-versa. Em cada sessão, um indivíduo diferente foi mostrado nas fotos, para que não houvesse efeitos de memória e repetição.

Após uma noite inteira de sono — contendo sono REM —, os participantes mostraram uma bela curva de afinação precisa do reconhecimento emocional de rostos, muito parecida com a forma de um V esticado. Ao avançar pela abundância de expressões faciais, o cérebro deles não teve nenhuma dificuldade para distinguir uma emoção de outra mesmo com as leves mudanças, e a precisão de suas próprias classificações provou que isso era similarmente verdadeiro. Não foi preciso esforço para distinguir os sinais amistosos e acessíveis dos que sugeriam de uma ameaça pequena até o mau agouro.

Confirmando a importância do estado onírico, quanto melhor foi a qualidade do sono REM de um indivíduo ao longo dessa noite de descanso, mais precisa foi a afinação das redes de decodificação emocional do cérebro no dia seguinte. Por meio desse serviço noturno de excelência, a melhor qualidade do sono REM à noite forneceu uma compreensão superior do mundo social no dia seguinte.

Mas, após terem sido privados de sono — incluindo da influência essencial do sono REM —, esses mesmos participantes não conseguiram mais distinguir as emoções com precisão. O V da afinação do cérebro havia sido alterado, rudemente puxado até o alto a partir da base e achatado em uma linha horizontal, como se o cérebro estivesse em um estado de hipersensibilidade generalizada incapaz de mapear gradações de sinais emocionais do mundo exterior. Estava perdida a capacidade precisa de interpretar pistas reveladoras no rosto de outrem. O sistema de navegação emocional do cérebro havia perdido seu norte magnético de direcionalidade e sensibilidade: uma bússola que em outras circunstâncias nos guia rumo a numerosas vantagens evolucionárias.

Na ausência dessa acuidade emocional, em geral conferida pelas habilidades de reajuste do sono REM, os participantes privados de sono adotaram uma configuração-padrão de tendência ao medo, acreditando que até os rostos com expressões gentis ou razoavelmente amistosas eram ameaçadoras.

Com o cérebro carente de sono REM, o mundo exterior havia se tornado um lugar mais ameaçador e aversivo — o que não era verdade. A realidade e a realidade percebida não eram mais a mesma coisa aos "olhos" do cérebro insone. Ao eliminar o sono REM, eliminamos a interpretação equilibrada do mundo social.

Agora pense em ocupações que exigem que os profissionais sejam privados de sono, como a execução da lei e as forças armadas, médicos, enfermeiros e outros profissionais dos serviços de emergência — sem falar do supremo trabalho de cuidado: o daqueles que se tornaram pais recentemente. Cada um desses papéis exige a capacidade precisa de interpretar emoções a fim de tomar decisões cruciais, até vitais, como detectar uma ameaça verdadeira e empregar armas de fogo, avaliar o desconforto emocional ou a angústia que podem alterar um diagnóstico, a extensão do medicamento paliativo da dor prescrito ou decidir entre expressar compaixão ou passar um sermão. Sem sono REM e sua capacidade de reajustar a bússola emocional do cérebro, essas pessoas podem vir a tomar decisões e ações inapropriadas que podem ter implicações sérias.

Ao analisar toda a trajetória da vida humana, descobrimos que esse serviço de calibração do sono REM alcança a maturidade pouco antes da transição para a adolescência. Antes disso, quando a criança ainda está sob vigilância rígida e muitas avaliações e decisões importantes são feitas pelos pais, o sono REM fornece menos benefício de reajuste para o cérebro. Mas, quando chegam os primeiros anos da adolescência e o ponto de inflexão da independência parental, em que o adolescente deve se orientar por conta própria no mundo socioemocional, o jovem cérebro se banqueteia com esse benefício de calibração emocional do sono REM. Isso *não* significa sugerir que o sono REM seja desnecessário para as crianças e os bebês — ele é necessário e muito, já que dá suporte a outras funções que já discutimos (o desenvolvimento do cérebro) e ainda vamos discutir (a criatividade). Na verdade, essa função específica do sono REM, que se estabelece em um marco particular do desenvolvimento, permite ao florescente cérebro pré-adulto governar a si mesmo com autonomia através das águas turbulentas de um mundo emocional complexo.

Voltaremos a esse assunto no penúltimo capítulo, quando discutiremos o dano causado pelo horário que fixa o início das aulas muito cedo de manhã nos adolescentes. Extremamente significativa é a questão dos horários dos ônibus escolares ao nascer do sol, que privam de forma seletiva nossos adolescentes do sono do início da manhã, bem no momento do ciclo de sono em que o cérebro em desenvolvimento está prestes a absorver a maior parte de seu muito necessário sono REM. Estamos levando os sonhos desses jovens à falência de muitas maneiras distintas.

CAPÍTULO 11

Criatividade onírica e controle do sonho

Além de ser uma sentinela estoica que protege a sanidade e o bem-estar emocional, o sono REM e o ato de sonhar conferem outro benefício distinto: o processamento inteligente da informação que inspira a criatividade e promove a solução de problemas. Isso tanto é verdade que algumas pessoas tentam controlar esse processo em geral não volitivo e direcionar as próprias experiências oníricas enquanto dormem.

SONHO: A INCUBADORA CRIATIVA

Como hoje sabemos, o sono NREM profundo fortalece memórias individuais. No entanto, é o sono REM que confere o benefício magistral e complementar de fundir e mesclar esses ingredientes de formas abstratas e extremamente originais. Durante o estado de sono onírico, o cérebro medita sobre vastas áreas de conhecimento adquirido* e então extrai regras abrangentes e traços em comum — "o âmago". Acordamos com uma "Ampla Rede Mental" revisada, capaz de adivinhar soluções para problemas antes insuperáveis. Nesse aspecto, o sonho do sono REM é uma alquimia informacional.

Desse processo onírico, que eu descreveria como ideastesia, vieram alguns dos avanços mais revolucionários do progresso humano. Talvez não haja um

---

* Um exemplo é o aprendizado de idiomas e a assimilação de novas regras gramaticais. As crianças exemplificam esse fenômeno: elas começam a usar as regras da gramática (por exemplo, as conjunções, os tempos verbais, os pronomes etc.) muito antes de compreenderem o que essas coisas são. É durante o sono que o cérebro delas extrai implicitamente tais regras, tendo como base a experiência desperta, mesmo que a criança não possua conhecimento explícito delas.

exemplo que melhor destaque a inteligência do sonho do sono REM do que a solução para tudo de que temos conhecimento e como tudo isso se encaixa. Não estou tentando ser obscuro. Na verdade, estou descrevendo o sonho que Dmitri Mendeleiev teve em 17 de fevereiro de 1869 que levou à elaboração da tabela periódica: a sublime ordenação de todos os elementos constitutivos da natureza.

Mendeleiev, um químico russo de renomada engenhosidade, tinha uma obsessão: ele acreditava que deveria haver uma lógica organizacional em relação aos elementos conhecidos no universo, eufemisticamente descrita por alguns como a procura do ábaco de Deus. Como prova de sua obsessão, Mendeleiev fez o próprio baralho, no qual cada carta representava um dos elementos universais e suas propriedades físicas e químicas singulares. Ele se acomodava no escritório, em casa, ou em longas viagens de trem, e distribuía o baralho em uma mesa, uma carta de cada vez, tentando deduzir a regra de todas as regras, aquela que explicaria como esse ecumênico quebra-cabeça se encaixava. Durante anos ele meditou sobre o enigma da natureza e durante anos fracassou.

Depois de supostamente ter passado três dias e três noites sem dormir, Mendeleiev alcançou um crescendo de frustração com o desafio. Embora a extensão da privação de sono pareça improvável, permanecia verdadeiro o constante fracasso de Mendeleiev em decifrar o código. Sucumbindo à exaustão, e com os elementos ainda girando em sua mente e recusando-se a se enquadrar em uma lógica organizada, Mendeleiev se deitou para dormir. Então ele sonhou e seu cérebro onírico realizou aquilo que seu cérebro desperto foi incapaz. O sonho se apossou dos ingredientes que giravam em sua mente e, em um instante de brilhantismo criativo, os reuniu em uma grade com cada fileira (período) e cada coluna (grupo) tendo uma progressão lógica das características atômicas e dos elétrons em órbita, respectivamente. Nas palavras do próprio Mendeleiev:*

> Vi em um sonho uma tabela em que todos os elementos se encaixavam como necessário. Ao acordar, imediatamente a registrei em um pedaço de papel. Foi preciso fazer somente uma correção mais tarde.

---

* Citado por B.M. Kedrov em seu texto "On the Question of the Psychology of Scientific Creativity (on the Occasion of the Discovery by D.I. Mendeleev of the Periodic Law)". *Soviet Psychology*, 1957, nº 3: p. 91-113.

Embora alguns contestem quão completa foi a solução do sonho, ninguém questionou a evidência de que Mendeleiev foi agraciado com uma formulação da tabela periódica inspirada pelo sonho. Foi seu cérebro sonhando, não ele desperto, que foi capaz de perceber um arranjo organizado de todos os elementos químicos conhecidos. Se foi mesmo o sonho do sono REM que resolveu o enigma desconcertante de como todos os elementos constituintes do universo conhecido se encaixam, podemos dizer que foi uma revelação inspirada de magnitude cósmica.

O próprio campo da neurociência foi beneficiado com revelações similares alimentadas por sonhos. A mais impactante é a do neurocientista Otto Loewi. Ele sonhou com um experimento engenhoso utilizando o coração de duas rãs que enfim revelaria como as células nervosas se comunicam entre si por meio de substâncias químicas (neurotransmissores) liberadas através de pequeninas lacunas que as separam (sinapses), em vez de fazer isso pela sinalização elétrica direta — o que só poderia ocorrer caso elas se tocassem. Essa descoberta implantada em um sonho foi tão profunda que valeu a Loewi um prêmio Nobel.

Sabemos também de dons artísticos valiosos surgidos de sonhos. Consideremos a origem das canções de Paul McCartney "Yesterday" e "Let It Be": ambas lhe ocorreram em sono. No caso de "Yesterday", há o relato de McCartney sobre ter acordado inspirado por um sonho quando ele ocupava um quartinho no sótão da casa de sua família em Wimpole Street, Londres, durante a filmagem do delicioso filme *Help*.

> Acordei com uma melodia gostosa na cabeça. Pensei: "Isso é ótimo, mas o que é isso?" Tinha um piano de armário perto de mim, à direita da cama junto à janela. Levantei da cama, sentei ao piano, encontrei sol, encontrei fá sustenido menor com sétima — o que leva então para si para mi menor, e finalmente de volta para mi. Tudo leva adiante de forma lógica. Gostei muito da melodia, mas, como a tinha sonhado, não podia acreditar que a compusera. Pensei: "Não, eu nunca compus nada parecido com isso antes." Mas eu tinha composto, o que era a coisa mais mágica!

Como nasci e fui criado em Liverpool, tendo reconhecidamente a enfatizar o brilhantismo onírico dos Beatles. No entanto, não querendo ficar para trás,

Keith Richards, dos Rolling Stones, talvez tenha a melhor história inspirada por um sonho, que deu origem ao refrão de abertura da música "Satisfaction". Richards costumava manter uma guitarra e um gravador ao lado da cama para registrar ideias que lhe ocorressem à noite. Ele conta ter tido a seguinte experiência no dia 7 de maio de 1965, depois de voltar para o quarto de hotel em Clearwater, Flórida, após um show:

> Como sempre, vou para a cama com minha guitarra. Quando acordo na manhã seguinte vejo que a fita avançou até o fim. Mas penso: "Bem, eu não fiz nada. Talvez tenha batido em um botão enquanto dormia." Mas, nesse dia, quando rebobinei a fita, ali estavam em uma espécie de versão fantasmagórica [as linhas de abertura de "Satisfaction"]. Um verso inteiro dela. E, depois disso, há quarenta minutos dos meus roncos. Mas havia também a música em seu embrião, e eu realmente sonhei essa droga.

A musa criativa do sonho também desencadeou incontáveis ideias literárias e epopeias. Tomemos a escritora Mary Shelley, que passou por uma cena onírica superassustadora em uma noite de verão em 1816, quando estava hospedada em uma das propriedades de Lord Byron perto do lago Genebra — um sonho que ela quase tomou por realidade desperta. Essa cena onírica deu a Shelley a visão e a narrativa para o espetacular romance gótico *Frankenstein*. Também tem o caso do poeta surrealista francês St. Paul Boux, que compreendia bem os talentos férteis do sonho. Conta-se que, antes de se recolher a cada noite, ele pendurava na porta do quarto um cartaz com os dizeres Não perturbe: poeta trabalhando.*

Anedotas como essas são divertidas, porém não têm utilidade como dados experimentais. Então quais são as provas científicas que estabelecem que o sono, e especificamente o sono REM e o sonho, fornece uma forma de processamento da memória associativa — uma que promove a solução de problemas? E o que há de tão especial na neurofisiologia do sono REM que explica esses benefícios criativos e a obrigatoriedade do sonho para que eles ocorram?

---

* Essa ode aos sonhos criativos do sono onírico por vezes também é atribuída ao poeta simbolista francês Paul-Pierre Roux.

A LÓGICA VAGA DO SONO REM

Um desafio óbvio para a testagem do cérebro enquanto ele está dormindo é o fato de... ele estar dormindo. Pessoas adormecidas não podem participar de testes computadorizados nem dar respostas úteis — a maneira típica pela qual os cientistas cognitivos avaliam o funcionamento do cérebro. Com exceção do sonho lúcido, de que trataremos no fim deste capítulo, os cientistas do sono têm sido deixados carentes nesse aspecto. No geral, temos nos resignado a observar passivamente a atividade do cérebro durante o sono, sem podermos testar os pacientes enquanto dormem. Em vez disso, medimos o desempenho desperto antes e depois do sono e determinamos se os estágios de sono ou o sonho ocorridos no intervalo explicam algum benefício observado no dia seguinte.

Eu e meu colega da Escola de Medicina de Harvard Robert Stickgold planejamos uma solução para esse problema, ainda que indireta e imperfeita. No Capítulo 7, descrevi o fenômeno da inércia do sono — o transporte do estado cerebral adormecido para a vigília nos minutos após o despertar. Questionamos se poderíamos usar essa breve janela de inércia do sono em nosso proveito — sem despertar os analisados pela manhã para testá-los, mas sim para tratá-los em diferentes estágios de sono NREM e sono REM ao longo de toda a noite.

As alterações enormes na atividade cerebral durante o sono NREM e REM e as mudanças de concentrações neuroquímicas não se invertem instantaneamente quando acordamos. Em vez disso, as propriedades neurais e químicas desse estágio de sono específico se prolongam, criando um período de inércia que separa a verdadeira vigília do sono e dura alguns minutos. Após o despertar forçado, a neurofisiologia do cérebro começa muito mais parecida com o sono do que com a vigília e, a cada minuto que passa, a concentração do estágio de sono anterior do qual o indivíduo foi acordado desaparece aos poucos à medida que a verdadeira vigília sobe para a superfície.

Ao restringir a duração dos testes cognitivos a apenas noventa segundos, resolvemos acordar os participantes e testá-los bem depressa durante essa fase de sono transicional. Fazendo isso, talvez pudéssemos identificar algumas das propriedades funcionais do estágio do sono do qual o participante foi despertado, como se registrássemos os vapores de uma substância que está evaporando a fim de extrair conclusões sobre as propriedades da substância em si.

Deu certo. Desenvolvemos uma tarefa de anagrama em que as letras de algumas palavras estavam embaralhadas. Cada uma era composta por cinco letras e os quebra-cabeças de anagrama tinham apenas uma solução correta (por exemplo, "OSEOG" = "GOOSE" [ganso]). Os participantes viam as palavras embaralhadas uma de cada vez na tela por apenas alguns segundos e tinham que dizer a solução, caso encontrassem uma, antes que o tempo se esgotasse e o quebra-cabeça seguinte surgisse na tela. Cada sessão de teste durava somente noventa segundos e registrávamos quantos problemas os participantes tinham resolvido dentro desse breve período de inércia. Depois deixávamos que voltassem a dormir.

A tarefa foi descrita para os analisados antes que fossem para a cama no laboratório do sono com eletrodos na cabeça e no rosto para que eu medisse o desenrolar de seu sono em tempo real em um monitor na sala ao lado. Os participantes também realizaram várias tentativas antes de dormirem, o que lhes permitiu se familiarizar com a tarefa e seu modo de funcionamento. Depois que adormeceram, eu então os acordei quatro vezes ao longo da noite, duas no período de sono NREM cedo e tarde na noite e duas no de sono REM, também cedo e tarde na noite.

Após despertar do sono NREM, os participantes não pareceram estar especialmente criativos, resolvendo poucos anagramas. Mas a história foi outra quando eu os despertei do sono REM, da fase de sonho. No total, as habilidades de solução de problemas tiveram um rápido aumento, com os participantes resolvendo de 15% a 35% mais anagramas ao emergir do sono REM em comparação ao despertar do sono NREM ou durante o desempenho desperto ao longo do dia!

Além disso, a maneira como os analisados resolveram os problemas após sair do sono REM foi diferente do modo empregado, tanto ao emergir do sono NREM quanto quando estavam acordados durante o dia. Um dos participantes me contou que as soluções simplesmente "brotavam" depois do despertar do sono REM, embora ele não soubesse que havia estado em sono REM imediatamente antes. Parecia que obter as soluções demandava menos esforço quando o cérebro estava banhado pelo fulgor do sono de sonho. Com base no tempo de resposta, as soluções chegaram de forma mais instantânea depois do despertar do sono REM em comparação com as soluções mais lentas, deliberativas, obtidas quando o mesmo indivíduo havia saído do sono NREM ou quando estava acordado durante o dia. Os vapores prolongados do sono REM geraram um estado de processamento da informação mais fluido, divergente, aberto a novas ideias.

Lançando mão do mesmo tipo de método de despertar experimental, Stickgold realizou outro teste engenhoso que reafirmou de que maneira radicalmente distinta o cérebro sonhador do sono REM opera no que se refere ao processamento criativo da memória. Ele examinou a maneira como nossa reserva de conceitos relacionados, também conhecidos como conhecimento semântico, funcionam à noite. É esse conhecimento semântico que, como uma árvore genealógica piramidal de conectividade, se abre de cima para baixo em ordem de força de conectividade. A Figura 14 é um exemplo criado por mim de uma dessas redes associativas relacionada à Universidade da Califórnia em Berkeley, onde leciono.

Figura 14: Exemplo de uma rede de associações mnemônicas

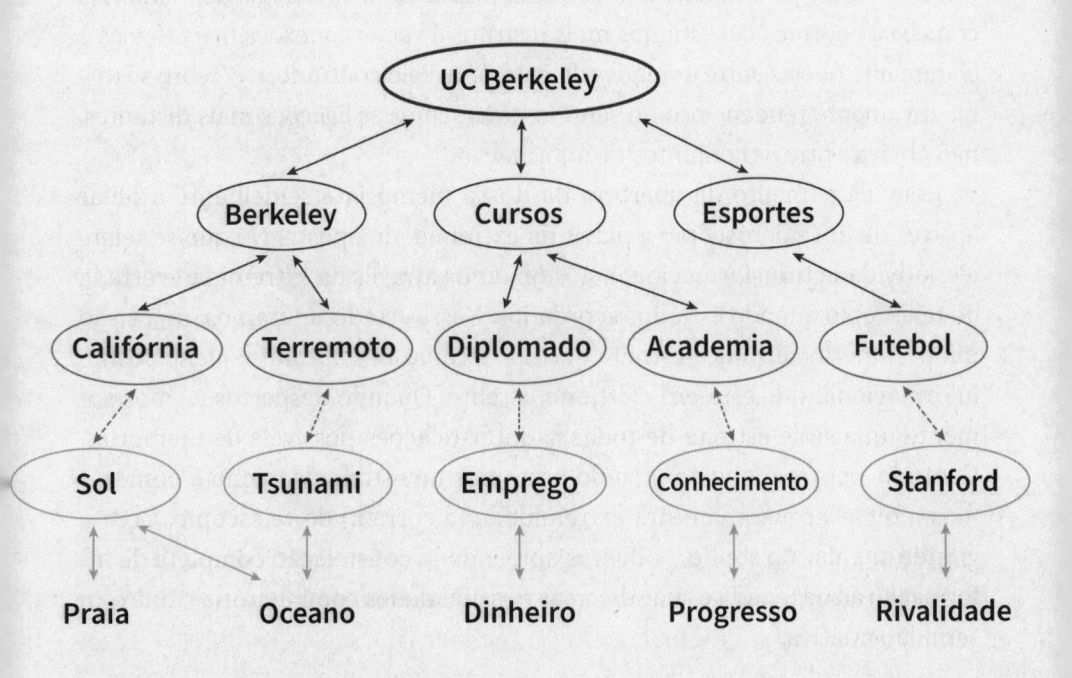

Com um teste de computador comum, Stickgold mediu como essas redes associativas de informação agem após o despertar dos sonos NREM e REM e durante o desempenho comum ao longo da vigília diurna. Quando se desperta o cérebro do sono NREM ou se mede seu desempenho durante o dia, seus princípios de funcionamento estão estreita e logicamente conectados, tal como mostrado na Figura 14. Entretanto, ao despertá-lo do sono REM, o algoritmo de funcionamento é totalmente diferente. A hierarquia de conexão associativa lógica desaparece. O cérebro sonhador do sono REM fica completamente desinteressado das ligações insípidas, de senso comum — as associações do tipo passo a passo. Ele desvia das ligações óbvias e favorece conceitos relacionados muito distantes. Os guardas lógicos deixam o cérebro sonhador do sono REM livre, permitindo assim que lunáticos maravilhosamente ecléticos comandem o manicômio associativo da memória. A partir do estado onírico do sono REM, quase tudo é válido — e quanto mais bizarro melhor, a julgar pelos resultados.

Os dois experimentos de solução de anagramas e preparação semântica revelaram como os princípios de funcionamento do cérebro sonhador são radicalmente distintos dos do sono NREM e da vigília. Quando entramos em sono REM e o sonho se estabelece, uma forma inspirada de mixologia de memórias começa a ocorrer. Não estamos mais restritos a ver as conexões mais típicas e claramente óbvias entre unidades de memória. Pelo contrário, o cérebro se torna ativamente tendencioso no sentido de procurar as ligações mais distantes, não óbvias, entre os conjuntos de informação.

Esse alargamento da abertura da nossa memória é semelhante a olhar através de um microscópio a partir da extremidade oposta. No que se refere à criatividade transformacional, nós olhamos através da extremidade errada do telescópio quando estamos acordados. Nesse estado, adotamos uma visão míope, hiperfocalizada e estreita que não é capaz de capturar o pleno cosmo informacional que está em oferta no cérebro. Quando despertos, vemos somente uma série estreita de todas as inter-relações possíveis de memórias. Contudo, ocorre o oposto quando entramos no estado de sonho e começamos a olhar através da outra extremidade (a correta) do telescópio. Com a grande angular do sonho, podemos apreender a constelação completa de informação armazenada e suas diversas possibilidades combinatórias, tudo em servidão criativa.

MISTURA DE MEMÓRIAS NA FORNALHA DOS SONHOS

Sobreponha essas duas descobertas experimentais às alegações de que sonhos teriam inspirado a solução de problemas, como as de Dmitri Mendeleiev, e duas hipóteses claras e cientificamente testáveis emergem.

A primeira é a de que, se alimentarmos o cérebro desperto com os ingredientes individuais de um problema, conexões originais e soluções devem emergir preferencialmente — se não exclusivamente — depois do tempo passado no estado de sonho REM em comparação com uma quantidade equivalente de tempo deliberativo passado acordado. A segunda é a de que o conteúdo dos sonhos das pessoas, acima e além de simplesmente ter sono REM, deve determinar o sucesso desses benefícios hiperassociativos para resolver problemas. Como ocorre com os efeitos do sono REM sobre nosso bem-estar emocional e mental, discutidos no capítulo anterior, esses benefícios hiperassociativos provariam que o sono REM é necessário, mas não suficiente por si só. É tanto o ato de sonhar quanto o conteúdo associado desses sonhos que determinam o sucesso criativo.

Isso é justamente o que nós e outros pesquisadores constatamos repetidas vezes. Por exemplo, digamos que eu lhe ensine uma relação simples entre dois objetos, A e B, tal que A deve ser escolhido de preferência a B (A>B). Depois eu lhe ensino outra relação, a de que o objeto B deve ser escolhido de preferência ao objeto C (B>C). São duas premissas separadas, isoladas. Se em seguida, eu lhe mostrar A e C juntos e perguntar qual você prefere, muito provavelmente você escolherá A em detrimento de C porque seu cérebro deu um salto de inferência. Você pegou duas memórias preexistentes (A>B e B>C) e, inter-relacionando-as com flexibilidade (A>B>C), propôs uma resposta original para uma questão inédita (A>C). Esse é o poder do processamento relacional da memória, um que é potencializado pelo sono REM.

Em um estudo conduzido com meu colega de Harvard dr. Jeffrey Ellenbogen, ensinamos aos participantes um grande número dessas premissas individuais aninhadas em uma grande cadeia de interconexão. Depois aplicamos testes que avaliaram não somente seu conhecimento desses pares individuais, mas também se eles sabiam como esses itens se conectavam entre si na cadeia associativa. Apenas os indivíduos que tinham dormido e obtido o sono REM do início da manhã, rico em sonhos, mostraram indícios de associar os elementos (A>B>C>D>E>F etc.), possibilitando saltos associativos mais distantes (por exemplo, B>E). Foi constatado o mesmo benefício após sonecas de sessenta a noventa minutos durante o dia que também incluíram sono REM.

É o sono que constrói conexões entre elementos informacionais relacionados de forma distante que não são óbvias à luz do dia desperto. Nossos participantes foram para a cama com peças díspares do quebra-cabeça e acordaram com ele completo. Essa é a diferença entre conhecimento (retenção de fatos individuais) e sabedoria (saber o que todos eles significam quando são encaixados entre si) — ou, em outras palavras, a diferença entre aprendizado e compreensão. O sono REM permite ao cérebro se mover além do primeiro e se apoderar de fato da segunda.

Alguns podem considerar esse encadeamento informacional algo trivial, porém ele é uma das operações fundamentais que diferenciam o cérebro humano do computador. Os computadores têm a capacidade de armazenar milhares de arquivos individuais com precisão, mas os modelos comuns não conseguem interligá-los de modo inteligente em combinações numerosas e criativas. Em vez disso, os arquivos de computador permanecem como ilhas isoladas. Já a memória humana é ricamente interconectada em teias de associações que levam a poderes preditivos, flexíveis. Temos de agradecer ao sono REM, e ao ato de sonhar, por grande parte desse árduo trabalho inventivo.

DECIFRAÇÃO DE CÓDIGO E SOLUÇÃO DE PROBLEMAS

Mais do que simplesmente misturar informações de formas criativas, o sonho do sono REM pode levar as coisas para um passo além. Ele é capaz de criar conhecimento *abstrato* abrangente e conceitos de nível superior a partir de conjuntos de informação. Pense em um médico experiente que aparentemente é capaz de intuir um diagnóstico a partir das muitas dezenas de sintomas variados, sutis, que observa no paciente. Embora esse tipo de habilidade abstrativa possa ser desenvolvido após anos de experiência arduamente adquirida, também observamos o sono REM realizar em apenas uma noite abstrações com o mesmo nível de precisão.

Um exemplo encantador é visto em bebês abstraindo regras gramaticais complexas do idioma que precisam aprender. Mostrou-se que até uma criança de dezoito meses deduz a estrutura gramatical de alto nível de novos idiomas que ouve, mas isso só ocorre depois de ela ter dormido após a exposição inicial. Como você deve se lembrar, o sono REM é especialmente dominante durante a janela da primeira infância, e nós acreditamos que seja ele que desempenha um papel crucial no desenvolvimento do idioma. Todavia, esse benefício se estende para além da infância — resultados muito semelhantes foram constatados em adultos aos quais foi pedido que aprendessem novas estruturas linguísticas e gramaticais.

Talvez a prova mais impressionante de um insight inspirado pelo sono — uma que eu costumo descrever quando dou palestras para start-ups, empresas de tecnologia ou inovadoras a fim de ajudá-las a priorizar o sono dos funcionários — venha de um estudo conduzido pelo dr. Ullrich Wagner na Universidade de Lübeck, na Alemanha. Acredite em mim quando digo que você não ia querer participar desses experimentos. Não porque tivesse que sofrer uma privação de sono extrema por dias, mas porque teria que resolver centenas de problemas trabalhosos com cadeias de números, praticamente tendo de fazer longas divisões por pelo menos uma hora. Na verdade, "trabalhoso" chega a ser um eufemismo. Algumas pessoas devem ter perdido a vontade de viver enquanto tentavam resolver centenas desses problemas numéricos! Eu sei do que estou falando porque eu mesmo me submeti ao teste.

Nesse experimento os participantes foram informados de que poderiam resolver os problemas usando as regras específicas fornecidas no início. Os pesquisadores não falaram da existência de uma regra oculta, ou atalho, que perpassava todos os problemas. Aqueles que descobrissem esse truque escondido conseguiriam resolver muito mais problemas em um tempo muito mais curto. Voltaremos a discutir esse atalho daqui a pouco. Uma vez tendo feito centenas desses problemas, os participantes retornaram doze horas depois e mais uma vez tentaram solucionar outras centenas deles. No entanto, no fim dessa segunda sessão de teste, os pesquisadores perguntaram aos analisados se eles haviam descoberto a regra oculta. Nessa etapa, alguns dos participantes tinham passado o intervalo de doze horas acordados ao longo do dia, ao passo que os outros tinham tido uma noite de oito horas de sono dentro desse intervalo.

Depois de passarem horas acordados ao longo do dia, apesar da chance de refletir conscientemente sobre os problemas, apenas insignificantes 20%

dos analisados tiveram o insight do atalho. As coisas foram bem diferentes para os participantes que haviam desfrutado de uma noite inteira de sono — uma noite temperada com sono do início da manhã, rico em sono REM: quase 60% deles retornaram e tiveram o momento "ah-há!" de descoberta do truque oculto —, o que representa uma diferença de um triplo em insight da solução criativa proporcionado pelo sono!

Portanto, não admira que nunca usemos a expressão "ficar acordado sobre um problema". Em vez disso, falamos em "dormir sobre um problema". Curiosamente, essa expressão, ou algo próximo dela, existe na maioria dos idiomas (do francês *dormir sur un problème* ao suaíli *kulala juu ya tatizo*), indicando que o benefício do sono onírico para a solução de problemas é universal, comum através do globo.

A FUNÇÃO SEGUE A FORMA — O CONTEÚDO DO SONHO TEM IMPORTÂNCIA

O escritor John Steinbeck certa vez declarou: "Um problema difícil à noite é resolvido de manhã depois de o comitê do sono ter trabalhado sobre ele." Ele deveria ter usado a palavra "sonho" junto com "comitê"? Pelo visto, sim. O *conteúdo* dos nossos sonhos, mais do que simplesmente o ato de sonhar em si, ou mesmo de dormir, determina o sucesso da solução do problema. Embora essa afirmação tenha sido feita há muito tempo, foi preciso o advento da realidade virtual para a provarmos — e, no processo, corroborar as alegações de Mendeleiev, Loewi e muitos outros solucionadores de problemas noturnos.

É aí que entra meu colaborador Robert Stickgold, que elaborou um experimento engenhoso em que os participantes exploraram um labirinto de realidade virtual computadorizado. Durante uma sessão inicial de aprendizado, ele fez com que os participantes iniciassem seu percurso a partir de locais aleatórios distintos dentro do labirinto virtual e descobrissem seu caminho por meio de tentativa e erro. Para ajudar no aprendizado, Stickgold colocou objetos singulares, como uma árvore de Natal, para funcionarem como pontos de referência ou ancoragem em locais específicos no labirinto virtual.

Quase uma centena de participantes do experimento exploraram o labirinto no primeiro momento. Depois disso, metade deles tirou uma soneca de noventa minutos enquanto a outra permaneceu acordada e assistiu a um vídeo, sendo que todos foram monitorados com eletrodos colocados na cabeça e no rosto. Ao longo do período de noventa minutos, Stickgold acordou de vez em quando os indivíduos adormecidos e lhes fez perguntas sobre o conteúdo dos sonhos que estivessem tendo. Já no caso do grupo que permaneceu acordado, ele lhes pediu que relatassem os pensamentos específicos que estivessem tendo no momento. Após o período de noventa minutos, e depois de mais uma hora, para que a inércia do sono dos que tinham dormido fosse superada, todos foram jogados de volta no labirinto virtual e testados mais uma vez para ver se seu desempenho havia melhorado em relação ao visto durante o aprendizado inicial.

A essa altura não deve surpreender que os participantes que haviam tirado uma soneca tenham mostrado um desempenho de memória melhor na tarefa do labirinto. Eles encontraram as pistas de navegação com facilidade, traçando seu caminho para fora dele mais depressa do que os que não tinham dormido. Entretanto, o resultado inovador foi a diferença que o sonho fez. Os participantes que tinham dormido e relataram ter sonhado com elementos do labirinto e temas em torno de experiências claramente relacionadas a ele mostraram uma melhora quase dez vezes maior em seu desempenho do que a dos que haviam dormido pelo mesmo tempo e também sonhado, mas não com experiências relacionadas ao labirinto.

Como ocorreu em seus estudos anteriores, Stickgold descobriu que os sonhos desses supernavegadores não eram uma repetição exata da experiência inicial de aprendizado quando acordados. Por exemplo, o relato do sonho de um participante diz o seguinte: "Eu estava pensando sobre o labirinto e meio que havia pessoas como postos de controle, eu acho, e depois isso me levou a pensar sobre uma viagem que fiz alguns anos atrás e fomos ver aquelas cavernas de morcegos, e elas são, tipo assim, labirínticas." Não havia morcegos no labirinto virtual de Stickgold nem qualquer outra pessoa ou postos de controle. É patente que o cérebro que sonhava não estava simplesmente recapitulando ou recriando com exatidão o que lhe aconteceu no labirinto. Em vez disso, o algoritmo do sonho estava selecionando com esmero fragmentos salientes da experiência anterior de aprendizado e depois tentando inserir essas novas experiências ao catálogo pregresso de conhecimento preexistente.

Como um entrevistador perspicaz, o sonho adota a abordagem de interrogar nossa experiência autobiográfica recente e posicioná-la habilmente dentro do contexto de experiências e realizações passadas, elaborando uma tapeçaria complexa de significados. "Como posso compreender e conectar isso que aprendi recentemente com aquilo que já sei e, ao fazê-lo, descobrir novas ligações e revelações fecundas?" E além disso: "O que fiz no passado que pode ser útil para potencialmente resolver esse novo problema?" Diferentemente do ato de solidificar memórias, o que agora compreendemos ser a função do sono NREM, o sono REM e o ato de sonhar pegam aquilo que aprendemos em um cenário de experiência e procura aplicá-lo a outros aprendizados armazenados na memória.

Quando mencionei essas descobertas em palestras, algumas pessoas questionaram sua validade baseadas em personalidades históricas aclamadas como indivíduos que dormiam pouco, mas que ainda assim demonstravam uma notável capacidade criativa. Um nome que costumam citar é o do inventor Thomas Edison. Nunca saberemos se Edison de fato dormia tão pouco quanto alguns — incluindo o próprio — afirmam. Contudo, sabemos com certeza que ele tinha o hábito de dormir durante o dia. Edison compreendia a excelência criativa do sonho e a usava sem dó como uma ferramenta, descrevendo-a como "a brecha do gênio".

Diz-se que ele deixava uma poltrona ao lado da mesa com um bloco e uma caneta em cima. Depois pegava uma caçarola de metal e a virava de borco, posicionando-a com cuidado no chão bem debaixo do braço direito da cadeira. Se isso já não fosse estranho o bastante, ele segurava dois ou três rolimãs de aço na mão direita. Então Edison finalmente se instalava na cadeira, com a mão direita com os rolimãs apoiada no braço dela. Era nesse momento que ele relaxava e se permitia ser consumido pelo sono. Quando ele começava a sonhar, seu tônus muscular relaxava e ele deixava cair os rolimãs, que batiam na caçarola de metal, acordando-o. Em seguida ele anotava todas as ideias criativas que haviam inundado sua mente em sonhos. Um gênio, não acha?

O CONTROLE DOS PRÓPRIOS SONHOS — LUCIDEZ

Qualquer capítulo sobre o sonho ficaria incompleto sem uma menção à lucidez. O sonho lúcido ocorre no momento em que o indivíduo se torna consciente de que está sonhando. No entanto, a expressão é mais coloquialmente usada para descrever a aquisição do controle volitivo sobre *o que* se sonha, a capacidade de manipular essa experiência, como decidir voar, ou até as funções dela, como a resolução de problemas.

Antigamente o conceito de sonho lúcido era considerado uma farsa, com os cientistas discutindo a própria existência do fenômeno. Dá para entender o ceticismo. Primeiro que a afirmação de que haveria controle consciente sobre um processo em geral não volitivo confere uma pesada dose de ridículo na experiência já absurda que chamamos de sonho. Segundo porque como se poderia provar de forma objetiva uma alegação subjetiva, ainda mais com o indivíduo dormindo profundamente durante o ato?

Quatro anos atrás, um experimento engenhoso eliminou toda essa dúvida, quando sonhadores lúcidos foram colocados em um escâner de MRI. Enquanto acordados, os participantes cerraram a mão esquerda e depois a direita diversas vezes. Durante esse processo, os pesquisadores tiraram instantâneos da atividade cerebral deles, o que lhes permitiu definir as áreas cerebrais exatas que controlavam cada mão.

Os participantes então dormiram no escâner de MRI, entrando assim em sono REM, no qual podiam sonhar. Entretanto, durante esse estágio todos os músculos voluntários foram paralisados, impedindo que o sonhador encenasse a experiência mental em curso — os músculos que controlam os olhos, e que dão a esse estágio do sono seu frenético nome, foram poupados. Os sonhadores lúcidos conseguiram tirar proveito dessa liberdade ocular, comunicando-se com os pesquisadores através do movimento dos olhos. Por meio de movimentos predefinidos eles informaram os cientistas da natureza do sonho lúcido (por exemplo, o participante mexia os olhos três vezes para a esquerda quando assumia o controle lúcido do sonho, duas vezes para a direita antes de cerrar a mão direita etc.). Os sonhadores não lúcidos têm dificuldade em acreditar que tais ações deliberadas dos olhos são possíveis enquanto se está dormindo, porém basta ver um sonhador lúcido fazer isso várias vezes para se convencer.

Quando os participantes indicavam o início do estado de sonho lúcido, os cientistas começavam a gerar imagens de MRI da atividade cerebral. Logo depois, os participantes adormecidos indicavam a intenção de sonhar ao mover a mão esquerda e depois a direita, alternando repetidamente, como tinham feito quando acordados. As mãos não estavam se movendo no plano físico — isso não era possível por causa da paralisia do sono REM —, elas estavam se movendo no sonho.

Pelo menos foi isso que os participantes alegaram após despertar. Os resultados dos escâneres de MRI provaram de forma objetiva que eles não estavam mentindo. As mesmas regiões do cérebro ativas durante os movimentos voluntários das mãos observados em vigília também se iluminavam quando os sonhadores indicavam que estavam fechando as mãos no sonho!

Não restava dúvida. Os cientistas haviam obtido uma prova objetiva, baseada no cérebro, de que os sonhadores lúcidos conseguem controlar quando sonham e com o que sonham. Outros estudos semelhantes de comunicação com movimentos dos olhos também revelaram que é possível gerar deliberadamente orgasmos programados durante o sonho lúcido, um resultado que, principalmente no caso dos homens, pode ser verificado de forma objetiva por meio de medidas fisiológicas aferidas por (corajosos) cientistas.

Permanece obscuro se o sonho lúcido é benéfico ou prejudicial, pois bem mais de 80% da população geral não são sonhadores lúcidos naturais. Se o fato de assumir o controle voluntário sobre o sonho fosse tão útil, com certeza a Mãe Natureza teria dotado as massas com tal habilidade.

Contudo, esse argumento se baseia na suposição equivocada de que paramos de evoluir. É possível que sonhadores lúcidos representem a próxima iteração na evolução de *Homo sapiens*. Será que no futuro esses indivíduos serão preferencialmente selecionados, em parte com base nessa habilidade onírica incomum — uma habilidade que pode lhes permitir direcionar o holofote criativo da resolução de problemas no sonho para os desafios despertos enfrentados por eles mesmos ou pela raça humana e tirar proveito de seu poder de maneira mais deliberada?

PARTE 4

De comprimidos para dormir à sociedade transformada

CAPÍTULO 12

Barulhos que nos assustam à noite:
Transtornos do sono e morte causada pela falta de sono

Poucas áreas da medicina oferecem uma série mais perturbadora ou assombrosa de transtornos do que os relacionados ao sono. Essa é uma afirmação e tanto se considerarmos quão trágicos e notáveis podem ser os transtornos em outros campos. No entanto, quando levamos em conta que estranhezas do sono incluem ataques de sono durante o dia e paralisia corporal, sonambulismo homicida, encenação do sonho e percepção de abduções por extraterrestres, a afirmação ganha mais peso. O mais assombroso de tudo talvez seja uma forma rara de insônia que mata a vítima em meses, confirmada pela extinção da vida observada em decorrência da privação total e extrema de sono em estudos animais.

 Este capítulo não é de forma alguma uma revisão abrangente de todos os transtornos do sono, dos quais hoje são conhecidos uma centena. Também não pretende servir de guia médico para qualquer transtorno, pois não sou um médico certificado em medicina do sono, mas sim um cientista do sono. Para os americanos que buscam aconselhamento sobre esse tipo de mal, recomendo o site da National Sleep Foundation:* nele há informações sobre centros do sono nos Estados Unidos.

 Em vez de tentar fazer uma breve lista das muitas dezenas de transtornos do sono que existem, preferi focar uma seleção pequena — a saber, sonambulismo, insônia, narcolepsia e insônia familiar fatal — do ponto de vista da ciên-

---

* https://sleepfoundation.org.

cia e o que a ciência relacionada a esses transtornos pode nos ensinar sobre os mistérios do sono e do sonho.

SONAMBULISMO

O termo "sonambulismo" se refere a transtornos do sono (*somnus*) que envolvem alguma forma de movimento (*ambulação*). Ele abrange condições como andar dormindo, falar dormindo, comer dormindo, escrever mensagens dormindo, fazer sexo dormindo e, muito raramente, cometer homicídio dormindo.

Como é compreensível, a maioria das pessoas acredita que esses eventos acontecem durante o sono REM quando se está sonhando e especificamente quando se encena os sonhos em curso. Entretanto, todos esses eventos surgem do estágio mais profundo do sono sem sonhos (o sono NREM), não do sono onírico (o sono REM). Quando se desperta alguém que está tendo um evento de sonambulismo e se pergunta o que estava se passando em sua mente, raramente o sonâmbulo relata alguma coisa — nenhum cenário onírico, nenhuma experiência mental.

Embora ainda não compreendamos plenamente a causa dos episódios de sonambulismo, os indícios sugerem que um pico inesperado na atividade do sistema nervoso durante o sono profundo seja um gatilho. Esse solavanco elétrico compele o cérebro a disparar a partir do porão do sono NREM profundo até a cobertura da vigília, porém ele fica preso em algum lugar do caminho (no décimo terceiro andar, se você preferir). Preso entre os mundos do sono profundo e da vigília, o indivíduo fica confinado em um estado de consciência misto — nem desperto, nem dormindo. Nessa condição confusa, o cérebro executa ações básicas e bem ensaiadas, como ir até o armário e abri-lo, levar um copo d'água até os lábios ou pronunciar algumas palavras ou frases.

O diagnóstico completo do sonambulismo pode exigir que o paciente passe uma ou duas noites em um laboratório clínico do sono. Nesses casos, eletrodos são colocados na cabeça e no corpo para medir os estágios do sono e uma câmera de infravermelho no teto registra os eventos noturnos, como um monóculo de visão noturna. No momento em que ocorre um evento de sonambulismo, a gravação da câmera e as leituras das ondas cerebrais elétricas divergem, com um sugerindo que o outro está mentindo. No vídeo, o paciente está claramente "acordado" e fazendo coisas. Ele pode se sentar na beirada da cama e começar a falar, há até quem tente vestir as roupas e sair do quarto. Mas, ao olhar para a atividade das ondas cerebrais, percebe-se que o paciente, ou pelo menos o seu cérebro, está profundamente adormecido. São vistas as claras e inconfundíveis ondas elétricas lentas do sono NREM profundo, sem qualquer sinal de atividade elétrica desperta rápida, frenética.

Em geral, não há nada de patológico em andar ou falar dormindo. Os dois atos são comuns na população adulta e ainda mais frequentes nas crianças. Não está claro por que elas têm mais sonambulismo do que os adultos nem por que algumas crescem e deixam de apresentá-lo, ao passo que outras continuam a tê-lo ao longo da vida. Uma explicação para o primeiro fenômeno é simplesmente o fato de que temos uma maior quantidade de sono NREM profundo quando somos jovens; por isso é mais alta a probabilidade de ocorrerem episódios como andar e falar dormindo.

A maioria dessas ocorrências é inofensiva, mas o sonambulismo adulto pode gerar uma série muito mais extrema de comportamentos, como os apresentados por Kenneth Parks em 1987. Parks, que na época tinha 23 anos, morava com a mulher e a filha de cinco meses em Toronto e vinha sofrendo de insônia grave causada pelo estresse do desemprego e das dívidas de jogo. Segundo todos os relatos, Parks não era um homem violento: sua sogra — com quem ele tinha boas relações — o chamava de "gigante gentil" por causa da sua natureza plácida apesar da altura considerável e dos ombros largos (ele media 1,93 metro e pesava 102 quilos). Então veio o dia 23 de maio.

Após adormecer no sofá por volta de uma e meia da madrugada enquanto via televisão, Parks se levantou e entrou no carro, descalço. Estima-se que ele dirigiu cerca de 22 quilômetros até a casa dos sogros. Já dentro da casa, Parks foi para o segundo andar, matou a sogra com golpes de uma faca que pegara na cozinha e estrangulou o sogro até deixá-lo inconsciente, isso depois de tê-lo atacado com um cutelo (ele sobreviveu). Em seguida, Parks voltou para o carro e, após recobrar a consciência em algum ponto, foi a uma delegacia e disse: "Acho que matei umas pessoas... minhas mãos." Foi só então que ele se deu conta de que o sangue escorrendo pelos seus braços vinha dos cortes em seus tendões flexores feitos com a faca.

Como ele só se lembrava de vagos fragmentos do assassinato (por exemplo, flashes do rosto da sogra com uma expressão suplicante), não tinha nenhuma motivação para cometer o crime e apresentava um longo histórico de sonambulismo (tal como outros membros de sua família), uma equipe de especialistas recrutados pela sua defesa concluiu que Ken Parks estava dormindo ao cometer os crimes, sofrendo um episódio grave de sonambulismo. Eles afirmaram que Parks não estava consciente de suas ações e por isso não poderia ser declarado culpado. Em 25 de maio de 1988, o júri absolveu Parks. Essa defesa foi usada em vários casos subsequentes, porém sem sucesso na maioria das vezes.

A história de Ken Parks é do tipo mais trágico e até hoje ele precisa lidar com uma culpa que provavelmente nunca o abandonará. Conto esse caso não para assustar o leitor nem para fazer sensacionalismo com os eventos medonhos daquela noite. Eu a conto para ilustrar como atos não volitivos emanados do sono e seus transtornos podem ter consequências bem reais, jurídicas, pessoais e sociais, além de exigir a contribuição de cientistas e médicos para se chegar à medida jurídica apropriada.

Também gostaria de dizer aos sonâmbulos preocupados que estão lendo este capítulo que a maior parte dos episódios de sonambulismo (por exemplo, andar e falar dormindo) é benigna e não requer intervenção. A medicina costuma intervir somente quando o paciente afligido ou seu cuidador, parceiro ou os pais (no caso das crianças) sentem que a condição está comprometendo a sua saúde ou representa um risco. Há tratamentos efetivos, e é uma pena que nenhum tenha ajudado Parks antes da fatídica noite de maio.

INSÔNIA

Hoje em dia, para muitas pessoas as aspas de ironia passaram a ser algo fixo em torno da frase "uma boa noite de sono", como lamentou o escritor Will Self. A insônia, que motivou as queixas de Self, é o transtorno do sono mais comum. Muita gente sofre com ele, mas há quem ache que tem o transtorno quando na verdade não tem. Antes de descrever as características e as suas causas (e, no próximo capítulo, as possíveis opções de tratamento), deixe-me descrever o que a insônia não é — e, ao fazê-lo, revelar o que ela é.

Estar privado de sono não é insônia. No campo da medicina, é considerado privação de sono (i) ter a *capacidade adequada* de dormir, mas (ii) dar a si mesmo uma *oportunidade inadequada* de dormir — isto é, os indivíduos privados de sono poderiam dormir caso reservassem o tempo apropriado para fazê-lo. A insônia é o contrário: (i) sofrer de uma *capacidade inadequada* de gerar sono apesar (ii) de oferecer a si mesmo a *oportunidade adequada* de dormir. Portanto, quem sofre de insônia não consegue produzir quantidade/qualidade de sono suficiente, ainda que reserve para si tempo suficiente para fazê-lo (de sete a nove horas).

Antes de prosseguir, vale a pena mencionar a condição de percepção equivocada do estado de sono, também conhecida como insônia paradoxal. Nesse caso, o paciente relata ter dormido mal durante toda a noite, ou até não ter dormido nada. Entretanto, constata-se uma divergência quando se monitora o sono desses indivíduos objetivamente com eletrodos ou outros dispositivos precisos de monitoramento do sono. Os registros de sono indicam que o paciente dormiu muito melhor do que ele acredita e algumas vezes até que o sono foi completamente pleno e saudável. Desse modo, quem sofre de insônia paradoxal tem uma ilusão, ou percepção equivocada, de um sono deficiente que não existe. É por isso que esses pacientes são tratados como hipocondríacos. Embora possa parecer depreciativo ou condescendente, o termo é levado muito a sério pelos médicos do sono e há intervenções psicológicas que ajudam uma vez que o diagnóstico foi feito.

Voltando à condição da verdadeira insônia, há vários subtipos, assim como há diversas formas de câncer, por exemplo. Uma distinção separa a doença em dois tipos. A primeira é a de início do sono, que é a dificuldade em adormecer. A segunda é a de manutenção do sono, ou dificuldade de permanecer dormindo. Como disse o ator e comediante Billy Crystal ao descrever suas batalhas contra o transtorno: "Eu durmo como um bebê — acordo toda hora." Insônia de início do sono e a de manutenção do sono não são excludentes entre si: é possível ter uma ou outra, ou ambas. Independentemente de qual for, a medicina do sono tem características clínicas muito específicas que devem ser checadas para que seja dado o diagnóstico de insônia. Por ora, elas são:

- Insatisfação com a quantidade ou a qualidade do sono (por exemplo, dificuldade de adormecer e de permanecer dormindo e despertar muito cedo de manhã).
- Sofrer angústia significativa ou deficiência diurna.

- Ter insônia em pelo menos três noites a cada semana por mais de três meses.
- Não sofrer de qualquer transtorno mental coexistente ou de enfermidades que poderiam causar o que parece ser insônia.

O que isso de fato significa em termos das descrições feitas pelos pacientes é a seguinte situação crônica: dificuldade de adormecer, acordar no meio da noite, despertar muito cedo de manhã, dificuldade de voltar a dormir após acordar e sensação de não estar descansado durante todo o dia de vigília. Se alguma das características da insônia lhe parece familiar e esteve presente por *vários meses*, sugiro que você considere procurar um especialista em medicina do sono. Eu menciono especificamente esse profissional e não seu clínico geral, porque os clínicos gerais — excelentes como são — recebem um treinamento surpreendentemente mínimo sobre o sono durante a faculdade de medicina e a residência. Alguns são propensos a receitar remédios para dormir, o que raramente é a resposta certa, como veremos no próximo capítulo.

A ênfase na duração do problema de sono (mais de três vezes por semana, por mais de três meses) é importante. Todos nós teremos dificuldade para dormir de vez em quando, o que pode durar apenas uma noite ou várias. Isso é normal. Em geral há uma causa óbvia, como estresse no trabalho ou conflitos em um relacionamento social ou amoroso. No entanto, depois que as coisas se acalmam, a dificuldade para dormir costuma desaparecer. Esses problemas agudos de sono em geral não são reconhecidos como insônia crônica, uma vez que esse quadro clínico requer uma duração prolongada da dificuldade para dormir semana após semana.

Mesmo com essa definição restrita, a insônia crônica é surpreendentemente comum. Em torno de uma em cada nove pessoas com que você cruza na rua se encaixarão nos critérios clínicos restritos para o diagnóstico de insônia, o que, no caso dos Estados Unidos, significa mais de quarenta milhões de pessoas lutando para sobreviver aos dias de vigília após noites em claro. Embora as razões permaneçam obscuras, a insônia é duas vezes mais comum em mulheres do que em homens, e é improvável que uma simples relutância dos homens em admitir que sofrem de problemas de sono explique essa diferença bem considerável entre os sexos. Raça e etnicidade também fazem uma diferença significativa, com os afro-americanos e os hispano-americanos sofrendo índices mais elevados de insônia do que os americanos caucasianos — descobertas que têm implicações relevantes para disparidades de saúde bem reconhecidas nessas comunidades, como diabetes, obesidade e doença cardiovascular, todas relacionadas à falta de sono.

Na verdade, é provável que a insônia seja um problema mais disseminado e grave do que esses números consideráveis sugerem. Relaxando os critérios clínicos rigorosos e se usando apenas dados epidemiológicos como parâmetro, é provável que duas em cada três pessoas que estão lendo este livro tenham dificuldade em adormecer ou permanecer dormindo pelo menos uma noite por semana, toda semana.

Sem exagero, a insônia é um dos problemas médicos mais urgentes e prevalentes enfrentados pela sociedade moderna, porém poucas pessoas se referem a ela dessa maneira, reconhecem seu fardo ou a necessidade de se tomar alguma medida a respeito. O fato de a indústria da "ajuda ao sono" — que engloba medicamentos para dormir controlados e de venda livre — gerar assombrosos 30 bilhões de dólares por ano nos Estados Unidos talvez seja a única estatística de que precisamos para compreender como o problema de fato é grave. Milhões de pessoas desesperadas estão dispostas a pagar muito dinheiro por uma boa noite de sono.

Mas o volume de dinheiro não ataca a questão mais importante sobre a causa da insônia. A genética contribui para o problema, embora não responda por tudo. A insônia apresenta certo grau de hereditariedade, com estimativas de taxas de transmissão de 28% a 45% de pai ou mãe para filho. No entanto, a maior parte da insônia ainda permanece associada a causas não genéticas, ou interações gene-ambiente (natureza-criação).

Até hoje, descobrimos diversos gatilhos que geram dificuldade para dormir, entre eles fatores psicológicos, físicos, médicos e ambientais (com o envelhecimento incluso, conforme já discutimos). Fatores externos que provocam sono deficiente, como luz muito intensa à noite, temperatura ambiente do quarto não ideal, tabagismo e consumo de cafeína e álcool — que serão analisados mais detidamente no próximo capítulo — podem se passar por insônia. Entretanto, suas origens não provêm de *dentro* do indivíduo e por isso não são um transtorno *dele*. Na verdade, são influências externas e, uma vez tratados, a pessoa terá um sono melhor sem alterar nada em si mesma.

Contudo, há fatores que vêm de dentro do indivíduo e são causas biológicas inatas de insônia. Mencionados nos critérios clínicos descritos anteriormente, eles não podem ser um sintoma de uma doença (por exemplo, doença de Parkinson) ou um efeito colateral de um medicamento (por exemplo, remédio para asma). Ou seja, a(s) causa(s) do problema para dormir devem ser independentes para que se esteja sofrendo de insônia verdadeira.

Os dois gatilhos mais comuns da insônia crônica são psicológicos: (1) preocupações emocionais, ou temor; e (2) angústia emocional, ou ansiedade. No atual mundo moderno acelerado e sobrecarregado de informações, uma das poucas ocasiões em que detemos nosso persistente consumo de informações e refletimos é quando nossa cabeça repousa no travesseiro. Não há pior momento para fazer isso se estando consciente. Não admira que seja praticamente impossível iniciar ou manter o sono quando engrenagens emocionais começam a se agitar em nossa mente, nos deixando preocupados e ansiosos com coisas que fizemos no dia, com o que nos esquecemos de fazer, o que teremos de enfrentar no futuro próximo e mesmo com o que está distante. Isso não é nada convidativo para as calmas ondas cerebrais do sono, que permitem ao cérebro mergulhar pacificamente em uma noite inteira de sono relaxante.

Como a angústia psicológica é um importante instigador da insônia, os pesquisadores se concentraram no exame das causas biológicas subjacentes à agitação emocional. Um culpado comum ficou claro: um sistema nervoso simpático superativo, que, como discutimos nos capítulos anteriores, é nosso mecanismo agravante de luta ou fuga. O sistema nervoso simpático é acionado em resposta à ameaça e ao estresse agudo, que, em nosso passado evolucionário, era necessário para mobilizar uma resposta genuína de luta ou fuga. Os efeitos fisiológicos são o aumento da frequência cardíaca, do fluxo sanguíneo e do índice metabólico, a liberação de substâncias químicas negociadoras do estresse como o cortisol e uma maior ativação cerebral, coisas que são todas benéficas no momento agudo de verdadeira ameaça ou perigo. No entanto, a resposta de luta ou fuga não foi feita para ser deixada no modo "ligada" por um período prolongado de tempo. Como já foi falado em capítulos anteriores, a ativação crônica desse mecanismo causa uma miríade de problemas de saúde, um dos quais hoje é reconhecido como sendo a insônia.

O motivo para que o sistema nervoso de luta ou fuga superativo impeça o bom sono pode ser explicado por vários dos tópicos trabalhados até agora e alguns outros. O primeiro é o índice metabólico elevado desencadeado por sua própria atividade, que é comum em pacientes com insônia e deixa a temperatura central do corpo mais elevada. Você deve se lembrar de que no Capítulo 2 foi explicado que é preciso baixá-la em alguns graus para se iniciar o sono, o que fica mais difícil em pacientes com insônia cujo índice metabólico é aumentado e a temperatura interna é mais elevada, incluindo o cérebro.

O segundo são níveis mais elevados de cortisol e das substâncias neuroquímicas irmãs adrenalina e noradrenalina — todos elementos que elevam a frequência cardíaca. Em geral, o sistema cardiovascular se acalma quando fazemos a transição para o sono leve e depois para o profundo — uma atividade cardíaca elevada, portanto, torna essa transição mais difícil. Todas essas três substâncias químicas aumentam o índice metabólico, assim elevando também a temperatura corporal central, o que agrava ainda mais o primeiro problema que acabamos de delinear.

O terceiro — e relacionado com essas substâncias químicas — são padrões alterados de atividade cerebral ligados ao sistema nervoso simpático. Os pesquisadores colocaram pessoas com sono saudável e pacientes com insônia em um escâner cerebral e mediram os padrões cambiantes de atividade enquanto ambos os grupos tentavam adormecer. No caso dos que dormiam bem, as partes do cérebro relacionadas à incitação de emoções (a amídala) e as ligadas à retrospecção mnêmica (o hipocampo) logo tiveram seus níveis de atividade diminuídos durante a transição para o sono, assim como ocorreu com as regiões de alerta básico do tronco cerebral. Isso não aconteceu com os pacientes com insônia. Suas regiões geradoras de emoção e seus centros de recordação de memórias permaneceram ativos, o que também foi verificado nos centros de vigilância básica do tronco cerebral que mantiveram com obstinação sua vigilância desperta. Durante todo esse tempo, o tálamo — o portão sensorial do cérebro que precisa se fechar para permitir que o sono se instale — permaneceu ativo e aberto para negócio nos pacientes de insônia.

Em outras palavras, os pacientes com insônia não conseguiram se desvencilhar de um padrão de atividade cerebral alteradora, apreensiva, pensativa. Pense em alguma vez em que você fechou um laptop para pô-lo em modo suspenso, porém, ao retornar mais tarde, viu que a tela ainda estava ligada, as ventoinhas funcionando e o computador ainda estava ativo. Isso em geral ocorre porque programas e rotinas ainda estão rodando e o laptop não conseguiu fazer a transição para o modo suspenso.

Com base nos resultados de estudos de imageamento cerebral, um problema análogo ocorre em pacientes com insônia. Os circuitos recorrentes de programas emocionais, junto com circuitos de memória retrospectivos e prospectivos, permanecem em atividade, impedindo que o cérebro se desligue e passe para o modo de sono. É revelador que exista uma conexão direta e causal entre o ramo de luta ou fuga do sistema nervoso e todas as regiões do cérebro relacionadas à emoção, à memória e ao alerta. A linha de comunicação bidirecional entre o corpo e o cérebro equivale a um círculo vicioso que alimenta sua frustração do sono.

O quarto e último grupo de mudanças identificadas trata da qualidade do sono dos pacientes com insônia quando enfim adormecem. Mais uma vez, parece que as origens do problema estão no sistema nervoso de luta ou fuga superativo. Pacientes insones têm uma qualidade de sono mais baixa, o que se reflete em ondas cerebrais elétricas mais rasas, menos potentes, durante o sono NREM profundo. O sono REM deles também é mais fragmentado, salpicado por breves despertares dos quais nem sempre se tem consciência, mas que mesmo assim degradam a qualidade do sono onírico. Tudo isso significa que esses pacientes não se sentem descansados quando acordam. Por causa disso, eles não conseguem ficar bem durante o dia cognitiva e/ou emocionalmente. Dessa maneira, a insônia é um transtorno que atua 24 horas por dia sete dias por semana: ela é tanto um transtorno do dia quanto da noite.

A essa altura já deu para entender como a condição subjacente é fisiologicamente complexa. Não admira que o ato de se recorrer aos instrumentos obtusos que são os comprimidos para dormir, que simples e primitivamente sedam o cérebro superior, ou córtex, não seja mais recomendado como abordagem de tratamento de primeira linha para a insônia pela Associação Médica Americana. Felizmente foi desenvolvida uma terapia não farmacológica, que será discutida em detalhes no próximo capítulo. Ela é mais poderosa na restauração do sono natural em pacientes com insônia e visa cada um dos componentes fisiológicos desse transtorno descritos anteriormente. Sou bem otimista em relação a essas novas terapias não medicamentosas e incentivo que você as explore, caso de fato sofra de insônia.

NARCOLEPSIA

Aposto que você não consegue se lembrar de nenhuma ação verdadeiramente significativa em sua vida que não tenha sido governada por duas regras muito simples: permanecer afastado de algo que lhe faria mal ou tentar realizar algo que lhe faria bem. Essa lei de aproximação e recuo dita a maior parte do comportamento humano e animal desde uma idade muito precoce.

As forças que implementam essa lei são as emoções positivas e negativas. As emoções nos levam a fazer coisas, como o próprio nome em inglês sugere (corte a primeira letra da palavra *emotion* e surge *motion*, que quer dizer movimento). Elas motivam nossas realizações notáveis, nos incitam a tentar de novo quando fracassamos, nos mantêm a salvo de potenciais danos, nos impelem a alcançar resultados recompensadores e benéficos e nos compelem a cultivar relações sociais e amorosas. Em suma, em quantidade apropriada, as emoções fazem com que valha a pena viver. Elas proporcionam uma existência saudável e vital em termos psicológicos e biológicos. Caso fossem eliminadas, a existência seria estéril, desprovida de altos ou baixos dignos de nota. Sem emoções, simplesmente existiríamos, em vez de viver. Tragicamente, é esse tipo de realidade que muitos pacientes narcolépticos são forçados a vivenciar por motivos que exploraremos agora.

Na medicina, a narcolepsia é considerada um transtorno neurológico, o que significa que suas origens estão no sistema nervoso central, especificamente no cérebro. A condição costuma se instalar entre os dez e os vinte anos de idade. Ela tem certa base genética, mas não é hereditária — a causa genética parece ser uma mutação, de modo que o transtorno não é passado de pai para filho. No entanto, as mutações genéticas, pelo menos como as compreendemos atualmente no contexto desse transtorno, não explicam todas as incidências de narcolepsia — outros gatilhos ainda estão por serem identificados. Ela tampouco é exclusiva dos seres humanos, já que numerosos mamíferos apresentam essa condição.

Há pelo menos três sintomas centrais que compõem o transtorno: (1) sonolência diurna excessiva; (2) paralisia do sono; e (3) cataplexia.

O sintoma de sonolência diurna excessiva costuma ser o mais perturbador e problemático para a qualidade da vida dos pacientes narcolépticos. Ele envolve ataques de sono durante o dia: ânsias brutais e irresistíveis de dormir em momentos em que se deseja estar acordado, como quando se está trabalhando, dirigindo ou fazendo uma refeição com a família ou os amigos.

Acho que, depois de ter lido o último parágrafo, muitos de vocês estejam pensando: "Ai meu Deus, eu tenho narcolepsia!" É improvável que isso seja verdade. É muito mais provável que você esteja sofrendo de privação crônica do sono. Cerca de uma em cada duas mil pessoas sofre de narcolepsia, o que a torna tão comum quanto a esclerose múltipla. Os ataques de sono que tipificam a sonolência diurna excessiva costumam ser o primeiro sintoma a aparecer. Apenas para lhe dar uma ideia de qual é a sensação, em relação ao que você talvez esteja imaginando, o narcoléptico sente uma sonolência equivalente a quem permaneceu acordado por três a quatro dias consecutivos.

O segundo sintoma do transtorno é a paralisia do sono, a assustadora perda da capacidade de falar ou se mover ao despertar. Em essência, a pessoa fica temporariamente presa no próprio corpo.

A maioria desses eventos ocorre no sono REM. Você deve se lembrar de que durante esse estágio o cérebro paralisa o corpo para impedi-lo de encenar seus sonhos. Normalmente, quando acordamos de um sonho, o cérebro liberta o corpo da paralisia em perfeita sincronia, bem no momento em que a consciência desperta retorna. Contudo, pode haver raras ocasiões em que a paralisia do estado REM perdura apesar de o cérebro ter encerrado o sono, mais ou menos como aquele último convidado de uma festa que parece relutante em reconhecer que o evento acabou e é hora de ir embora. Desse modo, a pessoa começa a despertar, porém não consegue abrir as pálpebras, virar-se, gritar ou mover qualquer dos músculos que controlam os membros. Aos poucos, a paralisia do sono REM diminui e a pessoa recobra o controle do próprio corpo.

Não se preocupe caso você tenha tido um episódio de paralisia do sono em algum momento da vida: ela não é exclusiva da narcolepsia. Cerca de um em cada quatro indivíduos saudáveis experimentam paralisia do sono, o que significa que ela é tão comum quanto ter soluços. Eu mesmo tive paralisia do sono várias vezes e não sofro de narcolepsia. Quem tem o transtorno apresenta esse sintoma com muito mais frequência e intensidade do que as pessoas saudáveis. Ou seja, a paralisia do sono é um sintoma associado à narcolepsia, porém não é exclusivo dela.

É preciso fazer um parêntese sobrenatural: é comum os episódios de paralisia do sono serem associados a sensações de terror e a impressão de que há um intruso no quarto. O medo vem da incapacidade de agir em resposta à ameaça percebida, como não ser capaz de gritar, levantar e sair do quarto ou se preparar para se defender. Hoje se acredita que seja essa série de características da paralisia do sono que explica a grande maioria das alegações de abduções por extraterrestres. Raramente se ouvem relatos sobre extraterrestres abordando as pessoas no meio do dia com testemunhas à vista de todos, abismadas com o sequestro alienígena em progresso. Em vez disso, a maioria das pretensas abduções por extraterrestres ocorre à noite; nos filmes de Hollywood a maioria das visitas clássicas de extraterrestres, como em *Contatos imediatos de terceiro grau* e *E.T.*, acontece à noite. Além disso, as vítimas de supostas abduções costumam mencionar a sensação de haver um ser no quarto (o extraterrestre), ou até sua presença real. Por fim — e este é o sinal revelador fundamental —, em geral a pretensa vítima alega ter recebido a injeção de um "agente paralisante". Assim a vítima descreve que quis contra-atacar, fugir ou gritar para pedir ajuda, mas não conseguiu fazê-lo. Obviamente, a força ofensora não eram alienígenas, mas a persistência da paralisia do sono REM após o despertar.

O terceiro e mais surpreendente sintoma central da narcolepsia é chamado de cataplexia. A palavra vem do grego *kata*, que significa para baixo, e *plexis*, que significa ataque ou convulsão — isto é, uma convulsão que derruba. Entretanto, um ataque cataplético não é de forma alguma uma convulsão, mas uma súbita perda de controle muscular. Esta pode variar de uma leve fraqueza em que a cabeça tomba, o rosto bambeia, o queixo cai e a fala se torna indistinta a um colapso dos joelhos ou uma súbita e imediata perda de todo o tônus muscular, resultando em queda no ato.

Talvez você tenha idade suficiente para se lembrar de um brinquedo de criança que envolvia um animal, em geral um burro, de pé em um pequeno pedestal do tamanho da palma da mão com um botão embaixo. Era semelhante a um fantoche sustentado por cordões, com a diferença de que os cordões não eram presos aos membros por fora, mas sim tecidos através dos membros por dentro e conectados ao botão situado embaixo. Apertar o botão relaxava a tensão do cordão interno e o burro desabava em uma pilha. Soltar o botão, retesando os cordões internos, fazia o burro ficar de pé, firmemente atento. A queda do tônus muscular ocorrida durante um ataque cataplético completo parece muito com esse brinquedo, porém as suas implicações não são nada engraçadas.

Se isso já não fosse terrível o bastante, há uma camada extra de maldade na enfermidade que destrói verdadeiramente a qualidade de vida do paciente. Ataques catapléticos não são aleatórios; são desencadeados por emoções moderadas ou fortes, positivas ou negativas. Conte uma piada engraçada para um paciente narcoléptico, e ele pode desmoronar na sua frente. Entre em um cômodo e dê um susto em um paciente, talvez quando ele estiver cortando um alimento com uma faca afiada, e ele cairá perigosamente. Até ficar de pé sob a água morna de um bom chuveiro pode ser uma experiência prazerosa o bastante para fazer as pernas do paciente vergarem, provocando uma queda potencialmente perigosa.

Agora vá além e considere os perigos de dirigir um carro e ser sobressaltado por uma buzina estridente. Ou jogar um jogo agradável com os filhos, ou tê-los pulando em cima de você e lhe fazendo cócegas, ou sentindo uma forte emoção de fazer chorar em um de seus recitais na escola de música. No caso dos narcolépticos com cataplexia, qualquer uma dessas coisas pode jogar a pessoa na prisão imobilizada do próprio corpo. Imagine o quão difícil se torna ter uma relação sexual amorosa e prazerosa com um parceiro narcoléptico. A lista é interminável, com resultados previsíveis e constrangedores.

A menos que os pacientes estejam dispostos a aceitar esses ataques de queda — o que não é de fato uma opção —, toda esperança de levar uma vida emocionalmente satisfatória desaparece. O narcoléptico é banido para uma existência monótona de neutralidade emocional. A ele é negado tudo que chegue perto das emoções suculentas com as quais todos nós somos alimentados a todo momento. É o equivalente a ser obrigado a comer a mesma tigela morna de mingau insípido dia após dia. Dá para imaginar a perda de apetite por uma vida assim.

Quem vê um paciente cair sob a influência da cataplexia fica com a certeza de que ele perdeu a consciência ou entrou em um sono potente. Mas não é esse o caso. A pessoa está acordada e consciente do mundo à sua volta. Na verdade, o que a emoção forte desencadeia é a paralisia corporal total (ou, às vezes, parcial) do sono REM sem o sono do estado REM. Portanto, a cataplexia é um funcionamento anormal do sistema de circuitos do sono REM no cérebro em que uma de suas características — a atonia muscular — é inapropriadamente acionada enquanto o indivíduo está acordado e agindo, em vez de adormecido e sonhando.

Obviamente dá para explicar isso a um paciente adulto, o que reduz a sua ansiedade durante o episódio, já que ele sabe o que está acontecendo, e o ajuda a refrear ou evitar altos e baixos emocionais a fim de reduzir a ocorrência cataplética. Entretanto, é muito mais difícil fazer isso com uma criança de dez anos. Como se poderia explicar um sintoma e um transtorno tão cruéis para uma criança com narcolepsia? E como impedir que uma criança desfrute a montanha-russa normal da existência emocional que é uma parte natural e fundamental da vida e do cérebro em desenvolvimento? Isto é, como se impede que uma criança seja uma criança? Não há respostas fáceis para essas questões.

Contudo, estamos começando a descobrir a base neurológica da narcolepsia e, em conjunto, mais sobre o sono saudável em si. No Capítulo 3, descrevi as partes do cérebro envolvidas na manutenção da vigília normal: as regiões alertadoras, ativadoras do tronco cerebral e o portão sensorial do tálamo, que se situa acima, um arranjo que se parece com uma bola de sorvete (tálamo) em uma casquinha (tronco cerebral). Quando se desliga à noite, o tronco cerebral remove sua influência estimulante sobre o portão sensorial do tálamo. Com o fechamento dele, paramos de perceber o mundo exterior e assim adormecemos.

Todavia, eu ainda não contei como o tronco cerebral sabe que é hora de apagar as luzes, por assim dizer, e desligar a vigília para que se comece a dormir. Algo precisa desativar a influência ativadora do tronco cerebral e, ao fazê-lo, permitir que o sono seja ligado. Esse interruptor sono-vigília fica logo abaixo do tálamo no centro do cérebro, em uma região chamada hipotálamo. É a mesma vizinhança que abriga o relógio biológico mestre de 24 horas — como não deve surpreender.

O interruptor sono-vigília no hipotálamo tem uma linha de comunicação direta com as regiões da usina elétrica do tronco cerebral. Como um interruptor de luz elétrica, ele pode ligar (vigília) e desligar (sono) a energia. Ao fazer isso, ele libera um neurotransmissor chamado orexina. Podemos pensar nela como o dedo que muda o interruptor para a posição "ligado". Quando ela é liberada para o tronco cerebral significa que o interruptor foi mudado inequivocamente, iluminando os centros geradores de vigília. Depois de ativado, o tronco cerebral abre o portão sensorial do tálamo, permitindo que o mundo perceptual flua para o cérebro, levando o indivíduo a uma vigília plena e estável.

À noite, ocorre o contrário. O interruptor para de liberar orexina para o tronco cerebral. O dedo agora colocou o interruptor na posição "desligado", anulando a influência estimulante da usina elétrica do tronco cerebral. Toda a troca sensorial conduzida no tálamo é encerrada pelo fechamento do portão sensorial. Perdemos contato perceptual com o mundo exterior e então dormimos. Luzes desligadas, luzes ligadas, luzes desligadas, luzes ligadas — essa é a função neurobiológica do interruptor sono-vigília no hipotálamo, que é controlado pela orexina.

Pergunte a um engenheiro quais são as propriedades essenciais de um interruptor elétrico básico e ele mencionará um imperativo: ele deve ser definitivo. Ou seja, deve estar ou totalmente ligado ou totalmente desligado — um estado binário. Não devem existir variações entre as posições de "ligado" e "desligado", pois, quando isso ocorre, o sistema elétrico não é estável ou previsível. Infelizmente é isso o que acontece com o interruptor sono-vigília no transtorno da narcolepsia, causado por anormalidades acentuadas da orexina.

Os cientistas analisaram minuciosamente o cérebro de pacientes narcolépticos depois de sua morte e descobriram uma perda de quase 90% de todas as células que produzem orexina. E o pior: os receptores de orexina que cobrem a superfície da usina elétrica do tronco cerebral estavam reduzidos em vários pacientes narcolépticos em comparação com indivíduos normais.

Por conta dessa carência de orexina, agravada pelo número reduzido de receptores para receber o pouco da substância que de fato goteja, o estado de sono-vigília do cérebro narcoléptico é instável, como um interruptor defeituoso. Como nunca está ligado ou desligado de forma definitiva, o cérebro oscila precariamente em torno de um ponto intermediário, balançando entre o sono e a vigília.

O estado deficiente em orexina desse sistema sono-vigília é a maior causa do primeiro e principal sintoma de narcolepsia, que é a sonolência diurna excessiva e os ataques repentinos de sono. Sem o dedo forte da orexina empurrando o interruptor para a posição definitiva de "ligado", os narcolépticos não conseguem manter a vigília resoluta durante o dia inteiro. Pelas mesmas razões, essas pessoas têm um péssimo sono à noite, mergulhando no sono e emergindo dele de maneira agitada. Como um interruptor de luz defeituoso que tremeluz ininterruptamente, a experiência errática de sono e vigília do paciente narcoléptico funciona ao longo de cada período de 24 horas.

Apesar do trabalho incrível de muitos de meus colegas, a narcolepsia hoje representa um fracasso da pesquisa do sono no que se refere a tratamentos efetivos. Embora tenhamos intervenções eficazes para outros transtornos, como a insônia e a apneia do sono, estamos muito atrasados no tocante ao tratamento da narcolepsia. Isso se deve em parte à raridade da enfermidade, fazendo com que seja pouco lucrativo para as companhias farmacêuticas investirem em pesquisas — o que costuma ser uma força motriz do progresso rápido dos tratamentos em medicina.

No caso do primeiro sintoma de narcolepsia — os ataques de sono diurnos —, o único tratamento costumava ser doses altas da droga promotora de vigília: a anfetamina. A grande questão é que, como sabemos, a anfetamina é superviciante, além de uma droga "suja", o que quer dizer que ela é promíscua e afeta muitos sistemas químicos no cérebro e no corpo, gerando efeitos colaterais terríveis. Um novo medicamento, "mais limpo", chamado Provigil é usado agora para ajudar os pacientes narcolépticos a permanecer mais acordados com mais estabilidade ao longo do dia e tem menos desvantagens. Contudo, ele é pouco eficaz.

Muitas vezes são prescritos antidepressivos para tentar atenuar o segundo e o terceiro sintomas — a paralisia do sono e a cataplexia —, já que eles contêm o sono REM e é a paralisia ocorrida nesse estágio que está no cerne desses dois sintomas. Ainda assim, esses remédios apenas reduzem a incidência dos dois; não os erradicam.

No geral, a perspectiva de tratamento para quem sofre desse mal ainda é desalentadora e não há nenhuma cura à vista. Grande parte do destino terapêutico desses pacientes e suas famílias está nas mãos da pesquisa acadêmica, que avança mais devagar, não na progressão mais rápida dos investimentos das grandes companhias farmacêuticas. Por enquanto, os pacientes simplesmente devem tentar administrar a vida com o transtorno para poderem levá-la da melhor forma possível.

Talvez alguns de vocês tenham tido a mesma ideia que várias companhias farmacêuticas tiveram ao saber do papel da orexina e do interruptor sono-vigília na narcolepsia: a de que poderíamos fazer a engenharia reversa do conhecimento e, em vez de aumentar a orexina para proporcionar aos narcolépticos uma vigília mais estável durante o dia, tentar cortá-la à noite, oferecendo assim uma nova maneira de induzir o sono em pacientes com insônia. Essas empresas de fato estão tentando desenvolver compostos que bloqueiem a substância à noite, forçando-a a colocar o interruptor na posição de "desligado", induzindo um sono mais natural do que as problemáticas e sedativas drogas para dormir de que dispomos hoje.

Infelizmente, o primeiro desses medicamentos, o suvorexant (cujo nome de marca é Belsomra), não provou ser a pílula mágica que muitos esperavam. Nos testes clínicos exigidos pela FDA, os pacientes adormeceram apenas seis minutos mais depressa do que os participantes que estavam tomando um placebo. Ainda que fórmulas futuras possam se revelar mais eficientes, métodos não farmacológicos para o tratamento da insônia, que serão explicados no próximo capítulo, ainda são uma opção bastante preferível.

INSÔNIA FAMILIAR FATAL

Michael Corke se tornou o homem que não podia dormir — e pagou por isso com a própria vida. Antes que a insônia se instalasse, ele era uma pessoa de alto nível de desempenho, ativo, um marido devotado e professor de música em uma escola de ensino médio em New Lexon, logo ao sul de Chicago. Aos quarenta anos, ele passou a ter dificuldade para dormir. A princípio, achou que a culpa fosse dos roncos da mulher, Penny; por isso ela decidiu dormir no sofá pelas dez noites seguintes. A insônia de Corke não diminuiu — na verdade, só piorou. Depois de meses de sono deficiente e sabendo que a causa estava em outro lugar, ele decidiu procurar ajuda médica. Nenhum dos médicos que o examinaram inicialmente conseguiu identificar o gatilho da insônia, e alguns o diagnosticaram com transtornos sem relação com o sono, como a esclerose múltipla.

A insônia de então evoluiu até o ponto em que Corke se tornou incapaz de dormir. Ele não dormia nem um instante, nenhum medicamento leve para dormir ou até um sedativo pesado conseguiu arrancar seu cérebro das garras da vigília permanente. Pela aparência de Corke na época, era notório o quanto ele estava desesperado por sono. Só de ver os olhos dele já dava cansaço. O piscar deles era dolorosamente lento, como se as pálpebras quisessem permanecer fechadas por dias. Elas transmitiam a mais desesperada fome de sono que se pode imaginar.

Após oito semanas seguidas sem sono algum, as faculdades mentais de Corke começaram a desaparecer depressa. Esse declínio cognitivo foi igualado em velocidade pela rápida deterioração do corpo. As habilidades motoras estavam tão comprometidas que até o andar coordenado se tornou difícil. Certa noite Corke teve que reger uma apresentação orquestral em uma escola. Foram necessários vários e penosos (embora heroicos) minutos para que ele terminasse a curta caminhada através da orquestra e subisse no estrado do regente, tudo com a ajuda de uma bengala.

Aproximando-se da marca de seis meses sem dormir, Corke estava acamado e à beira da morte. Apesar da idade, sua condição neurológica se assemelhava à de um idoso nos estágios finais da demência. Ele não conseguia tomar banho ou se vestir. Alucinações e delírios eram recorrentes. Sua capacidade de fala estava quase nula e ele se resignou a se comunicar por meio de movimentos rudimentares de cabeça e raras falas inarticuladas sempre que conseguia reunir energia. Passados vários outros meses sem sono, as faculdades corporais e mentais de Corke deixaram de funcionar por completo. Pouco depois de completar 42 anos, Michael Corke morreu de um transtorno raro e hereditário chamado insônia familiar fatal (IFF). Não há tratamento para essa enfermidade nem cura. Todos os pacientes diagnosticados com ela morreram dentro de dez meses — alguns até mais cedo. Ela é um dos males mais misteriosos dos anais da medicina e nos ensinou uma lição chocante: a falta de sono mata.

A causa subjacente da IFF é cada vez mais bem compreendida e se baseia em muito do que discutimos sobre os mecanismos normais de geração de sono. O culpado é a anomalia de um gene chamado PrNP, que significa proteína príon. Todos nós temos proteínas príon no cérebro, e elas desempenham funções úteis. No entanto, uma versão nociva da proteína é desencadeada por esse defeito genético, o que gera uma versão mutada que se espalha como um vírus.* Nessa forma geneticamente adulterada, a proteína passa a visar e destruir certas partes do cérebro, ocasionando uma forma de degeneração que se acelera depressa conforme a proteína se espalha.

Uma região que essa proteína malfeitora ataca, e o faz de maneira abrangente, é o tálamo. Ao fazer exames *post-mortem* do cérebro de vítimas precoces de IFF, os cientistas se depararam com o tálamo pontilhado de buracos, quase como um queijo suíço. As proteínas príon haviam escavado todo ele, degradando por completo sua integridade estrutural. Isso foi visto principalmente nas camadas exteriores dele, que formam as portas sensoriais que deveriam se fechar a cada noite.

---

* A insônia familiar fatal integra uma família de transtornos da proteína príon que inclui a doença de Creutzfeldt-Jakob, também conhecida como doença da vaca louca, embora esta envolva a destruição de diferentes regiões do cérebro não fortemente associadas ao sono.

Por causa desse ataque, o tálamo ficou permanentemente emperrado na posição de "aberto". Os pacientes nunca desligavam a percepção consciente do mundo exterior e, desse modo, nunca mergulhavam no misericordioso sono de que precisavam tão desesperadamente. Nenhuma quantidade de comprimidos para dormir ou de outros medicamentos conseguiu fechá-lo. Além disso, todos os sinais enviados pelo cérebro para o corpo que nos preparam para dormir — a redução da frequência cardíaca, da pressão sanguínea, do metabolismo e da temperatura central do corpo — precisam passar pelo tálamo em seu caminho medula espinhal abaixo, para só depois serem enviados para os diversos tecidos e órgãos. Todos eles ficaram bloqueados pelo dano no tálamo, o que reforçou a impossibilidade do sono nos pacientes.

As perspectivas atuais de tratamento são poucas. Houve certo interesse por um antibiótico chamado doxiciclina, que parece desacelerar o ritmo da acumulação da proteína nociva em outros transtornos priônicos, como a doença de Creutzfeldt-Jakob. Hoje estão em curso testes clínicos para essa terapia potencial.

Além da corrida em busca de um tratamento e de uma cura, há uma questão ética envolvendo essa doença. Como a IFF é hereditária, conseguimos rastrear parte de seu legado através de gerações. Essa linhagem genética remonta até a Europa, e especificamente a Itália, onde vivem muitas famílias afligidas. Um cuidadoso trabalho investigativo foi ainda mais fundo na cronologia genética, chegando a um médico veneziano no fim do século XVIII, que parece ter tido um claro caso do transtorno. Sem dúvida, o gene remonta ainda mais longe do que a esse médico, porém mais importante do que traçar o passado da doença é prever seu futuro. A certeza genética suscita uma questão eugenicamente delicada: se os genes da sua família implicam que você pode um dia ser fulminado pela incapacidade fatal de dormir, você gostaria de estar ciente desse fato? Além disso, se você sabe dessa possibilidade e ainda não teve filhos desistiria de tê-los a fim de impedir a transmissão da doença para a próxima geração? Não há respostas simples, com certeza nenhuma que a ciência possa (ou talvez deva) oferecer — uma gavinha adicionalmente cruel de uma enfermidade já atroz.

PRIVAÇÃO DE SONO *VERSUS* PRIVAÇÃO DE ALIMENTO

A IFF ainda é o indício mais forte que possuímos de que a total falta de sono mata. Entretanto, cientificamente se pode dizer que essa questão permanece inconclusiva, já que pode haver outros processos relacionados à doença que poderiam contribuir para a morte e é difícil distingui-los dos de uma falta de sono comum. Há relatos de casos individuais de pessoas que morreram em virtude da privação total de sono prolongada, como o de Jiang Xiaoshan. Diz-se que ele permaneceu acordado por onze dias seguidos para assistir a todos os jogos dos campeonatos europeus de futebol de 2012, sendo que durante todo esse tempo foi trabalhar normalmente todos os dias. No décimo segundo dia, Xiaoshan foi encontrado pela mãe morto em seu apartamento aparentemente em virtude da falta de sono. Também teve a trágica morte de Moritz Erhardt, estagiário do Bank of America, que sofreu uma convulsão epiléptica fatal após uma privação de sono aguda em razão da sobrecarga de trabalho que é tão endêmica e esperada nessa profissão, sobretudo dos funcionários juniores dessas organizações. Apesar disso, esses são apenas estudos de caso e é difícil validá-los e verificá-los cientificamente após a consumação do fato.

Todavia, pesquisas realizadas em animais forneceram provas definitivas da natureza mortal da privação total de sono, livres de qualquer doença comórbida. O mais drástico, perturbador e eticamente provocativo desses estudos foi publicado em 1983 por uma equipe de pesquisa da Universidade de Chicago. Sua questão experimental era simples: o sono é necessário para a vida? Ao impedir ratos de dormir por semanas a fio em um suplício horripilante, eles obtiveram uma resposta inequívoca: ratos morrem em média após quinze dias sem dormir.

Logo na sequência, chegaram a dois resultados adicionais. O primeiro foi o de que a morte por privação total de sono se dava tão rapidamente quanto por privação total de alimento. Já o segundo foi o de que os ratos perdiam a vida quase tão depressa em decorrência da privação seletiva de sono REM quanto da privação total de sono. A ausência total de sono NREM também se provara fatal, só levara mais tempo para infligir a mesma consequência mortal — em média 45 dias.

No entanto, houve um problema. Diferentemente da fome, em que a causa da morte é identificada com facilidade, os pesquisadores não puderam determinar por que os ratos haviam morrido após a ausência de sono, apesar da rapidez com que faleceram. Avaliações feitas durante o experimento, bem como com as autópsias posteriores, forneceram algumas indicações.

Uma delas foi a de que, apesar de comer muito mais do que seus homólogos descansados pelo sono, os ratos privados de sono logo começaram a perder peso. Além disso, eles não conseguiram mais regular a temperatura corporal central. Quanto mais privados de sono eram os ratos, mais frios ficavam, regressando para a temperatura ambiente. É perigoso ficar nesse estado: todos os mamíferos, incluindo os seres humanos, vivem na beira de um penhasco térmico. Os processos fisiológicos no interior do corpo dos mamíferos só podem funcionar dentro de uma variação de temperatura notavelmente estreita. Ficar abaixo ou acima desses limiares é uma via rápida para a morte.

Não foi uma coincidência essas consequências metabólicas e térmicas terem ocorrido em conjunto. Quando a temperatura central do corpo cai, os mamíferos reagem aumentando seu índice metabólico. A queima de energia libera calor a fim de aquecer o cérebro e o corpo e colocá-los de novo acima do limiar térmico crítico para assim evitar a morte. Mas, no caso dos ratos privados de sono, esse foi um esforço inútil. Como uma velha estufa a lenha cuja abertura superior fora deixada descoberta, por mais combustível que estivesse sendo acrescentado ao fogo, o calor simplesmente escapava pelo alto. Os ratos estavam se metabolizando de dentro para fora em resposta à hipotermia.

Outra consequência — e talvez a mais reveladora — foi o fato de a perda de sono ter ficado à flor da pele: os ratos ficam destruídos. Surgiram chagas por toda parte na pele, além de ferimentos nas patas e na cauda. Não só o sistema metabólico dos animais tinha começado a implodir, como o mesmo havia acontecido com o sistema imune.* Eles não conseguiam rechaçar nem mesmo as mais básicas infecções na epiderme — ou sob ela, como veremos.

---

* Allan Rechtschaffen, o cientista sênior que conduziu esses estudos, foi procurado certa vez por uma conhecida revista de moda feminina depois que tais descobertas foram divulgadas. O jornalista queria saber se a privação total do sono oferecia uma nova, empolgante e efetiva maneira de as mulheres perderem peso. Esforçando-se para assimilar a audácia do que lhe fora perguntado, Rechtschaffen tentou elaborar uma resposta. Aparentemente, ele admitiu que a privação total de sono forçada em ratos resulta em perda de peso; portanto, de fato a privação de sono aguda por dias seguidos gera emagrecimento. O jornalista ficou entusiasmado por obter a trama que desejava. No entanto, Rechtschaffen fez uma observação: que junto com a notável perda de peso vinham ferimentos na pele que secretavam fluido linfático, chagas que evisceravam as patas dos ratos, uma decrepitude que parecia envelhecimento acelerado, além do colapso catastrófico (e fatal) dos órgãos internos e do sistema imune, "caso a aparência e uma vida mais longa também fizessem parte dos objetivos de suas leitoras". Ao que parece, a entrevista foi encerrada logo em seguida.

Se esses sinais exteriores de degradação da saúde já não fossem chocantes o bastante, o dano interno revelado pela autópsia também foi terrível. O patologista se deparou com uma paisagem de total desgraça fisiológica. As complicações variavam de fluido nos pulmões e hemorragia interna a úlceras perfurando o revestimento do estômago. Alguns órgãos, como o fígado, o baço e os rins tinham diminuído em tamanho e peso. Outros, como as glândulas adrenais, que respondem a infecções e ao estresse, estavam acentuadamente aumentados. Os níveis circulantes de corticosterona, o hormônio relacionado à ansiedade e liberado pelas glândulas adrenais, haviam aumentado vertiginosamente nos ratos insones.

Qual, então, foi a causa da morte? Aí reside o problema: os cientistas não tinham a menor ideia. Nem todos os ratos sofreram mortes com a mesma característica patológica. A única coisa comum entre eles foi a morte em si (ou a alta probabilidade dela, ponto em que os pesquisadores sacrificavam os animais).

Nos anos seguintes, outros experimentos — os últimos do gênero, pois os cientistas se sentiram (com razão, na minha opinião) constrangidos com relação à ética diante dos resultados — enfim desvendaram o mistério. A última gota fatal foi a septicemia — uma infecção bacteriana tóxica e sistêmica (em todo o organismo) que fluiu pela corrente sanguínea dos ratos e destruiu o corpo inteiro até a morte. Longe de ser uma infecção perversa oriunda do meio externo, trata-se de simples bactérias do intestino dos próprios ratos que infligiram o golpe de misericórdia — um golpe que um sistema imune saudável fortalecido pelo sono teria subjugado com facilidade.

Na verdade, a cientista russa Marie de Manacëine tinha relatado as mesmas consequências mortais da privação de sono contínua na literatura médica um século antes. Ela observou que cães jovens morriam em alguns dias quando impedidos de dormir (devo confessar que para mim é muito difícil ler sobre tais estudos). Vários anos após as investigações de De Manacëine, pesquisadores italianos descreveram efeitos também letais da privação de sono total em cães, acrescentando a constatação feita por meio de autópsia da degeneração neural no cérebro e na medula espinhal dos animais.

Foram necessários mais cem anos após os experimentos de De Manacëine e os avanços de tecnologia laboratorial até que os cientistas da Universidade de Chicago enfim revelassem por que a vida se extingue tão depressa na ausência de sono. Talvez você já tenha visto a caixinha vermelha fixada nas paredes de ambientes de trabalho extremamente perigosos. Elas trazem o seguinte aviso na frente: QUEBRE O VIDRO EM CASO DE EMERGÊNCIA. Quando se impõe uma total ausência de sono a um organismo, seja ele um rato ou um ser humano, há uma emergência e encontra-se o equivalente biológico desse vidro quebrado por todo o cérebro e o corpo, com um efeito fatal. Nós finalmente compreendemos isso.

NÃO, ESPERE: VOCÊ SÓ PRECISA DE 6,75 HORAS DE SONO!

Refletir sobre as consequências mortais da privação de sono de longo prazo/crônica e de curto prazo/aguda nos permite tratar de uma recente controvérsia no campo da pesquisa do sono — uma que muitos jornais, para não mencionar alguns cientistas, entenderam de forma equivocada. O estudo em questão foi conduzido por pesquisadores da Universidade da Califórnia, em Los Angeles, sobre os hábitos de dormir de tribos pré-industriais específicas. Usando dispositivos de medição de atividade em forma de relógio de pulso, os cientistas monitoraram o sono de três tribos de caçadores-coletores que estão em grande medida intocadas pelos costumes da modernidade industrial: o povo tsimané, da América do Sul, e as tribos san e hadza, da África, que já foram mencionadas neste livro. A partir da avaliação das horas de dormir e despertar de cada dia ao longo de muitos meses, foram feitas as seguintes descobertas: os integrantes dessas tribos dormem em média apenas seis horas no verão e cerca de 7,2 horas no inverno.

Veículos de imprensa respeitados divulgaram as descobertas como prova de que os seres humanos afinal não precisam de oito horas inteiras de sono, alguns até sugeriram que podemos sobreviver muito bem com seis horas ou menos. Por exemplo, a manchete de um proeminente jornal dos Estados Unidos dizia: "Estudo do sono sobre caçadores-coletores dos nossos dias rejeita noção de que somos feitos para necessitar de oito horas de sono por dia."

Outros partiram do pressuposto incorreto de que sociedades modernas só precisam de sete horas de sono e então questionaram se sequer precisamos de tanto: "É de fato necessário dormir sete horas por noite?"

Como esses veículos renomados e respeitados puderam chegar a essas conclusões, sobretudo depois dos dados científicos apresentados neste capítulo? Vamos reavaliar com cuidado as descobertas e ver se ainda assim chegamos à mesma conclusão.

Primeiro, se você ler o artigo, verá que os membros das tribos na verdade se davam a oportunidade de sono de sete a 8,5 horas a cada noite. Além disso, o dispositivo de relógio de pulso, que não é nem uma medida precisa nem um padrão ouro de sono, estimou que uma variação de seis a 7,5 horas desse tempo era passada dormindo. Portanto, a oportunidade de sono que os integrantes dessas tribos se proporcionavam é quase idêntica ao que a National Sleep Foundation e os Centros para o Controle e a Prevenção de Doenças [CDCP, na sigla em inglês] recomendam a todos os seres humanos adultos: de sete a nove horas na cama.

O problema é que algumas pessoas confundem tempo dormido com tempo de oportunidade de sono. Sabemos que muita gente no mundo moderno se permite apenas de cinco a 6,5 horas de oportunidade de sono, o que em geral significa cerca de 4,5 a seis horas de sono real. Ou seja: a descoberta *não* prova que o sono de tribos caçadoras-coletoras é similar ao nosso na era pós-industrial. Eles se dão mais oportunidades de sono do que nós.

Além disso, vamos supor que as medições do relógio de pulso fossem precisas e que essas tribos obtivessem uma média anual de apenas 6,75 horas de sono. A conclusão equivocada extraída das descobertas foi a de que seres humanos devem, portanto, necessitar naturalmente de meras 6,75 horas de sono, e não mais. E é aí que reside o problema.

Ao voltar às duas manchetes de jornal citadas, você notará que ambas usam a palavra "necessitar". Mas de que *necessidade* estamos falando? O pressuposto (incorreto) delas foi este: o tempo pelo qual os integrantes das tribos dormissem seria tudo de que o ser humano *necessita*. É um raciocínio falho por duas razões. A *necessidade* não é definida pelo tanto que se dorme (como o transtorno da insônia nos ensina), mas verificando se essa quantidade de sono é suficiente para que se realize tudo que o sono faz. Desse modo, a *necessidade* mais óbvia seria a de vida — e de uma vida saudável. Agora descobrimos que a duração média da vida desses caçadores-coletores é de apenas 58 anos, embora eles sejam muito mais ativos do que nós — com os obesos sendo raros — e não sejam flagelados pela agressão dos alimentos processados, que erodem nossa saúde. Obviamente eles não têm acesso à medicina moderna e ao saneamento básico, que são razões para que muitos de nós dos países industrializados do primeiro mundo tenhamos uma expectativa de vida que excede a deles em mais de uma década. Entretanto, é revelador que, com base em dados epidemiológicos, preveja-se que todo adulto que durma uma média de 6,75 horas por noite viverá apenas até os sessenta e poucos anos: muito próximo do tempo de vida médio dos integrantes dessas tribos.

Contudo, mais presciente é o que costuma matar os membros dessas tribos. Uma vez que tenham sobrevivido aos altos índices de mortalidade infantil e chegado ao fim da adolescência, uma causa comum de morte entre os adultos é a infecção. O sistema imune fraco é uma consequência conhecida do sono insuficiente, como já discutimos em detalhes. Também é preciso observar que um dos fracassos mais comuns do sistema imune que gera mortes em clãs caçadores-coletores são infecções intestinais — algo que guarda uma semelhança intrigante com as infecções do trato intestinal que mataram os ratos privados de sono nos estudos descritos nesta seção.

Tendo em mente esse tempo de vida mais curto, que está bem de acordo com a quantidade menor de sono medida pelos pesquisadores, o erro de lógica seguinte é exposto ao se questionar *por que* essas tribos dormiriam o que parece ser muito pouco com base em tudo que sabemos a partir de milhares de pesquisas.

Ainda não conhecemos todas as razões, porém um provável fator contribuinte está na classificação que damos a essas tribos: caçadores-coletores. Uma das poucas maneiras universais de forçar animais de todos os tipos a dormir por uma quantidade menor do que a normal é limitar a comida, aplicando um grau de inanição. Quando o alimento se torna escasso, o sono também se torna escasso, pois os animais tentam ficar acordados por mais tempo para procurar comida. Parte do motivo pelo qual essas tribos de caçadores-coletores não são obesas é o fato de elas estarem constantemente à procura de alimento, que nunca é abundante por longos períodos. Eles passam grande parte da vida desperta buscando e preparando nutrição. Por exemplo, os hadzas enfrentam dias em que obtêm 1.400 calorias ou menos e costumam ingerir menos trezentas a seiscentas calorias diárias do que nós, que integramos culturas ocidentais modernas. Portanto, uma grande porção de seu ano é passada em um estado de inanição de baixo nível, o qual pode desencadear vias biológicas bem caracterizadas que reduzem o tempo de sono, ainda que a *necessidade* de sono permaneça mais elevada que o obtido caso a comida fosse abundante. Desse modo, concluir que os seres humanos — modernos ou pré-industriais — *necessitam* de menos de sete horas de sono parece ser uma presunção ilusória e um mito de tabloide.

DORMIR NOVE HORAS POR NOITE É DEMAIS?

Indícios epidemiológicos sugerem que a relação entre sono e risco de mortalidade não é linear, de tal modo que quanto mais se dorme, menor é o risco de morte (e vice-versa). Na verdade, há um gancho ascendente no risco de morte depois que a quantidade média de sono passa de nove horas, formando assim um J invertido inclinado.

Dois pontos merecem menção a esse respeito. Primeiro, se você analisar esses estudos em detalhe, descobrirá que as causas de morte em indivíduos que dormem por pelo menos nove horas incluem infecções (por exemplo, pneumonia) e cânceres imunoativadores. Com base em indícios discutidos anteriormente neste livro, sabemos que as doenças, sobretudo as que ativam uma poderosa resposta imune, geram mais sono. Portanto, os indivíduos mais doentes deveriam dormir por mais tempo para lutar contra a enfermidade usando o conjunto de ferramentas oferecido pelo sono. Acontece que simplesmente algumas doenças, como o câncer, podem ser poderosas demais para serem superadas pela força imensa do sono, não importa o quanto se durma. A ilusão criada é a de que sono demais leva a uma morte precoce, em vez da conclusão mais defensável de que a doença é excessiva apesar de todos os esforços em sentido contrário da extensão benéfica do sono. Digo mais defensável, em vez de igualmente defensável, porque nunca se descobriu um mecanismo biológico que mostre que o sono seja de alguma forma prejudicial.

Segundo, é importante não estender demais o meu argumento. Não estou sugerindo que dormir dezoito ou vinte horas todos os dias, caso isso fosse fisiologicamente possível, seja melhor do que dormir nove. É improvável que o sono funcione dessa maneira linear. Tenha em mente que a comida, o oxigênio e a água não são diferentes, e eles também têm uma relação em forma de J invertido com o risco de mortalidade. Comer em excesso encurta a vida. Hidratação extrema pode levar a elevações fatais da pressão sanguínea associadas a derrames cerebrais e ataque cardíaco. Excesso de oxigênio no sangue, conhecido como hiperóxia, é tóxico para as células, principalmente as do cérebro.

O sono, como a comida, a água e o oxigênio, pode compartilhar essa relação com o risco de mortalidade quando levado a extremos. Afinal, a vigília na quantidade correta é evolucionariamente adaptativa, assim como o sono. Ambos proporcionam vantagens de sobrevivência sinergísticas e fundamentais, embora em geral diferentes. Há um equilíbrio adaptativo a ser alcançado entre os dois. No caso dos seres humanos, esse parece ser cerca de dezesseis horas de vigília total e cerca de oito horas de sono total para um adulto médio.

CAPÍTULO 13

Ipads, sinais de fábrica e álcool antes de se deitar:

O que está impedindo você de dormir?

Muitos de nós estamos mais do que cansados. Por quê? O que exatamente na modernidade perverte tanto nosso padrão de sono de outro modo instintivo, acaba com nossa liberdade de dormir e nos impossibilita de fazê-lo profundamente ao longo da noite? Para quem não sofre de transtorno de sono, as razões subjacentes ao estado de deficiência dele podem ser difíceis de apontar com precisão — e, quando parecem óbvias, elas costumam ser equivocadas.

Além das viagens mais longas entre casa e local de trabalho e da "procrastinação do sono" causada pelo hábito de assistir à televisão tarde da noite e o entretenimento digital — dois aspectos que não são inócuos no encurtamento das duas pontas do nosso tempo de dormir e do dos nossos filhos —, cinco fatores-chave tiveram um impacto enorme no quanto e em quão bem dormimos: (1) a luz elétrica constante, assim como a luz LED, (2) a temperatura regulada, (3) a cafeína (discutida no Capítulo 2), (4) o álcool e (5) o legado dos cartões de ponto. É esse conjunto de forças socialmente construídas o responsável pela crença equivocada de muitas pessoas de que estão sofrendo de insônia clínica.

O LADO SOMBRIO DA LUZ MODERNA

Na Pearl Street, número 255-257, em Lower Manhattan, perto da ponte do Brooklin, fica o local da que foi talvez a mudança mais modesta, porém sísmica, da história humana. Foi ali que Thomas Edison construiu a primeira usina elétrica para servir de base para uma sociedade eletrificada. Pela primeira vez, a raça humana dispôs de um método de fato expansível para se desvencilhar do ciclo natural de 24 horas de luz e escuridão da Terra. Com um proverbial clique de um interruptor veio a capacidade extraordinária de controlar a luz ambiental e, com ela, nossas fases de vigília e sono. Nós, e não a mecânica giratória da Terra, a partir de então decidiríamos quando era "noite" e quando era "dia". Somos a única espécie que conseguiu iluminar a noite com um efeito tão espetacular.

Os seres humanos são criaturas predominantemente visuais. Mais de um terço de nosso cérebro é devotado a processar informação visual, excedendo de longe a parte dedicada aos sons ou aos cheiros e as que dão apoio à linguagem e ao movimento. O *Homo sapiens* primitivo encerrava a maior parte de suas atividades após o pôr do sol. Era obrigado a isso, já que elas eram baseadas na visão, apoiada pela luz do dia. O advento do fogo, e seu halo de luz limitado, permitiu a extensão das atividades pós-anoitecer, porém seu efeito foi modesto. No fulgor da luz da fogueira no início da noite, foram registradas atividades sociais nominais como cantar e contar histórias em tribos caçadoras-coletoras como os hadzas e os sans. No entanto, as limitações práticas da luz da fogueira anulavam qualquer influência significativa sobre o ritmo de nosso padrão de sono-vigília.

Lâmpadas a gás e a óleo e suas precursoras, as velas, tiveram uma influência mais vigorosa sobre as atividades noturnas contínuas. Basta contemplar as pinturas de Renoir da vida parisiense do século XIX para ver o alcance ampliado da luz artificial. Indo para além das casas e inundando as ruas, as lâmpadas a gás passaram a banhar bairros inteiros com iluminação. Nesse momento, a influência da luz artificial iniciou a reengenharia do padrão de sono humano, um fenômeno que só se intensificou com o tempo. Os ritmos noturnos de sociedades inteiras — não apenas indivíduos ou famílias isoladas — logo se tornaram sujeitos à luz durante a noite, e assim começou nossa marcha progressiva rumo a horários de ir dormir mais tardios.

Para o núcleo supraquiasmático — o relógio-mestre de 24 horas do cérebro — o pior ainda estava por vir. A usina elétrica de Edison em Manhattan permitiu a adoção em massa da luz incandescente. Edison não criou a lâmpada incandescente — essa honra coube ao químico inglês Humphry Davy em 1802. Todavia, em meados dos anos 1870, a Edison Electric Light Company começou a desenvolver uma lâmpada confiável e comercializável em massa. Lâmpadas incandescentes e, décadas depois, lâmpadas fluorescentes garantiram que os seres humanos modernos não mais passariam grande parte da noite na escuridão, como havíamos feito por milênios.

Cem anos depois de Edison, nós compreendemos agora os mecanismos biológicos pelos quais as lâmpadas elétricas vetam nosso ritmo natural e nossa qualidade de sono. O espectro de luz visível — aquele que nossos olhos podem ver — abrange a gama dos comprimentos de onda mais curtos (cerca de 380 nanômetros), que percebemos como violetas e azuis mais frios, até os comprimentos de onda mais longos (por volta de setecentos nanômetros), que sentimos como amarelos e vermelhos mais quentes. A luz do sol contém uma mistura potente de todas essas cores e as situadas entre elas (como a icônica capa do álbum do Pink Floyd *Dark Side of the Moon* ilumina [por assim dizer]).

Antes de Edison, e antes das lâmpadas a gás e a óleo, o sol poente levava consigo toda essa corrente de luz do dia dos nossos olhos, sentida pelo relógio de 24 horas no cérebro (o núcleo supraquiasmático descrito no Capítulo 2). A perda da luz do dia informa ao núcleo supraquiasmático que está de noite; tempo de tirar o pé do freio sobre a glândula pineal, permitindo-lhe liberar uma vasta quantidade de melatonina para informar ao cérebro e ao corpo que a escuridão chegou e é hora de se deitar. O cansaço apropriadamente programado, seguido pelo sono, costumava se instalar várias horas após o cair da noite no nosso coletivo humano.

A luz elétrica pôs fim a essa ordem natural das coisas, redefinindo o significado de meia-noite para as gerações seguintes. A luz noturna artificial, mesmo a de força modesta, ou lux, engana o núcleo supraquiasmático, induzindo-o a acreditar que o sol ainda não se pôs. O freio na melatonina, que deveria ter sido liberado com o cair da noite, permanece bem pressionado no cérebro sob a coação da luz elétrica.

Portanto, a luz artificial que inunda os ambientes internos na atualidade detém o avanço do tempo biológico que costuma ser indicado pela explosão noturna de melatonina. No caso dos seres humanos modernos, o sono sofre um atraso em sua decolagem da pista noturna, que aconteceria naturalmente em algum momento entre as oito e as dez horas da noite, como foi observado em tribos caçadoras-coletoras. A luz artificial em sociedades modernas nos induz a acreditar que a noite ainda é dia e o faz usando uma mentira fisiológica.

O grau em que a luz elétrica noturna atrasa o relógio interno de 24 horas é importante: em geral de duas a três horas em cada noite em média. Para contextualizar, digamos que você esteja lendo este livro às onze horas da noite na cidade de Nova York, tendo passado toda a noite cercado por luz elétrica. Seu relógio de cabeceira pode estar registrando onze da noite, porém a onipresença da luz artificial interrompeu o tique-taque interno do tempo, impedindo a liberação de melatonina. Em termos biológicos, você foi arrastado para o oeste pelo continente até o equivalente interno da hora de Chicago (dez da noite) ou até da hora de São Francisco (oito da noite).

Desse modo, a luz artificial noturna pode se fazer passar por insônia de início do sono — a incapacidade de pegar no sono pouco depois de se deitar. Ao atrasar a liberação de melatonina, ela torna consideravelmente menos provável que a pessoa consiga adormecer em uma hora razoável. Quando você enfim desliga a luz de cabeceira, esperar que o sono venha depressa se torna ainda mais difícil. Levará um tempo até que a maré montante de melatonina submerja o cérebro e o corpo em concentrações máximas, instruída pela escuridão que só então se iniciou — em outras palavras, até que você seja biologicamente capaz de organizar o início do sono robusto, estável.

O que dizer de uma lampadazinha de cabeceira? Quanto ela pode de fato influenciar o núcleo supraquiasmático? Na verdade, muito. Foi demonstrado que mesmo um tênue indício de luz — de oito a dez lux — atrasa a liberação de melatonina noturna nos seres humanos. A mais fraca das lâmpadas de cabeceira emite o dobro disso: algo entre vinte e oitenta lux. Uma sala de estar levemente iluminada, onde a maioria das pessoas fica nas horas antes de se deitar, emite cerca de duzentos lux. Embora tenha apenas 1% a 2% da força da luz diurna, esse nível ambiental de iluminação doméstica incandescente pode infligir 50% de sua influência repressora da melatonina sobre o cérebro.

Justo quando as coisas pareciam péssimas o bastante para o núcleo supraquiásmatico por causa das lâmpadas incandescentes, uma nova invenção de 1997 piorou ainda mais a situação: os diodos emissores de luz azul, ou LEDs azuis. Por essa invenção, Shuji Nakamura, Isamu Akasaki e Hiroshi Amano ganharam o prêmio Nobel de física em 2014. Foi um feito extraordinário: as luzes de LED azuis oferecem vantagens consideráveis em relação às lâmpadas incandescentes em termos de demanda menor de energia e durabilidade maior das próprias lâmpadas. No entanto, elas podem estar inadvertidamente encurtando a durabilidade do ser humano.

Os receptores de luz no olho que comunicam ao núcleo supraquiasmático que é dia são mais sensíveis à luz de comprimento de onda curto do espectro azul — o exato ponto ótimo em que os LEDs azuis são mais potentes. Assim a luz LED azul noturna tem o dobro do impacto prejudicial sobre a supressão da melatonina da luz quente, amarela, das lâmpadas incandescentes, mesmo quando as duas têm a mesma intensidade de lux.

É óbvio que poucos de nós ficamos olhando fixamente para o brilho de uma lâmpada LED toda noite. Contudo, fazemos isso com telas de laptop, smartphones e tablets alimentadas por LED, às vezes por muitas horas, em geral com esses dispositivos a bem menos de um metro ou até a centímetros de distância da retina. Um levantamento recente realizado com mais de 1.500 adultos americanos constatou que 90% deles usavam regularmente algum aparelho eletrônico portátil sessenta minutos ou menos antes da hora de se deitar. Isso tem um impacto bem real sobre a liberação de melatonina e, desse modo, sobre a capacidade de regular o início do sono.

Um dos primeiros estudos descobriu que o uso do iPad — um tablet eletrônico alimentado por luz LED azul — por duas horas antes de se deitar bloqueia os níveis ascendentes de melatonina em significativos 23%. Um relatório mais recente foi bem mais além e chegou a constatações preocupantes. O experimento manteve adultos saudáveis em um ambiente de laboratório rigorosamente controlado durante um período de duas semanas. Cada uma dessas semanas conteve braços experimentais distintos pelos quais todos os participantes passaram: (1) cinco noites lendo um livro em um iPad por várias horas antes de se deitar (sendo proibido o uso do aparelho para qualquer outra atividade, como ver e-mails ou navegar pela internet) e (2) cinco noites lendo um livro de papel por várias horas antes de se deitar, com a ordem em que cada participante experimentaria tais condições sendo estabelecida aleatoriamente.

Comparada com a leitura do livro impresso, a leitura no iPad reprimiu a liberação da melatonina em mais de 50% à noite. Ler no aparelho atrasou o aumento da substância em até três horas em relação ao aumento natural verificado nesses mesmos indivíduos quando tinham lido a obra impressa. Após ler no iPad, o pico de melatonina, e assim a instrução para dormir, dos participantes só ocorreu no início da manhã, em vez de antes da meia-noite. Como não é de surpreender, as pessoas levaram mais tempo para adormecer após ler no iPad em comparação com a leitura de um livro impresso.

Mas ler no aparelho de fato alterou a quantidade/qualidade do sono para além da regulação da melatonina? Sim, e o fez de três formas preocupantes. Primeiro, os participantes perderam quantidades significativas de sono REM. Segundo, sentiram-se menos descansados e mais sonolentos durante todo o dia. Terceiro, foi constatado um efeito secundário prolongado, com os participantes sofrendo um atraso de noventa minutos na elevação dos níveis de melatonina à noite por vários dias após o uso do iPad — quase como uma ressaca digital.

O uso de dispositivos de LED à noite impacta nosso ritmo natural e a qualidade do sono e quão alertas nos sentimos durante o dia. As implicações sociais e de saúde pública disso, discutidas no penúltimo capítulo, não são pequenas. Assim como muitos de vocês, já vi crianças pequenas usando tablets sempre que podiam durante o dia todo... e à noite. Esses eletrônicos são um artigo tecnológico incrível, enriquecendo a vida e a educação de nossa juventude. Entretanto, essa tecnologia também banha os olhos e o cérebro com a luz azul potente que prejudica o sono — do qual o cérebro jovem, em desenvolvimento, precisa tão desesperadamente para florescer.*

Em razão de sua onipresença, é difícil limitar a exposição à luz noturna artificial. Um bom começo é criar uma luz tênue, baixa, nos cômodos nos quais você fica durante a noite. Evite lâmpadas de teto fortes — iluminação ambiente é a ordem da noite. As pessoas mais engajadas usam óculos amarelos dentro de casa à tarde para ajudar a filtrar a luz azul mais nociva que reprime a melatonina.

---

* Para os que estão se questionando por que a luz azul fria é a mais potente do espectro visível da luz no que se refere à regulação da liberação da melatonina, a resposta está no nosso passado ancestral distante. Os seres humanos — como acreditamos que ocorreu com todas as formas de organismos terrestres — emergiram da vida marinha. O oceano age como um filtro de luz, eliminando a maior parte da luz de comprimento de onda mais longo, a amarela e a vermelha. O que resta é a luz de comprimento de onda mais curto, a azul. É por isso que o oceano, e nossa visão quando submersos, parece azul. Portanto, grande parte da vida marinha evoluiu dentro desse espectro de luz visível, incluindo a evolução da visão aquática. Nossa sensibilidade tendenciosa para a luz azul fria é um remanescente vestigial de nossos antepassados marinhos. Infelizmente essa guinada evolucionária do destino retornou agora para nos perseguir em uma nova era de luz LED azul, confundindo nosso ritmo de melatonina e, desse modo, nosso padrão de sono-vigília.

Manter a escuridão total durante toda a noite é igualmente crucial, e a solução mais fácil para isso são as cortinas blackout. Por fim, dá para instalar softwares nos computadores, celulares e tablets que aos poucos dessaturam a luz LED nociva à medida que a noite avança.

DIZER NÃO À BEBIDA NA HORA DE DORMIR — ÁLCOOL

Com exceção dos comprimidos para dormir, a mais mal compreendida de todas as "ajudas para dormir" é o álcool. Muita gente acredita que ele ajuda a adormecer mais facilmente e até proporciona um sono mais profundo. Os dois pensamentos são claramente errados.

O álcool pertence à classe de drogas chamadas sedativas — ele se liga a receptores no cérebro que impedem os neurônios de disparar seus impulsos elétricos. Dizer que ele é um sedativo costuma confundir as pessoas, já que o seu consumo em doses moderadas faz com que sejamos mais desinibidos e sociáveis. Como pode um sedativo nos deixar mais desinibidos? A sociabilidade aumentada é causada pela sedação de uma parte do cérebro, o córtex pré-frontal, que está entre as primeiras que são atingidas pelos efeitos insidiosos da bebida. Como discutimos, essa região do lobo frontal do cérebro humano ajuda a controlar nossos impulsos e restringe nosso comportamento. O álcool imobiliza essa parte de nosso cérebro primeiro, por isso ficamos mais "soltos", menos controlados e mais extrovertidos. Mas em termos anatômicos isso não deixa de ser uma sedação direcionada do cérebro.

Passado um pouco mais de tempo, o álcool começa a sedar outras partes do cérebro, como o córtex pré-frontal, arrastando-as para um estado entorpecido. A pessoa passa a se sentir sem energia à medida que o torpor inebriado se instala. Isso é o cérebro entrando sorrateiramente na sedação. O desejo e a capacidade de permanecer consciente diminuem, e a pessoa pode abandonar esse estado com mais facilidade. Perceba que estou evitando de propósito usar o termo "dormir", porque sedação não é sono. O álcool seda as pessoas, retirando-as da vigília, porém não induz um sono natural. O estado de ondas cerebrais elétricas em que entramos por meio do álcool não é o do sono natural; na verdade, é semelhante a uma forma leve de anestesia.

Contudo, esse não é o pior dos efeitos sobre o sono causados pela ingestão de bebida na hora de dormir. Mais do que sua influência sedativa, o álcool desmantela o sono de mais duas maneiras.

Primeiro, ele o fragmenta, enchendo a noite com despertares breves. Ou seja, o sono alcoolizado não é contínuo e, por isso, não é restaurador. Infelizmente a maioria desses despertares noturnos passa despercebida por nós, pois não nos lembramos deles. Por isso as pessoas não associam o consumo de bebida na noite anterior com a sensação de exaustão do dia seguinte gerada pela perturbação do sono não detectada. Preste atenção nessa relação coincidente em você e/ou nos outros.

Segundo, o álcool é um dos repressores de sono REM mais potentes de que se tem conhecimento. Ao metabolizar o álcool, o corpo produz substâncias químicas chamadas aldeídos e cetonas. Os aldeídos em particular bloqueiam a capacidade do cérebro de gerar sono REM — mais ou menos como uma versão cerebral da parada cardíaca, impedindo a batida pulsante de ondas cerebrais que de outra maneira alimentam o sono onírico. Até quem consome uma quantidade moderada de álcool à tarde e/ou à noite se priva de sono onírico.

Há uma demonstração triste e extrema desse fato observada nos alcoólatras que, quando bebem, mostram pouco sono REM identificável. Passar períodos tão longos sem sono onírico produz um acúmulo enorme na pressão para se obter sono REM. Um acúmulo tão grande que inflige uma consequência assustadora: intrusões agressivas de sonho enquanto a pessoa está acordada. A pressão reprimida para o sono REM irrompe violentamente na consciência desperta, causando alucinações, delírios e flagrante desorientação. O termo técnico para esse estado psicótico horripilante é *"delirium tremens"*.*

Caso o dependente entre em um programa de reabilitação e se abstenha de álcool, o cérebro vai começar a se banquetear com sono REM, empanturrando-se em um esforço desesperado para recuperar aquilo de que foi privado por muito tempo — um efeito chamado rebote de sono REM. As mesmas consequências causadas pelo excesso de pressão para sono REM são observadas em

---

* V. Zarcone, "Alcoholism and Sleep", *Advances in Bioscience and Biotechnology* 21 (1978): p. 29-38.

pessoas que tentaram quebrar o recorde mundial de privação de sono (antes que essa proeza mortal fosse banida).

Contudo, não é preciso ingerir álcool em níveis abusivos para sofrer seus efeitos deletérios perturbadores do sono REM, como pode ser atestado por um estudo. Lembre-se de que uma das funções do sono REM é ajudar na integração e na associação da memória: o tipo de processamento da informação requerido para assimilar regras gramaticais no aprendizado de um novo idioma ou para sintetizar grandes conjuntos de fatos relacionados em um todo interconectado. A saber, pesquisadores recrutaram um grupo grande de universitários para um experimento de sete dias. Os participantes foram divididos entre três condições experimentais. No dia 1, todos aprenderam uma nova gramática, artificial, mais ou menos como aprender uma nova linguagem de programação de computador ou uma nova forma de álgebra. Era exatamente o tipo de tarefa de memória que se sabe que o sono REM promove. Todos aprenderam o novo material com grau de competência elevado no primeiro dia — cerca de 90% de precisão. Então uma semana depois os participantes foram testados para se ver quanto da informação tinha sido solidificada pelas seis noites de sono interveniente.

O que distinguia os três grupos era o tipo de sono de que desfrutaram. Ao primeiro grupo — a condição de controle —, foi permitido dormir natural e completamente durante todas as noites intervenientes. Já no caso do segundo grupo, os experimentadores deixaram os universitários levemente embriagados pouco antes de se deitarem na primeira noite após o aprendizado diurno. Eles encheram os participantes com duas ou três doses de vodca misturada com suco de laranja, padronizando a quantidade específica de álcool no sangue com base no sexo e no peso corporal. Eles permitiram que o terceiro grupo dormisse naturalmente na primeira e na segunda noite após o aprendizado e depois também os deixaram embriagados antes de se deitarem na noite 3.

Observe que todos os três grupos aprenderam o material no dia 1 quando estavam sóbrios e foram testados nessa mesma condição no dia 7. Dessa maneira, qualquer diferença em termos de memória entre os três grupos não pode ser explicada pelos efeitos diretos do álcool sobre a formação da memória ou evocação posterior, mas ser atribuível à perturbação da facilitação da memória que ocorreu no intervalo.

No dia 7, os participantes da condição de controle se lembravam de tudo o que haviam aprendido originalmente, mostrando até uma melhora na abstração e na retenção de conhecimento em relação aos níveis iniciais de aprendizado, bem como esperaríamos do bom sono. Já os que tiveram o sono batizado com álcool na primeira noite sofreram sete dias depois o que pode ser descrito em termos conservadores como amnésia parcial, esquecendo mais de 50% de todo o conhecimento original. Isso está bem de acordo com as provas que discutimos antes: as da exigência não negociável de sono por parte do cérebro na primeira noite após o aprendizado para os fins de processamento da memória.

A verdadeira surpresa estava nos resultados do terceiro grupo. Apesar de terem tido duas noites completas de sono natural depois do aprendizado inicial, ter o sono banhado com álcool na terceira noite ainda gerou em seus integrantes quase o mesmo grau de amnésia — 40% do conhecimento que haviam trabalhado tão arduamente para adquirir no dia 1 foi esquecido.

O trabalho noturno do sono REM, que em geral assimila conhecimento mnemônico complexo, sofrera a interferência do álcool. Talvez o mais surpreendente tenha sido a compreensão de que o cérebro não termina de processar esse conhecimento após a primeira noite de sono. As memórias permanecem perigosamente vulneráveis a qualquer perturbação do sono (incluindo a provocada pela bebida) mesmo até três dias após o aprendizado, apesar de ter desfrutado antes de duas noites completas de sono natural.

Em termos práticos, digamos que você seja um estudante que está metendo a cara nos livros para uma prova na segunda-feira. Diligentemente, você estuda durante toda a quarta-feira anterior. Seus amigos o chamam para sair nesse dia de noite para beber, mas você sabe como o sono é importante, por isso não vai. Na quinta-feira, seus amigos o chamam de novo para tomar alguns drinques à noite, mas, por segurança, você não vai e dorme profundamente uma segunda noite. Por fim, chega a sexta-feira — três noites depois da sessão de aprendizado — e todo mundo vai a uma festa e bebe. Com certeza, após ter tomado tanto cuidado com o sono nas duas primeiras noites após o aprendizado, agora você pode se soltar, sabendo que as memórias foram captadas com segurança e processadas por completo nos bancos de memória. Infelizmente não é assim que a coisa funciona. Mesmo agora o consumo de álcool vai remover grande parte do que você aprendeu e pode abstrair ao bloquear o sono REM.

Quanto tempo leva para que essas novas memórias enfim fiquem seguras? Ainda não sabemos ao certo, embora tenhamos estudos em curso que abrangem muitas semanas. O que sabemos é que na altura da noite 3 o sono ainda não terminou de trabalhar essas memórias recentemente plantadas. Meus alunos de graduação sempre bufam quando falo dessas descobertas. O conselho politicamente incorreto que eu (obviamente nunca) daria é este: vá ao pub tomar um drinque de manhã. Dessa maneira, o álcool estará fora do seu organismo antes da hora de dormir.

Conselho simplista à parte, qual é a recomendação quando se trata de sono e álcool? É difícil não soar puritano, porém as provas são tão fortes com relação aos efeitos prejudiciais da bebida sobre o sono que não fazê-lo seria prestar um desserviço a você — e à ciência. Muita gente aprecia uma taça de vinho com o jantar, até um aperitivo depois. No entanto, o fígado e os rins levam muitas horas para degradar e excretar esse álcool, mesmo que você tenha enzimas de ação rápida para decomposição de etanol. Beber todas as noites vai perturbar seu sono, e o conselho irritante em prol da abstinência é o melhor — e o mais honesto — que posso oferecer.

SINTA OS ARREPIOS DA NOITE

O ambiente térmico, especificamente a temperatura proximal em torno do corpo e do cérebro, talvez seja o fator mais subestimado que determina a facilidade com que você vai adormecer hoje à noite e a qualidade do seu sono. A temperatura ambiente do quarto, a roupa de cama e a roupa de dormir ditam o envelope térmico que envolverá seu corpo. E a temperatura ambiente do quarto sofreu um ataque enorme da modernidade. Essa mudança diferencia pronunciadamente as práticas de sono dos seres humanos modernos das de culturas pré-industriais e dos animais.

Para iniciar o sono com sucesso, como descrito no Capítulo 2, sua temperatura central precisa baixar cerca de 1ºC, ou 3ºF. Por essa razão, você sempre achará mais fácil adormecer em um quarto que está frio demais do que em um que está quente demais, uma vez que o primeiro pelo menos arrastará seu cérebro e corpo na direção correta (para baixo) para dormir.

A redução na temperatura central é detectada por um grupo de células termossensíveis situadas no centro do cérebro, dentro do hipotálamo. Essas células estão bem ao lado do relógio de 24 horas do núcleo supraquiasmático, e por uma boa razão. À noite, depois que a temperatura central mergulha abaixo de certo limiar, as células termossensíveis logo enviam uma mensagem amável para o núcleo supraquiasmático. O bilhete se soma ao enviado pela luz naturalmente declinante, informando ao núcleo supraquiasmático que ele deve iniciar a explosão noturna de melatonina e, com ela, a ordem gradativa para o sono. Portanto, seus níveis noturnos de melatonina são controlados não somente pela perda da luz do dia ao anoitecer, mas também pela queda de temperatura que coincide com o pôr do sol. Desse modo, a luz e a temperatura ambiente ditam de maneira sinergística, embora independente, os níveis noturnos de melatonina, esculpindo o momento ideal de dormir.

O corpo não é passivo ao deixar que o frescor da noite o adormeça; pelo contrário, ele participa ativamente do processo. Uma maneira de controlar a temperatura central é usando a superfície da pele. A maior parte do trabalho térmico é efetuada por três áreas do corpo: as mãos, os pés e a cabeça. Todas são ricas em vasos sanguíneos entrecruzados, conhecidos como anastomoses arteriovenosas, localizados perto da superfície da pele. Como ocorre quando estendemos roupas no varal, essa massa de vasos permite que o sangue se espalhe por uma grande área de superfície de pele e entre em contato com o ar que cerca o corpo. Portanto, as mãos, os pés e a cabeça são dispositivos radiadores supereficientes que, pouco antes do início do sono, dissipam o calor corporal em uma grande sessão de ventilação térmica de modo a baixar a temperatura corporal central. Mãos e pés quentes ajudam o centro do corpo a se refrescar, induzindo um sono convidativo com rapidez e eficiência.

Não é por uma coincidência evolucionária que nós, seres humanos, desenvolvemos o ritual anterior à ida para a cama de jogar água em uma das partes mais vascularizadas do corpo — o rosto —, usando uma das outras superfícies supervascularizadas, as mãos. Talvez você ache que a sensação de estar com o rosto limpo o ajuda a dormir melhor, porém a limpeza facial não influencia em nada o sono. É o ato em si que tem poderes de incitação ao sono, já que a água, quente ou fria, ajuda a dissipar o calor da superfície da pele quando evapora, refrescando assim o núcleo interno do corpo.

A necessidade de despejar calor das extremidades do corpo também é o motivo pelo qual de vez em quando tiramos as mãos e os pés de debaixo das cobertas à noite por o centro dele ter se tornado quente demais, em geral sem nem nos darmos conta disso. Quem tem filhos já deve ter visto o mesmo fenômeno quando foi dar uma olhada neles tarde da noite: braços e pernas pendurados para fora da cama de um jeito engraçado (e cativante), tão diferente de como você os posicionou com cuidado sob os lençóis na hora em que os colocou na cama. A rebeldia dos membros ajuda a manter o centro do corpo fresco, permitindo-lhe adormecer e permanecer nesse estado.

A interdependência entre sono e refrescamento do organismo está evolucionariamente ligada ao fluxo e refluxo de 24 horas da temperatura diária. O *Homo sapiens* (e, desse modo, os padrões de sono modernos) evoluiu em regiões equatoriais orientais da África. Apesar de experimentar somente flutuações modestas na temperatura média ao longo do ano (+/- 3ºC, ou 5,4ºF), essas áreas têm variações maiores de temperatura ao longo do dia e da noite tanto no inverno (+/- 8ºC, ou 14ºF) quanto no verão (+/- 7ºC, ou 12ºF).

Culturas pré-industriais, como a tribo nômade gabra no norte do Quênia e os caçadores-coletores das tribos hadza e san, permaneceram em harmonia térmica com esse ciclo dia-noite. Eles dormem em cabanas porosas sem nenhum sistema de refrigeração ou aquecimento, utilizam o mínimo de roupa de cama e se deitam seminus. Dormem dessa maneira desde o nascimento até a morte. Essa exposição voluntária às flutuações da temperatura ambiente é um fator importante (assim como a falta de luz artificial noturna) que determina sua qualidade de sono oportuna e saudável. Sem o controle da temperatura da casa, o uso de roupa de cama pesada e o excesso de vestimenta, eles apresentam uma forma de liberalismo térmico que auxilia as necessidades condicionais do sono, em vez de combatê-las.

Em forte contraste, as culturas industrializadas romperam sua relação com essa elevação e declínio naturais da temperatura ambiente. Por meio de casas climatizadas com aquecimento central e ar-condicionado e o uso de cobertas e pijamas, estabelecemos uma variação mínima ou até ausente do nível térmico no quarto de dormir. Privado da queda natural da temperatura noturna, o cérebro não recebe a instrução de refrescamento dentro do hipotálamo que facilita a liberação naturalmente regulada de melatonina. Além disso, a pele tem dificuldade em "expirar" o calor necessário para baixar a temperatura central e fazer a transição para o sono, sendo sufocada pelo constante sinal de calor da temperatura doméstica controlada.

Para a maioria das pessoas, cerca de 18,3ºC (65ºF) é a temperatura ideal do quarto para o sono, no caso de se usar roupa de cama e pijama comuns. Muita gente pode achar isso surpreendente, pois parece um pouco frio demais para ser confortável. É claro que essa temperatura específica varia de acordo com a pessoa em questão e sua fisiologia singular, sexo e idade. Mas, como acontece com a recomendação de ingestão calórica, ela é uma boa meta para o ser humano médio. A maioria de nós coloca a temperatura ambiente da casa e/ou do quarto acima do que é ótimo para o bom sono, o que provavelmente contribui para baixar a quantidade e/ou a qualidade dele. Dormir em um ambiente abaixo de 12,5ºC (55ºF) pode ser prejudicial para o sono, a menos que se usem roupas de cama ou pijamas quentes. Entretanto, a maioria de nós costuma colocar a temperatura controlada do quarto elevada demais: 21ºC ou 22ºC. Ao tratar pacientes com insônia, os clínicos do sono em geral perguntam sobre a temperatura do quarto e aconselham que se diminua o termostato em 3ºC a 5ºC.

Quem não acredita na influência da temperatura sobre o sono pode explorar alguns experimentos bizarros sobre esse tema que permeiam a literatura de pesquisa. Por exemplo, cientistas aqueceram com cuidado os pés ou o corpo de ratos para estimular o sangue a migrar para a superfície da pele e dissipar calor, reduzindo assim a temperatura corporal central. Os animais adormeceram muito mais depressa do que o habitual.

Em uma versão humana mais esquisita do experimento, cientistas desenvolveram um traje de dormir térmico de corpo inteiro, não muito diferente de uma roupa de mergulho. Foi usada água, mas felizmente as pessoas dispostas a arriscar a dignidade vestindo a roupa não se molharam. O traje era forrado por uma intricada rede de tubos finos, ou veias. Entrecruzando-se sobre o corpo como um mapa rodoviário detalhado, essas veias artificiais atravessavam todos os principais distritos do organismo: braços, mãos, torso, pernas, pés. E, como o governo independente do poder central da União sobre estradas locais exercido por estados ou condados, cada território corporal recebia a própria alimentação de água. Por meio desse sistema, os cientistas escolhiam de modo preciso e seletivo em torno de que partes do corpo a água circularia, controlando assim a temperatura na superfície da pele em áreas específicas — tudo enquanto o participante estava deitado tranquilamente na cama.

Aquecer seletivamente os pés e as mãos em apenas uma leve medida (cerca de 0,5ºC, ou 1ºF) gerou a afluência local de sangue para essas regiões, com isso atraindo calor para fora do centro do corpo, onde estava retido. O resultado de toda essa engenhosidade foi que o sono se apoderou dos participantes em um tempo significativamente mais curto, permitindo-lhes adormecer 20% mais depressa do que o habitual, ainda que estes fossem indivíduos jovens, saudáveis e que adormeciam depressa.*

Não satisfeitos com seu sucesso, os cientistas encararam o desafio de melhorar o sono de dois grupos bem mais problemáticos: idosos, que em geral têm mais dificuldade em adormecer, e pacientes com insônia clínica com sono muito rebelde. Exatamente como os jovens adultos, os idosos adormeceram 18% mais depressa do que o habitual com a ajuda do traje. A melhora dos que sofriam de insônia foi ainda mais impressionante — uma redução de 25% no tempo que levavam para cair no sono.

Além disso, houve um resultado ainda melhor: quando os pesquisadores continuaram a refrigerar a temperatura corporal dos participantes durante toda a noite, a quantidade de tempo despendida em sono estável aumentou enquanto o tempo desperto diminuiu. Antes dessa terapia, os grupos analisados tinham uma probabilidade de 58% de despertar na última metade da noite e lutar para voltar a dormir — uma marca clássica da insônia de manutenção do sono. Com a ajuda do traje, esse número caiu para apenas 4%. Até a qualidade elétrica do sono — sobretudo as ondas cerebrais profundas e potentes do sono NREM — fora estimulada pela manipulação térmica em todos os participantes.

De forma consciente ou não, você provavelmente já fez essa manipulação da temperatura para auxiliar o próprio sono. Para muitos, é um luxo ficar em uma banheira quente à noite e deixar o corpo de molho antes de ir se deitar. Fazer isso passa a sensação de nos ajudar a adormecer mais depressa, o que talvez seja verdade, mas pela razão oposta ao que a maioria das pessoas imagina. Com isso não se adormece mais depressa por se estar confortavelmente quente até o coração; na verdade, o banho quente convida o sangue para a superfície da pele, conferindo-lhe aquele aspecto avermelhado. Quando a pessoa sai do banho, os vasos sanguíneos dilatados na superfície da pele ajudam a irradiar a temperatura interior e, assim, a temperatura corporal central despenca. A pes-

---

* R.J. Raymann e Van Someren, "Diminished Capability to Recognize the Optimal Temperature for Sleep Iniciation May Contribute to Poor Sleep in Elderly People", *Sleep* 31, nº 9 (2008), p. 1.301-1.309.

soa então adormece mais depressa porque o seu centro está mais frio. Tomar um banho quente antes de se deitar também pode gerar de 10% a 15% mais sono NREM profundo em adultos saudáveis.*

UM FATO ALARMANTE

Além do prejuízo causado pela luz noturna e pela temperatura ambiental constante, a era industrial infligiu outro golpe danoso ao nosso sono: o despertar forçado. Com a emergência das grandes fábricas surgiu um desafio: como garantir a chegada simultânea de um grande volume de mão de obra, como no início de um turno?

A solução veio na forma do sinal da fábrica — talvez a mais antiga (e a mais ruidosa) versão do despertador. O som do sinal através da vila operária tinha por objetivo arrancar do sono um grande número de trabalhadores na mesma hora da manhã, dia após dia. Muitas vezes era tocado um segundo sinal, que marcava o início do turno de trabalho. Mais tarde, esse mensageiro invasivo da vigília entrou no quarto de dormir na forma do despertador de hoje (e o segundo sinal foi substituído pela banalidade do cartão de ponto).

Nenhuma outra espécie demonstra ter esse comportamento antinatural de encerrar prematura e artificialmente o sono,** e por uma boa razão. Basta comparar o estado fisiológico do corpo após ter sido rudemente acordado por um alarme com o observado após o despertar natural. Os indivíduos arrancados do sono de forma artificial vão sofrer um pico na pressão sanguínea e uma aceleração de choque na frequência cardíaca, ambos causados por uma explosão de atividade do ramo de luta ou fuga do sistema nervoso.***

A maioria de nós ignora um perigo ainda maior que se esconde no despertador: o recurso de soneca. Se alarmar literalmente o coração já não fosse ruim

---

* J.A. Horne e B.S. Shackell, "Slow Wave Sleep Elevations after Body Heating: Proximity to Sleep and Effects of Aspirin", *Sleep* 10, nº 4 (1987), p. 383-392. Ver também J.A. Horne e A.J. Reid, "Night-Time Sleep EEG Changes Following Body Heating in a Warm Bath", *Eletroencephalography and Clinical Neurophysiology* 60, nº 2 (1985), p. 154-57.

** Nem mesmo os galos, pois eles cantam não apenas no alvorecer, mas durante o dia todo.

*** K. Kaida, K. Ogawa, M. Hayashi e T. Hori, "Self-Awakening Prevents Acute Rise in Blood Pressure and Heart Rate at the Time of Awakening in Elderly People", *Industrial Health* 43, nº 1 (janeiro de 2005), p. 179-85.

o suficiente, usar a opção soneca significa que se infligirá repetidas vezes esse ataque cardiovascular em um curto espaço de tempo. Lance mão desse recurso pelo menos cinco dias por semana e você perceberá o abuso multiplicativo que o coração e o sistema nervoso sofrerão ao longo da vida. Para quem tem dificuldade com o sono, despertar na mesma hora todos os dias, quer seja nos dias úteis ou no fim de semana, é uma boa medida para se manter um horário de sono estável — de fato, essa é uma das maneiras mais confiáveis e eficazes de ajudar quem sofre de insônia a obter um sono melhor. No caso de muita gente, isso significa inevitavelmente usar um despertador. Se você usa essa ferramenta, tire a função soneca e adquira o hábito de despertar apenas uma vez para poupar seu coração do choque repetido.

Um parêntese: eu tenho o hobby de colecionar os mais inovadores (isto é, ridículos) modelos de despertador, com certa esperança de catalogar as formas cretinas como nós, seres humanos, arrancamos nosso cérebro do sono. Um desses relógios tem vários blocos geométricos que se encaixam em buracos de formas complementares. Quando o alarme toca de manhã, ele não só irrompe em um guincho, como também explode, espalhando os blocos pelo chão do quarto. O alarme só para quando todos os blocos são devolvidos aos respectivos buracos.

Mas o meu favorito é o triturador. Você pega uma cédula de dinheiro — digamos, 20 dólares — e a coloca na parte dianteira do relógio à noite. Quando o alarme toca de manhã, você tem pouquíssimo tempo para acordar e desligar o alarme antes que ele triture a cédula. O brilhante economista Dan Ariely sugeriu um sistema ainda mais diabólico no qual o despertador fica conectado por Wi-Fi à conta bancária da pessoa. Para cada segundo que se permanece dormindo, o despertador doa 10 dólares a uma organização... que você detesta.

O fato de termos inventado esses meios tão criativos — e até penosos — para nos acordar de manhã diz muito sobre o quanto nosso cérebro moderno é carente de sono. Oprimidos pelas garras da noite eletrificada e dos compromissos marcados para muito cedo de manhã, privados de ciclos térmicos de 24 horas e com cafeína e álcool acumulando-se em grande quantidade no organismo, muitos de nós se sentem, com razão, exaustos e anseiam pelo que parece sempre elusivo: uma noite inteira e restauradora de sono profundo natural. Os ambientes interno e externo em que evoluímos não são aqueles em que nos deitamos para descansar no século XXI. Adaptando um conceito agrícola cunhado pelo maravilhoso escritor e poeta Wendell Berry,* a sociedade moderna pegou uma das soluções perfeitas da natureza (o sono) e dividiu-a cuidadosamente em dois problemas: (1) a falta dele à noite, resultando em (2) incapacidade de permanecer desperto por completo durante o dia. Esses problemas forçaram muita gente a recorrer a comprimidos para dormir controlados. Mas isso é sensato? No próximo capítulo, trarei respostas baseadas na ciência e na medicina.

---

* "O gênio dos especialistas em agricultura americanos é muito bem demonstrado nisto: eles conseguem pegar uma solução e dividi-la cuidadosamente em dois problemas." Wendell Berry, *The Unsettling of America: Culture & Agriculture* (1996), p. 62.

CAPÍTULO 14

Prejudicando e ajudando seu sono:
Comprimidos versus *terapia*

Estima-se que, no mês passado, quase dez milhões de pessoas nos Estados Unidos engoliram algum tipo de ajuda para dormir. O dado mais relevante — e o foco deste capítulo — é o (ab)uso de comprimidos para dormir controlados. Medicamentos dessa classe não proporcionam sono natural, podem prejudicar a saúde e aumentam o risco de doenças mortais. Por isso, vamos explorar alternativas para melhorar o sono e combater a insônia.

VOCÊ DEVERIA TOMAR DOIS DESTES ANTES DE IR DORMIR?

Nenhum medicamento para dormir antigo ou atual no mercado legal (ou negro) induz ao sono natural. Não me entenda mal — ninguém poderia afirmar que você está desperto após tomar comprimidos para dormir controlados; porém sugerir que está experimentando sono natural também seria uma afirmação falsa.

Os remédios mais antigos — chamados "sedativos hipnóticos", como o diazepam — eram ferramentas grosseiras, pois sedavam em vez de ajudar a pessoa a adormecer. Como é de se esperar, muita gente confunde uma coisa com a outra. A maioria dos novos comprimidos para dormir hoje no mercado faz algo similar, embora tenha um efeito sedativo ligeiramente menor. Os remédios para dormir, antigos e novos, visam o mesmo sistema no cérebro que o álcool — os receptores que impedem as células cerebrais de se excitarem — e por isso integram a mesma classe geral de drogas: as sedativas. De fato, os comprimidos para dormir nocauteiam as regiões mais elevadas do córtex cerebral.

Ao comparar a atividade natural das ondas cerebrais do sono profundo com a induzida pelos medicamentos para dormir atuais, como o zolpidem (cujo nome de marca é Ambien) ou o eszopiclone (cujo nome de marca é Lunesta), constata-se que a característica elétrica, ou a qualidade, destes é deficiente. O tipo elétrico de "sono" produzido por essas drogas é desprovido das ondas cerebrais maiores, mais profundas.* Além disso, há uma série de efeitos colaterais indesejados, incluindo atordoamento no dia seguinte, esquecimentos diurnos, atitudes noturnas das quais não se tem consciência (ou amnésia parcial de manhã) e o retardo do tempo de reação durante o dia que podem impactar habilidades motoras, como dirigir.

Causados até pelos medicamentos mais recentes, de ação mais rápida, esses sintomas instigam um círculo vicioso. O atordoamento desperto pode levar a pessoa a tomar mais café ou chá para ficar ligada durante todo o dia e à noite. Essa cafeína, por sua vez, dificulta o sono à noite, agravando a insônia. Por causa disso, a pessoa costuma tomar mais meio comprimido para dormir ou outro inteiro à noite para combater a cafeína, o que só amplifica o atordoamento no dia seguinte com a ressaca da droga. Então ocorre um consumo ainda maior de cafeína, perpetuando assim a espiral descendente.

Outra característica bem desagradável dos remédios para dormir é a insônia de rebote. Quando o consumo cessa, em geral se sofre com um sono muito pior, algumas vezes ainda mais desagradável do que o sono de má qualidade que originalmente levou ao uso desses remédios. A insônia de rebote é um tipo de dependência em que o cérebro altera seu equilíbrio de receptores em reação à dose aumentada da droga, tentando se tornar um pouco menos sensível para se opor à substância química estranha presente nele — também conhecido como tolerância à droga. Mas, quando o consumo é interrompido, há um processo de abstinência, parte do qual envolve um pico desagradável na gravidade da insônia.

Isso não deveria nos surpreender, já que a maioria dos comprimidos para dormir controlados integra a classe de drogas fisicamente viciantes. A depen-

---

* E.L. Arbon, M. Knurowska e D.J. Dijk, "Randomised Clinical Trial of the Effects of Prolonged Release Melatonin, Temazepan and Zolpidem on Slow-Wave Activity During Sleep in Healthy People", *Journal of Psychopharmacology* 29, nº 7 (2015), p. 764-76.

dência aumenta com o uso contínuo e a interrupção do consumo gera abstinência. Obviamente, quando se abstêm da substância por uma noite e têm um sono péssimo por causa da insônia de rebote, os pacientes muitas vezes voltam a tomá-la. Poucos se dão conta de que essa noite de insônia grave, e a necessidade de voltar a tomar o medicamento, é parcial ou inteiramente causada pelo uso persistente de remédios para dormir.

A ironia é que, com esses medicamentos, muita gente experimenta apenas um leve aumento no "sono", sendo esse benefício mais subjetivo do que objetivo. Uma equipe recente formada por médicos proeminentes e pesquisadores analisou todos os estudos já publicados sobre formas mais novas de comprimidos para dormir sedativos que a maioria das pessoas consome.* Foram considerados 65 estudos placebo-controlados, abrangendo quase 4.500 indivíduos. No geral, os participantes sentiam adormecer mais depressa e dormiam de forma mais profunda e com menos despertares ao utilizarem a droga em relação ao uso do placebo. Entretanto, não foi isso que os registros reais de sono mostraram. Não houve diferença em quão profundamente os indivíduos dormiram: tanto o placebo quanto os comprimidos para dormir reduziram o tempo que os participantes levaram para adormecer (entre dez e trinta minutos), porém essa mudança não foi significativa em termos estatísticos entre os dois. Em outras palavras, não houve qualquer benefício objetivo da utilização dos medicamentos além do oferecido por um placebo.

Resumindo as descobertas, o comitê declarou que os comprimidos para dormir produzem "melhoras leves na latência subjetiva e polissonográfica do sono" — isto é, o tempo que se leva para adormecer. O relatório termina com a declaração de que o efeito dos remédios para dormir atuais é "bem pequeno e de importância clínica questionável". Até a mais nova droga contra a insônia, chamada suvorexant (cujo nome de marca é Belsomra), provou-se minimamente eficaz, como foi discutido no Capítulo 12. Versões futuras desses medicamentos poderão oferecer melhoras significativas do sono, mas por enquanto os dados científicos sobre comprimidos para dormir controlados sugerem que

---

* T.B. Huedo-Medina, I. Kirsch, J. Middelmass et al., "Effectiveness of Non-Benzodiazepine Hypnotics in Treatment of Adult Insomnia: Meta-Analysis of Data Submitted to the Food and Drug Administration", *BMJ* 345 (2012): e8343.

talvez eles não sejam a resposta para restaurar o sono profundo a quem luta para gerá-lo naturalmente.

COMPRIMIDOS PARA DORMIR — O RUIM E O FEIO

A utilidade dos remédios controlados para dormir hoje disponíveis é mínima, mas eles são prejudiciais? Podem causar até mesmo a morte? Diversos estudos têm algo a dizer sobre esse ponto, no entanto, grande parte do público ainda está à margem dessas descobertas.

O sono natural profundo, como já aprendemos, ajuda a cimentar traços de memória no cérebro, parte do que exige o fortalecimento ativo de conexões entre sinapses que compõem o circuito de memória. A maneira como essa função é afetada pelo sono induzido por medicamentos foi o foco de estudos recentes realizados com animais. Após um período de intenso aprendizado, pesquisadores da Universidade da Pensilvânia deram a animais uma dose apropriada para o seu peso de Ambien ou um placebo e analisaram a mudança na reconexão do cérebro após o sono em ambos os grupos. Como esperado, na condição placebo o sono natural solidificou conexões mnemônicas que haviam sido formadas durante a fase inicial de aprendizado. Já o sono induzido pelo Ambien não só não se igualou a esses benefícios (apesar de os animais terem dormido pelo mesmo tempo), como causou 50% de *enfraquecimento* (desconexão) das conexões de células cerebrais originalmente formadas durante o aprendizado. O sono com o medicamento se tornou um apagador de memórias, em vez de um gravador.

Caso descobertas similares continuem a emergir, incluindo de pesquisas realizadas com seres humanos, as companhias farmacêuticas talvez tenham de reconhecer que, embora os usuários de comprimidos para dormir possam adormecer nominalmente mais depressa, devem esperar um despertar com poucas (menos) memórias do que na véspera. Isso é especialmente preocupante considerando-se que a idade média dos pacientes que recebem prescrições de remédios para dormir está diminuindo, já que as queixas e incidentes de insônia pediátrica estão aumentando. Se esse for o caso, os médicos e os pais devem estar atentos com relação a ceder à tentação de prescrever remédios. De outro modo, cérebros jovens, cuja formação se prolonga até os vinte e poucos anos, desempenharão a já desafiadora tarefa do desenvolvimento neural e do aprendizado sob a influência subvertedora de comprimidos controlados para dormir.*

Ainda mais preocupantes do que a questão da reconexão cerebral são os efeitos clínicos em todo o corpo provocados pelo uso desse tipo de drogas; efeitos que não são — mas deveriam ser — amplamente conhecidos. Os mais controversos e alarmantes são os ressaltados pelo dr. Daniel Kripke, médico da Universidade da Califórnia, em San Diego. Ele descobriu que os usuários de comprimidos controlados para dormir são significativamente mais propensos a morrer e desenvolver câncer do que quem não recorre a eles.** Antes de mais nada, vale observar que Kripke (como eu) não tem nenhum interesse pessoal no setor da indústria farmacêutica; portanto é improvável que tenha ganhos ou perdas financeiras em virtude de determinada análise a respeito dos comprimidos para dormir — sejam elas boas ou más.

No início dos anos 2000, as taxas de insônia cresceram e a prescrição de comprimidos desse tipo aumentou muitíssimo, o que gerou uma oferta maior de dados. Kripke começou examinando essas grandes bases de dados epidemiológicas. Sua meta era ver se havia relação entre o uso de remédios para dormir e o risco de doença ou mortalidade alterado. E a resposta é sim. Repetidas vezes, a mesma mensagem emergiu das análises: quem tomava remédio para dormir apresentou uma probabilidade significativamente maior de morrer durante os períodos de estudo (em geral alguns anos) do que quem não tomava — as razões para isso serão discutidas logo.

Todavia, foi difícil fazer uma comparação bem emparelhada com essas primeiras bases de dados, pois não havia participantes ou fatores medidos suficientes passíveis de serem controlados para que de fato Kripke extraísse um efeito puro do medicamento para dormir. Mas em 2012 esse momento chegou. Kripke e seus colegas estabeleceram uma comparação bem controlada,

---

* Uma preocupação relacionada é a do uso de comprimidos para dormir por grávidas. Uma recente revisão científica sobre o Ambien realizada por uma equipe de renomados especialistas internacionais declarou que "[o] uso de zolpidem [Ambien] deveria ser evitado durante a gravidez. Acredita-se que bebês nascidos de mães que tomam drogas sedativo-hipnóticas como o zolpidem [Ambien] podem correr o risco de dependência física e de sintomas de abstinência durante o período pós-natal". (J. MacFarlane, C.M. Morin e J. Montplaisir, "Hypnotics in Insomnia: the Experience of Zolpidem", *Clinical Therapeutics* 36, nº 11, 2014, p. 1676-1701.)

** D.F. Kripke, R.D. Langer e L.E. Kline, "Hypnotics' Association with Mortality or Cancer: a Matched Cohort Study", *BMJ Open* 2, nº 1 (2012): e000850.

analisando mais de dez mil pacientes que tomavam comprimidos para dormir, a vasta maioria dos quais consumia zolpidem (Ambien), embora alguns utilizassem temazepan (Restoril). Os pesquisadores os compararam com vinte mil pessoas muito bem emparelhadas no que se refere a idade, raça, sexo e histórico similar, mas que não tomavam comprimidos para dormir. Além disso, Kripke conseguiu controlar muitos outros fatores que poderiam inadvertidamente contribuir para a mortalidade, como o índice de massa corporal, a prática de exercícios físicos, tabagismo e consumo de bebida alcoólica. Ele examinou a probabilidade de doença e morte ao longo de uma janela de dois anos e meio, mostrada na Figura 15.*

Os indivíduos que tomavam remédios para dormir apresentaram uma probabilidade 4,6 vezes maior de morrer durante esse período curto do que aqueles que não tomavam. Kripke também descobriu que o risco de morte aumentava muito com a frequência do uso. Os indivíduos classificados como usuários pesados — definidos como quem tomava mais de 132 comprimidos por ano — eram 5,3 vezes mais propensos a morrer durante o período do estudo do que os participantes de controle emparelhados, que não recorriam a remédios para dormir.

Figura 15: Risco de morte por comprimidos para dormir

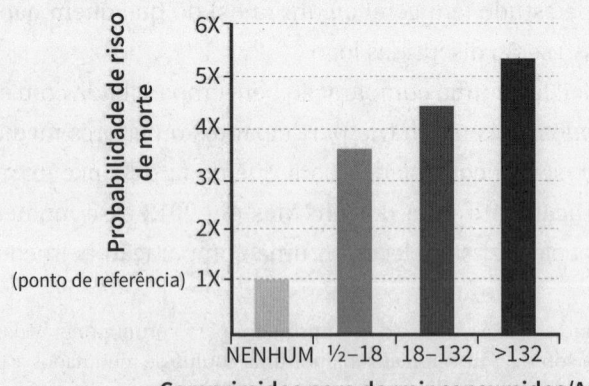

[Gráfico de barras mostrando Probabilidade de risco de morte (eixo Y, 1X a 6X) versus Comprimidos para dormir consumidos/Ano (eixo X): NENHUM ≈ 1X (ponto de referência), ½–18 ≈ 3,6X, 18–132 ≈ 4,5X, >132 ≈ 5,3X]

---

* D.F. Kripke, "The Dark Side of Sleeping Pills: Mortality and Cancer Risks. Which Pills to Avoid & Better Alternatives", março de 2013. Disponível em: <http://www.darksideofsleepingpills.com>.

Mais alarmante foi o risco de mortalidade para quem somente recorria aos comprimidos para dormir de vez em quando. Até os usuários muito ocasionais — os definidos como quem toma apenas dezoito comprimidos por ano — apresentaram uma probabilidade 3,6 vezes maior do que a dos não usuários de morrer durante a janela de avaliação. Kripke não é o único pesquisador a encontrar essas associações de risco de mortalidade: hoje há mais de quinze estudos como esse elaborados por grupos diferentes no mundo todo.

Mas o que havia matado essas pessoas que tomavam tais medicamentos? É mais difícil responder a essa pergunta a partir dos dados disponíveis, embora esteja claro que as fontes são muitas. Na tentativa de encontrar respostas, Kripke e outros grupos de pesquisa independentes avaliaram dados de estudos envolvendo quase todas as drogas para dormir comuns, incluindo zolpidem (Ambien), temazepan (Restoril), eszopiclone (Lunesta), zaleplon (Sonata) e outras drogas sedativas, como triazolam (Halcion) e flurazepam (Dalmane).

Uma causa frequente de mortalidade parecem ser taxas de infecção mais altas do que o normal. Como já foi discutido em capítulos anteriores, o sono natural é um dos estimulantes mais potentes do sistema imune, ajudando na proteção contra infecções. Então por que quem usa comprimidos para dormir, que supostamente "melhoram" o sono, apresenta taxas *mais elevadas* de vários tipos de infecção, quando o lógico seria acontecer o contrário? É possível que o sono induzido por medicamentos não proporcione os mesmos benefícios imunitários restauradores do que o sono natural. Isso seria extremamente perturbador para os idosos, já que eles são muito mais propensos a sofrer infecções. Ao lado dos recém-nascidos, eles são o grupo mais imunologicamente vulnerável em nossa sociedade. Os idosos também são os maiores usuários de comprimidos para dormir, representando mais de 50% das prescrições. Com base nesses fatos coincidentes, talvez seja hora de a medicina reavaliar a frequência da prescrição dessas drogas no caso dos idosos.

Outra causa de morte ligada ao uso de comprimidos para dormir é o risco aumentado de acidentes de carro fatais. É provável que isso se deva ao sono não restaurador induzido e/ou à ressaca grogue sofrida por algumas pessoas, efeitos que podem gerar sonolência ao dirigir no dia seguinte. O risco maior de quedas à noite é outro fator de mortalidade, principalmente no caso dos idosos. Outras associações adversas incluem taxas maiores de doença cardíaca e derrame cerebral.

Depois veio a público a história do câncer. Estudos anteriores haviam insinuado a existência de uma relação entre os medicamentos para dormir e o risco de mortalidade por câncer, porém não eram tão bem controlados no que se refere às comparações. O estudo de Kripke fez um trabalho muito melhor nesse aspecto e incluiu o mais novo e relevante remédio para dormir, o Ambien. Constatou-se que os indivíduos que faziam uso de medicamentos para dormir eram 30% a 40% mais propensos a desenvolver câncer durante o período de dois anos e meio da pesquisa do que os que não faziam. Os medicamentos mais antigos, como o temazepam (Restoril), apresentaram uma associação mais forte, com os participantes que tomavam doses leves ou moderadas sofrendo um risco de câncer 60% maior. Os que tomavam a dose mais elevada de zolpidem (Ambien) também eram vulneráveis, apresentando uma probabilidade quase 30% maior de desenvolver a doença no período do estudo.

Curiosamente, os experimentos realizados com animais conduzidos pelas companhias farmacêuticas insinuam que há o mesmo risco carcinogênico. Embora os dados fornecidos por elas e disponíveis no site da FDA sejam um tanto obscuros, parece que taxas mais altas de câncer em ratos e camundongos podem ter sido causadas pelo uso desses comprimidos para dormir comuns.

Podemos então dizer que essas descobertas provam que os remédios para dormir causam câncer? Não. Ao menos não sozinhos. Há também explicações alternativas. Por exemplo, talvez seja o sono deficiente pré-medicamentos e não os comprimidos para dormir em si que as predispusesse à má saúde. Além disso, quanto mais problemático o sono original da pessoa, mais comprimidos ela tenderia a consumir depois, o que explicaria a mortalidade dependente da dose e as relações dose-carcinógeno observadas por Kripke e outros pesquisadores.

Todavia, é igualmente possível que esses remédios de fato causem morte e câncer. Para obter uma resposta definitiva precisaríamos de um teste clínico exclusivo, expressamente planejado para analisar esses riscos específicos de morbidade e mortalidade. A ironia é que talvez ele nunca seja realizado, pois o conselho de ética pode considerar o risco de morte e os riscos carcinogênicos já aparentes associados aos comprimidos para dormir altos demais.

A indústria farmacêutica não deveria ser mais transparente com relação aos indícios e riscos envolvendo o uso desses medicamentos? Para o nosso azar, ela é bem inflexível na arena das indicações médicas revistas. Isso é especialmente verdadeiro depois que um medicamento foi aprovado após avaliações de segurança básicas e mais ainda quando as margens de lucro se tornam exorbitantes. Consideremos que os filmes da franquia *Star Wars* originais — que integram o grupo de maiores bilheterias de todos os tempos — precisaram de mais de quarenta anos para acumular 3 bilhões de dólares de faturamento. Foram necessários apenas dois anos para que o Ambien acumulasse 4 bilhões de dólares em lucro de vendas, isso sem contar o mercado negro. É uma quantia altíssima, e dá para imaginar que ela influencie a tomada de decisões da indústria farmacêutica em todos os níveis.

Talvez a conclusão mais conservadora e menos litigiosa a que podemos chegar sobre todos esses indícios é a de que nenhum estudo até hoje mostrou que os comprimidos para dormir salvam vidas — afinal, não é esse o objetivo da medicina e dos tratamentos medicamentosos? Na minha opinião científica, *embora não médica*, os indícios existentes no mínimo justificam um esclarecimento muito mais transparente por parte dos médicos para todo paciente que esteja considerando tomar remédios para dormir. Dessa forma, as pessoas poderão avaliar os riscos e tomar decisões mais embasadas. Você, por exemplo, mudou de ideia sobre usar ou continuar usando drogas para dormir depois de ficar sabendo desses indícios?

Sendo bem claro: eu não sou antimedicação. Pelo contrário, gostaria muitíssimo que já houvesse um medicamento que ajude as pessoas a obter um sono de fato natural. Muitos dos cientistas das companhias farmacêuticas que criam remédios para dormir o fazem sem nada além de boa intenção e o desejo sincero de ajudar. Sei disso porque conheci muitos deles ao longo da minha carreira. E, como pesquisador, também estou ávido por ajudar a ciência a explorar novas drogas em estudos independentes, cuidadosamente controlados. Se tal medicamento — com dados científicos sólidos comprovando que seus benefícios superam de longe quaisquer riscos para a saúde — enfim for desenvolvido, eu irei apoiá-lo. Acontece que hoje simplesmente não dispomos de nenhum que se encaixe nessa descrição.

NÃO TOME DOIS DESSES, EM VEZ DISSO EXPERIMENTE ESTES

Enquanto a busca por remédios para dormir mais sofisticados persiste, uma nova leva de métodos empolgantes, não farmacológicos, para melhorar o sono está emergindo rapidamente. Além da estimulação elétrica, magnética e auditiva para aguçar a qualidade do sono profundo que já discutimos (e que ainda está em estágio embrionário de desenvolvimento), também existem vários métodos comportamentais eficazes para melhorar o sono, sobretudo para quem sofre de insônia.

Atualmente o mais eficaz é a chamada terapia cognitiva comportamental para insônia, ou TCC-I, que cada dia é mais adotada pela comunidade médica como o tratamento de primeira linha. Ao trabalhar com um terapeuta por várias semanas, os pacientes adquirem um conjunto de técnicas personalizado destinado a romper maus hábitos de sono e tratar a ansiedade, ambos inibidores de sono. A TCC-I se baseia em princípios básicos de higiene do sono que descrevo no apêndice, somados a métodos individualizados de acordo com o paciente, seus problemas e seu estilo de vida. Alguns são óbvios, outros nem tanto, e há ainda os que contradizem o senso comum.

Os métodos óbvios incluem a redução do consumo de cafeína e de álcool, a remoção de tecnologias de tela do quarto e a manutenção da temperatura do quarto em níveis mais baixos. Além disso, os pacientes devem (1) estabelecer um horário regular de se deitar e se levantar, mesmo nos fins de semana; (2) só ir para a cama quando estiverem sonolentos e evitar dormir no sofá no início e no meio dos serões; (3) nunca ficar deitados acordados na cama por um período significativo de tempo. Em vez disso, devem levantar e fazer algo tranquilo e relaxante até que o desejo de dormir retorne; (4) evitar sonecas durante o dia se estão tendo dificuldade para dormir à noite; (5) reduzir pensamentos que provocam ansiedade e preocupação, aprendendo a desacelerar a mente antes de se deitar; e (6) remover mostradores de relógio do campo de visão no quarto, evitando a ansiedade de dar uma olhada neles à noite.

Um dos métodos mais paradoxais da TCC-I usado para ajudar pacientes com insônia é o de restringir o tempo que eles passam na cama, em alguns casos estabelecendo apenas seis horas de sono ou menos no início do tratamento. Ao manter o paciente acordado por mais tempo, acumula-se uma forte pressão do sono — uma maior abundância de adenosina. Sob esse peso maior da pressão do sono, o paciente adormece mais depressa e consegue uma forma sólida, mais estável, de sono ao longo da noite. Noite após noite ele vai recuperando a confiança psicológica em conseguir autogerar e manter um sono saudável, rápido e profundo: algo que permaneceu fora de seu alcance durante meses, se não anos. Uma vez que a confiança do paciente é restabelecida, aumenta-se aos poucos o tempo na cama.

Embora tudo isso possa soar um pouco forçado e até questionável, os leitores céticos e os mais inclinados a buscar o auxílio de medicamentos devem antes de mais nada avaliar os benefícios comprovados da TCC-I antes de rejeitá-la por completo. Os resultados, que foram reproduzidos em diversos estudos clínicos mundo afora, demonstram que a TCC-I é mais eficaz do que os remédios para dormir no tratamento de vários aspectos problemáticos em quem sofre de insônia. A TCC-I invariavelmente ajuda as pessoas a adormecer mais depressa, dormir por mais tempo e obter uma qualidade de sono superior ao diminuir de forma significativa a quantidade de tempo que passam despertas à noite.* E o mais importante: seus benefícios persistem a longo prazo, mesmo após o término do tratamento. Essa manutenção tem forte contraste com o impacto da insônia de rebote experimentada quando se interrompe o uso de comprimidos para dormir.

As provas que favorecem a TCC-I em relação aos remédios para dormir são tão poderosas em todos os níveis e os riscos para a segurança associados a ela são tão limitados ou inexistentes (diferentemente do que ocorre com as drogas para dormir), que em 2016 o Colégio Americano de Médicos [ACP, na sigla em inglês] fez uma recomendação histórica. Um comitê de médicos e cientistas do sono renomados avaliou todos os aspectos da eficácia e da segurança da TCC-I em comparação com os remédios para dormir comuns. Publicada na prestigiada revista *Annals of Internal Medicine*, a conclusão dessa avaliação abrangente de todos os dados existentes foi a de que a TCC-I deve ser usada como *o* tratamento de primeira linha para todos os indivíduos com insônia crônica, não os comprimidos para dormir.**

---

* M.T. Smith, M.L. Perlis, A. Park et al., "Comparative Meta-Analysis of Pharmacotherapy and Behavior Therapy for Persistent Insomnia", *American Journal of Psychiatry* 159, nº 1 (2002), p. 5-11.

** Esses comitês também atribuem uma nota ponderada para sua recomendação clínica, de branda a forte, passando por moderada. Essa nota ajuda a orientar e informar clínicos gerais em todos os Estados Unidos no que se refere a quão judiciosamente eles deveriam aplicar a resolução. O comitê deu à TCC-I a de fortemente recomendada.

Há mais material sobre a TCC-I e uma lista de terapeutas qualificados nos Estados Unidos no site da National Sleep Foundation.* Se você tem insônia ou acha que tem, por favor explore-o antes de recorrer a comprimidos para dormir.

BOAS PRÁTICAS DE SONO GERAIS

No caso de quem não sofre de insônia ou outro transtorno do sono, há muito que se pode fazer para assegurar uma noite de sono bem melhor usando o que chamamos de práticas de "higiene do sono" — há uma lista de doze sugestões essenciais no site [em inglês] dos Institutos Nacionais de Saúde [NIH, na sigla em inglês], que também está disponibilizada no apêndice deste livro.** Todas as doze sugestões são conselhos excelentes, mas, se você só puder implementar uma delas todos os dias, faça isto: deitar-se e despertar na mesma hora do dia, aconteça o que acontecer. Essa talvez seja a maneira isolada mais eficaz de ajudar a melhorar o sono, ainda que envolva o uso do despertador.

Por último, mas não menos importante, duas das perguntas que mais costumam me fazer com relação à melhora do sono dizem respeito a exercício físico e alimentação.

O sono e a prática de exercício físico têm uma relação bidirecional. Muitos de nós conhecemos o sono profundo, bom, que em geral experimentamos após a prática de atividade física contínua, como um dia inteiro de caminhada, um longo passeio de bicicleta ou até um dia exaustivo de trabalho no jardim. Estudos científicos que remontam aos anos 1970 corroboram parte dessa sabedoria subjetiva, embora talvez não tão fortemente quanto você esperaria. Um deles, publicado em 1975, mostra que níveis progressivamente aumentados de atividade física em homens saudáveis geram um aumento progressivo correspondente na quantidade de sono NREM profundo obtido nas noites seguintes. No entanto, em outra pesquisa, corredores ativos foram comparados com não corredores emparelhados por idade e sexo. Apesar de

---

* <https://sleepfoundation.org>.
** "Tips for Getting a Good Night's Sleep", *NIH Medline Plus*. Disponível em: <https://medlineplus.gov/magazine/issues/summer15/articles/summer15pg22.html>.

os corredores terem uma quantidade um tanto maior de sono NREM profundo, a diferença entre os grupos não foi significativa.

Estudos maiores e controlados com mais cuidado oferecem notícias um pouco mais positivas, porém com um detalhe inesperado. Em adultos mais jovens, saudáveis, a prática frequente de exercícios aumenta o tempo total de sono, sobretudo o sono NREM profundo. Ela também aprofunda a qualidade do sono, gerando uma atividade mais potente das ondas cerebrais elétricas. Também foram constatadas melhoras similares, se não maiores, no tempo e na eficiência do sono em indivíduos na meia-idade e em idosos, incluindo aqueles que relatam dormir mal e os que têm insônia clinicamente diagnosticada.

Em geral esses estudos fazem a medição inicial de várias noites de sono para usar como referência, e depois disso os participantes são postos em um regime de exercícios físicos ao longo de vários meses. Os pesquisadores então examinam se houve melhoras correspondentes no sono — em média, há. A qualidade subjetiva do sono melhora, assim como a quantidade total dele. Além disso, o tempo que os participantes levam para adormecer costuma ser menor e eles relatam despertar menos vezes durante a noite. Em um dos estudos de manipulação mais longos realizados até hoje, idosos com insônia passaram a dormir em média quase uma hora a mais ao fim de quatro meses de atividade física aumentada.

Entretanto, foi inesperada a falta de uma relação estreita entre a prática de atividade física e o sono subsequente no dia da prática. Isto é, os participantes não dormiam uniformemente melhor à noite nos dias em que se exercitavam em comparação com os dias em que não tinham que se exercitar, como seria de esperar. Talvez menos surpreendente seja a relação inversa entre o sono e a prática de exercício no *dia seguinte* (em vez da influência da atividade física no sono subsequente à noite). Quando o sono tinha sido ruim na noite anterior, a intensidade e a duração do exercício eram muito piores no dia seguinte. Quando o sono tinha sido bom, os níveis de esforço físico eram máximos. Em outras palavras, o sono pode ter mais influência sobre o exercício físico do que o contrário.

Contudo, ainda há uma clara relação bidirecional, com uma tendência significativa a se ter um sono cada vez melhor com níveis crescentes de atividade física e uma forte influência do sono sobre a atividade física diurna.

Os participantes também se sentem mais alertas e vigorosos em virtude da melhora do sono e sinais de depressão diminuem proporcionalmente. Está claro que uma vida sedentária é prejudicial ao sono e todos nós devemos tentar manter certo grau de prática regular de exercícios físicos a fim de ajudar a manter não só a boa forma do corpo, como também a quantidade e a qualidade do sono. O sono, por sua vez, estimula a boa forma e a energia, pondo em movimento um círculo positivo, autossustentável, de atividade física (e saúde mental) melhor.

Um breve alerta sobre a prática de atividade física: evite exercitar-se logo antes de se deitar. A temperatura do corpo pode permanecer alta por uma ou duas horas após o esforço físico, o que tornará mais difícil baixar a temperatura central o suficiente para se iniciar o sono em virtude do aumento no índice metabólico. É melhor treinar pelo menos de duas a três horas antes de desligar a lâmpada de cabeceira (não alimentada por LED, espero).

No que diz respeito à dieta, há poucas pesquisas investigando como os alimentos que ingerimos e o nosso padrão alimentar impactam o sono à noite. A restrição calórica severa, como a redução da ingestão a apenas oitocentas calorias por dia durante um mês, torna mais difícil adormecer normalmente e diminui a quantidade de sono NREM profundo à noite.

Pelo visto, *o que* se come também gera certo impacto sobre o sono noturno. Adotar uma dieta rica em carboidratos e com baixo teor de gordura por dois dias diminui a quantidade de sono NREM profundo à noite, porém aumenta a quantidade de sono REM onírico em comparação com uma dieta de dois dias pobre em carboidratos e com alto teor de gordura. Em um estudo cuidadosamente controlado realizado com indivíduos adultos saudáveis, uma dieta de quatro dias rica em açúcar e outros carboidratos, porém pobre em fibras gerou menos sono NREM profundo e mais despertares à noite.*

É difícil fazer recomendações definitivas para o adulto médio, sobretudo porque estudos epidemiológicos de maior escala não mostraram a existência de relações constantes entre a ingestão de grupos alimentares específicos e a quantidade ou a qualidade de sono. Todavia, para se ter um sono

---

* M.P. St.-Onge, A. Roberts, A. Shechter e A.R. Choudhury, "Fiber and Saturated Fat Are Associated with Sleep Arousals and Slow Wave Sleep", *Journal of Clinical Sleep Medicine* 12 (2016), p. 19-24.

saudável, as provas científicas sugerem que devemos evitar ir para a cama muito empanzinados ou com muita fome, bem como dietas muito ricas em carboidratos (mais de 70% de todo o consumo de energia), principalmente o açúcar.

CAPÍTULO 15

Sono e sociedade:

*Onde a medicina e o ensino estão errando;
onde o Google e a Nasa estão acertando*

Cem anos atrás, menos de 2% da população dos Estados Unidos dormiam seis horas ou menos por noite. Hoje quase 30% dos americanos adultos fazem isso.

Um levantamento realizado em 2013 pela National Sleep Foundation deu grande foco a essa deficiência de sono.* Mais de 65% da população adulta dos Estados Unidos não desfrutam das sete a nove horas de sono por noite recomendadas durante a semana. Basta navegar pelo globo para ver que as coisas não são melhores. Por exemplo, no Reino Unido e no Japão 39% e 66%, respectivamente, de todos os adultos alegam dormir menos de sete horas por noite. Correntes profundas de negligência do sono circulam por todos os países desenvolvidos, por isso a Organização Mundial da Saúde vê a falta de sono social como uma epidemia mundial. No conjunto, um em cada dois adultos em todos os países desenvolvidos (cerca de oitocentos milhões de pessoas) não dormirão o necessário na próxima semana.

É importante ressaltar que muitas dessas pessoas não alegam *querer* ou *precisar* de menos sono. Ao examinar o tempo de sono nos países do primeiro mundo nos fins de semana, percebe-se que os números são bem diferentes: no lugar dos escassos 30% obtendo em média pelo menos oito horas de sono, quase 60% desses adultos tentam "se empanturrar" com tal quantidade de sono. Todo sá-

---

* National Sleep Foundation, "2013 International Bedroom Poll". Disponível em: <https://www.sleepfoundation.org/sleep-polls-data/other-polls/2013-international-bedroom-poll>.

bado e domingo, um grande número de pessoas tenta desesperadamente saldar uma dívida de sono acumulada nos dias úteis. Como aprendemos repetidas vezes ao longo deste livro, o sono não é como um sistema de crédito ou um banco. O cérebro nunca consegue recuperar todo o sono de que foi privado; por isso não há como acumular uma dívida sem ser punido nem saldá-la mais tarde.

Mas indo além do indivíduo isolado: por que a sociedade deveria se importar? Alterar as atitudes em relação ao sono e aumentar a quantidade dele faria alguma diferença na nossa vida coletiva como raça humana, em nossas profissões e empresas, na produtividade, no salário, na educação de nossos filhos ou até na nossa natureza moral? Caso você seja um grande empresário ou empregado, diretor de hospital, médico ou enfermeiro, funcionário público ou militar, formulador de políticas públicas ou agente de saúde comunitária, alguém que espera receber atendimento médico em qualquer momento da vida ou caso tenha filhos, a resposta é sem dúvida "sim", por mais razões do que você pode imaginar.

A seguir, dou quatro exemplos claros de como o sono insuficiente impacta o tecido da nossa sociedade. São eles: sono no local de trabalho, tortura (sim, tortura), sono no sistema educacional e sono no exercício da medicina e da assistência médica.

SONO NO LOCAL DE TRABALHO

A privação de sono degrada muitas das faculdades fundamentais para a maioria das formas de ocupação. Por que, então, nós supervalorizamos os trabalhadores que subestimam o sono? Exaltamos o executivo dinâmico que fica respondendo a e-mails até uma da madrugada e depois já está no escritório às 5h45 e elogiamos o "guerreiro" dos aeroportos que viajou por cinco fusos horários em sete voos durante os últimos oito dias.

Em muitas culturas empresariais ainda persiste uma arrogância forçada — e, no entanto, reforçada — que foca a inutilidade do sono. O que é estranho, considerando-se como o mundo profissional é sensível em relação a todas as outras áreas da saúde, como a segurança e a conduta dos funcionários. Como meu colega de Harvard dr. Czeisler ressaltou, há inúmeras políticas dentro do local de trabalho relacionadas a fumo, abuso de substâncias, comportamento ético e prevenção de acidentes e doenças. Entretanto, o sono insuficiente — outro fator danoso e com potencial mortal — costuma ser tolerado e até deploravelmente incentivado. Essa mentalidade se mantém em parte porque certos líderes empresariais acreditam que o tempo trabalhando equivale a conclusão de tarefas e produtividade. Mesmo na era industrial de trabalho fabril repetitivo isso já era falso. E essa falácia, além de ser equivocada, é também dispendiosa.

Um estudo realizado em quatro grandes companhias americanas descobriu que o sono insuficiente havia custado quase 2 mil dólares por funcionário por ano em produtividade. Essa quantia subiu para mais de 3.500 dólares por funcionário no caso daqueles que sofriam de falta de sono mais grave. Pode parecer trivial, mas basta conversar com contadores para ver que houve uma perda líquida de capital para essas companhias da ordem de 54 milhões de dólares por ano. Pergunte a qualquer conselho de administração se eles gostariam de corrigir um problema que sozinho espolia a empresa em mais de 50 milhões de dólares por ano e a votação será rápida e unânime.

Um relatório independente elaborado pela RAND Corporation sobre o custo econômico do sono insuficiente traz um sinal de alerta para diretores financeiros e CEOs.* Pessoas que dormem em média menos de sete horas por noite geram um custo assombroso para o país em comparação com os funcionários que dormem por mais de oito horas todas as noites. Como mostrado na Figura 16A, o sono inadequado custa aos Estados Unidos e ao Japão 411 bilhões de dólares e 138 bilhões de dólares a cada ano respectivamente. O Reino Unido, o Canadá e a Alemanha estão logo atrás.

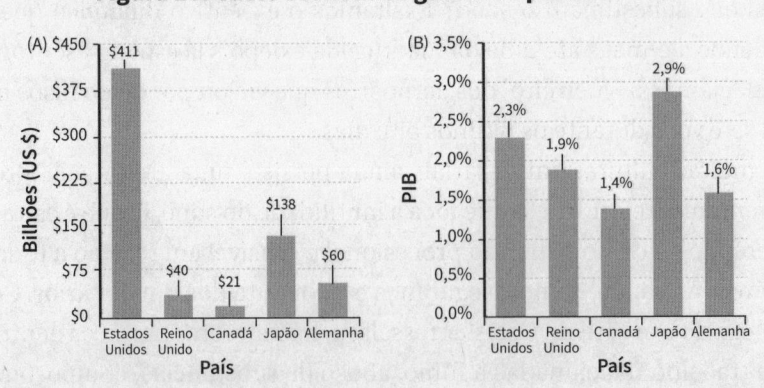

Figura 16: Custo econômico global da perda de sono

(A) Bilhões (US $) por País: Estados Unidos $411; Reino Unido $40; Canadá $21; Japão $138; Alemanha $60.

(B) PIB por País: Estados Unidos 2,3%; Reino Unido 1,9%; Canadá 1,4%; Japão 2,9%; Alemanha 1,6%.

---

* RAND Corporation, "Lack of Sleep Costing UK Economy Up to £40 Billion a Year". Disponível em: <http://www.rand.org/news/press/2016/11/30/index1.html>.

Claro que esses números são distorcidos pelo tamanho de cada país. Uma forma padronizada de avaliar o impacto é analisar o produto interno bruto (PIB) — uma medida geral da produção de lucro, ou da saúde econômica, de uma nação. Vistas dessa maneira, como descritas na Figura 16B, as coisas parecem ainda mais desalentadoras. O sono insuficiente lesa a maioria dos países em mais de 2% de seu PIB — o equivalente ao custo total das Forças Armadas e quase tanto quanto cada um investe em educação. Reflita: se eliminássemos a dívida de sono nacional, poderíamos quase dobrar a porcentagem do PIB dedicada à educação de nossas crianças. Essa é mais uma forma como o sono abundante se justifica em termos financeiros e por que ele deveria ser incentivado em nível nacional.

Mas por que as pessoas prejudicam tanto as suas empresas — e a economia nacional — financeiramente quando dormem menos do que precisam? Muitas das companhias listadas pela Fortune 500 nas quais dou palestras estão interessadas em indicadores-chave de desempenho, ou mensuráveis, como receita líquida, velocidade de realização de metas ou sucesso comercial. Diversas características dos funcionários determinam tais medidas, mas em geral elas incluem criatividade, inteligência, motivação, esforço, eficiência, eficácia no trabalho em grupo, bem como estabilidade emocional, sociabilidade e honestidade. Todas essas habilidades são sistematicamente desmanteladas quando o indivíduo dorme menos do que deveria.

Estudos iniciais demonstraram que uma quantidade menor de sono prenuncia um ritmo menor de trabalho e lentidão na execução de tarefas básicas. Isto é, trabalhadores sonolentos são trabalhadores improdutivos. Pessoas privadas de sono também formulam menos soluções precisas para problemas relevantes de trabalho.*

Desde então desenvolvemos mais tarefas relevantes para o mundo do trabalho a fim de testar os efeitos do sono insuficiente sobre o esforço, a produtividade e a criatividade dos funcionários — afinal, esta é louvada como o motor da inovação empresarial. Ao dar aos participantes do experimento a oportunidade de escolher entre tarefas que exigem esforço variado, de fáceis (como ouvir mensagens de voz) a difíceis (como ajudar a elaborar um projeto complexo que

---

* W.B. Webb e C.M. Levy, "Effects of Spaced and Repeated Total Sleep Deprivation", *Ergonomics* 27, nº 1 (1984), p. 45-58.

requer solução bem pensada de problemas e planejamento criativo), descobre-se que aqueles que obtiveram menos sono nos dias anteriores invariavelmente são os que escolhem as tarefas menos desafiadoras. Eles optam pela saída fácil, tendo em geral menos soluções criativas no processo.

Obviamente há a possibilidade de o tipo de pessoa que decide dormir menos também ser o que prefere não ser desafiado e uma coisa não tenha nada a ver com a outra. Associação não prova causa. No entanto, ao pegar os mesmos indivíduos e executar o experimento duas vezes — uma com eles tendo tido uma noite inteira de sono e outra com eles tendo sido privados de sono —, verificam-se os mesmos efeitos de preguiça gerados pela falta de sono tendo como ponto de referência o próprio participante analisado.* Portanto, a falta de sono é de fato um fator causal.

Ou seja, funcionários que não dormem o suficiente não vão fazer sua empresa crescer a partir da inovação produtiva. Como um bando de gente se exercitando em bicicletas ergométricas, todos parecem estar pedalando, porém o cenário nunca muda. A ironia não percebida pelos trabalhadores é a de que, quando não obtemos sono suficiente, nossa produtividade diminui e por isso precisamos trabalhar em turnos mais longos para bater a meta. Isso faz com que com frequência tenhamos que trabalhar por mais tempo e até mais tarde à noite, chegar em casa mais tarde, ir nos deitar mais tarde e acordar mais cedo, criando um circuito de feedback negativo. Por que tentar ferver um panelão de água em fogo médio quando se pode fervê-lo na metade do tempo em fogo alto? As pessoas costumam me dizer que não têm tempo suficiente para dormir por causa do excesso de trabalho. Sem querer de forma alguma ser agressivo, respondo que talvez a razão pela qual elas ainda tenham tanta coisa para fazer no fim do dia seja justamente o fato de não dormirem o bastante à noite.

Curiosamente, os participantes dos estudos citados há pouco não percebem que aplicam menos esforço ao enfrentar os desafios do trabalho ou que são menos eficientes quando privados de sono, apesar de ambos os fatos serem verdadeiros. Eles pareciam não ter consciência de seu esforço e de-

---

* M. Engle-Friedman e S. Riela, "Self-Imposed Sleep Loss, Sleepiness, Effort and Performance", *Sleep and Hypnosis* 6, nº 4 (2004), p. 155-62; e M. Engle-Friedman, S. Riela, R. Golan et al., "The Effects of Sleep Loss on Next Day Effort", *Journal of Sleep Research* 12, nº 2 (2003), p. 113-124.

sempenho mais insatisfatórios — um tema relacionado à percepção subjetiva equivocada da própria capacidade quando se está privado de sono que já foi discutido neste livro. Observou-se que até as rotinas diárias mais simples, como o tempo gasto arrumando-se com cuidado ou elegância para ir trabalhar, diminuem após uma noite de perda de sono.* As pessoas também gostam menos do próprio emprego quando nessas condições — como talvez não seja de surpreender considerando-se a influência depressora da deficiência de sono sobre o humor.

Pessoas que não dormem o suficiente não são apenas menos produtivas, motivadas, criativas, felizes e mais preguiçosas, como também são menos éticas. No campo profissional, a reputação pode ser um fator decisivo. Ter funcionários com sono insuficiente na empresa deixa você mais vulnerável ao risco de descrédito. Já foram descritas aqui as provas obtidas a partir de experimentos de escaneamento do cérebro que revelaram como o lobo frontal, crucial para o autocontrole e o refreamento de impulsos emocionais, é desconectado pela falta de sono. Por isso os participantes do experimento se mostraram mais voláteis emocionalmente e imprudentes em suas escolhas e decisões. Esse mesmo resultado é confirmado no contexto das apostas mais altas da esfera profissional.

Estudos realizados no ambiente de trabalho concluíram que funcionários que dormiam por até seis horas eram significativamente mais desviantes e mais propensos a mentir no dia seguinte do que os que dormiam por pelo menos seis horas. Um trabalho seminal do dr. Christopher Barns, pesquisador da Foster School of Business da Universidade Washington, descobriu que quanto menos um indivíduo dorme, mais propenso ele é a criar recibos e pedidos de reembolso falsos, além de mais disposto a mentir para obter de graça bilhetes de rifas. Barns também descobriu que funcionários que não dormem o bastante são mais propensos a culpar os colegas por seus erros e até a tentar roubar para si o mérito pelo trabalho bem-sucedido de terceiros — o que com certeza não ajuda na integração da equipe e na manutenção da harmonia.

O desvio ético ligado à falta de sono também penetra o ambiente laboral na forma da chamada folga social. O termo se refere a quem, quando o desempenho do grupo está sendo avaliado, decide se esforçar menos coletivamente do

---

* Ibid.

que quando trabalha sozinho. Esse tipo de pessoa vê a oportunidade de fazer corpo mole e se esconder atrás do trabalho árduo dos demais. Elas também completam menos pontos da tarefa sozinhas e seu trabalho tende a ser errado ou de qualidade inferior em comparação ao seu desempenho quando avaliadas individualmente. Portanto, funcionários sonolentos escolhem o caminho mais egoísta e de menor resistência ao trabalharem em equipe, escorando-se na folga social.* Isso não somente leva a uma produtividade mais baixa da equipe, como compreensivelmente muitas vezes gera ressentimento e agressividade entre os seus integrantes.

De interesse para os empresários, muitos desses estudos constataram efeitos deletérios sobre os resultados dos negócios com base apenas em reduções muito modestas na quantidade de sono de um mesmo indivíduo, além de diferenças às vezes de vinte a sessenta minutos entre um funcionário que é honesto, criativo, inovador, colaborativo e produtivo e um que não é.

Ao examinar os efeitos da deficiência de sono em CEOs e supervisores, viu-se que a história é igualmente impactante. Em qualquer organização, um líder ineficaz pode gerar múltiplas consequências de efeito gradual para os muitos funcionários que influencia. Em geral acreditamos que um bom ou mau líder é bom ou mau de forma consistente — ou seja, esse seria um traço estável. Mas isso não é verdade. As diferenças no desempenho da liderança individual flutuam muitíssimo de um dia para outro e o tamanho dessa disparidade excede de longe a diferença média de um líder para outro. Então o que explica os altos e baixos da capacidade de liderança no dia a dia? A quantidade de sono que o indivíduo obtém é um fator óbvio.

Um estudo aparentemente simples, porém engenhoso, monitorou o sono de supervisores ao longo de várias semanas e comparou esse resultado com a avaliação de seu desempenho como líder feita por seus subordinados. (Vale ressaltar que os subordinados não tinham a menor noção de quão bem o chefe dormira a cada noite, o que elimina qualquer traço tendencioso.) A baixa qualidade do sono na noite anterior relatada pelo supervisor se refletiu em deficiência no autocontrole e uma natureza mais abusiva em relação aos subordinados no dia seguinte, tal como estes atestaram.

---

* C.Y. Hoeksema-van Orden, A.W. Gaillard e B.P. Buunk, "Social Loafing Under Fatigue", *Journal of Personality and Social Psychology* 75, nº 5 (1998), p. 1.179-1.190.

Houve outro resultado igualmente intrigante: nos dias posteriores às noites em que o supervisor dormira mal, os próprios funcionários, mesmo quando bem descansados, tornaram-se menos empenhados em suas tarefas ao longo do dia. Era um efeito de reação em cadeia, no qual a falta de sono de uma única pessoa em um cargo superior em uma estrutura empresarial era transmitida como um vírus, infectando até funcionários bem repousados com indiferença pelo trabalho e produtividade reduzida.

Reforçando essa reciprocidade, descobrimos depois que gerentes e CEOs que não dormem o bastante são menos carismáticos e têm mais dificuldade para incutir inspiração e energia nas equipes que comandam. Infelizmente para os chefes, funcionários privados de sono percebem de forma equivocada o líder bem repousado como sendo significativamente menos inspirador e carismático do que de fato é. Dá para imaginar as consequências multiplicadoras para o sucesso de uma empresa quando tanto o líder quanto os subordinados estão sobrecarregados e privados de sono.

Permitir e incentivar que os subordinados, os supervisores e os executivos cheguem ao trabalho bem repousados faz com que eles passem de pessoas que simplesmente parecem ocupadas, porém são ineficazes, a pessoas produtivas, honestas e úteis que se inspiram, apoiam e ajudam umas às outras. Gramas de sono geram quilos de negócios.

Os subordinados também têm retorno financeiro quando o tempo de sono aumenta. Os que dormem mais em média ganham mais dinheiro, como os economistas Matthew Gibson e Jeffrey Shrader descobriram ao analisar trabalhadores e sua remuneração nos Estados Unidos. Eles analisaram cidades com situação socioeducacional e profissional muito similar dentro do mesmo fuso horário, mas situadas em extremos ocidental e oriental bem distantes — ou seja, que possuem uma quantidade significativamente diferente de horas de luz solar. Os trabalhadores dos locais mais a oeste desfrutavam a luz solar até mais tarde no entardecer e assim iam se deitar em média uma hora mais tarde do que os que moravam em cidades mais a leste. No entanto, todos tinham de acordar na mesma hora todas as manhãs, já que todos estavam no mesmo fuso e com o mesmo horário. Desse modo, os trabalhadores que moravam no oeste dessa zona horária tinham menos oportunidade de sono do que os residentes do leste.

Descontando muitos fatores e potenciais influências (como afluência regional, preços dos imóveis, custo de vida etc.), Gibson e Shrader concluíram que uma hora de sono extra rendia salários significativamente maiores nos locais mais orientais, algo na faixa de 4% a 5%. Você até pode desdenhar desse rendimento do investimento de sessenta minutos de sono, mas ele não é trivial. O aumento salarial médio nos Estados Unidos é de cerca de 2,6%. A maioria das pessoas está fortemente motivada a obtê-lo e fica abalada quando não consegue. Agora imagine quase dobrar esse aumento — não por trabalhar por mais horas, e sim por dormir mais!

A verdade é que a maioria das pessoas trocaria sono por um salário maior. Um recente estudo da Universidade Cornell avaliou centenas de trabalhadores americanos e lhes apresentou a escolha entre (1) 80 mil dólares por ano, trabalhando no horário normal e tendo a oportunidade de cerca de oito horas de sono ou (2) 140 mil dólares por ano, fazendo constantes turnos de horas extras e obtendo apenas seis horas de sono por noite. Infelizmente a maioria dos avaliados preferiu a segunda opção, o que é irônico, considerando-se que se pode ter as duas coisas, como acabamos de descobrir.

A mentalidade corporativa que celebra e se vangloria da falta de sono como o modelo para o sucesso evidentemente está errada em todos os níveis de análise que exploramos. Está claro que um bom sono é um bom negócio. Apesar disso, muitas companhias ainda são deliberadamente antissono em suas práticas estruturadas. Como moscas engastadas no âmbar, essa atitude as mantém presas em um estado engessado de estagnação, carecendo de inovação e produtividade e gerando infelicidade, insatisfação e má saúde dos funcionários.

Entretanto, há um número crescente de empresas de olho no futuro que mudaram suas práticas em resposta a essas descobertas de pesquisa e até acolhem cientistas como eu para que ensinem e exaltem as virtudes de dormir mais para líderes e gestores seniores. A Procter & Gamble Co. e o Goldman Sachs Group Inc., por exemplo, disponibilizam para os funcionários cursos gratuitos de "higiene do sono". Uma iluminação cara e de qualidade superior foi instalada em alguns dos seus prédios a fim de ajudar os trabalhadores a regular o ritmo circadiano, melhorando assim a liberação regulada de melatonina.

A Nike e o Google adotaram uma abordagem mais flexível dos horários de trabalho, permitindo aos funcionários determinar suas horas de trabalho diárias de acordo com seu ritmo circadiano e sua respectiva natureza de coruja ou cotovia. A mudança de mentalidade é tão radical que essas corporações líderes de mercado chegam até a permitir que os trabalhadores durmam no trabalho.

Há salas de relaxamento exclusivas com "cápsulas de sesta" espalhadas por todas as sedes. Os funcionários podem se entregar ao sono durante o expediente nessas zonas de silêncio, germinando produtividade e criatividade enquanto aumentam o bem-estar e reduzem o absenteísmo.

Essas mudanças refletem um desvio acentuado em relação aos dias draconianos em que os trabalhadores flagrados cochilando durante o expediente eram punidos, disciplinados ou demitidos na hora. Infelizmente a maioria dos CEOs e gestores ainda não reconhece a importância de um funcionário que dormiu bem. Eles acham que tais ajustes representam a "abordagem flexível". Mas não se engane: empresas como a Nike e o Google são tão sagazes quanto lucrativas. Elas aceitam o sono por causa de seu comprovado valor em dólares.

No entanto, uma organização em particular sabe dos benefícios ocupacionais do sono há bem mais tempo do que a maioria. Em meados dos anos 1990, a Nasa refinou a ciência de dormir no trabalho em prol de seus astronautas. Eles descobriram que sonecas de apenas 26 minutos promoviam uma melhora de 34% no desempenho de tarefas e um aumento de mais de 50% no alerta geral. Tais resultados deram origem à chamada cultura da soneca da Nasa entre todos os trabalhadores em solo da agência.

Independentemente de que métrica se use para determinar o sucesso empresarial — margens de lucro, dominância/proeminência no mercado, eficiência, criatividade dos funcionários ou satisfação e bem-estar destes —, criar as condições necessárias para que as pessoas durmam o suficiente à noite ou no local de trabalho durante o dia deve ser considerado uma nova forma de capital de risco injetado fisiologicamente.

O USO DESUMANO DA PERDA DE SONO NA SOCIEDADE

As empresas não são o único local onde a privação de sono e a ética batem de frente: governos e Forças Armadas têm uma mancha ainda mais vergonhosa nesse quesito.

Horrorizado com o dano mental e físico causado pela privação de sono prolongada, nos anos 1980 o *Guinness World Records* deixou de reconhecer qualquer tentativa de quebrar o recorde mundial desse "feito". Ele até mesmo cortou esses recordes de seus anais anteriores por medo de que encorajassem atos de abstinência deliberada de sono. É por motivos semelhantes que os cientistas dispõem de provas limitadas dos efeitos da privação total de sono a longo prazo (além de uma ou duas noites). Para nós é moralmente inaceitável impor tal condição a seres humanos — e, cada vez mais, a qualquer espécie que seja.

Alguns governos, no entanto, não compartilham esses valores morais. Eles privam pessoas de sono sob os auspícios da tortura. Talvez pareça estranho incluir tal cenário ético e politicamente traiçoeiro neste livro, mas eu o abordo porque ele ilustra muito bem como a humanidade deve reavaliar suas ideias sobre o sono no nível mais elevado da estrutura social — o do governo — e porque ele fornece um exemplo claro de como podemos moldar uma civilização cada vez mais admirável respeitando o sono, em vez de abusando dele.

Um relatório de 2007 intitulado "Leave No Marks: Enhanced Interrogation Techniques and the Risk of Criminality" [Não deixe marcas: técnicas melhoradas de interrogatório e o risco de criminalidade] traz um relato inquietante dessas práticas nos nossos dias. O documento foi compilado pelos Médicos pelos Direitos Humanos, uma organização que busca pôr fim à tortura humana. Como o título do relatório denuncia, muitos métodos atuais de tortura são desenvolvidos de modo a não deixar qualquer prova da agressão física. A privação de sono é o paradigma desse objetivo e, no momento em que este livro é escrito, ainda é usada em interrogatórios em países como Birmânia, Irã, Iraque, Estados Unidos, Israel, Egito, Líbia, Paquistão, Arábia Saudita, Tunísia e Turquia.

Como cientista que conhece bem o funcionamento do sono, defendo firmemente a abolição dessa prática com base em dois fatos claros. O primeiro, e menos relevante, é uma questão de pragmatismo. No contexto do interrogatório, a privação de sono se presta mal ao objetivo de obter uma informação precisa e, portanto, útil. Como vimos, mesmo em uma quantidade moderada, a falta de sono degrada todas as faculdades mentais necessárias para a obtenção de uma informação válida. Isso inclui a perda de evocação mnemônica precisa, instabilidade emocional que impede o pensamento lógico e até compreensão verbal básica. Pior ainda, a privação de sono aumenta o comportamento desviante e gera taxas maiores de mentira e desonestidade.* Com

---

* C.M. Barnesa, J. Schaubroeckb, M. Huthc e S. Ghummand, "Lack of Sleep and Unethical Conduct", *Organizational Behavior and Human Decision Processes* 115, nº 3 (2011), p. 169-80.

exceção do coma, a privação de sono coloca o indivíduo no estado cerebral menos útil para a coleta de informações críveis: ela cria uma mente desordenada a partir da qual florescerão confissões falsas — o que, é claro, pode ser a intenção de alguns captores. A prova vem de um estudo científico recente que demonstrou que uma noite de privação de sono duplica ou até quadruplica a probabilidade de que um indivíduo de outro modo honesto confesse falsamente algo que não fez. Portanto, é possível mudar as atitudes, o comportamento e até as crenças mais arraigadas de alguém simplesmente impedindo que a pessoa durma.

Uma afirmação eloquente embora angustiante desse fato foi feita pelo ex-primeiro-ministro de Israel Menachem Begin em sua autografia, *White Nights: The Story of a Prisoner in Russia*. Na década de 1940, anos antes de assumir o cargo em 1977, Begin foi capturado pelos soviéticos. Ele foi torturado na prisão pela KGB, o que incluiu uma privação de sono prolongada. Sobre essa experiência (que a maioria dos governos descreve eufemisticamente como a prática de "gestão do sono do prisioneiro"), ele escreve:

> Começa a se formar uma névoa na cabeça do prisioneiro interrogado. Seu espírito está mortalmente cansado, suas pernas estão vacilantes, e ele tem um único desejo: dormir, dormir só um pouco, não se levantar, deitar-se, descansar, esquecer... Qualquer um que tenha experimentado esse desejo sabe que nem mesmo a fome ou a sede se comparam a ele... Soube de prisioneiros que assinavam o que lhes mandassem assinar somente para ter o que o interrogador lhes prometera. Ele não lhes prometia a liberdade. Ele lhes prometia — caso assinassem — sono ininterrupto.

O segundo e mais contundente argumento em prol da abolição da privação forçada de sono é o dano físico e mental permanente infligido por ela. Infelizmente — embora seja conveniente para os interrogadores — o dano não é perceptível aos olhos. No que se refere à mente, a privação de sono a longo prazo durante muitos dias aumenta os pensamentos suicidas e as tentativas de suicídio, dois males cujos índices são bem maiores entre a população carcerária em comparação com a população geral. O sono inadequado também potencializa as condições incapacitantes e não passageiras da depressão e da ansiedade. Já no que se refere ao corpo, ela aumenta a probabilidade de um evento cardiovascular, como um ataque cardíaco ou um derrame cerebral, enfraquece o sistema imune de formas que encorajam o câncer e infecções e torna os genitais estéreis.

Vários tribunais federais americanos condenam tais práticas de forma semelhante, entendendo que a privação de sono viola a Oitava e a Décima Quarta Emendas da Constituição dos Estados Unidos, que tratam da proteção contra a punição cruel e desumana. Seu argumento é sólido e irrefutável: o sono deve ser considerado uma "necessidade básica da vida", o que claramente ele é.

Todavia, o Departamento de Defesa dos Estados Unidos subverteu esse entendimento, autorizando interrogatórios de 24 horas de detidos na baía de Guantánamo entre 2003 e 2004. Até o dia em que estas páginas foram escritas, esse tratamento ainda era permitido, já que o *Manual de Campo do Exército dos Estados Unidos* revisto estabelece no apêndice M que detidos podem ter o sono limitado a apenas quatro horas a cada 24 horas por até quatro semanas. Vale ressaltar que nem sempre foi assim. Uma edição bem anterior, de 1992, do manual apregoava que a privação de sono prolongada era um exemplo claro e desumano de "tortura mental".

Em termos biológicos e psicológicos, privar um ser humano de sono sem seu consentimento e atendimento médico cuidadoso é um instrumento bárbaro de agressão. Ao ser avaliado com base no impacto da mortalidade a longo prazo, é algo que está no mesmo nível da fome. Já é hora de encerrar o assunto, mas deixando claro que o uso da privação de sono é uma prática inaceitável e desumana, a qual creio que encararemos com a mais profunda vergonha no futuro.

SONO E EDUCAÇÃO

Em mais de 80% das escolas de ensino médio públicas nos Estados Unidos as aulas começam antes das 8h20 da manhã. Em quase 50% delas, começam antes das 7h20. Os ônibus escolares que trazem os estudantes para essas aulas que se iniciam às 7h20 em geral começam a apanhá-los nos pontos por volta das 5h45. Desse modo, algumas crianças e adolescentes têm de acordar às 5h30, 5h15, ou até ainda mais cedo, e fazem isso em cinco dias de cada sete por anos a fio. Isso é loucura.

Você conseguiria se concentrar e aprender alguma coisa tendo acordado tão cedo? Tenha em mente que para um adolescente 5h15 da manhã não é o mesmo que para um adulto. Nós já observamos que o ritmo circadiano deles está acentuadamente adiantado de uma a três horas. Assim, a verdadeira pergunta que eu lhe faria, caso você seja adulto, é: você conseguiria se concentrar e aprender alguma coisa tendo sido acordado às 3h15 da manhã dia após dia? Você teria ânimo? Teria facilidade de se dar bem com os colegas e agir com cortesia, tolerância, respeito e uma atitude agradável? É claro que não. Por que então exigimos isso de milhões de adolescentes e crianças em países industrializados? Sem dúvida trata-se de um mau projeto de ensino e está bem longe de ser um modelo para a promoção da boa saúde física e mental de nossas crianças e adolescentes.

Imposto por meio do horário de início das aulas tão cedo, esse estado de privação crônica de sono é especialmente preocupante considerando-se que a adolescência é a fase mais suscetível da vida no que se refere ao desenvolvimento de doenças mentais crônicas, como a depressão, a ansiedade, a esquizofrenia e a tendência ao suicídio. Destruir desnecessariamente o sono de um adolescente pode fazer toda a diferença no precário ponto de inflexão entre o bem-estar psicológico e a doença psiquiátrica para o resto da vida. Essa é uma afirmação forte, e não a escrevo de forma leviana ou infundada. Nos anos 1960, quando as funções do sono ainda eram em grande parte desconhecidas, pesquisadores privaram seletivamente jovens adultos de sono REM — e, portanto, de sonho — por uma semana, enquanto ainda lhes permitiam ter sono NREM.

Os pobres participantes do estudo passaram todo o tempo no laboratório com eletrodos na cabeça. À noite, sempre que entravam em sono REM, um assistente de pesquisa entrava depressa no quarto e os acordava. Então os participantes, com a visão ainda turva, tinham de resolver problemas de matemática por cinco a dez minutos, o que os impedia de cair em sono onírico. E, assim que eles retornavam ao sono REM, o procedimento era repetido. Hora após hora, noite após noite, o procedimento se desenrolou por uma semana inteira. O sono NREM foi deixado em grande parte intacto, porém a quantidade do sono REM foi reduzida a uma fração da habitual.

Não foram necessárias todas as sete noites de privação de sono onírico para que se começasse a ver os efeitos sobre a saúde mental. No terceiro dia, os participantes passaram a demostrar sinais de psicose, tornaram-se ansiosos e mal-humorados e começaram a ter alucinações. Eles ouviam e viam coisas que não eram reais. Também se tornaram paranoicos, com alguns achando que os pesquisadores estavam envolvidos em uma conspiração contra eles — tentando envenená-los, por exemplo. Outros tinham certeza absoluta de que os cientistas eram agentes secretos e que o experimento fazia parte de uma trama obscura do governo.

Foi aí que os cientistas compreenderam as conclusões bem profundas do experimento: o sono REM é o que se encontra entre a racionalidade e a insanidade. Basta descrever esses sintomas para um psiquiatra sem citar a privação do sono REM para que ele chegue ao diagnóstico claro de depressão, transtornos de ansiedade e esquizofrenia. Mas apenas alguns dias antes os participantes do estudo eram todos indivíduos jovens e saudáveis; não estavam deprimidos, não sofriam de transtornos de ansiedade ou esquizofrenia, tampouco apresentavam qualquer histórico pessoal ou familiar dessas enfermidades. Ao lermos sobre quaisquer tentativas de quebrar recordes mundiais de privação de sono durante os primeiros anos da história nos deparamos com essa mesma marca distintiva universal de instabilidade emocional e psicose. Isso se deve à falta de sono REM — o estágio crucial que ocorre nas últimas horas de sono de que arrancamos nossas crianças e adolescentes para irem para a escola — e é responsável pela diferença entre um estado mental estável e um instável.

Nossas crianças nem sempre estudaram nesse horário biologicamente insensato. Um século atrás, as aulas nas escolas americanas começavam às nove da manhã; por isso 95% de todas as crianças acordavam sem despertador. Hoje a regra é o contrário em virtude do incessante adiantamento do horário de início das aulas — que bate de frente com a necessidade evolucionariamente programada das crianças de estar dormindo durante essas preciosas horas da manhã, ricas em sono REM.

O psicólogo de Stanford dr. Lewis Terman, famoso por participar do desenvolvimento do teste de QI, dedicou a carreira em pesquisa ao melhoramento da educação infantil. A partir dos anos 1920, Terman mapeou todos os tipos de fatores que promovem o sucesso intelectual de uma criança, um deles sendo o sono suficiente. Como exposto em seus artigos seminais e no livro *Genetic Studies of Genius*, Terman descobriu que, qualquer que fosse a idade, quanto mais uma criança dorme, mais intelectualmente dotada ela é. Além disso, ele concluiu que o tempo de sono tem forte ligação com um horário razoável (isto é, mais tardio) de início das aulas — um que esteja em harmonia com os ritmos biológicos inatos do cérebro jovem, ainda em maturação.

Embora não seja possível estabelecer de forma irrefutável uma relação de causa e efeito nos estudos de Terman, os dados o convenceram de que, no que se refere à escolarização e ao desenvolvimento saudável da criança, deve ser feita uma forte defesa pública do sono. Como presidente da Associação Americana de Psicologia, ele fez um alerta veemente de que os Estados Unidos jamais deveriam seguir a tendência emergente em alguns países europeus de furtivamente adiantar cada vez mais o horário de início das aulas, marcando-as para oito da manhã, ou até sete da manhã, em vez de às nove.

Para Terman, essa mudança para um modelo de ensino com aulas começando muito cedo prejudicaria muitíssimo o desenvolvimento intelectual de nossa juventude. Apesar de suas advertências, quase cem anos depois os sistemas de ensino americanos adotaram o modelo do horário de início das aulas bem cedo, ao passo que muitos países europeus fizeram o oposto.

Hoje dispomos de provas científicas que corroboram a sabedoria de Terman. Um estudo longitudinal acompanhou mais de cinco mil crianças que frequentavam escolas japonesas e descobriu que em geral as que dormiam por mais tempo tiravam notas melhores. Estudos controlados em laboratório do sono com amostras menores indicam que crianças com tempos totais de sono maiores desenvolvem um QI superior, com as mais inteligentes tendo dormido invariavelmente quarenta a cinquenta minutos mais do que as que vieram a desenvolver um QI inferior.

Análises realizadas em gêmeos idênticos evidenciam ainda mais o quanto o sono é um fator poderoso que pode alterar o determinismo genético. Em um estudo iniciado pelo dr. Ronald Wilson na Escola de Medicina de Louisville nos anos 1980, estudo que prossegue até hoje, centenas de pares de gêmeos foram avaliados em idade muito precoce. Os pesquisadores focaram os pares em que um costumava dormir mais do que o outro e acompanharam o progresso de seu desenvolvimento ao longo das décadas seguintes. Aos dez anos, o gêmeo com o padrão de sono maior se mostrou superior em suas habilidades intelectuais e escolares, com uma pontuação mais alta em testes padronizados de leitura e compreensão, além de um vocabulário mais amplo.

Esse indício associativo não prova que o sono gere esses poderosos benefícios educacionais. Ainda assim, combinado com as provas causais que associam o sono à memória discutidas no Capítulo 6, é possível fazer uma predição: se o sono é de fato tão fundamental para o aprendizado, então aumentar o tempo dele atrasando o horário de início das aulas deve se provar transformador. E se provou.

Um crescente número de escolas nos Estados Unidos se rebelou contra o modelo-padrão, começando o dia escolar em um horário um pouco mais biologicamente razoável. Um dos primeiros testes foi feito na cidade de Edina, Minnesota. Ali o horário de início das aulas para os adolescentes passou de 7h25 da manhã para 8h30. Mais impressionante do que os 43 minutos de sono extra disponibilizados para os adolescentes foi o impacto no desempenho acadêmico, determinado por meio da medida padronizada americana chamada Scholastic Assessment Test, ou SAT.

No ano anterior à alteração do horário, a pontuação média em leitura no SAT dos estudantes com melhor desempenho era um bem respeitável 605. No ano seguinte, depois que o horário de início das aulas passou a ser 8h30 da manhã, a pontuação subiu para uma média de 761 no mesmo grupo de estudantes. A pontuação em matemática também melhorou, indo de uma média de 683 para a de 739. Ao somar esses fatos fica claro que investir no atraso do horário de início das aulas — permitindo que os estudantes desfrutem de mais sono e um melhor alinhamento com seu ritmo biológico inalterável — rendeu um lucro líquido de 212 pontos no SAT. Essa melhora impacta o nível da universidade na qual esses adolescentes poderão ingressar, desse modo alterando potencialmente sua trajetória de vida.

Embora alguns tenham contestado o grau de precisão e de confiabilidade do caso de Edina, estudos sistemáticos bem controlados e muito maiores provaram que ela não é um acaso feliz. Diversos condados em vários estados americanos optaram pelo horário mais tardio e seus alunos obtiveram uma pontuação média significativamente mais alta em avaliações. Como já seria esperado, foram constatadas melhoras no desempenho em qualquer hora do dia, porém os mais extraordinários foram vistos nas aulas da manhã.

É claro que um cérebro cansado, que não dormiu o suficiente, é pouco mais que uma peneira de memórias, sem condições de receber, absorver ou reter com eficiência o conteúdo ensinado. Persistir nesse modelo é prejudicar nossas crianças com amnésia parcial. Forçar cérebros jovens a se tornarem aves matinais garantirá que não apanhem a minhoca — a minhoca no caso sendo o conhecimento ou notas boas. Estamos, portanto, criando uma geração de crianças desfavorecidas, tolhidas pela privação de sono. Um horário de início das aulas mais tardio claramente é a escolha inteligente.

Uma das tendências mais perturbadoras que emergem nessa área do sono e desenvolvimento do cérebro diz respeito a famílias de baixa renda — uma que tem relação direta com a educação. Crianças de meios socioeconômicos inferiores têm uma probabilidade menor de serem levadas para a escola de carro, em parte porque seus pais em geral trabalham no setor de serviços, o que impõe expedientes que começam às seis horas da manhã ou até antes. Desse modo, essas crianças dependem dos ônibus escolares para se deslocarem e têm de acordar mais cedo do que as que são levadas para a escola pelos pais. Essas crianças ficam em desvantagem ainda maior porque no geral dormem menos do que as de famílias mais afluentes. O resultado é um círculo vicioso que se perpetua de geração em geração — um sistema de circuito fechado muito difícil de ser rompido. Precisamos desesperadamente de métodos ativos de intervenção para acabar com ele — e logo.

Descobertas no campo da pesquisa também revelaram que entrar mais tarde na escola aumenta muitíssimo a frequência dos alunos, reduz problemas de comportamento e psicológicos e diminui o consumo de drogas e de álcool. Além disso, o início tardio das aulas faz com que o horário de encerramento também seja mais tardio. Isso protege muitos adolescentes da bem pesquisada "janela do perigo" entre as três e as seis da tarde, quando eles já foram liberados pela escola, mas os pais ainda não chegaram em casa. Esse período de tempo vulnerável em que não há supervisão é uma causa reconhecida de envolvimento em crimes e abuso de substâncias. Encurtar essa janela de perigo reduz tais desdobramentos adversos e o custo financeiro associado para a sociedade (uma economia que poderia ser reinvestida para compensar quaisquer despesas adicionais geradas pelo horário mais tardio).

Contudo, algo ainda mais profundo aconteceu graças ao atraso do horário — algo que os pesquisadores não previram: a expectativa de vida dos estudantes aumentou. A principal causa de morte entre adolescentes são os acidentes de trânsito,* e, nesse aspecto, mesmo o mais leve grau de sono insuficiente pode ter desdobramentos notáveis, como já discutimos. Quando o distrito escolar de Mahtomedi, de Minnesota, mudou o horário de início das aulas de 7h30 para as 8h da manhã, houve uma redução de 60% nos acidentes de trânsito envolvendo motoristas de dezesseis a dezoito anos de idade. O condado de Teton, no Wyoming, decretou uma alteração ainda mais radical, passando o toque do sinal das 7h35 da manhã para a hora muito mais biologicamente razoável de 8h55. O resultado foi espantoso: uma redução de 70% nos acidentes de trânsito envolvendo motoristas de dezesseis a dezoito anos.

Para contextualizar: o advento da tecnologia do sistema de freio antitravamento (ABS) — que impede que as rodas do carro travem quando o pedal de freio é pisado com força, permitindo que o motorista consiga manobrar o veículo — reduziu os índices de acidentes em cerca de 20% a 25%. O invento foi considerado uma revolução. E eis aqui um simples fator biológico — o sono suficiente — que baixa as taxas de acidente envolvendo adolescentes em mais do que o dobro dessa quantidade.

Essas descobertas, cujos dados estão disponíveis para o público geral, deveriam ter levado o sistema educacional a uma revisão inflexível do padrão adotado. No entanto, elas foram em grande parte varridas para debaixo do tapete. Apesar dos apelos da Academia Americana de Pediatria e dos Centros para o Controle e Prevenção de Doenças, a mudança tem sido lenta e árdua. E ela sozinha não é o bastante.

Os horários dos ônibus escolares e os sindicatos que representam seus motoristas são uma importante barreira contra o horário mais tardio, assim como a rotina estabelecida de deixar as crianças na porta da escola de manhã cedo para que os pais possam ir trabalhar. Essas são boas razões pelas quais é tão difícil adotar um modelo nacional mais adequado. Tratam-se de desafios pragmáticos reais que entendo de verdade e com os quais simpatizo, mas para mim não são justificativas suficientes para que se mantenha o modelo antiquado e prejudicial em vigor com os dados sendo tão claramente desfavoráveis. Se o

---

* Centros para o Controle e Prevenção de Doenças, "Teen Drivers: Get the Facts", Injury Prevention & Control: Motor Vehicle Safety. Disponível em: <http://www.cdc.gov/motorvehiclesafety/teen_drivers/teendrivers_factsheet.html>.

objetivo da escola é educar, e não arriscar vidas no processo, então estamos falhando absurdamente com nossas crianças.

Se não implementarmos essa mudança, estaremos perpetuando um círculo vicioso no qual cada geração atravessará o sistema educacional aos tropeços em um estado semicomatoso, cronicamente privada de sono por anos a fio, tolhida em seu desenvolvimento mental e físico e deixando de maximizar seu verdadeiro potencial, somente para infligir essa mesma agressão aos próprios filhos décadas depois. E essa espiral prejudicial só piora: dados colhidos durante o século passado a partir de mais de 750 mil crianças com idades de cinco a dezoito anos que frequentavam a escola revelam que hoje elas dormem duas horas a menos por noite do que suas homólogas dormiam cem anos atrás. Isso se aplica a qualquer grupo etário, ou subetário, que se considere.

Outra razão para fazer do sono uma prioridade máxima na educação e na vida dos nossos filhos diz respeito à ligação entre a deficiência de sono e a epidemia de TDAH (transtorno do déficit de atenção com hiperatividade). As crianças com esse diagnóstico são irritáveis, mais temperamentais, mais distraídas e desconcentradas no aprendizado durante o dia e têm uma prevalência significativamente aumentada de depressão e ideação suicida. Ao reunir esses sintomas (incapacidade de manter o foco e a atenção, aprendizado deficiente, comportamentalmente difícil, com saúde mental instável) sem o rótulo de TDAH, percebe-se que são quase idênticos aos causados pela falta de sono. Leve uma criança privada de sono ao médico e descreva esses sintomas sem mencionar a falta de sono e pergunto (o que não é incomum): Que diagnóstico você acha que ela receberá e para o qual será medicada? Não o de sono deficiente, mas o de TDAH.

Há mais ironia aqui. A maioria das pessoas conhece os nomes dos medicamentos que em geral são receitados para tratar o TDAH: Adderall e Ritalina, mas poucas sabem o que eles de fato são. O Adderall é uma anfetamina com certos sais misturados e a Ritalina é um estimulante similar, chamado metilfenidato. A anfetamina e o metilfenidato são duas das drogas mais potentes que conhecemos para impedir o sono e manter o cérebro de um adulto (ou de uma criança, neste caso) completamente desperto. Essa é a última coisa que uma criança nessas condições precisa. Como meu colega de área dr. Charles Czeisler observou, há décadas pessoas são presas por vender anfetamina para menores de idade na rua. No entanto, pelo visto não há problema algum em permitir que companhias farmacêuticas veiculem comerciais no horário nobre chamando a atenção para o TDAH e promovendo a venda de remédios baseados em anfetamina (por exemplo, Adderall e Ritalina). Para os céticos, isso parece pouco mais do que uma versão sofisticada de um traficante de drogas do centro da cidade.

Não estou contestando o transtorno do TDAH; além disso, nem toda criança com a condição tem sono deficiente. Todavia, sabemos que há crianças, talvez muitas, que estão com privação de sono ou um transtorno do sono não diagnosticado que se disfarça como TDAH. E elas passam anos de seu desenvolvimento fundamental tomando remédios à base de anfetamina.

Um exemplo de transtorno do sono não diagnosticado é o transtorno respiratório do sono pediátrico, ou apneia obstrutiva do sono infantil, que é associado a roncos intensos. As adenoides e amídalas grandes demais podem bloquear a via respiratória da criança quando seus músculos da respiração relaxam durante o sono. O ronco pesado é o som de ar turbulento tentando ser aspirado para os pulmões através de uma via respiratória semicaída, tremulante. Por reflexo, o déficit de oxigênio resultante força o cérebro a despertar a criança ao longo de toda a noite para que haja várias respirações plenas, o que restaura a saturação total de oxigênio no sangue. Entretanto, isso impede que a criança alcance e/ou sustente longos períodos de valioso sono NREM profundo. O transtorno respiratório do sono assim lhe impõe um estado de privação do sono crônica, noite após noite, por meses e anos a fio.

À medida que a privação crônica de sono se desenvolve, a criança parece cada vez mais acometida pelo TDAH em relação ao temperamento, ao estado cognitivo e emocional e aos estudos. As que têm a sorte de ter o transtorno do sono reconhecido e as amídalas extraídas na maioria das vezes provam não ter TDAH. Nas semanas após a cirurgia, o sono da criança se recupera e, com ele, o funcionamento psicológico e mental normativo nos meses seguintes. O "TDAH" está curado. Com base em levantamentos e avaliações clínicas recentes, estima-se que mais de 50% de todas as crianças diagnosticadas com TDAH têm na verdade um transtorno do sono; porém uma pequena fração sabe de seu problema de sono e seus desdobramentos. No que se refere a esse assunto, é necessário que haja uma grande campanha de conscientização de saúde pública promovida pelos governos — talvez sem a influência dos grupos de lobby farmacêutico.

Tirando a questão do TDAH, o problema do panorama mais geral está cada vez mais claro. Devido à falta de quaisquer diretrizes governamentais e à divulgação deficiente por parte de pesquisadores como eu com relação aos dados científicos disponíveis, muitos pais permanecem na ignorância do estado de privação de sono da infância e por isso com frequência subestimam essa necessidade biológica. Uma pesquisa de opinião feita pela National Sleep Foundation confirma tal ponto, com bem mais de 70% dos pais acreditando que o filho dorme o suficiente, quando na verdade menos de 25% das crianças entre onze e dezoito anos se encaixam nessa definição.

Como pais temos uma visão parcial da necessidade e da importância do sono dos nossos filhos, às vezes até punindo ou estigmatizando seu desejo de dormir o suficiente, incluindo suas desesperadas tentativas nos fins de semana de saldar uma dívida de sono imposta indevidamente pelo sistema escolar. Espero que seja possível mudar esse cenário. Espero que consigamos romper a transmissão geracional da negligência do sono e fornecer aquilo de que os cérebros exaustos e fatigados de nossa juventude estão tão penosamente famintos. Quando o sono é abundante, as mentes florescem. Quando ele é deficiente, isso não acontece.

SONO E ASSISTÊNCIA MÉDICA

Se você está prestes a receber tratamento médico em um hospital, faria bem em perguntar ao médico: "Por quanto tempo o senhor dormiu nas últimas 24 horas?" A resposta dele determinará com um grau estatisticamente provável se o tratamento recebido resultará em um erro médico grave, ou até em morte.

Todos nós sabemos que enfermeiros e médicos trabalham por longas horas seguidas e que ninguém o faz mais do que os médicos durante os anos de residência. Mas poucas pessoas sabem por quê. Por que obrigamos os médicos a aprender seu ofício dessa maneira exaustiva e insone? A resposta remonta ao renomado dr. William Stewart Halsted, que também era um irremediável viciado em drogas.

Halsted fundou o programa de treinamento cirúrgico no Johns Hopkins Hospital em Baltimore, Maryland, em maio de 1889. Como chefe do Departamento de Cirurgia, sua influência foi considerável e suas crenças sobre como os jovens médicos devem se dedicar à medicina, formidáveis. Deveria haver literalmente uma residência de seis anos. O termo "residência" se deve à crença de Halsted de que os médicos deveriam morar no hospital durante grande parte de seu treinamento, o que lhes permitia estar de fato comprometidos com seu aprendizado de habilidades cirúrgicas e conhecimento médico. Os residentes novatos tinham de encarar longos e consecutivos turnos de trabalho, dia e noite. Para Halsted o sono era um luxo dispensável que desviava a atenção da capacidade de trabalhar e aprender. Era difícil contestar a mentalidade dele, já que ele próprio praticava o que pregava, sendo famoso pela capacidade aparentemente sobre-humana de permanecer acordado por dias a fio sem nenhuma fadiga.

Mas Halsted tinha um segredo sujo que só foi revelado anos após sua morte e ajudou a explicar tanto a estrutura maníaca de seu programa de residência quanto sua capacidade de se abster de sono. Ele era viciado em cocaína — um hábito triste e aparentemente acidental que tivera início anos antes de sua chegada ao Johns Hopkins.

No início da carreira, Halsted estava conduzindo uma pesquisa sobre a capacidade de certas drogas de bloquear nervos, para que pudessem ser usadas como anestésicos em procedimentos cirúrgicos. Uma delas era a cocaína, que impede que ondas de impulso elétrico disparem pela extensão dos nervos no corpo, incluindo as que disseminam a dor. Viciados na droga sabem disso muito bem, pois o nariz, e com frequência o rosto inteiro, fica entorpecido depois que cheiram várias carreiras da substância, o que é quase como receber uma dose de anestesia grande demais por um dentista empolgado.

Trabalhando com a cocaína no laboratório, não demorou para que Halsted a experimentasse e fosse logo dominado pelo vício. Quem lesse o relatório acadêmico de Halsted sobre suas descobertas de pesquisa no *New York Medical Journal* de 12 de setembro de 1885 teria dificuldade em entendê-lo. Vários historiadores médicos sugeriram que a escrita é tão desconcertante e frenética que ele sem dúvida escreveu o texto sob o efeito de cocaína.

Colegas de trabalho perceberam os comportamentos estranhos e perturbadores de Halsted nos anos anteriores e posteriores à sua chegada ao Johns Hopkins. Isso incluía sair da sala de cirurgia enquanto supervisionava residentes em procedimentos cirúrgicos, deixando os jovens médicos terminarem-nos sozinhos. Outra vezes, Halsted não conseguia operar por causa da tremedeira nas mãos, algo que ele tentava atribuir aos efeitos do tabagismo.

Halsted precisava desesperadamente de ajuda. Com vergonha e nervoso, temendo que os colegas descobrissem a verdade, ele se internou em uma clínica de reabilitação sob seu primeiro e segundo nomes. Foi a primeira de muitas tentativas malsucedidas de largar o vício. Durante uma estada no Butler Psychiatric Hospital em Providence, Rhode Island, Halsted recebeu um programa de exercícios, uma dieta saudável, ar fresco e, para ajudar com a dor e o desconforto da abstinência, morfina. Halsted deixou o programa de "reabilitação" com o vício em cocaína *e* o vício em morfina. Houve até histórias de que ele inexplicavelmente mandava lavar suas camisas em Paris, com elas voltando em um pacote contendo mais do que apenas roupas imaculadas.

Halsted inseriu sua vigília permeada de cocaína no cerne do programa cirúrgico do Johns Hopkins, impondo uma mentalidade irreal de falta de sono aos residentes durante todo o treinamento. O programa de residência exaustivo, que persiste de uma forma ou de outra em todas as escolas de medicina americanas até hoje, deixou incontáveis pacientes feridos ou mortos pelo caminho — e provavelmente residentes também. Pode parecer uma acusação injusta considerando-se o trabalho maravilhoso, salvador de vidas, que nossos comprometidos e solícitos jovens médicos e a equipe médica executam, mas ela é comprovável.

Muitas escolas de medicina costumavam exigir que os residentes trabalhassem trinta horas. Isso talvez pareça pouco, já que em geral as pessoas trabalham pelo menos quarenta horas por semana. Mas, no caso dos residentes, eram trinta horas de uma só vez, ininterruptamente. O pior: com frequência eles tinham de fazer dois turnos contínuos de trinta horas em uma semana, com vários turnos de doze horas espalhados entre eles.

As consequências estão bem documentadas. Residentes trabalhando em turnos de trinta horas consecutivas cometerão 36% mais erros médicos graves, como prescrever a dose errada de um remédio ou deixar um instrumento cirúrgico dentro do paciente em comparação com os que estão trabalhando dezesseis horas ou menos. Além disso, após um turno de trinta horas sem sono, os residentes cometem enormes 460% mais erros de diagnóstico na unidade de tratamento intensivo (UTI) do que quando desfrutaram de sono suficiente. Durante todo o curso da residência, um em cada cinco residentes médicos cometerá um erro médico relacionado à falta de sono que causa dano significativo e responsabilizável a um paciente. Um em cada vinte residentes matará um paciente pelo mesmo motivo. Como hoje há mais de cem mil residentes em treinamento em programas médicos americanos, isso significa que muitas centenas de pessoas — filhos, filhas, maridos, esposas, avós, irmãos, irmãs — estão morrendo desnecessariamente todos os anos porque os residentes estão privados de sono. Enquanto escrevo este capítulo, um novo relatório concluiu que os erros médicos são a terceira principal causa de morte entre os americanos, perdendo para o ataque cardíaco e o câncer. E dormir pouco sem dúvida tem algo a ver com a perda dessas vidas.

Os próprios jovens médicos podem se tornar parte das estatísticas de mortalidade. Depois de um turno contínuo de trinta horas, os residentes exaustos têm uma probabilidade 73% maior de se picar com uma agulha hipodérmica ou de se cortar com um bisturi, arriscando-se a contrair doenças transmitidas pelo sangue.

Uma das estatísticas mais irônicas tem relação com a direção sonolenta. Quando um residente privado de sono termina um turno longo e volta para casa dirigindo o próprio carro, suas chances de se envolver em um acidente de trânsito aumentam em 168% por causa da fadiga. Desse modo, eles podem se ver de volta ao mesmíssimo hospital de que saíram, mas agora como vítima de um acidente de carro causado pelo microssono.

Os professores de medicina mais experientes e os médicos assistentes sofrem da mesma anulação das habilidades quando dormem muito pouco. Por exemplo, quem está sob o bisturi de um médico assistente a quem foi negada a oportunidade de dormir pelo menos seis horas na noite anterior tem um risco 170% maior de ser vítima de um erro cirúrgico grave, como o dano a um órgão ou uma hemorragia grande.

Ao estar prestes a fazer uma cirurgia eletiva, você deve perguntar quanto seu médico dormiu e, se a resposta não lhe agradar, talvez seja melhor não passar pelo procedimento. Nenhuma quantidade de anos de experiência ajuda um médico a "aprender" a superar a falta de sono. Como isso seria possível? A Mãe Natureza gastou milhões de anos implementando essa necessidade fisiológica essencial. Achar que bravata, força de vontade ou algumas décadas de experiência podem livrar um médico de uma necessidade evolucionariamente antiga é o tipo de arrogância que, como sabemos pelas provas, custa vidas.

A próxima vez que você vir um médico em um hospital, tenha em mente o estudo já discutido neste livro que mostra que, após 22 horas sem sono, o desempenho humano está prejudicado no mesmo nível que o de alguém bêbado de acordo com a lei. Você aceitaria ser tratado por um médico que puxasse um cantil de uísque na sua frente, tomasse alguns goles e continuasse a tentar atendê-lo com um vago estupor? Eu também não. Por que, então, a sociedade deve aceitar esse jogo de roleta-russa igualmente irresponsável no campo da assistência médica?

Por que estas e muitas descobertas similares não desencadearam uma revisão responsável dos horários de trabalho pelas organizações médicas americanas? Por que não estamos disponibilizando tempo de sono para nossos médicos exaustos e, por isso, propensos ao erro? Afinal, o objetivo coletivo é alcançar a mais elevada qualidade da prática e da atenção médicas, não é?

Diante de ameaças do governo de que aplicaria horários de trabalho determinados pelo nível federal em razão da extensão das evidências condenatórias, o Conselho de Acreditação do Ensino Superior em Medicina fez as seguintes alterações. Os residentes no primeiro ano ficariam limitados a (1) trabalhar não mais do que oitenta horas semanais (o que ainda corresponde em média a 11,5 horas por dia por sete dias seguidos); (2) trabalhar não mais do que 24 horas ininterruptas; e (3) realizar um plantão noturno a cada três noites. Esse horário de trabalho revisto ainda excede muito a capacidade do cérebro de funcionar em ótimas condições. Erros, enganos e mortes persistem. Quando as pesquisas foram se avolumando cada vez mais, o Instituto de Medicina, que integra a Academia Nacional de Ciências Americana, divulgou um relatório com uma afirmação clara: trabalhar por mais de dezesseis horas consecutivas sem dormir é perigoso tanto para o paciente quanto para o médico residente.

Talvez você tenha reparado na frase específica que usei no parágrafo anterior: "residentes no primeiro ano". Isso se deve ao fato de (no momento em que escrevo este livro) a regra revisada valer apenas para quem está no primeiro ano de treinamento da residência médica. Mas qual é a razão disso? O Conselho de Acreditação do Ensino Superior — o conselho de elite de médicos muito poderosos que dita a estrutura de treinamento da residência nos Estados Unidos — declarou que os dados que comprovam os perigos do sono insuficiente só tinham sido obtidos de residentes no primeiro ano do programa. Por causa disso, o conselho afirma que não há provas que justifiquem uma mudança em relação aos residentes do segundo ao quinto ano — como se o fato de passar dos doze meses do programa de residência médica conferisse magicamente imunidade contra os efeitos biológicos e psicológicos da privação de sono.

Como cientista que tem intimidade com os dados das pesquisas, creio que essa arrogância entrincheirada, prevalente em tantas hierarquias institucionais dogmáticas, comandadas por médicos mais velhos, não tem lugar na prática médica. Esses conselhos devem se desvencilhar da mentalidade do "nós sofremos com a privação do sono, então agora vocês vão sofrer também" quando se trata de treinar, ensinar e praticar medicina.

Evidentemente, as instituições médicas apresentaram outros argumentos para justificar o abuso do sono à maneira do modelo antigo. O mais comum lembra uma mentalidade semelhante à de William Halsted: sem o trabalho em turnos exaustivos, o treinamento dos residentes será longo demais e eles não aprenderão com tanta eficiência. Por que, então, vários países da Europa Ocidental treinam seus jovens médicos pelo mesmo tempo limitando a sua carga horária a não mais do que 48 horas por semana, sem longos períodos de vigília? Talvez seus médicos não sejam tão bem treinados? Esse é um argumento também equivocado, uma vez que os programas médicos de muitos desses países da Europa Ocidental, como o Reino Unido e a Suécia, estão entre os dez melhores no que se refere à maioria dos resultados da prática médica para a saúde, enquanto a maior parte dos institutos americanos figura entre o décimo oitavo e o trigésimo segundo lugares. Na verdade, vários estudos-piloto realizados nos Estados Unidos mostraram que, quando limitamos o trabalho dos residentes a não mais do que um turno de dezesseis horas com pelo menos uma oportunidade de descanso de oito horas antes do turno seguinte,* o número de erros médicos graves — definidos como causando ou

---

* Com base nessa descrição, você poderia ser perdoado por achar que agora os residentes têm uma deliciosa oportunidade de oito horas de sono. Infelizmente isso não é verdade. Durante esse intervalo de oito horas, eles têm que voltar para casa, comer, passar um tempo com os cônjuges, praticar o exercício físico que desejarem, dormir, tomar banho e fazer o trajeto de volta para o hospital. É difícil imaginar que se consiga muito mais do que cinco horas de olhos fechados em meio a tudo que deve acontecer nesse intervalo — o que de fato eles não conseguem. Um turno máximo de doze horas com um intervalo de doze horas é precisamente o que deveríamos exigir deles, e na verdade de qualquer médico.

tendo o potencial de causar dano a um paciente — cai em mais de 20%. Além disso, os residentes cometeram de 400% a 600% menos erros de diagnóstico.

Simplesmente não há argumentos baseados em provas para que se persista no modelo centrado na escassez de sono, que prejudica o aprendizado, a saúde e a segurança tanto dos jovens médicos quanto dos pacientes. Que ele permaneça sob o controle estoico de médicos mais velhos parece ser um caso claro de "já tomei minha decisão, não me confunda com os fatos".

De maneira mais geral, parece-me que nós como sociedade devemos agir a fim de desmantelar nossa atitude negativa e contraproducente em relação ao sono. Essa atitude é sintetizada nas palavras de um senador americano que certa vez disse: "Sempre detestei a necessidade de sono. Como a morte, ela derruba até os homens mais poderosos." Essa atitude resume perfeitamente muitas visões modernas sobre o sono: que ele é abominável, irritante, debilitante. Embora o senador em questão seja o personagem Frank Underwood, da série *House of Cards*, os roteiristas puseram seus dedos — biograficamente, creio — no cerne do problema da negligência do sono.

Tragicamente, essa mesma negligência gerou algumas das piores catástrofes globais que pontuam a história humana. Consideremos a célebre fusão do reator na usina de energia nuclear de Chernobyl em 26 de abril de 1986. A radiação liberada pelo desastre foi cem vezes mais forte do que a das bombas atômicas lançadas na Segunda Guerra Mundial. O acidente foi causado por operadores privados de sono que estavam em um turno exaustivo, ocorrendo, não por acaso, a uma da manhã. Nas décadas seguintes, milhares de pessoas morreram em virtude dos efeitos a longo prazo da radiação e outras dezenas de milhares sofreram enfermidades debilitantes e de desenvolvimento. Há também o caso do petroleiro *Exxon Valdez*, que encalhou no Bligh Reef no Alasca em 24 de março de 1989, rompendo seu casco. Estima-se que de dez a quarenta milhões de galões de óleo cru foram derramados em uma extensão de mais de dois mil quilômetros do litoral circundante. Foram mortas mais de quinhentas mil aves marinhas, cinco mil lontras, trezentas focas, mais de duzentas águias carecas e vinte baleias orcas. O ecossistema costeiro nunca se recuperou. Os primeiros comunicados sugeriram que o capitão estava embriagado enquanto guiava o navio; porém, mais tarde foi revelado que o sóbrio capitão tinha passado o comando para o terceiro suboficial no deque, que só havia dormido por seis horas nas 48 anteriores, o que o levou a cometer o cataclísmico erro de navegação.

Ambas as tragédias globais eram evitáveis. O mesmo vale para todas as estatísticas envolvendo perda de sono deste capítulo.

CAPÍTULO 16

Uma nova visão para o sono no século XXI

Admitindo que a falta de sono é uma forma lenta de autoeutanásia, o que pode ser feito a respeito? Neste livro descrevi os problemas e as causas de nossa falta de sono coletiva, mas e quanto às soluções? Como podemos mudar?

Para mim, abordar essa questão envolve dois passos de lógica. Primeiro, devemos compreender por que o problema do sono deficiente parece tão resistente à mudança e por isso persiste e se agrava. Segundo, devemos desenvolver um modelo estruturado para efetuar a mudança em cada ponto de alavancagem que conseguirmos identificar. Não há uma única solução mágica. Afinal, não há apenas uma razão para que a sociedade esteja coletivamente dormindo muito pouco. A seguir, esboço uma nova visão para o sono no mundo moderno — uma espécie de mapa rodoviário que ascende através de diversos níveis de oportunidades de intervenção, ilustrado na Figura 17.

Figura 17: Níveis de intervenção em relação ao sono

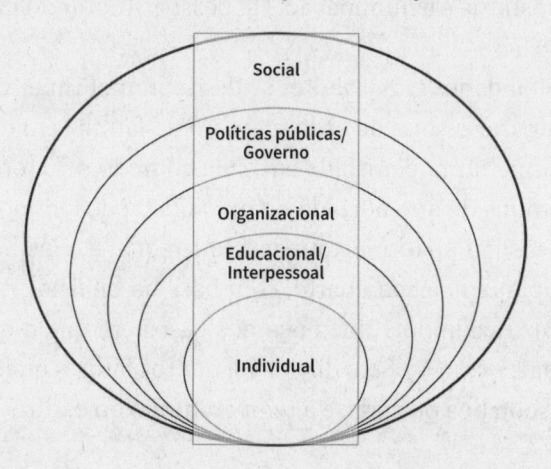

TRANSFORMAÇÃO INDIVIDUAL

No plano individual, aumentar o sono pode ser levado a cabo através tanto de métodos passivos, que não requerem esforço algum da pessoa e por isso são preferíveis, quanto de métodos ativos, que demandam esforço. Aqui estão várias possibilidades que talvez não sejam tão improváveis, sendo todas baseadas em métodos científicos comprovados para aumentar a quantidade e a qualidade do sono.

De acordo com muitos de meus colegas pesquisadores, a invasão da tecnologia em nossas casas e quartos está nos roubando um sono precioso, e eu concordo. Evidências discutidas neste livro, como os efeitos prejudiciais de dispositivos que emitem luz LED à noite, provam que isso é verdade. Por isso os cientistas fazem pressão para que se mantenha o sono analógico, por assim dizer, neste mundo cada vez mais digital, deixando a tecnologia fora da equação.

Mas eu discordo desse ponto. Sim, o futuro do sono tem a ver com um retorno ao passado no sentido de que devemos nos unir ao sono regular, abundante, como conhecíamos um século atrás. Mas ao meu ver lutar contra a tecnologia em vez de usá-la como aliada é a abordagem errada. Em primeiro lugar, seria uma batalha perdida: nunca enfiaremos o gênio tecnológico de volta na lâmpada nem precisamos fazê-lo. Em vez disso, podemos usar essa ferramenta poderosa a nosso favor. Tenho certeza de que dentro de três a cinco anos haverá aparelhos acessíveis para monitorar o sono e o ritmo circadiano com grande precisão. Quando isso acontecer, poderemos integrar esses monitores do sono individuais à revolução dos aparelhos domésticos em rede, como os termostatos e a iluminação. Há pessoas tentando fazer isso enquanto escrevo este livro.

Duas possibilidades empolgantes se desdobram. Primeiro, esses aparelhos poderiam comparar o sono de cada membro da família em cada quarto separado com a temperatura percebida em cada cômodo pelo termostato. Usando algoritmos comuns de aprendizado de máquina aplicados ao longo do tempo seria possível ensinar ao termostato doméstico qual é o melhor ponto térmico para cada ocupante de cada quarto, com base na biofisiologia calculada pelo aparelho (talvez dividindo a diferença nos casos em que o quarto é ocupado por duas ou mais pessoas). Sem dúvida há muitos fatores que contribuem para uma noite de sono boa ou ruim, e a temperatura com certeza é um deles.

Melhor ainda: poderíamos programar uma calmaria e elevação circadiana natural da temperatura ao longo da noite, harmonizando-a com as demandas de cada corpo, em vez de ficar sob a temperatura noturna constante fixada na maioria das casas e apartamentos. Com o tempo, poderíamos programar um ambiente térmico de sono personalizado para o ritmo circadiano de cada ocupante de cada quarto, afastando-nos de um cenário térmico invariável que atormenta o sono da maioria das pessoas que usam os termostatos domésticos comuns. Essas duas mudanças não requerem qualquer esforço da pessoa e devem acelerar o início do sono, aumentar o tempo total dele e até aprofundar a qualidade do sono NREM (como discutido no Capítulo 13).

A segunda solução passiva diz respeito à luz elétrica. Muitos de nós sofremos com a superexposição à luz noturna, sobretudo a luz LED com predomínio de azul dos aparelhos digitais. Essa luz digital noturna reprime a melatonina e atrasa a hora de dormir. Que tal se transformarmos esse problema em solução? Em breve nós deveremos ser capazes de fabricar lâmpadas de LED com filtros que diversificarão o comprimento de luz emitido, variando das cores amarelas quentes, menos prejudiciais à melatonina, à luz azul forte, que a reprime fortemente.

Junto com os monitores do sono capazes de definir com precisão nosso ritmo biológico, podemos instalar essas novas lâmpadas pela casa, todas conectadas à rede doméstica. As lâmpadas (e até outros aparelhos interconectados com tela de LED, como os iPads) seriam instruídas a diminuir aos poucos a luz azul prejudicial na casa à medida que a noite avança, com base no padrão natural de sono-vigília do indivíduo (ou do conjunto de indivíduos). Isso poderia ser feito de forma dinâmica e contínua à medida que os moradores se movem de um cômodo para outro em tempo real. Nesse caso também podemos dividir a diferença entre as luzes com base na combinação biofisiológica de quem quer que esteja no cômodo. Ao fazer isso, o cérebro e o corpo dos moradores, medidos e traduzidos pelos aparelhos na casa interconectada, regulariam sinergisticamente a luz e, assim, a liberação de melatonina, que promove, em vez de impedir, uma excelente regulação do sono para todos. Trata-se de uma visão da medicina do sono personalizada.

Com a chegada da manhã, o mecanismo se inverte. O ambiente interno é saturado com luz azul potente, suprimindo qualquer melatonina remanescente. Isso nos ajudaria a despertar mais depressa, mais alertas e com um humor mais alegre todas as manhãs.

Poderíamos até usar essa mesma ideia da manipulação da luz para dar um leve empurrãozinho no ritmo de sono-vigília de alguém dentro de limites biologicamente razoáveis (uns trinta a quarenta minutos), caso a pessoa queira, deslocando-o aos poucos para mais cedo ou mais tarde. Por exemplo, se você tem uma reunião bem cedo no meio da semana, essa tecnologia, sincronizada com sua agenda on-line, aos poucos deslocaria você (seu ritmo circadiano) para uma hora de se deitar e levantar ligeiramente mais cedo a partir de segunda--feira. Dessa maneira, a hora de acordar no início da manhã da quarta-feira não seria tão terrível ou causaria tamanha perturbação biológica em seu cérebro e corpo. Isso seria igualmente, se não mais, aplicável para ajudar quem precisa superar o *jet lag* ao viajar entre fusos horários, tudo sendo feito por aparelhos pessoais emissores de luz LED com os quais as pessoas já viajam — celulares, tablets e laptops.

E, indo além, por que se restringir ao ambiente doméstico ou à circunstância infrequente do *jet lag*? Os carros também podem ter essas soluções de iluminação para manipular o nível de alerta durante os deslocamentos matinais para o trabalho. Alguns dos índices mais altos de acidentes por direção sonolenta ocorrem de manhã, especialmente bem cedo. Que tal se a cabine dos carros pudesse ser banhada por luz azul durante a ida para o trabalho? Os níveis teriam de ser ajustados de modo a não distrair o motorista ou outros na estrada, mas você deve se lembrar do Capítulo 13 de que não precisamos de luz especialmente brilhante (lux) para gerar um impacto mensurável de contenção da melatonina e vigília maior. Esse mecanismo poderia ser útil sobretudo em determinadas áreas dos hemisférios norte e sul nas quais as manhãs de inverno são mais problemáticas. No local de trabalho, para aqueles que têm a sorte de ter o próprio escritório, o ritmo da iluminação poderia ser ajustado sob medida usando os mesmos princípios. Mas até mesmo as baias, que não diferem tanto da cabine de um carro, poderiam ser ajustadas de modo personalizado.

É claro que ainda resta comprovar quanto benefício essas mudanças implementariam, mas já é possível falar de alguns dados da Nasa, sempre preocupada com o sono, com a qual trabalhei no início da carreira. Os astronautas na Estação Espacial Internacional viajam através do espaço a 28.163 quilômetros por hora e completam uma órbita da Terra uma vez a cada noventa a cem minutos. Por causa disso, eles experimentam a "luz do dia" por cerca de cinquenta minutos e a "noite" por cerca de cinquenta minutos. Embora sejam agraciados com o deleite de ver o nascer e o pôr do sol dezesseis vezes por dia, isso faz um baita estrago em seu ritmo de sono-vigília, causando problemas de insônia e sonolência. Cometa um erro no trabalho no planeta Terra e seu chefe chamará a sua atenção; cometa um erro em um longo tubo de metal que flutua através do vácuo do espaço com cargas úteis e custos de missão na casa das centenas de milhões de dólares e as consequências podem ser muito, muito piores.

Para combater esse mal, a Nasa passou a trabalhar com uma grande companhia elétrica alguns anos atrás a fim de criar os tipos de lâmpadas especiais que descrevi. As lâmpadas instaladas na estação espacial banham os astronautas em um ciclo de 24 horas de luz e escuridão muito mais semelhante ao terrestre. Com a luz ambiental regulada houve uma regulação melhor do ritmo biológico de melatonina dos astronautas, incluindo o sono, reduzindo assim os erros de operação associados à fadiga. Devo admitir que o custo de desenvolvimento de cada lâmpada ficou por volta de 300 mil dólares, mas várias companhias estão trabalhando arduamente para fabricar lâmpadas similares por uma fração desse custo. As primeiras iterações estão chegando ao mercado enquanto escrevo este livro. Quando os custos se tornarem mais competitivos com os das versões convencionais, essas e muitas outras possibilidades se tornarão realidade.

Soluções menos passivas, que exigem que a pessoa participe de forma ativa da mudança, são mais difíceis de instituir. Uma vez estabelecidos, os hábitos humanos são difíceis de alterar. Considere as inúmeras resoluções de Ano-Novo que você fez e nunca cumpriu. Promessas de parar de comer em excesso, de praticar exercícios regularmente ou de largar o cigarro são apenas alguns exemplos de hábitos que com frequência queremos mudar a fim de prevenir problemas de saúde, mas raramente conseguimos. De forma similar, nossa persistência em dormir muito pouco pode parecer uma causa perdida, porém sou otimista de que várias soluções ativas fazem uma diferença real para o sono.

Educar as pessoas sobre o sono — por meio de livros, palestras interessantes e programas de televisão — pode ajudar a combater nosso déficit dele. Por dar um curso sobre a ciência do sono para quatrocentos a quinhentos alunos de graduação a cada semestre, sei disso por experiência própria. Meus alunos respondem a um questionário anônimo no início e no fim da disciplina: entre o começo e o término do semestre, a quantidade de sono que eles dizem obter aumenta em média 42 minutos por noite. Por mais trivial que isso possa parecer, traduz-se em cinco horas de sono extra a cada semana, ou 120 horas a cada semestre.

Entretanto, isso não é o bastante. Tenho certeza de que uma proporção desalentadoramente grande de meus alunos voltou aos velhos hábitos de sono mais reduzido, insalubre, nos anos posteriores. Assim como descrever os perigos da junk food raramente termina com as pessoas preferindo brócolis a um biscoito, o conhecimento por si só simplesmente não é suficiente. É preciso recorrer a métodos adicionais.

Uma prática que sabidamente converte um novo hábito saudável em um modo de vida permanente é a exposição do indivíduo a seus próprios dados. As pesquisas sobre doença cardiovascular são um bom exemplo: quando são dados aos pacientes instrumentos passíveis de serem usados em casa para monitorar a melhora de sua saúde fisiológica devido a um plano de exercícios — como o uso de monitores de pressão sanguínea durante programas de exercício, balanças que registram o índice de massa corporal ao longo de uma dieta ou aparelhos de espirometria que registram a capacidade respiratória durante tentativas de largar o cigarro —, as taxas de adesão aos programas de reabilitação aumentam. Ao se analisar esses mesmos indivíduos um ou até cinco anos depois, constata-se que um número maior deles terá mantido a mudança positiva de estilo de vida e comportamento. Quando se trata do eu quantificado, é o velho ditado do "ver para crer" que garante a adesão a hábitos saudáveis por um prazo mais longo.

Com aparelhos vestíveis para monitorar a emersão rápida do sono, podemos aplicar essa mesma abordagem ao sono. Com os smartphones atuando como núcleo central de convergência dos dados sobre a saúde — atividade física (como número de passos ou os minutos e a intensidade da prática de exercícios), exposição à luz, temperatura, frequência cardíaca, peso corporal, ingestão de comida, produtividade no trabalho ou humor —, é possível mostrar a cada pessoa como o sono permite prever de forma direta o estado de sua saúde física e mental. É provável que, ao usar um dispositivo como esse, você descubra que no dia seguinte às noites em que dormiu mais ingeriu menos comida — e só consumiu as saudáveis; sentiu-se mais alegre, feliz e positivo; teve interações sociais melhores; e produziu mais em menos tempo no trabalho. Além disso, notaria que nos meses do ano em que em média dormiu mais, você adoeceu menos; seu peso, pressão sanguínea e o uso de remédios foram todos mais baixos; e sua satisfação no relacionamento amoroso, assim como na vida sexual, foi maior.

Reforçada dia após dia, mês após mês e por fim ano após ano, essa chamada de atenção poderia fazer com que muita gente tomasse uma atitude em relação à negligência do sono. Não sou ingênuo a ponto de achar que essa seria uma mudança radical, mas, de acordo com a ciência, se isso aumentasse sua quantidade de sono em apenas quinze a vinte minutos a cada noite, já haveria uma diferença significativa ao longo da vida e ajudaria a economizar trilhões de dólares dentro da economia global, para citar apenas dois benefícios. Poderia ser um dos fatores mais potentes para estimular um novo modelo de assistência aos doentes no qual abandonaríamos o foco em tratamento para priorizar a prevenção. Afinal, ela é muito mais eficiente do que o tratamento e custa muito menos a longo prazo.

Indo ainda mais longe, que tal se passássemos de uma postura *analítica* (isto é, aqui está o seu sono anterior e/ou atual e aqui está seu peso corporal anterior e/ou atual) para o de uma "*preditalítica*" voltada para o futuro? Para explicar o termo, voltemos ao exemplo do tabagismo. Estão tentando criar aplicativos preditalíticos que começam com você tirando uma foto do seu rosto com a câmera do smartphone. Em seguida, o aplicativo lhe pergunta quantos cigarros você fuma em média por dia. Com base em dados científicos que compreendem como a quantidade de fumo impacta os traços exteriores de saúde, como bolsas sob os olhos, rugas, psoríase, cabelo cada vez mais escasso e dentes amarelados, o aplicativo modifica preditivamente o seu rosto supondo que você continue a fumar, mostrando o resultado em várias marcas temporais: um ano, dois anos, cinco anos, dez anos.

Essa mesmíssima abordagem poderia ser aplicada ao sono, mas em muitos níveis: a aparência exterior e a saúde interior do cérebro e do corpo. Por exemplo, poderíamos mostrar às pessoas seu crescente risco (embora não determinístico) de enfermidades como doença de Alzheimer ou certos cânceres se insistirem em dormir tão pouco. Os homens poderiam ver projeções do quanto os testículos encolherão e o nível de testosterona diminuirá caso a negligência do sono seja mantida. Previsões de risco similares poderiam ser feitas para o ganho de peso corporal, o diabetes, a deficiência imunológica e a infecção.

Outro exemplo envolve oferecer às pessoas uma previsão de quando deveriam se vacinar contra a gripe com base na quantidade de sono obtida na semana anterior. Como você deve lembrar do Capítulo 8, dormir por períodos de quatro a seis horas por noite na semana anterior à vacinação contra a gripe faz com que você produza menos da metade da resposta normal de anticorpos requerida, ao passo que sete ou mais horas de sono invariavelmente geram uma resposta de imunização poderosa e abrangente. O objetivo seria munir provedores de assistência médica e hospitais com atualizações em tempo real sobre o sono do paciente semana a semana. Por meio de notificações, o software identificaria o momento excelente em que a pessoa deve ser vacinada contra a gripe de modo a maximizar o efeito da imunização.

Isso não somente melhoraria muitíssimo a imunidade da pessoa como também a da comunidade, através do desenvolvimento de "benefícios imunitários coletivos". Pouca gente se dá conta de que o custo financeiro anual da gripe nos Estados Unidos gira em torno dos 100 bilhões de dólares (10 bilhões de dólares diretos e 90 bilhões de dólares em produtividade de trabalho perdida). Mesmo que reduzisse as taxas de infecção gripal em apenas uma porcentagem pequena, essa solução tecnológica pouparia centenas de milhões de dólares por meio da maior eficiência da imunização, reduzindo o custo em serviços hospitalares, tanto pela utilização de serviços de internação quanto pelos ambulatoriais. Ao evitar a perda de produtividade devido à doença e ao absenteísmo durante a época de gripe, os bilhões de dólares poupados poderiam ajudar a subsidiar o esforço de imunização.

Podemos ampliar essa solução a nível global: onde quer que haja imunização e a oportunidade de monitorar o sono dos indivíduos, há a chance de economias consideráveis para sistemas de assistência médica, governos e empresas, tudo com o objetivo de tentar ajudar as pessoas a levar uma vida mais saudável.

MUDANÇA EDUCACIONAL

Durante as últimas cinco semanas, fiz uma pesquisa informal entre colegas, amigos e familiares nos Estados Unidos e na minha terra natal, o Reino Unido. Também colhi amostras de amigos e colegas na Espanha, Grécia, Austrália, Alemanha, Israel, Japão, Coreia do Sul e Canadá.

Fiz perguntas sobre o tipo de educação para a saúde e o bem-estar que eles haviam recebido na escola. Eles tiveram aula sobre alimentação? Noventa e oito por cento responderam que sim e muitos ainda se lembravam de alguns detalhes, mesmo que alguns já estejam obsoletos. Tiveram aula sobre drogas, álcool, sexo seguro e saúde reprodutiva? Oitenta e sete por cento responderam que sim. A importância da prática de exercícios físicos tinha sido incutida neles em algum momento da vida escolar e/ou a prática semanal de atividades de educação física era obrigatória? Sim — 100% dos entrevistados confirmaram que era.

Esse está longe de ser um conjunto de dados científicos, mas ainda assim alguma forma de instrução relacionada à alimentação, à prática de exercícios e à saúde parece ser parte de um plano de ensino mundial recebido pela maioria das crianças nos países desenvolvidos.

Quando perguntei a esse conjunto diversificado de pessoas se tinham recebido alguma orientação sobre o sono, a resposta foi igualmente universal no sentido oposto: 0% dos entrevistados recebeu algum material educacional ou informação nesse sentido. Mesmo na educação para a saúde e o bem-estar descrita por alguns deles, não houve nada que chegasse sequer perto de uma atenção superficial à importância do sono para a saúde física ou mental. Caso essas pessoas sejam representativas, tal quadro sugere que o sono não ocupa espaço algum na educação de nossas crianças. Geração após geração, elas permanecem ignorantes dos perigos imediatos e dos impactos prolongados do sono insuficiente sobre a saúde, e, para mim, isso está errado.

Eu gostaria muito de trabalhar com a Organização Mundial da Saúde para desenvolver um módulo educacional simples que possa ser implementado em escolas do mundo todo. Ele poderia assumir diversas formas com base no grupo etário: um curta-metragem animado disponível on-line, um jogo de tabuleiro na forma física ou digital (que poderia ser jogado por pessoas de vários países com "correspondentes" do sono) ou um ambiente virtual que ajudasse a descobrir os segredos do sono. Há várias opções, todas facilmente transponíveis para os variados países e culturas.

O objetivo seria duplo: mudar a vida dessas crianças e, por meio do aumento da consciência em relação ao sono e de sua melhor prática, fazer com que elas, no futuro, transmitam os valores de sono saudável para os próprios filhos. Dessa maneira, iniciaríamos a transmissão familiar da apreciação do sono de uma geração para a seguinte, como fazemos com coisas como as boas maneiras e a moralidade. Em termos médicos, as futuras gerações não só gozariam de uma vida mais longa, mas sobretudo de um período mais longo de saúde, livres das doenças e transtornos da meia-idade e da velhice que sabemos serem causados pelo sono cronicamente curto (e não simplesmente associados a ele). O custo de ministrar tais programas seria uma pequenina fração do que hoje pagamos em virtude do déficit global de sono não tratado. Se você for uma organização, uma empresa ou um filantropo interessado em ajudar a transformar essa ideia em realidade, por favor, não hesite em entrar em contato comigo.

MUDANÇA ORGANIZACIONAL

Vejamos três exemplos bem distintos de como poderíamos levar a cabo uma reforma do sono no local de trabalho e nas indústrias essenciais.

Primeiro, para os funcionários no local de trabalho. A gigantesca companhia de seguros Aetna, que emprega quase cinquenta mil pessoas, instituiu a opção de bônus por dormir mais com base em dados verificáveis de monitoramento do sono. Como Mark Bertolini, o presidente e CEO da Aetna, descreveu: "Estar presente no local de trabalho e tomar decisões melhores tem muito a ver com nossos princípios empresariais." E completou: "Não há como estar preparado tendo dormido a metade do que deveria." Os funcionários que somam vinte noites de sete ou mais horas de sono consecutivas recebem um bônus de 25 dólares por noite, perfazendo um total (máximo) de 500 dólares.

Alguns podem zombar do sistema de incentivo de Bertolini, porém desenvolver uma nova cultura empresarial que cuida de todo o ciclo de vida dos funcionários noite e dia é tão economicamente prudente quanto compassivo. Pelo visto Bertolini sabe que, para a companhia, a vantagem líquida de um trabalhador que dorme bem é considerável. É inegável o retorno sobre o investimento em sono em termos de produtividade, criatividade, entusiasmo pelo trabalho, energia e eficiência — isso sem falar da felicidade, levando as pessoas a quererem trabalhar e permanecer na empresa. A sabedoria empiricamente justificada de Bertolini desconsidera noções equivocadas sobre massacrar os funcionários com dias de trabalho de dezesseis a dezoito horas, esgotando-os em um modelo de descartabilidade e produtividade declinante, repleto de licenças por motivo de saúde, que desencadeiam ao mesmo tempo um moral baixo e taxas altas de rotatividade.

Endosso de todo o coração a ideia de Bertolini, mas a modificaria da seguinte maneira: em vez de — ou como uma alternativa a — dar apenas bônus financeiros, poderíamos oferecer também tempo extra de férias. Muita gente valoriza dias livres mais do que benefícios financeiros modestos. Eu sugeriria um "sistema de crédito de sono", com o tempo de sono sendo trocado por bônus financeiros ou dias extras de férias. Haveria pelo menos uma condição: o sistema de crédito de sono não seria calculado simplesmente sobre as horas totais cronometradas durante a semana ou o mês. Como aprendemos, a *continuidade* do sono — a obtenção regular de sete a nove horas de oportunidade de sono a cada noite, todas as noites, sem incorrer em dívida durante a semana e a tentativa de saldá-la se empanturrando de sono no fim de semana — é tão importante quanto o tempo total dele se o indivíduo quiser receber os benefícios para a saúde mental e física do sono. Desse modo, o "volume de crédito de sono" dos funcionários seria calculado com base em uma combinação de *quantidade* e *continuidade* do sono noite a noite.

Não precisa haver punição para quem tem insônia. Na verdade, esse método de controle rotineiro do sono ajudaria a identificar o problema e a empresa poderia oferecer terapia cognitiva comportamental através de smartphones. O tratamento contra a insônia poderia ser incentivado com os mesmos benefícios de crédito, melhorando ainda mais a saúde do indivíduo e a produtividade, a criatividade e o sucesso da empresa.

A segunda ideia de mudança diz respeito à flexibilização do horário de trabalho. Em vez do horário estabelecido com limites relativamente rígidos (isto é, o expediente clássico de nove às cinco), as empresas poderiam se adaptar a uma visão muito mais ajustada das horas de funcionamento, que teria a forma de um U invertido achatado. Todos os funcionários estariam presentes no local de trabalho durante uma janela central para interações essenciais — digamos, de meio-dia às três da tarde. Contudo, os dois extremos seriam flexibilizados a fim de acomodar todos os cronotipos individuais. As corujas poderiam começar a trabalhar tarde (por exemplo, ao meio-dia) e permanecer depois do anoitecer, empenhando sua plena força de capacidade mental e energia física às suas tarefas. E as cotovias poderiam fazer o mesmo, pegando e largando o trabalho cedo, assim evitando que se arrastem ao longo das horas finais do expediente "tradicional" com ineficiente sonolência. Também há benefícios secundários. Tomemos a hora do rush no trânsito como um exemplo, que seria diminuída tanto de manhã quanto no final da tarde. A economia indireta de tempo, dinheiro e estresse não seria desprezível.

Talvez a empresa em que você trabalha afirme oferecer alguma versão disso. No entanto, pela minha experiência como consultor, a oportunidade pode ser sugerida, porém raramente é tida como aceitável, sobretudo aos olhos dos gerentes e líderes. Dogmas e mentalidades parecem ser uma das maiores barreiras que limitam a implementação de práticas empresariais melhores (isto é, de sono inteligente).

A terceira ideia para a mudança em relação ao sono dentro da indústria se refere à medicina. Tão urgente quanto a necessidade de acrescentar mais sono aos horários dos residentes é a de repensar radicalmente como ele impacta a assistência ao paciente. Posso ilustrar esse conceito com dois exemplos concretos.

EXEMPLO 1 — DOR

Quanto menos dorme ou quanto mais fragmentado é o seu sono, mais sensível você é à dor de todos os tipos. O lugar mais comum em que as pessoas sentem uma dor significativa e prolongada muitas vezes é o último onde podem usufruir de sono profundo: o hospital. Se você já teve o infortúnio de passar mesmo que uma noite só internado, sabe disso muito bem. Os problemas são especialmente agravados na UTI, onde são tratados os doentes mais graves (isto é, os que mais necessitam da ajuda do sono). Bipes e zumbidos incessantes de equipamentos, alarmes esporádicos e testes frequentes impedem qualquer coisa que se assemelhe ao sono restaurador ou abundante para o paciente.

Estudos de saúde ocupacional realizados em quartos e enfermarias com pacientes internados revelam um nível de poluição sonora em decibéis equivalente ao de um restaurante ou bar barulhentos 24 horas por dia. Na verdade, de 50% a 80% de todos os alarmes do tratamento intensivo são desnecessários ou podem ser ignorados pela equipe médica. Também é frustrante o fato de nem todos os testes e check-ups realizados nos pacientes serem urgentes, sendo que muitos deles são inoportunos para o sono. Eles são feitos durante a tarde, quando os internados estariam de outro modo desfrutando uma soneca de um sono bifásico, natural, ou de manhã bem cedo, quando só então eles estão mergulhando em sono profundo.

Não é de surpreender que os estudos demonstrem que o sono de todos os pacientes é uniformemente ruim nas UTIs. Perturbado pelo ambiente barulhento e estranho da UTI, o sono leva mais tempo para ser iniciado, fica repleto de despertares, é mais superficial e contém menos sono REM total. Pior ainda: de modo geral os médicos e enfermeiros superestimam a quantidade de sono obtido pelos pacientes em relação ao que de fato é medido objetivamente. Tudo levado em conta, o ambiente de sono — e desse modo a sua quantidade — de um paciente nesse ambiente hospitalar é totalmente antagônico à sua convalescença.

Mas isso pode ser resolvido. É possível planejar um sistema de tratamento médico no qual o sono esteja no centro do cuidado ao paciente ou muito próximo dele. Em uma de minhas pesquisas, descobrimos que os centros de dor no cérebro humano são 42% mais sensíveis à estimulação térmica desagradável (não prejudicial, é claro) após uma noite de privação de sono em comparação a uma noite inteira e saudável de oito horas de sono. É interessante observar que essas áreas do cérebro relacionadas à dor são as mesmas sobre as quais agem os medicamentos narcóticos, como a morfina. O sono parece ser um analgésico natural e, sem ele, a dor é percebida de modo mais agudo pelo cérebro e, o que é mais importante, sentida com mais intensidade pelo indivíduo. Aliás, a morfina não é um remédio conveniente, já que envolve problemas sérios relacionados à interrupção da respiração, dependência e abstinência, além de efeitos colaterais muito desagradáveis. Estes incluem náusea, perda de apetite, suores frios, coceira e problemas urinários e intestinais, sem falar de uma forma de sedação que impede o sono natural. A morfina também altera a ação de outros remédios, o que gera efeitos problemáticos de interação medicamentosa.

Indo além de uma agora ampla série de pesquisas científicas, deveríamos ser capazes de reduzir a dose de narcóticos em nossas enfermarias, melhorando assim as condições de sono dos pacientes. Por sua vez, isso diminuiria os riscos de segurança, reduziria a gravidade dos efeitos colaterais e diminuiria o potencial de interações medicamentosas.

Melhorar as condições de sono dos pacientes não só reduziria as doses dos medicamentos, como também estimularia seu sistema imune. As pessoas internadas poderiam empreender uma batalha bem mais eficaz contra a infecção e acelerar a cura no pós-operatório. O ritmo de recuperação mais acelerado faria com que o tempo de internação fosse mais curto, o que diminuiria os custos de assistência médica e as taxas de utilização do seguro de saúde. Ninguém quer ficar no hospital mais do que o estritamente necessário; os administradores hospitalares pensam da mesma forma. O sono pode ajudar.

As soluções relacionadas a ele não precisam ser complicadas. Algumas são simples e baratas, e os benefícios serão imediatos. Podemos começar removendo todos os equipamentos e alarmes que não são necessários para cada paciente. Em seguida, devemos educar os médicos, os enfermeiros e os administradores dos hospitais sobre os benefícios do repouso profundo para a saúde, ajudando-os a compreender o valor excepcional que devemos atribuir ao repouso do paciente. Também podemos perguntar aos pacientes sobre seus horários regulares de sono no formulário de admissão no hospital e então organizar na medida do possível as avaliações e testes em torno de seus ritmos habituais de sono-vigília. Quem está se recuperando de uma cirurgia de apêndice com certeza não quer ser acordado às 6h30 da manhã quando sua hora natural de despertar é 7h45.

Mas quais seriam as outras práticas simples? Dar aos pacientes tampões de ouvido e uma máscara facial assim que chegam à enfermaria, tal como a bolsa de viagem de cortesia que ganhamos em voos de longa distância. Usar iluminação baixa, não a de luz LED, à noite e iluminação intensa durante o dia. Tais recursos ajudam a manter o ritmo circadiano dos pacientes forte — e, desse modo, um padrão de sono-vigília robusto. Nenhuma dessas práticas é muito cara; a maioria poderia ser implementada amanhã e tenho certeza de que todas gerariam um benefício significativo.

EXEMPLO 2 — NEONATOS

Manter um bebê prematuro vivo e saudável é um desafio perigoso. Instabilidade da temperatura corporal, estresse respiratório, perda de peso e índices altos de infecção podem ocasionar instabilidade cardíaca, deficiências do neurodesenvolvimento e morte. Nesse estágio prematuro da vida, os bebês deveriam dormir durante a maior parte do tempo, tanto de dia quanto de noite. No entanto, na maioria das unidades de tratamento intensivo neonatais (UTINs), a iluminação forte costuma permanecer ligada durante toda a noite, enquanto a dura luz elétrica de teto agride as pálpebras finas desses bebês durante o dia. Imagine tentar dormir sob uma luz constante 24 horas por dia. Como não é de se admirar, os bebês não dormem normalmente nessas condições. Vale a pena repetir o que aprendemos no capítulo sobre os efeitos da privação de sono em seres humanos e ratos: perda da capacidade de manter a temperatura corporal central, estresse cardiovascular, depressão respiratória e colapso do sistema imune.

Então por que não projetamos UTINs que promovam a quantidade máxima de sono, usando assim o sono como a ferramenta salva-vidas que a Mãe Natureza o aperfeiçoou para ser? Nos últimos meses foram divulgadas descobertas de pesquisas preliminares feitas em várias UTINs que implementaram condições de luz baixa durante o dia e escuridão quase total à noite. A estabilidade, o tempo e a qualidade do sono dos bebês aumentam. Com isso foram observadas melhoras de 50% a 60% no ganho de peso e níveis de oxigenação do sangue significativamente mais altos em comparação com os de prematuros que não tiveram o sono priorizado e regularizado desse modo. Melhor ainda: os prematuros que dormiram bem também receberam alta do hospital cinco semanas mais cedo!

Também é possível implementar essa estratégia em países subdesenvolvidos sem a necessidade de alterações dispendiosas da iluminação simplesmente colocando um pedaço de plástico escuro — uma cobertura difusora da luz caso se queira — sobre os berços neonatais. O custo é inferior a 1 dólar, mas a medida causará um benefício significativo, redutor da lux, estabilizando e melhorando o sono. Mesmo algo tão simples quanto dar banho em uma criança pequena na hora certa antes de colocá-la na cama (e não no meio da noite, como em geral acontece) ajuda a promover, em vez de perturbar, o bom sono. Os dois são métodos globalmente viáveis.

Vale ressaltar que nada nos impede de priorizar o sono de maneiras igualmente poderosas em todas as unidades pediátricas para todas as crianças em todos os países.

MUDANÇA DE POLÍTICAS PÚBLICAS E DA SOCIEDADE

Nos níveis mais elevados, precisamos de campanhas públicas mais eficientes de conscientização sobre o sono. Nós, nos Estados Unidos, gastamos uma pequenina fração do orçamento para a segurança no transporte alertando as pessoas dos perigos da direção sonolenta em comparação com as inúmeras campanhas e esforços de conscientização relacionadas aos acidentes envolvendo drogas e álcool. Mesmo com a direção sonolenta sendo responsável por mais acidentes do que as drogas e o álcool — além de ser mais mortal. Os governos poderiam salvar centenas de milhares de vidas a cada ano investindo nesse tópico. A campanha também se pagaria com facilidade, com base na economia de custos relacionada à assistência médica e aos serviços de emergência impostos pelos acidentes por direção sonolenta. Por isso, ela evidentemente ajudaria a reduzir o uso do seguro saúde e de automóvel por parte dos acidentados.

Outra oportunidade de gerar uma mudança é a lei processual que trata da direção sonolenta. Alguns estados americanos dispõem da acusação de homicídio culposo veicular associada à privação de sono, que obviamente é bem mais difícil de provar do que o nível de álcool no sangue. Por ter trabalhado com vários grandes fabricantes de automóveis, posso contar que logo haverá tecnologia inteligente nos veículos que ajudará a determinar, a partir das reações do motorista, dos olhos, do comportamento na direção e da natureza da colisão, a "marca" prototípica de um acidente claramente causado pela direção sonolenta. Combinada com o histórico pessoal, sobretudo à medida que aparelhos de monitoramento do sono pessoais se popularizarem, talvez estejamos bem perto de desenvolver o equivalente do bafômetro para a privação de sono.

Sei que para alguns de vocês isso pode parecer algo negativo, mas esse não seria o caso se você tivesse perdido um ente querido em um acidente relacionado à fadiga. Felizmente o desenvolvimento de recursos de direção semiautônoma nos veículos pode nos ajudar a evitar esse problema. Os carros podem usar essas mesmas marcas de fadiga para intensificar sua vigilância e, quando necessário, tirar o maior controle do motorista.

Nos níveis muito elevados, transformar sociedades inteiras não é algo trivial e tampouco fácil. Contudo, podemos pegar emprestado métodos comprovados de outras áreas da saúde para melhorar o sono de todos os indivíduos. Dou apenas um exemplo: nos Estados Unidos, muitas companhias de seguro de saúde oferecem um crédito financeiro aos clientes para que se matriculem em uma academia. Considerando os benefícios para a saúde da maior quantidade de sono, por que não instituímos um incentivo semelhante para que as pessoas acumulem um sono mais constante e abundante? As companhias de seguro de saúde poderiam aprovar dispositivos de monitoramento do sono válidos, por exemplo. Então os clientes poderiam registrar seu volume de crédito de sono no perfil do provedor de assistência médica. Com base em um sistema escalonado, pro-rata, com expectativas razoáveis de limiar para grupos etários distintos, seria cobrada do cliente uma taxa de seguro mais baixa com crédito de sono crescente mensalmente. Como a prática de exercícios físicos, isso por sua vez ajudaria a melhorar a saúde da sociedade em massa e a baixar o custo da utilização de assistência médica, permitindo às pessoas ter uma vida mais longa e mais saudável.

Mesmo com os clientes pagando taxas mais baixas, as seguradoras ainda sairiam ganhando, já que a medida diminuiria significativamente a carga de custos geradas pelos segurados, promovendo assim margens de lucro maiores. Todo mundo lucraria. É claro que, assim como a matrícula em uma academia, algumas pessoas vão aderir ao regime e depois largá-lo e outras tentarão fraudar ou manipular o sistema de avaliação. Mas, mesmo que apenas 50% a 60% das pessoas de fato aumentem a quantidade de horas passadas na cama, a medida poderia poupar dezenas ou centenas de milhões de dólares em custos de saúde — sem falar de centenas de milhares de vidas.

Espero que este tour de ideias transmita uma mensagem de otimismo em vez do fatalismo sensacionalista tão usado pela mídia para falar de tudo que diz respeito à saúde. Entretanto, mais do que esperança, desejo que isto incite soluções melhores para o sono criadas por você mesmo; ideias que talvez alguns de vocês poderão implementar em uma empresa com ou sem fins lucrativos.

CONCLUSÃO

Dormir ou não dormir

Dentro do espaço de meros cem anos, os seres humanos abandonaram sua necessidade biologicamente ordenada de sono adequado — uma necessidade em que a evolução investiu 3,4 milhões de anos aperfeiçoando em prol de funções vitais. Por causa disso, a dizimação do sono em todos os países industrializados vem causando um impacto catastrófico sobre a nossa saúde, expectativa de vida, segurança e produtividade e a educação dos nossos filhos.

Essa epidemia silenciosa de perda do sono é o maior desafio de saúde pública que enfrentamos no século XXI nos países desenvolvidos. Se quisermos evitar o laço sufocante da negligência do sono, a morte prematura infligida por ela e a saúde precária para a qual ela abre caminho, deve ocorrer uma mudança radical no modo como vemos o sono em termos pessoais, culturais, profissionais e sociais.

Acredito que já é hora de reivindicarmos nosso direito a uma noite inteira de sono sem constrangimento ou o estigma prejudicial da preguiça. Ao fazê-lo, podemos nos unir ao poderosíssimo elixir de bem-estar e vitalidade dispensado em todos os caminhos biológicos concebíveis. Então poderemos nos lembrar de qual é a sensação de estarmos despertos de verdade durante o dia, impregnados com a mais profunda plenitude de ser.

APÊNDICE

Doze sugestões para um sono saudável*

Mantenha um horário de sono. Vá deitar e acorde sempre na mesma hora todos os dias. Como criaturas de hábito que somos, temos dificuldade de nos ajustarmos a mudanças nos padrões de sono. Dormir até mais tarde nos fins de semana não compensa de todo a falta de sono durante a semana e dificulta ainda mais o despertar cedo na segunda-feira de manhã. Em geral nós criamos um alarme para a hora de acordar, mas não fazemos isso para determinar quando é hora de ir dormir. Programe um alarme para a hora de se deitar. Se você puder seguir apenas um conselho destas dozes sugestões, siga este.

Praticar exercícios físicos é excelente, mas não faça isso muito tarde no dia. Tente se exercitar por pelo menos meia hora na maioria dos dias da semana, porém não mais tarde do que duas ou três horas antes de se deitar.

Evite a cafeína e a nicotina. Café, Coca-Cola e congêneres, certos chás e chocolate contêm o estimulante cafeína e seus efeitos podem levar até oito horas para serem eliminados por completo. Portanto, uma xícara de café no fim da tarde pode dificultar o início do sono à noite. A nicotina também é um estimulante que muitas vezes faz com que as pessoas durmam apenas muito superficialmente. Além disso, os fumantes costumam acordar muito cedo de manhã por causa da abstinência da substância.

Evite ingerir bebidas alcoólicas antes de se deitar. Beber antes de dormir pode até ajudá-lo a relaxar, mas o consumo intensivo o priva do sono REM,

---

* Reproduzido de *NIH Medicine Plus*. Bethesda, MD: Biblioteca Nacional de Medicina (Estados Unidos); verão de 2012. "Tips for Getting a Good Night's Sleep." Disponível em: <https://medlineplus.gov/magazine/issues/summer15/articles/summer15pg22.html>.

mantendo-o nos estágios mais leves de sono. A ingestão pesada de álcool também pode contribuir para a deficiência na respiração à noite. Além disso, as pessoas tendem a acordar durante a madrugada depois que os efeitos do álcool desapareceram.

Evite consumir muita comida ou líquido tarde da noite. Um lanche leve é ok, mas uma refeição pesada pode causar indigestão, o que interfere no sono. Já o excesso de líquidos à noite pode causar despertares frequentes para ir ao banheiro.

Se possível, evite remédios que adiem ou perturbem o sono. Alguns medicamentos comumente receitados para o coração, hipertensão e asma, bem como alguns herbáceos de venda livre para tosse, resfriado e alergia, podem perturbar o padrão de sono. Se você tem dificuldade para dormir, converse com seu médico ou farmacêutico a fim de verificar se algum remédio que está tomando pode estar contribuindo para a insônia e perguntar se ele pode ser tomado em outro horário do dia ou no início da noite.

Não tire sonecas após as três da tarde. Elas podem ajudar a compensar o sono perdido, porém, quando tiradas no fim da tarde, tornam mais difícil adormecer à noite.

Relaxe antes de ir se deitar. Não assuma muitos compromissos durante o dia de modo que não reste nenhum tempo para relaxar. Uma atividade relaxante, como ler ou ouvir música, deve fazer parte do seu ritual da hora de dormir.

Tome um banho quente antes de ir se deitar. A queda na temperatura do corpo após sair do chuveiro pode ajudá-lo a se sentir sonolento e o banho pode ajudá-lo a relaxar e a se acalmar, ficando assim mais propenso a dormir.

Mantenha o quarto escuro, fresco e livre de aparelhos eletrônicos. Livre-se de qualquer coisa no cômodo que possa distraí-lo do sono, como ruídos, luzes intensas, cama desconfortável ou temperatura elevada. Dorme-se melhor quando a temperatura do quarto é mantida mais para fria. A TV, o celular ou o computador podem ser uma distração e privá-lo do sono necessário. Já um colchão e um travesseiro confortáveis ajudam a promover uma boa noite de sono. Quem tem insônia costuma dar várias olhadas no relógio. Deixe o mostrador do aparelho virado para o outro lado de modo que não consiga vê-lo nem fique preocupado com a hora enquanto tenta adormecer.

Procure ter uma exposição correta à luz solar. A luz do dia é essencial para regular o padrão de sono diário. Procure ficar exposto à luz natural por pelo menos meia hora por dia. Se possível, acorde com o sol ou use luzes bem intensas de manhã. Especialistas em sono recomendam que quem tem problemas para adormecer obtenha uma hora de exposição à luz solar de manhã e diminua a iluminação antes de ir se deitar.

Não fique deitado na cama acordado. Se você ainda estiver acordado após permanecer na cama por mais de vinte minutos ou se estiver começando a se sentir ansioso ou preocupado, levante-se e faça algo relaxante até se sentir sonolento. A ansiedade de não conseguir dormir pode dificultar ainda mais o sono.

CRÉDITOS DAS ILUSTRAÇÕES

As figuras foram fornecidas por cortesia do autor, com exceção das seguintes:

Figura 3. Modificado de R. Noever, J. Cronise e R.A. Relwani. 1995. *Using Spider-Web Patterns to Determine Toxicity*. Relatório técnico da Nasa 19(4):82.

Figura 9. Modificado de C. Cirelli. "The Genetic and Molecular Regulation of Sleep: from Fruit Flies to Humans". Disponível em: <https://www.ncbi.nlm.nih.gov/pmc/articles/PMC2767184/figure/F1/>.

Figura 10. Modificado de M.D. Milewski, D.L. Skaggs, G.A. Bishop et al. "Chronic Lack of Sleep is Associated With Increased Sports Injuries in Adolescent Athletes", *Journal of Pediatric Orthopaedics*. Disponível em: <https://journals.lww.com/pedorthopaedics/Fulltext/2014/03000/Chronic_Lack_of_Sleep_is_Associated_With_Increased.1.aspx>.

Figura 11. Modificado de K. Berger. "In Multibillion-Dollar Business of NBA, Sleep Is the Biggest Debt. Disponível em: <http://www.cbssports.com/nba/news/in-multi-billion-dollar-business-of-nba-sleep-is-the-biggest-debt/>.

Figura 12. Modificado de Foundation for Traffic Safety, "Acute Sleep Deprivation Crash Risk". Disponível em: <http://aaafoundation.org/wp-content/uploads/2017/12/AcuteSleepDeprivationCrashRisk.pdf>.

Figura 15. Modificado de D.F. Kripke, R.D. Langer, L.E. Kline, "Hypnotics' Association With Mortality or Cancer: a Matched Cohort Study". Disponível em: <http://bmjopen.bmj.com/content/2/1/e000850.full>.

Fig. 16. Modificado de M. Hafner, M. Stepanek, J. Taylor et. al. "Why Sleep Matters — the Economic Costs of Insufficient Sleep: A Cross-Country Comparative Analysis". Disponível em: <http://www.rand.org/content/dam/rand/pubs/research_reports/RR1700/RR1791/RAND_RR1791.pdf>.

AGRADECIMENTOS

A devoção assombrosa dos meus colegas cientistas do sono em campo e a dos estudantes do meu laboratório tornaram este livro possível. Sem seus heroicos esforços de pesquisa, ele teria sido um texto muito raso, nada informativo. Contudo, cientistas e jovens pesquisadores são somente metade da equação facilitadora no que se refere à descoberta. A atuação inestimável e disposta de participantes de pesquisa e pacientes possibilita descobertas científicas fundamentais. Devo a minha mais profunda gratidão a todas essas pessoas. Obrigado.

Três outras entidades foram essenciais para dar vida a este livro. Primeiro, minha inigualável editora, Scribner, que acreditou nesta obra e em sua elevada missão de mudar a sociedade. Segundo, as minhas primorosamente qualificados, inspiradoras e comprometidíssimas editoras de texto, Shannon Welch e Kathryn Belden. Terceiro, minha espetacular agente, sábia mentora da escrita e guia literária, Tina Bennet. Minha única esperança é a de que este livro esteja à altura de tudo que vocês deram a mim e a ele.

ÍNDICE

Academia Americana de Pediatria, 336
Academia Nacional de Ciências dos Estados Unidos, 343
Adderall, 337-338
adenosina
    alinhamento do ritmo circadiano com a, 43-46
    ânsia de dormir e, 45-46
    impacto da cafeína sobre a, 39-40
    liberação noturna de, durante o sono, 46
    pressão do sono e, 39-40, 42, 43-45, 47-48, 312-313
    privação de sono e, 47-48, 49
    sonecas e quantidade de, 114-115
    vigília e acúmulo de, 39, 47
adolescentes, 102-110
    benefício de reajuste do sono REM para, 237
    benefício do sono NREM para a memória em, 131-132
    consumo de cafeína por, 43, 110
    esquizofrenia e desenvolvimento cerebral anormal em, 107-108
    impacto da privação de sono REM na infância em, 97
    início das aulas de manhã bem cedo e, 108
    intensidade do sono profundo e maturação do cérebro em, 102-107
    mudanças do ritmo circadiano e tempo de sono em, 108-110
    perturbação do sono e pensamentos suicidas em, 166
    quantidade de sono necessária para, 109-110
    transição da dependência para a independência em, 110
alimentação
    higiene do sono e, 314, 316-317
    perda de peso, 15-16, 197
amamentação e consumo de álcool por gestantes, 99-100
Ambien (zolpidem), 304, 305, 306, 308, 309, 310
amídala, 164-165, 215, 228, 230, 265
amiloide, doença de Alzheimer, 118, 176-180
andar dormindo, 258-260
anfíbios, sono em, 70-71, 74

antropoides, sono em, 70, 87, 91
apneia do sono, 49, 158, 180, 198, 338
apneia obstrutiva do sono infantil, 338
aprendizado,
    bloqueado pela privação de sono, 172-173
    efeito da hora da noite no, 145
    envelhecimento e, 127-128
        fusos de sono e reabastecimento da capacidade de, 126-127
        horário de início das aulas e, 334
        memória de habilidade motora e, 140-149
    noites em claro entre estudantes e, 171-172, 173
    prática e, 141-146
    sono na noite anterior ao, 125-128
    sono na noite posterior ao, 128-137, 174-175
    turnos cerebrais de armazenamento da memória e, 125-128, 130
Ariely, Dan, 301
Aristóteles, 219-220
Aserinsky, Eugene, 55-56, 69
Associação Automobilística Americana, 155-156
Associação Médica Americana, 266
ataque cardíaco, 33, 150, 183, 184, 186, 187, 284, 329-330
aterosclerose, 184, 186
atividade cerebral de frequência rápida, 61, 65
atividade muscular no sono REM, 67-68
atletas
    importância do sono para os, 145-149
    perda de sono e lesões em, 146-147
    sono pós-atuação e, 147
    treino e sono em, 141-146
atonia, 67-68, 270
autoavaliações
    de nosso próprio sono, 52-54
    questionário SATED sobre a saúde do sono para, 50
Autoridade Federal da Aviação dos Estados Unidos, 161-162
aves
    migração transoceânica e privação do sono nas, 82
    sono nas, 57, 70-71, 74, 75, 76, 77, 79, 80-81

bactérias, fases ativa e passiva em, 71
baleias orcas, sono em, 75, 81, 95n
baleias, sono em, 75-76, 76-77, 78-79, 81-82, 95n
Barns, Christopher, 323, 324-325
batidas de carro
    consumo de comprimidos para dormir e, 309
    sonolência após privação de sono e, 17, 151, 155-160, 342
bebês
    abstração de regras gramaticais por, 248-249
    benefícios para a memória do sono REM em, 131
    consumo de álcool por gestantes e sono REM em, 97-100
    descoberta do sono REM em, 55-56
    e padrões de sono no autismo, 96-97
    impacto da privação de sono REM em, 95-96
    importância do sono REM em, 100

início do ritmo circadiano em, 101-102
interrupções do sono durante a amamentação, 99-100
necessidades de sono REM em, 237, 248-249
número de fases de sono em, 100-102
transição do engatinhar para o andar e picos de sono NREM em, 148
Begin, Menachem, 329
Belenky, Gregory, 154
Belsomra (suvorexant), 274
Berry, Wendell, 302
Bertolini, Mark, 356
beta-amiloide na doença de Alzheimer, 118, 176-180
bloqueio da artéria coronária, 15, 184
Bolt, Usain, 145
Boux, St. Paul, 242
Brilho eterno de uma mente sem lembranças (filme), 139

café
cafeína no, 40-41, 42, 304
descafeinado *versus* não cafeinado, 41
inércia do sono e, 160
sono saudável por evitar o, 367
cafeína, 39-43, 285
alimentos que contêm, 41
aspecto viciante da, 43
bloqueio da adenosina pela, 40, 42
choque por uso abusivo de, 42
consumo por crianças e adolescentes, 43, 110
deficiência do sono e necessidade de, 48, 49
fatores genéticos que afetam a sensibilidade à, 41
higiene do sono e redução do consumo de, 312
inércia do sono e, 160
permanência da, no sistema, 40-41
sono saudável por se evitar a, 367
usada como remédio para a privação de sono, 162
câncer
consumo de comprimidos para dormir e, 310
difusão metastática do, 204-206
perturbação do sono e, 175, 202-206
"cápsulas de sesta", 327
Cartwright, Rosalind, 230-231
cataplexia, 267, 269-271, 273
cegueira, ritmo circadiano na, 30
células assassinas naturais, 203
Centros para o Controle e a Prevenção de Doenças (CDCP), 281, 336
cérebro
abordagem do cérebro dividido ao sono NREM, 79-80
autismo e conexões sinápticas no, 96
benefícios do sono para o, 19, 124-125
bloqueio sensorial no, durante o sono, 53
ciclos de sono e conexões neurais no, 58
comprimidos para dormir e, 303-304
dominado pelo ciclo de sono NREM e REM, 56-57
envelhecimento e deterioração no, 116-118
envolvido pelo sono REM, 81, 97, 227-228

esquizofrenia e desenvolvimento do, 107-108
funções da memória no, 125
geração do sono e, 60-69
impacto do *jet lag* sobre, 39
localizações da memória no, 130-131
mudanças evolucionárias e desenvolvimento do, 73
padrões de movimento dos olhos durante o sono e, 55
perturbação do sono em transtornos mentais e, 167-168
pressão do sono e adenosina no, 39
privação do sono em bebês e, 95-96
reajuste do relógio biológico e, 28-30
rebote do sono e, 77-78
sonhos e atividade no, 214-219
sono em adolescentes e amadurecimento do, 102-107
sono fetal e conexões neurais no, 93, 94-96, 102-103
sono na infância e conexões neurais no, 95-96, 102-103
sono NREM de ondas lentas no, 63-64
sono REM e desenvolvimento do, 95-96
sono uni-hemisférico em metade do, 78-81
troca entre a predominância do ciclo de sono NREM e o de REM do, 56-57
cetáceos, sono nos, 75-76, 78-79
chimpanzés, sono em, 87, 91, 132
Colégio Americano de Médicos, 313
Comitê Olímpico Internacional, 145
comprimidos para dormir, 303-304, 306-311
   atividade das ondas cerebrais e, 304
   benefícios percebidos de, 305-306
   câncer e, 310
   consumo de cafeína e, 304
   efeitos físicos do uso de, 307-311
   impacto sobre a memória de, 306
   insônia de rebote e, 304, 313
   para remediar a deficiência de sono, 49-50
   risco de mortalidade de, 307-310
   tratamento contra a insônia com, 266
   uso pelos idosos, 112, 309-310
concentração
   cafeína para permanecer acordado e, 41-42
   privação de sono e, 151-154, 155
   sonecas para preservar a, 162
   testosterona baixa e, 197-198
conhecimento semântico, 245-246
Conselho de Acreditação do Ensino Superior em Medicina, 343
consolidação de memórias
   depósitos de amiloide no cérebro dos idosos e, 178, 180-181
   sonecas e quantidade de, 131
   sono necessário para a, 128-131, 174-175
construção de teia de aranha, impacto da cafeína sobre a, 42-43
consumo de álcool
   batidas de carro e, 156-157, 158-159
   bloqueio do sono REM pelo, 97-100, 292-293, 294-295
   desempenho e, 155
   higiene do sono e redução do, 312

perda de sono na infância como prognosticador de futuro, 167
ritmo do sono afetado pelo, 285, 291-295
conteúdo emocional dos sonhos, 224
continuidade do sono, 73, 357
Corke, Michael, 274-275
corpo estriado e privação do sono, 166
córtex
  armazenamento da memória no, 127, 130-131
  atividade das ondas cerebrais REM no, 76
  funcionamento no início da manhã, 32
  imobilização do, pelo consumo de álcool, 291
  impacto da perda de sono sobre o controle emocional no, 164-165, 166-167, 195, 215, 230
  sonho no sono REM e, 215, 223, 228
  sono e processamento sensorial no, 53, 64, 216
  uso de comprimidos para dormir e, 266, 303-304, 305
córtex cingulado e sonho, 215
corticosterona, 279
cortisol, 186, 195, 264, 265
corujas da noite
  genética e, 33, 34
  horários de trabalho e, 33-34, 326, 357-358
  privação de sono e, 33
  variações do ritmo circadiano e, 32
crianças
  autismo em, 89, 96-97, 98
  benefício do reajuste do sono REM para, 237
  benefício para a memória do sono NREM em, 131-132
  cataplexia em, 271
  comprimidos para dormir e, 306-307
  consumo de álcool por gestantes e bloqueio do sono REM em, 97-100
  desenvolvimento de conexões neurais durante o sono em, 95-96, 102-103, 106-107
  impacto comportamental da privação de sono em, 166, 167
  impacto na adolescência da privação de sono REM em, 97
  obesidade e perda de sono em, 196-197
  padrão polifásico de sono em, 100-102
  porcentagens de sono NREM e sono REM em, 102
  ritmo circadiano em, 101-102, 108-109
criatividade
  perda de sono entre trabalhadores e, 321
  soneca e, 252
  sonho e, 90-92, 227, 239-242
  sono REM e, 90-92, 149
Crick, Francis, 17, 137, 139
cronotipo
  cotovias diurnas *versus* corujas noturnas em, 33-34
  genética e, 33
  horários de trabalho e, 33-34, 326, 357-358
culturas que praticam a sesta, 85-86
Czeisler, Charles, 319-320, 337-338

Dallenbach, Karl, 129
Darwin, Charles, 26
declínio pós-prandial do estado de alerta, 84
deficiência de sono
   avaliação simples da, 48-49
   comprimidos para dormir para remediar a, 49-50
   impacto da, 49
   sinais que indicam, 49
   transtornos do sono e, 49
de Mairan, Jean-Jacques d'Ortous, 26-27
de Manacéïne, Marie, 279
demência, 120, 133, 175
   atividade das ondas cerebrais elétricas na, 21
   perturbação do sono relacionada com, 175
   perturbações do sono confundidas com, 113
   previsão da marca cerebral elétrica característica, 21
   tipos de, 21
Dement, William, 56
Departamento de Defesa dos Estados Unidos, 330
depressão
   conteúdo do sonho na, 231
   desenvolvimento anormal do cérebro na, 107
   melhoras da qualidade do sono para, 169
   perturbação do sono na, 118, 167, 337
   privação de sono como terapia para, 169-170
   sono normal como remédio para, 169
derrame cerebral
   comprimidos para dormir e risco de, 310
   perda de sono e, 15, 33, 118, 150, 183, 186, 329-330
   recuperação dos movimentos após, 142, 148-149
desempenho
   atletas e, 145-149
   autoavaliação de deficiência e, 154-155
   efeito da hora da noite no, 145
   memória de habilidade motora no, 145-149
   privação de sono e, 152-154
   sono de recuperação e, 155
   treinamento e sono e, 141-146
despertadores, 301
diabetes, 187-190
   níveis de açúcar no sangue na, 188, 189-190
   perda crônica do sono e, 33, 38, 108, 150, 182, 189-190, 263, 353
diabetes tipo 2, 38, 187-188, 189-190
dietas para a perda de peso, 16, 197
Dijk, Derk-Jan, 207
Dinges, David, 152-153, 155, 160-161, 162
dinossauros, sono em, 71
distúrbio respiratório do sono pediátrico, 338
doença cardíaca, 85-86, 182, 183, 184, 188, 310
doença coronária, 15, 183, 184
doença de Alzheimer, 175-181
   amiloide na, 118, 176-180
   insônia na, 176
   melhora do sono como tratamento contra, 180-181
   perturbação do sono e início da, 118, 175-176, 177, 179-180, 181

Edina, Minnesota, sistema escolar, 334
Edison, Thomas, 252, 285-286, 287
efeito da hora da noite no aprendizado, 145
Ellenbogen, Jeffrey, 247-241
enfermidades psiquiátricas
    melhorias da qualidade do sono para, 133, 169
    perturbação do sono relacionada a, 15, 107-108, 150, 167-168, 331
ensino
    Edina, Minnesota, mudanças no, 334
    horário de início das aulas e, 92, 334
    sugestões de mudança no sono para o, 354-356
envelhecimento. *Ver também* idosos
    capacidade de aprendizado e fusos de sono afetados pelo, 127-128
    deterioração da qualidade do sono e, 175-176
Escola de Medicina de Harvard, 21, 142, 174, 224, 243
espécies animais
    benefício do sono para a memória nas, 132-133
    pesquisa do sono em, 18, 70-71, 72-73, 74-75, 85-86
esportes. *Ver* atletas
esquecimento
    benefícios do, 137
    limites da capacidade de memória e, 125
    retenção de memórias em períodos despertos e, 129
    sono para esquecimento seletivo de memórias, 137-139, 228-229

esquecimento de interferência, 125
esquizofrenia
    desenvolvimento anormal do cérebro na, 107-108
    perturbação do sono na, 167, 332
estimulação auditiva
    para a retenção da memória, 135-136
    para o sono, 134
estimulação oscilatória e sono NREM, 134-135
estimulação sonora
    para dormir, 134
    para reter memórias, 135-136
eszopiclone (Lunesta), 304, 309
evolução, 70-71
    começo do sono visto na, 70, 71-72
    composição do sono e, 74-78
    criatividade e, 91-92
    declínio pós-prandial do estado de alerta e, 84
    desenvolvimento do cérebro e necessidades de sono na, 73
    diferenças do padrão de sono entre várias espécies e, 81-86
    forma de sono com metade do cérebro *versus* com cérebro inteiro e, 79-81, 85-86
    maneira de dormir e, 78-81
    mudança do sono em árvores para o sono no chão e, 87-92
    precursor do ritmo circadiano e, 71
    quantidade de sono e, 72-74, 85-86
    sonho e, 90-91, 92
    sonho lúcido e, 254
    sono nas árvores *versus* sono no chão e, 87-90
    sono NREM e, 77

transição dos adolescentes para a independência e, 110
turno dividido de sono e, 84-85
vantagens do sono REM da, 88-92
Faculdade de Saúde Pública de Harvard, 85
falar dormindo, 258, 259
família
  insônia em, 274-276
  sonambulismo em, 259-260
Feinberg, Irwin, 104-106
fogo e sono no chão, 88
folga social, 323-324
Food and Drug Administration (FDA), 35, 234, 274, 306, 310
Frankenstein (Shelley), 242
Freud, Sigmund, 17, 214, 216, 220-221, 223, 224
função cognitiva
  estado onírico do sono REM e, 195
  impacto da insônia na, 266
  privação de sono e, 155, 157, 162, 274, 338
  problemas de sono dos idosos e, 106-107, 118, 180
  sono dos adolescentes e desenvolvimento da, 105
  sono NREM profundo e refinamento da, 216
  sono REM e, 89, 91-92
fusos de sono, 131, 135, 139
  estimulação oscilatória e, 134-135
  funções dos, 62-63
  lembrança e esquecimento seletivos de memórias e, 139
  memórias e, 144-145
  ondas cerebrais durante, 62-63

prática e efeito da hora da noite com, 145
revitalização de memórias e, 126-128
sonecas durante o dia e, 145
sono NREM com, 62-63, 135, 148

ganho de peso
  afetado por hormônios, 190
  apetite e quantidade de sono no, 190-192
  consumo de calorias e quantidade de sono no, 192-194
  privação de sono e, 187-188, 190-197
  tipos de alimento e quantidade de sono no, 193-195
Garfunkel, Art, 132
genes, impacto da perda de sono sobre os, 206-209
genética
  insônia e, 263
  insônia familiar fatal e, 275, 276
  narcolepsia e, 267
  necessidade de uma quantidade menor de sono e, 162-163
  padrão bifásico de sono e, 84-85, 86
  sensibilidade à cafeína e, 41
  ritmo circadiano e, 33
geração de sono
  capacidade dos idosos, 119-120
  cérebro e, 60-69
  melatonina e, 34-35
Gibson, Matthew, 325-326
glândula pineal e melatonina, 34, 35, 287
golfinhos, sono em, 75-76, 76-77, 78-79, 80-81
Gozal, David, 205-206

Grécia, cultura da sesta na, 85-86
grelina, 190-192, 193
gripe, 201-202

habilidades para a solução de
  problemas e sonho, 227, 244-245,
  248-250, 251
Halsted, William Stewart, 339-341, 344
Harvey, Allison, 169
heliotropismo, 26-27
higiene do sono,
  alimentação e, 316-317
  boas práticas gerais em, 314-317
  exercícios físicos e, 314-316
  sugestões para, 312, 367-369
  transformação individual para, 349-350
hipertensão, 183-185, 186, 188
hipnóticos sedativos, 303
hipocampo
  amiloide na doença de Alzheimer e,
    177
  aprendizado tipo livro-texto e, 125,
    127
  armazenamento da memória de
    curto prazo no, 130-131, 139
  insônia e, 265
  privação de sono e, 172, 173
  sonho e, 215
  sono REM e processamento no, 223-
    224, 228
horário de verão, 187
horários de trabalho
  câncer e turno noturno em, 203-204,
    206
  cotovias diurnas *versus* corujas
    noturnas e, 33-34, 326, 357-358
  folga social e, 323-324

médicos e enfermeiros em hospitais
  e, 339-345, 359
perda de sono e, 319-327
quantidade de sono e ritmo e, 285,
  300-302
sugestões de mudanças
  organizacionais que afetam os,
  356-361
hormônio do crescimento, 186
hormônio folículoestimulante, 180
hospitais
  horários de trabalho em, 339-345, 359
  tratamento da dor e sono em, 358-
    360
  tratamento intensivo neonatal em,
    360-361

ideastesia, 239-240
idosos, 111-120
  atividade das ondas cerebrais
    elétricas nos, 21
  benefício do sono para a memória
    em, 127-128, 131-132
  capacidade de aprendizado e fusos
    de sono experimentados pelos,
    127-128
  consumo de comprimidos para
    dormir pelos, 112, 309-310
  fragmentação do sono nos, 112-114, 116
  idas noturnas ao banheiro e risco de
    quedas e fraturas em, 112, 113-114,
    116
  impacto da perturbação do sono nos,
    113
  melatonina para, 116
  mito da necessidade menor de sono
    dos, 111, 118-119

mudanças do ritmo circadiano nos, 114-116
mudanças na qualidade do sono nos, 111-113, 116-120, 127-128
principais mudanças no sono dos, 111-112
problemas médicos relacionados a problemas de sono nos, 112
quantidade de sono necessária para os, 111, 118-120
Iguodala, Andre, 147
iluminação
   controle da, para um sono melhor, 290-291, 349-351
   espaços de trabalho e, 326
   ritmo do sono afetado pela, 285-291
iluminação a LED e aparelhos eletrônicos, 285, 288-291, 348, 349-350
iluminação incandescente, 286-287, 288-289
inércia do sono, 160, 243
início do sono e melatonina, 34-35
insetos, sono em, 70-71, 74, 132
insônia, 260-266
   definição de, 260-261
   diagnóstico de, 261-262
   doença de Alzheimer e, 176
   duração de episódios na, 262
   familiar fatal, 274-276
   fatores físicos na, 264-265
   gatilhos para a, 263-264
   horário de acordar regular e, 300-301
   incidência e taxas de, 262-263
   rebote, com comprimidos para dormir, 304, 313
   sonecas no começo da noite em idosos e, 114-115
   tipos de, 261
   tratamento da, 266, 305-306, 307, 357
insônia de início do sono, 261
insônia de manutenção do sono, 261
insônia de rebote, 304, 313
insônia familiar fatal (IFF), 274-276
   causas da, 275-276
   exemplo de, 274-275
   tratamento da, 276
insônia paradoxal, 261
Instituto de Medicina, 343
Institutos Nacionais de Saúde, 314
insulina, 19, 188, 189-190
interpretação de sonhos freudiana, 220-223, 224
Interpretação dos sonhos, A (Freud), 220-221, 223
intervenção no sono, 347
invertebrados, sono em, 71
iPads, 349
   liberação de melatonina e o uso de, 289-290
irracionalidade emocional e privação do sono, 163-170
Irwin, Michael, 203

Jagust, William, 176
Jenkins, John, 129
jet lag, 36-39
   exemplo de, 36-37
   impacto sobre o cérebro do, 38
   melatonina e, 38-39
   mudanças de fuso horário e, 36
   na direção leste *versus* na direção oeste de voo e, 37-38
   sinais de luz solar para neutralizar, 37

Kamitani, Yukiyasu, 217-218
Kleitman, Nathaniel, 27-29, 55-56, 69
Kripke, Daniel, 307-308, 309, 310

leptina, 190-192, 193
letargo, 70
lobos frontais
   acumulação de amiloide do Alzheimer nos, 118, 176-180
   consumo de álcool e imobilização dos, 291
   desenvolvimento dos, na adolescência, 105-106
   esquizofrenia e poda sináptica nos, 107-108
   geração de ondas cerebrais de sono profundo nos, 62-63, 177
   impacto da privação de sono sobre os, 323
   pensamento racional e tomada de decisão baseada nos, 105-106, 291, 323
   processamento da memória e, 139
lobos-marinhos, sono em, 75
Loewi, Otto, 241, 250
Lunesta (eszopiclone), 304, 305, 309
luz do dia
   heliotropismo vegetal e, 26-27
   jet lag e reajuste do relógio biológico usando a, 37
   liberação da melatonina bloqueada pela, 34-36, 115-116
   reajuste do ritmo circadiano pela, 28-30, 115
   ritmo circadiano independente da, 27-29
luz do sol. *Ver* luz do dia
luz elétrica
   controle da, para um sono melhor, 290-291, 349-351
   ritmo do sono afetado pela, 285-291

macacos, sono em, 87
mamíferos, 71
   ciclos de sono em, 58
   faixa de temperatura necessária aos, 277-278
   narcolepsia em, 267
   quantidade de sono necessária aos, 72
   sono NREM em, 75, 77, 79
   sono REM em, 74-78, 89, 90, 95
   vida em desenvolvimento inicial em, 95-96
mamíferos aquáticos, sono em, 75-76, 76-77, 78-79
Mansbach, Adam, 100-101
McCartney, Paul, 241
medicamentos para o sono, 303-306. *Ver também* comprimidos para dormir
   insônia e, 263
   narcolepsia e, 273-274
   tamanho da indústria dos, 263
médicos e horários de trabalho nos hospitais, 339-345, 359
Médicos pelos Direitos Humanos, 328
meia-idade, sono na, 111-120
melatonina, 34-36
   bloqueada pela luz artificial, 287, 288
   bloqueada pela luz LED azul, 289-290, 349, 350

como ajuda para dormir, 34-35
concentração em medicamentos de venda livre, 35
geração de sono e, 34-35
horários de trabalho e liberação de, 326
impacto da luz do dia sobre a liberação de, 34-36, 115-116, 287, 296, 297
jet lag e, 38-39
luz ambiente regulada para, 351
perfil de crianças autistas para, 96-97
regulação do início do sono e, 34-35
uso pelos idosos, 116
memória
afetada por sono impregnado de álcool, 293-295
aprendizado de habilidade motora e, 140-149
benefícios do sono para a, 125, 132-133
comprimidos para dormir e, 305-306
consolidação pelo sono, 128-131, 131, 174-175
criatividade e, 149
efeito da hora da noite na, 145
perturbações do sono dos idosos e perda da, 117-118
placas amiloides e declínio da, 177-178
reativação direcionada da, 135-136, 135-136
sono NREM e, 129-132, 133-134, 135, 136, 139
turnos de armazenamento cerebral e, 125-128, 130-131

memória de habilidade, 140-149
atletas e desempenho e, 145-149
efeito da hora da noite na, 145
prática e sono e, 141-146
memória de habilidade motora, 140-149
atletas e desempenho e, 145-149
efeito da hora da noite na, 145
prática e sono e, 141-146
recuperação de um derrame e reaprendizado da, 142, 148-149
memórias
bloqueio de, pela privação de sono, 172-173
ciclos de sono e atualização de, 58-59
sono para recordação e esquecimento seletivos de, 137-139
sono REM e repetição de, 54
memórias parasíticas, 137
Mendeleiev Dmitri, 240-241, 247, 250
microssono, 151, 152-153, 158, 161, 187, 342
migração das aves e privação de sono, 82
monitores do sono, 147, 349-350, 356
morcegos, sono em, 71, 72, 73, 74
motoristas de caminhão e batidas por direção sonolenta, 159
motoristas embriagados, 156-157, 158-159
batidas de carro e, 156-157, 158-159
desempenho de, 155
mundo socioemocional, benefícios do sono REM para, 89-92, 237

narcolepsia, 267-274
base neurológica da, 271-272
definição de, 267

principais sintomas da, 267-271
tratamento da, 272-274
Nasa, 42, 327, 350-351
National Aeronautics and Space Administration (Nasa), 42, 327, 350-351
National Basketball Association (NBA), 147
National Sleep Foundation, 15n, 257, 281, 314, 318, 339
Nedergaard, Maiken, 178-179
neocórtex, armazenamento de memórias no, 131
neonatos. *Ver também* bebês
design da unidade de tratamento intensivo e quantidade de sono em, 360-361
importância do sono REM em, 100
noradrenalina, 228, 232, 233-234, 265
núcleo supraquiasmático
comportamentos controlados pelo, 30
melatonina e, 34
mudanças na adolescência no, 108
ritmo circadiano controlado pelo, 30-31, 37, 43, 52, 101, 108, 287
temperatura corporal controlada pelo, 31-32

obesidade. *Ver também* ganho de peso
apneia do sono e, 158
fatores da, 196
perda de sono e, 150, 182, 187-188, 194, 196, 263
ondas cerebrais
atividade muscular durante as, 67-68
bloqueio sensorial do tálamo e, 64, 66-67
comprimidos para dormir e, 303-304
esquizofrenia e, 107-108
estimulação oscilatória e, 134-135
fusos de sono durante, 62-63
geração do sono e, 60-62
local de origem das, 63
mapeamento dos padrões das, 60-61
mudanças do padrão de sono ao longo da vida nas, 102
sonho e, 214-219
sono NREM e, 62-66
sono REM e, 66-69
tecnologias de estimulação do sono que usam, 118, 133-135
vigília e, 60-62
orangotangos, sono em, 87, 132
orexina, 271-272, 273-274, 305-306
organismos unicelulares, fases ativa e passiva em, 71
Organização Mundial da Saúde (OMS), 15n, 16, 206, 318, 355
ornitorrinco, sono em, 76

padrão de sono bifásico
culturas que fazem sesta com, 85-86
impacto sobre a saúde do abandono do, 85-86
natureza biológica do, 84-85
povos caçadores-coletores e, 83
primeiro sono e segundo sono e, 85
sono noturno e soneca no, 84-86
padrão de sono monofásico
impacto na saúde da mudança para o, 86
nos adultos modernos, 83
nos meses de inverno, 83

regulação do, com disponibilidade de luz, 83-84
transição das crianças para o, 101-102
padrões de movimento dos olhos durante o sono. *Ver também* sono de movimentos oculares rápidos (REM)
pesquisas iniciais e descoberta dos, 55
sonhos e, 68-69, 253-254
padrões de sono
aspectos genéticos dos, 84-85
conjuntos, entre baleias orcas e seus filhotes, 81-82
diferenças entre os seres humanos e as outras espécies, 86-92
diferenças entre várias espécies, 81-86
migração transoceânica e, 82
padrão polifásico, 100-102
padrões monofásico e bifásico, 83-86
pressões ambientais ou desafios que afetam, 81-82
sono em árvores *versus* sono no chão e, 87-90
padrões de sono ao longo da vida, 93-120
antes do nascimento, 93-100
durante a adolescência, 102-110
na infância, 100-102
na meia-idade e velhice, 111-120
paralisia do sono, 253-254, 267, 268-269, 273
Parks, Kenneth, 259-260
peixes, sono em, 70-71, 74
pensamento racional
esquizofrenia com padrão anormal de amadurecimento do cérebro e, 107-108
estado onírico do sono REM e, 216
perturbação do sono e, 166, 167, 170
sono dos adolescentes e desenvolvimento do, 105-106
sono e regulação do, 89, 164-165, 230, 331-332
pensamentos suicidas
privação de sono e, 15, 150, 166, 329, 331, 337
sono normal como remédio para, 169
percepção do tempo e quantidade de sono, 53-54
percepção equivocada do estado de sono, 261
perda de sono. *Ver* privação de sono
períodos despertos. *Ver também* vigília
padrão polifásico de sono em crianças alternando com, 100-102
retenção da memória em, 129
sono impregnado de álcool com, 291-292
perturbação do sono
impacto nos idosos da, 116-120
tecnologias de estimulação cerebral para tratar, 118, 133-135
pilotos, e *powernaps*, 160-162
pinípedes, sono em, 75
plantas, ritmo circadiano das, 26-27
polissonografia (PSG), 55
posição do corpo durante o sono, 51-52
povo gabra, Quênia, 83, 297
povo san, Namíbia, 83, 280, 286, 297
povos caçadores-coletores
flutuações de temperatura durante o sono de, 297

luz da fogueira e atividades sociais dos, 286
padrões de sono entre, 83, 84, 287
quantidades de sono entre, 280-283
power naps, 160-162
Prather, Aric, 201
prazosin, 233-234
prescrição de sono, 16
pressão do sono, 25
   adenosina e, 40, 42, 43-45, 47-48, 312-313
   cafeína e, 39-43
   cochilos no início da noite em idosos e falta posterior de, 114-115
   ritmo circadiano e, 43-45
pressão sanguínea perturbação do sono por medicamentos para, 368
privação de sono e, 183-185, 186, 300
   sono adequado para baixar a, 20, 352-353
primeiro sono e segundo sono, 85
privação de sono, 150-209
   aclimatação aos efeitos da, 154-155
   autoavaliação de quantidade deficiente após, 154-155, 157
   batidas de carro por sonolência depois de, 17, 151, 155-160, 342
   câncer e, 202-206
   concentração e, 151-154, 155
   conjunta entre baleias orca e seus filhotes, 81-82
   consolidação da memória e, 174-175
   corujas da noite e, 33
   custo econômico da, 320
   decodificação emocional e, 236-237
   deficiência cognitiva depois de, 155, 157, 162, 274, 338

desempenho escolar e, 330-339
impacto sobre o desenvolvimento fetal, 95
diabetes em razão de, 187-190
esquecimento e, 170-175
ganho de peso e obesidade causados por, 190-197
horário de verão e, 187
horários de trabalho e, 319-327
horários de trabalho em hospitais e, 339-345
impacto emocional da, 163-170
impacto físico sobre a saúde da, 33, 182-209
impacto sobre o cérebro da, 151-181
impacto sobre os genes, 206-209
   infância e desenvolvimento posterior, 97
início da doença de Alzheimer relacionado à, 118, 175-176, 177, 179-180, 181
microssonos após, 152-153
morte em razão de, 276-280
mudanças na aparência física causadas por, 199-200
noites em claro entre estudantes e, 46, 170-172, 173
pequeno número de pessoas resilientes à, 162-163
qualidade do sono após, 71
quantidade mínima de sono perdido para deficiência em, 157
rebote do sono após, 70n, 77-78, 119, 292
risco de mortalidade e, 283-284
sistema cardiovascular e, 183-187
sistema imune e, 200-206
sistema reprodutivo e, 197-200

sonecas para tratar, 160-163
sono de recuperação após, 77-78, 152, 155, 157, 202
uso para tortura, 328-330
uso terapêutico da, 169-170
problemas de sono em idosos, 111-113, 116-120, 127-128
problemas emocionais
  cataplexia e, 270
  insônia e, 264, 266
problemas psicológicos e insônia, 264
Processo C e Processo S
  ânsia de dormir e, 45-46
  ânsia de vigília e, 45
  pressão do sono e, 43-45
  privação de sono e, 47
procrastinação do sono, 285
Projeto para uma psicologia científica (Freud), 223

QI emocional, 89-90
quantidade de sono, 48-50
  afetada pela luz elétrica, 285-291
  apetite relacionado à, 190-192
  avaliação simples da, 48-49
  consumo de álcool e, 285, 291-295
  consumo de calorias relacionado à, 192-194
  crianças autistas e, 96-97
  crianças e, 102
  desenvolvimento fetal e, 93-94
  doença de Alzheimer relacionada à, 180
  evolução e diferenças entre as espécies na, 72-74
  exercícios físicos e, 314-316
  fatores que afetam a, 72-73, 74, 285
  gene com necessidade de menor quantidade de, 162-163
  horários de trabalho e, 285, 300-302
  mudanças no ritmo circadiano dos adolescentes e, 108-110
  necessária, 280-283
  necessidade dos idosos, 111, 118-120
  percepção do tempo da, 53-54
  povos caçadores-coletores e, 83, 280-283
  qualidade do sono *versus*, 73
  queda no desempenho relacionada a uma menor, 153-154
  questionário SATED sobre, 50
  rebote do sono e, 77-78
  restauração do aprendizado relacionada à, 128-129
  risco de mortalidade e, 283-284
  seres humanos e, 87
  temperatura do quarto e, 285, 295-300
questionário SATED sobre a saúde do sono, 50
Quintiliano, 17, 128-129

Raskind, Murray, 233-234
ratos
  amadurecimento do cérebro e privação de sono em, 106-107, 173
  benefício para a memória do sono NREM em, 132
  comprimidos para dormir e taxas de câncer em, 310
  degradação da saúde por privação do sono em, 278-279, 282, 361
  desenvolvimento fetal e sono REM em, 95-96, 97

falta de sono e morte em, 277-278
quantidade de sono em, 72-73, 74
repetição de memória durante o sono REM em, 54
temperatura e sono em, 298
Reagan, Ronald, 180
reativação de memórias, 132-133, 135-136
reativação direcionada da memória, 132-133, 135-136
rebote do sono, 70n, 77-78, 119, 292
rede de associação de memórias, 245-246
relógio biológico. *Ver também* ritmo circadiano
    controlado pelo núcleo supraquiasmático, 30, 31-32, 34, 37, 43, 52, 101, 287
    fatores no reajuste do, 28-30
    jet lag e, 36-39
remédios para dormir de venda livre
    concentração de melatonina em, 35
    padrões de sono e, 368
    tamanho da indústria de, 263
répteis, sono em, 70-71, 74, 77
resfriado e perda de sono, 201-202
resposta de luta ou fuga, 164, 185, 186, 195, 264-265, 300
Restoril (temazepam), 308, 309, 310
Richards, Keith, 242
Richardson, Bruce, 27-29
riscos de fratura em idosos, 113-114, 119
riscos de queda em idosos, 113-114
Ritalina, 337
ritmo circadiano, 25-32
    alinhamento da adenosina com o, 43-46
    ânsia de dormir e, 45-46

ânsia de vigília e, 44-45
câncer e perturbação do, 203
comprimento do ciclo de vigília-sono no, 28-29
controlado pelo núcleo supraquiasmático, 30-31
crianças autistas e, 96-97
crianças e desenvolvimento do, 101-102, 108-109
descrição do, 25-26
diferenças individuais do, 32-34
experimentos na Mammoth Cave sobre, 27-29
genética e, 33, 34
heliotropismo vegetal similar ao, 26-27
horário de dormir dos adolescentes e, 108-110
horários de trabalho e, 33-34, 326
identificação de alguém dormindo e, 52
idosos e, 114-116
início das aulas bem cedo de manhã e, 108
jet lag e, 36-39
monitores do sono e, 349-350
mudanças na iluminação e, 349-351
precursor evolucionário do, 71
preferências e funções controladas pelo, 26
pressão do sono e, 43-45
privação de sono e, 46-48
razões para a variabilidade no, 33-34
reajustado pela luz do dia, 28-30
temperatura corporal e, 31-32
tipos matinais ("cotovias diurnas") e, 32-34

tipos vespertinos ("corujas da noite") e, 32-34
ritmo do sono
    afetado pela luz elétrica, 285-291
    alinhamento da adenosina com o ritmo circadiano e, 43-46
    dois principais fatores afetando, 25
    cafeína e, 39-43, 285
    consumo de álcool e, 285-295
    horários de trabalho e, 285, 300-302
    ritmo circadiano e, 25-32
    temperatura do quarto e, 285, 295-300
    uso de iPad e, 289-290
roedores, sono em, 72, 73
Rosekind, Mark, 160-162
Roth, Thomas, 163

"Satisfaction" (Rolling Stones), 242
saúde
    aclimatação aos efeitos da perda de sono sobre a, 154-155
    benefícios de uma noite inteira de sono para a, 123-124
    consequências da perda de sono para, 15-16
    corujas da noite e impacto sobre a, 33
    mudança do padrão de sono bifásico para o monofásico e a, 86
    sono como base da, 182
saúde cardiovascular
    padrões de sono e, 85-86
    privação de sono e, 146, 183-187
Scholastic Assessment Test (SAT), 334
segundo sono, 85
seres humanos
    sono nas árvores *versus* sono no chão e, 87-90

sono uni-hemisférico nos, 80
    vantagens evolucionárias do sono REM para os, 88-92
Shakespeare, William, 124
Shelley, Mary, 242
Shrader, Jeffrey, 325
Simon, Paul, 132
sinaptogênese, 95-96, 97
sistema glinfático, 178-179
sistema imune
    benefício do sono para o, 19
    privação do sono e o, 200-206, 278-279
sistema nervoso e necessidade de quantidade de sono, 72-74
sistema nervoso simpático, 185-186, 204, 264, 265
sistema reprodutivo, 197-200
sonambulismo, 258-260
    diagnóstico de, 258-259
    exemplo de, 259-260
    tratamento do, 260
Sonata (zaleplon), 309
sonecas
    arranjos de trabalho para se tirar, 326-327
    consolidação da memória durante, 131
    criatividade em sonho durante, 252
    culturas que praticam a sesta e, 85-86
    declínio do alerta pós-prandial depois de, 84
    padrão de sono bifásico contínuo à noite com, 84-86
    padrões de sono de caçadores-coletores e, 83
    privação de sono e, 160-163

problemas de sono dos idosos
    relacionados a, 114-115
remoção de memórias durante, 139
sonolência após privação de sono e,
    160
uso para a melhora da habilidade
    motora, 145
sonho lúcido, 252-254
sonhos, 211-254
    atividade das ondas cerebrais
        durante os, 214-219
    atividade muscular e experiência rica
        em movimentos dos, 68
    benefício dos, para a criatividade, 90-
        92, 227, 239-242, 252
    benefícios funcionais dos, 225, 226-
        227
    conteúdo autobiográfico dos, 223-
        224, 251-252
    conteúdo preditivo dos, 216-219
    decodificação de experiências
        despertas nos, 234-238
    dormir em árvores *versus* dormir no
        chão e, 89
    estágios do sono com, 213-214
    funções do sono REM e, 226-227
    habilidades para a solução de
        problemas e, 227, 244-245, 248-
        250, 251
    interpretação psicanalítica dos, 220-
        223, 224
    interpretações genéricas dos, 221-223
    lucidez nos, 252-254
    mistura de memórias nos, 247-248
    movimentos dos olhos durante os,
        68-69, 253-254
    mudanças evolucionárias e, 75, 77,
        81, 91, 92
    natureza epifenomênica dos, 226, 227
    percepção do tempo durante os, 53-54
    saúde emocional e mental e, 227-237
    sono fetal e, 94
    tarefa da rede de associação de
        memórias e, 245-246
    tarefa de solução de anagramas e,
        244-245, 246
    tarefa do labirinto virtual e, 250-251
    temas emocionais e preocupações
        nos, 224
    teoria da terapia noturna dos, 227-
        231, 234
    teoria freudiana dos, 214, 216, 220-
        221, 223
    teorias sobre fontes dos, 218-221
sono
    autoavaliação do nosso próprio sono,
        52-54
    benefícios de uma noite inteira de,
        123-124
    como prescrição, 16
    maneiras de identificar que alguém
        está dormindo, 51-52
    posição estereotípica durante, 51-52
sono de movimentos oculares não
    rápidos (NREM)
    alimentação e, 316-317
    amadurecimento do cérebro dos
        adolescentes relacionado ao, 103,
        104-107
    aprendizado de habilidade motora e,
        144, 148
    atividade muscular durante, 67
    atualização das conexões neurais
        durante o, 58-59
    benefício para a criatividade do, 90-
        91, 244

benefício para a memória do, 129-132, 133-134, 135, 136, 139
benefícios mentais e físicos do, 65-66
benefícios para o cérebro do, 124-125
benefícios para o sistema cardiovascular do, 186
cérebro dividido, 79-80
crianças e, 102
esquizofrenia e redução da quantidade de, 107-108
estágios do, 55-56
estimulação oscilatória do, 134-135
exercício físico e, 314-315
fetal e o consumo de álcool por gestantes, 98-99
impacto da perda de quantidade significativa de, 59-60
insônia durante o, 266
limpeza do sistema glinfático durante, 178-179
mamíferos aquáticos com, 75, 78-79
movimento dos olhos durante, 68-69, 253-254
mudanças evolucionárias e, 74-75, 77
ondas cerebrais durante, 60, 62-66
padrões de ciclos de sono envolvendo sono REM e, 56-60
pesquisas iniciais e descoberta do, 55
privação de sono no, 277-278
quantidade na meia-idade e na velhice, 111
reativação direcionada da memória durante, 135-136
rebote de sono após perda de, 77-78
reflexo de sinais durante, 67
remoção de memórias durante, 140
sonambulismo durante, 258, 259
sono fetal similar a, 94
tecnologias de estimulação do sono durante, 133-134
transição do engatinhar para o andar do bebê e, 148
uni-hemisférico, 78-81
sono de movimentos oculares rápidos (REM)
atividade muscular durante, 67-68, 270
autismo e anormalidades do, 89, 96-97
benefício do reajuste do, 236-237
benefícios para o cérebro do, 124-125
benefícios socioemocionais do, 89-92, 237
bloqueio sensorial do tálamo durante, 66-67
cataplexia e, 270
ciclos de sono no sono NREM e, 56-60
consumo de álcool e bloqueio do, 97-100, 292-293, 294-295
crianças e, 102
criatividade e, 90-92, 149
desenvolvimento da conectividade cerebral e, 97
diferenças entre o ser humano e as outras espécies quanto ao, 87
envolvimento hemisférico cerebral no, 81
habilidades para a solução de problemas e, 244-245
impacto da perda de quantidade significativa de, 59-60
importância do, para o desenvolvimento neonatal e dos bebês, 100

integração de sinais durante, 66-67
mamíferos aquáticos com, 75-76
movimento dos olhos em sonhos durante, 68-69, 253-254
mudanças do cérebro durante, 227-228
mudanças evolucionárias e, 74-77, 81
ondas cerebrais durante, 60, 66-69
paralisia do sono durante, 253-254, 268-269, 273
pesquisas iniciais e descoberta do, 55
privação de sono em, 277
QI emocional e, 89-90
quantidade na meia-idade, 111
rebote de sono após perda de, 77-78
remoção de memórias durante, 137-139
retenção de memórias e, 129-130, 134
sonho durante. *Ver* sonhos
sono em árvores *versus* sono no chão e, 87-88, 89-90
sono fetal similar a, 93, 94
vantagens evolucionárias do, 88-92
sono de recuperação, 77-78, 152, 155, 157, 202
sono fetal, 93-100
sono nas árvores, 87-90, 91-92
sono NREM profundo em cérebro dividido, 79-80
sono paradoxal, 66
sono polifásico, 86, 100-102
sono profundo de ondas lentas, 62-63, 64-65
sono uni-hemisférico
  em animais, 78-80
  em seres humanos, 80
"Sound of Silence, The" (Simon e Garfunkel), 132

Steinbeck, John, 250
Stickgold, Robert, 142, 174-175, 223-224, 243, 245-246, 250-251
Sundelin, Tina, 199-200
suvorexant (Belsomra), 274, 305-306

tálamo
  insônia e, 265, 275-276
  interruptor sono-vigília e, 271, 272
  sinais sensoriais durante o sono e, 53, 64, 66-67, 271
tarefa de solução de anagramas e sonho, 244-245, 246
TDAH. *Ver* transtorno do déficit de atenção com hiperatividade
tecnologias de estimulação do cérebro, 118, 133-135
tecnologias de estimulação do sono, 118, 133-135
telômeros, perda de sono e dano aos, 208
temazepan (Restoril), 308, 309, 310
temperatura. *Ver* temperatura corporal; temperatura do quarto
temperatura corporal
  exercícios físicos antes da hora de dormir e, 316
  início do sono e, 31, 114, 265, 276, 295-296
  pele e resfriamento da, 296-297
  privação do sono com queda na, 277-278
  ritmo circadiano e, 31-32
temperatura do quarto
  ritmo do sono afetado pela, 263, 285, 295-300
  temperatura ideal para dormir, 298
tempo de sono. *Ver* quantidade de sono

tempo passado dormindo. *Ver* quantidade de sono
terapia comportamental cognitiva para a insônia (TCC-I), 168-169, 312-314, 357
Terman, Lewis, 332-333
testosterona, 198, 353
Thatcher, Margaret, 180
tipos matinais ("cotovias diurnas"), 32-34
   genética e, 33, 34
   horários de trabalho e, 33-34, 326, 357-358
   variações do ritmo circadiano e, 32
tipos vespertinos ("corujas da noite"), 32-34
   genética e, 33
   horários de trabalho e, 33-34, 326, 357-358
   privação do sono e, 33
   variações do ritmo circadiano e, 32
tortura, privação do sono na, 328-330
transtorno bipolar
   desenvolvimento anormal do cérebro no, 107
   perturbação do sono no, 167, 168-169
   sono normal como remédio para, 169
transtorno do déficit de atenção com hiperatividade (TDAH)
   deficiência de sono e, 167, 337-339
   desenvolvimento anormal do cérebro no, 107
transtorno do espectro autista (TEA)
   anormalidades do sono REM no, 89, 96-97
   consumo de álcool por gestantes e, 98
transtorno do estresse pós-traumático (TEPT), 231-234
   flashbacks em, 232
   perturbação do sono em, 167, 232
   pesadelos repetitivos em, 232-233, 234
   tratamento com prazosin e sono REM no, 233-234
transtornos do sono, 257-284. *Ver também transtornos específicos*
   deficiência de sono resultante de, 49
transtornos mentais e perturbação do sono, 167-168
transtornos motores, recuperação de, 140

uso de drogas
   médicos e, 339-341
   perda de sono na infância como um prognosticador do, 167

vacina contra a gripe, perda de sono e resposta à, 201-202
vacinas contra a hepatite A e B, 202
vacinas, perda de sono e resposta a, 201-202
Van Cauter, Eve, 190-194
vermes, sono em, 71
vício e perturbação do sono, 166-167
vigília
   atividade cerebral de frequência rápida durante, 61, 65
   bloqueio da liberação de melatonina com a luz do dia e, 35-36
   controlada pelo ritmo circadiano, 31-32, 44-45
   declínio pós-prandial do estado de alerta na, 84

enigma evolucionário da, 71-72
inércia do sono no início da, 160, 243
níveis de adenosina e, 44-45
ondas cerebrais durante, 60-62
perfil de liberação da, 35-36
recepção de sinais durante a, 67
ritmos circadianos dos adolescentes e, 108-109
sono polifásico em crianças com períodos de, 100-102
tipos diurnos ("cotovias matinais") e, 32-34
tipos vespertinos ("corujas da noite") e, 32-34
violência e privação de sono, 166

Wagner, Ullrich, 249
Wilson, Ronald, 333

Xiaoshan, Jiang, 277

"Yesterday" (McCartney), 241

zaleplon (Sonata), 309
zeitgeber, 30
zolpidem (Ambien), 304, 305, 306, 308, 309, 310

- intrinseca.com.br
- @intrinseca
- editoraintrinseca
- @intrinseca

1ª edição	SETEMBRO DE 2018
reimpressão	OUTUBRO DE 2023
impressão	BARTIRA
papel de miolo	PÓLEN NATURAL 70G/M²
papel de capa	CARTÃO SUPREMO ALTA ALVURA 250G/M²
tipografia	KEPLER STD